KB087254

문학을 잡는 자가 수능까지 잡는다

# 문학 공부도 똑똑하게!
# 문학 DNA를 깨우자

## 문학을 공부하는 학생들의 흔한 고민

**고민 1**

**문학은 작품 수도 많고 공부할 범위도 너무 넓어요.**

**A**

교과서에서 다루고 있는 작품과 학습 요소를 중심으로 문학 공부를 시작해 보세요.

교과서는 각 학년의 학습 목표와 중학생의 수준 등을 고려하여 다양한 작품을 수록하고 있어요. 문학 공부를 어떻게 해야 할지 막막하다면 교과서 또는 교과서 내용을 다룬 문제집을 활용하는 것도 좋은 방법이에요.

**고민 2**

**낯선 작품을 만나면 갑자기 머리가 하얘져요.**

**A**

낯선 작품이 나오더라도 작품을 감상할 수 있는 능력을 길러야 해요.

시, 소설, 수필, 극 갈래별로 작품 감상에 꼭 필요한 개념과 감상 원리가 있어요. 이러한 이론을 익히고 작품에 적용해 보는 연습을 해 보세요. 그러면 생소한 작품이 나와도 작품의 주제, 내용, 특징을 잘 파악할 수 있답니다.

**고민 3**

**작품을 읽고도 막상 문제를 풀려고 하면 너무 어려워요.**

**A**

작품을 분석하여 핵심 내용을 파악해 보는 습관을 길러 보세요.
또 시, 소설, 수필, 극 갈래별로 시험에 자주 나오는 문제 유형과 해결 방법을 익혀 보세요. 그런 다음에 실제로 작품을 읽고 문제를 많이 풀어 보는 연습을 하는 것도 중요해요.

**문학 공부가 고민일 때,**
**<문학 DNA 깨우기>가 그 해결책을 제시합니다!**

# 이 책을 검토해 주신 분들

## 학부모 검토단

| | | | | | |
|---|---|---|---|---|---|
| 강미화(경기) | 김아리(광주) | 노연숙(인천) | 오선옥(서울) | 이미연(경기) | 정재희(서울) |
| 강민숙(서울) | 김연정(광주) | 박소연(서울) | 윤미숙(서울) | 이미화(경기) | 정지연(서울) |
| 구선영(경기) | 김은연(경남) | 백재은(서울) | 윤선미(대구) | 이성희(충남) | 정현진(서울) |
| 권지현(부산) | 김은정(광주) | 송은선(광주) | 윤재나(서울) | 이윤희(서울) | 천진주(대구) |
| 김경숙(대구) | 김정아(경기) | 송재은(경기) | 윤혜진(서울) | 이재환(서울) | 최승란(충북) |
| 김문희(경남) | 김진희(경북) | 신소은(경남) | 음정희(경기) | 이황희(서울) | 허지혜(전북) |
| 김미영(부산) | 김현정(서울) | 양승아(대전) | 이경미(대구) | 임순복(경기) | 홍지혜(서울) |
| 김민주(부산) | 김현주(경기) | 오미성(서울) | 이경미(경기) | 전은정(경기) | |

## 교강사 검토단

| | | | | | |
|---|---|---|---|---|---|
| 가유림(경기) | 김정욱(경기) | 백승재(경남) | 윤기한(전남) | 이애리(경남) | 정승교(경기) |
| 강선옥(서울) | 김주현(서울) | 성부경(부산) | 윤미정(서울) | 이용수(경기) | 제갈민(대구) |
| 강주희(대전) | 김현수(경남) | 손윤정(강원) | 윤희정(충북) | 이유림(울산) | 조경훈(경기) |
| 구민경(대구) | 노병곤(서울) | 신혜영(부산) | 이기연(강원) | 이정복(서울) | 차성만(경기) |
| 김광철(광주) | 박소연(경기) | 심은연(서울) | 이다래(경기) | 이지은(대구) | 최진수(경기) |
| 김민성(경기) | 박수진(경남) | 오지희(제주) | 이도식(전남) | 임양현(경기) | 한지담(경남) |
| 김병수(울산) | 박윤선(광주) | 오현경(서울) | 이동익(전북) | 장연희(대구) | 홍승억(경기) |
| 김성애(경기) | 백수미(경기) | 유신영(경기) | 이수진(경기) | 정경은(경기) | 황재준(인천) |

기획·편집   고명선, 권소영, 김현아, 박유리, 임명준, 장수원, 조소은
표지 디자인   김희정, 윤순미, 김지현      내지 디자인   박희춘, 한유정, 김지혜
조판   대진문화(구민범, 곽안나)

해법 중학 국어

# 문학DNA
## 깨우기

**3**
기출 유형

# 문학 기출 유형의 해결 방법을 익히고,
기출 문제와 교과서 작품으로 구성한 예상 문제에 적용하며
문제 해결 능력을 향상한다!

## 1부 기출 유형

자주 나오는 문학 문제 유형 9개의 해결 방법을 간단하고 명확하게 제시하였습니다.

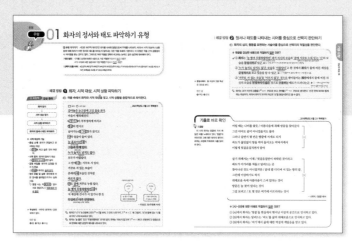

**❶ 유형 길잡이**

유형의 특징, 대표 발문, 빈출 선택지 용어를 통해 유형에 대한 이해를 돕습니다.

**❷ 해결 방법**

문제 해결 방법을 적용하여 기출 문제를 푸는 과정을 단계별로 보여 줍니다.

**❸ 기출로 바로 확인**

학습한 내용을 바탕으로 기출 문제를 풀어 보도록 합니다.

## 2부 실전

고1 전국연합학력평가 최신 기출 문제와, 중·고등 교과서 수록 대표 작품으로 출제한
예상 문제로 실전 감각을 기를 수 있도록 구성하였습니다.

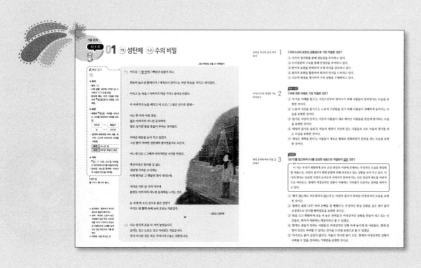

**· 기출/예상 문제**

– **핵심 짚기**: 핵심 개념을 중심으로 작품을
분석하여 중심 내용 파악하기

– 문학 갈래별 대표 문제 유형 익히기

– 고난도 문제로 난이도별 문제에 대한 적응력을
키우고, 예상 문제에서도 기출 을 풀어 봄으로
써 다양한 문학 시험 대비하기

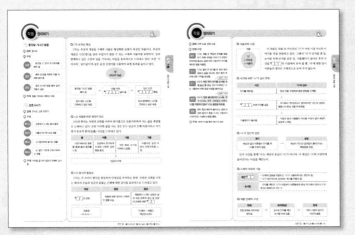

**· 작품 정리하기**
작품의 갈래, 구성, 주제, 핵심 내용을 문제 출제 요소에 따라 제시하여 문제 풀이와 문학 감상의 연관성을 이해할 수 있도록 구성하였습니다.

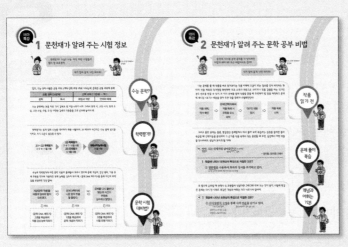

**· 테마 특강**
시험 대비 방법, 문학 공부 방법, 오답 피하기 방법, 오답노트 작성법 등을 소개하여 문학의 기초를 쌓고 문제 해결력을 키울 수 있도록 하였습니다.

# 정답과 해설

본문에 수록된 지문에 대한 자세한 해설을 제공하고, 문제의 정답과 오답의 이유를 친절하게 설명하였습니다.

# 이 책의 차례 – 학습 점검

**1** 이 책은 유형과 실전으로 구성되어 있으며, 유형 1주, 실전 4주, 총 5주 학습을 권장합니다.

**2** 실전은 학력평가 문학 영역에서 출제되는 지문과 동일하게 구성되었고, 기출과 예상이 번갈아 제시됩니다.

**3** 고1 학력평가 기출 지문은 제목 옆에 ★표를 하였으며, 8쪽에 자세한 **기출 목록**을 수록하였습니다.

문학?! 기출 유형을 정확히 알면 실전은 문제 없지!

# 교과서 수록 정보 & 작품 찾아보기

이 책에 수록된 **고1 학력평가 기출 목록**

문학, 기출 유형을 알고 대비한다!

# 문학 기출 유형

# 학력평가 문학 출제 경향

## 운문 문학
### 출제 경향

운문 문학은 여러 작품이 한 지문으로 엮여 제시되는 특징이 있다. 엮이는 작품 수에 따라 문항 수도 달라지는데, 작품 간의 공통점이나 차이점을 찾는 문제가 다수 출제된다. 따라서 지문이 엮이는 원리를 이해하고, 관련 문제를 푸는 능력을 길러야 한다.

### ● 지문의 구성

| 현대 시 + 현대 시 | 고전 시가 + 고전 시가 | 현대 시 + 고전 시가 | 시 + 수필 |

운문 문학에서 한 세트의 지문은 여러 작품이 복합적으로 구성되는데, 현대 작품과 고전 작품이 골고루 출제된다. 수필은 산문 문학이지만 주로 시 작품과 엮여서 출제된다.

### ● 지문의 구성 기준

지문은 다음과 같은 기준에 맞는 작품들로 구성한다.
- 표현상 특징과 효과가 공통적인 작품
- 화자의 정서 및 태도가 유사한 작품
- 세부 갈래의 특징, 시어의 의미 등이 유사하거나 대비되는 작품

### ● 세부 영역별 출제 경향

| 현대 시 | 고전 시가 | 수필 |
| --- | --- | --- |
| 시대별 대표 작가의 작품 또는 교과서나 EBS 교재에도 실리지 않은 작품이 골고루 출제된다. 낯선 작품을 감상하는 능력을 길러야 한다. | 가사, 연시조, 한시 등이 주로 출제된다. 고전 시가는 반복 출제되는 작품이 많고, 관습적인 표현이 많이 쓰이기 때문에 여러 작품들을 학습해 두면 좋다. | 수필은 글쓴이의 가치관과 깨달음이 잘 드러나는 작품이 출제된다. 고전 수필은 예화와 글쓴이의 생각을 쓴 '설'이 많이 출제되었다. |

### ● 빈출 문제 유형

**화자** 작품의 내용 이해를 바탕으로 화자가 시적 대상에 대해 가지는 태도나 정서를 파악하는 문제이다.

**표현** 비유, 상징, 역설, 반어 등의 세부적인 표현상 특징과 효과를 파악하는 문제이다.

**시어** 시어가 어떠한 함축적 의미를 지니는지, 어떠한 기능을 하는지를 파악하는 문제이다.

**감상** 작품을 종합적으로 감상하거나 외적 준거로 제시된 자료를 바탕으로 작품을 감상하는 문제이다.

## 산문 문학

**출제 경향**

그동안 산문 문학은 주로 한 세트에 한 작품이 제시되었지만 최근에는 두 작품이 복합적으로 제시되는 세트도 출제되고 있다. 인물 관련 문제가 항상 출제되고 있는데, 작품 내 상황을 파악하고 그에 따른 인물의 심리를 파악하는 것이 중요하다.

### ● 지문의 구성

| 현대 소설 | 고전 소설 | 희곡/시나리오 |

산문 문학에서 한 세트의 지문은 대부분 한 작품으로 구성된다. 현대 소설과 고전 소설은 항상 출제되며, 희곡/시나리오는 운문 문학에서 수필이 출제되지 않을 경우 출제되는 경향을 보인다. 최근에는 산문 문학도 두 작품이 엮여서 제시되기도 한다.

### ● 장면의 선정 기준

산문은 한 작품의 전문을 실을 수 없기 때문에 특징적인 장면을 선정하여 지문으로 출제한다.
· **현대 소설** 갈등이 두드러지게 나타나는 장면, 상징적인 표현이 잘 나타나는 장면
· **고전 소설** 작품 주제가 잘 드러나는 장면, 인물들이 갈등하는 장면
· **희곡/시나리오** 극의 형상화 방식이 잘 드러나는 장면

### ● 세부 영역별 출제 경향

| 현대 소설 | 고전 소설 | 희곡/시나리오 |
|---|---|---|
| 사회·문화적 배경이 잘 드러나는 시대별 대표 작품이 주로 출제된다. 최근에는 현대의 다양한 사회 현상과 가치관을 다루는 작품도 출제되고 있다. | 판소리계 소설, 애정 소설이 많이 출제된 가운데 영웅·군담 소설, 풍자 소설도 출제되고 있다. 이미 출제된 작품도 판본을 달리하여 다시 출제되기도 한다. | 출제 빈도가 낮은 편이다. 희곡이 많이 출제되던 과거와 달리 시나리오가 주로 출제된다. 큰 인기를 끌던 드라마나 영화의 시나리오가 출제되는 경향을 보인다. |

### ● 빈출 문제 유형

 **서술**  시점, 문체, 표현법 등 서술 내용의 특징을 묻는 문제로 거의 필수적으로 출제된다.

 **사건**  사건의 흐름, 사건의 원인과 결과, 갈등의 변화 양상을 묻는 문제이다.

 **인물**  사건과 상황에 따라 변화하는 인물의 심리와 태도를 묻는 문제이다. 고전 소설에서는 말하기 방식도 많이 출제된다.

 **감상**  작품을 종합적으로 감상하거나 외적 준거에 따라 작품을 감상하는 문제이다. 사회·문화적 배경이 외적 준거로 많이 제시된다.

운문

### 유형 01 화자의 정서와 태도 파악하기 유형

📖 **유형 다가가기** 시인은 허구적 대리인인 화자를 내세워 말함으로써 주제를 나타낸다. 따라서 시적 대상이나 상황 등에 대해 화자가 어떤 정서와 태도를 보이는지 알아내는 것은 작품 독해의 기본이다. 이 유형은 작품 간의 공통점이나 차이점을 묻는 경우도 많다. 그러므로 여러 작품을 정확히 비교하는 능력도 길러 실전에 대비해야 한다.

| **대표 발문** | • (가)를 감상한(이해한) 내용으로 가장 적절한(적절하지 않은) 것은?
　　　　　　• (가)~(다)에 대한 설명으로 가장 적절한(적절하지 않은) 것은?

| **선택지 빈출 어휘** | #긍정적 #부정적 #예찬적 #비판적 #자연친화적 #냉소적 #미래 #현재 #과거 #되돌아본다 #성찰 #반성 #개선 #깨달음 #교훈 #기대감 #체념 #부재

---

### | 해결 방법 ❶ 화자, 시적 대상, 시적 상황 파악하기

**이 유형의 감상 원리**

화자 찾기
⋮
시적 대상 찾기
⋮
시적 상황 파악하기
⋮
화자의 정서나 태도 파악하기

➕ **시적 대상의 기능**
• **중심 소재** 화자가 관찰하고 묘사하는 대상
　예 유리에 차고 슬픈 것이 어린다.
• **시적 청자** 화자의 말하기 대상
　예 엄마야 누나야 강변 살자
• **감정 이입물** 화자의 감정을 대신 드러냄.
　예 사슴의 무리도 슬피 운다.
• **정서 유발 및 심화** 화자에게 어떤 정서를 불러일으키거나 심화시킴.
　예 펄펄 나는 저 꾀꼬리 / 암수서로 정답구나 / 외로워라 이내 몸은

● **무심하다** | 아무런 생각이나 감정 따위가 없다.

**빈칸 답**
❶ 물 ❷ 햇살 ❸ 무심

📖 작품 속에서 화자와 시적 대상을 찾고, 시적 상황을 종합적으로 파악한다.

□: 화자 ○: 시적 대상　　　　_2021학년도 3월 고1 학력평가

갈아놓은 논고랑에 고인 물을 본다.
　　　　화자가 논고랑의 물을 바라보고 있음.
마음이 행복해진다.

나뭇가지가 꾸부정하게 비치고

햇살이 번지고

날아가는 새 그림자가 잠기고

나의 얼굴이 들어 있다.

늘 홀로이던 내가
　　과거의 상황
그들과 함께 있다.
　　　　현재 상황
누가 높지도 낮지도 않다.
　　　평등하다
모두가 아름답다.

그 안에 나는 거꾸로 서 있다.

거꾸로 서 있는 모습이

본래의 내 모습인 것처럼

아프지 않다.
　　현재 상황
산도 곁에 거꾸로 누워 있다.
　　　화자의 곁에
늘 떨며 우왕좌왕하던 내가
　　과거의 태도 및 정서: 불안함.
저 세상에 건너가 서 있거나 한 듯

무심하고 아주 선명하다.
　　현재의 마음 상태: 평온함.

　　　　　　　　　　　　　　　　　　　- 이성선, 〈논두렁에 서서〉

• 화자의 상황 변화

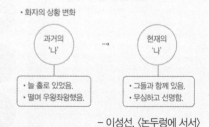

🔎 화자인 '나'가 '논고랑에 고인 ( ❶ ㅁ )'을 보며, 그 안의 '나뭇가지', ( ❷ ㅎㅅ )', '새 그림자', '산'과 함께 있는 '나'를 과거의 '나'와 비교하고 있다.

🔎 화자는 '늘 홀로' 있고 '우왕좌왕하던' 과거와 달리, 현재는 '아프지 않'으며 '( ❸ ㅁㅅ )하고 선명하다'고 말함으로써 현재에 대한 긍정적 태도를 나타내고 있다.

| 해결 방법 ❷ 정서나 태도를 나타내는 시어를 중심으로 선택지 판단하기

📖 화자의 심리, 행동을 표현하는 서술어를 중심으로 선택지의 적절성을 판단한다.

● 윗글을 감상한 내용으로 적절하지 <u>않은</u> 것은?

✔ ① 화자는 '늘 떨며 우왕좌왕하던' 과거 자신의 모습과 '곁에 거꾸로 누워 있는' '산'의 모
　　　　　　　　　　　　과거의 부정적인 모습　　　　　　　　　　　　　　　　현재 '나'와 함께 있는 긍정적 존재
습을 동일시하고 있군. ➡ X: '산'은 과거가 아니라 현재의 화자와 동일시하는 대상임.

② '누가 높지도 낮지도 않'은 모습을 '아름답다'고 한 것에서 화자가 물에 비친 세상을
　　　　　　　　　　　　평등한 모습　　　　　　　　긍정적 평가
긍정적으로 보고 있음을 알 수 있군. ➡ ○: '아름답다'는 긍정적 평가의 시어로 볼 수 있음.

③ '거꾸로 서 있는 모습'을 '아프지 않'은 것으로 받아들이는 화자에게서 물에 비친 자
　　　　　거꾸로 서 있는 모습이 아프지 않다고 말함. → 긍정적 인식
신의 모습을 부정적이지 않은 것으로 수용하는 태도가 드러나는군. ➡ ○: 아프지 않다며 부정
　　　　　　　　　　　　　　　　　　　　　　　　　　　　　　　　　　　　　　　　　　적이지 않은 태도를 드러냄.

✎ 화자는 과거 자신의 상황을 ( ❶ ㅂㅈ )적으로 보고, 현재를 ( ❷ ㄱㅈ )적으로 생각한다. '산'은 현재 화자와 함께
하는 대상이다. 따라서 화자가 과거의 자신과 '산'을 동일시한다고 볼 수 없다.

● 동일시하다 | 둘 이상의 것을 똑같
은 것으로 본다.

빈칸 답
❶ 부정 ❷ 긍정

---

## 기출로 바로 확인

_ 2018학년도 6월 고1 학력평가

💡 도움말

　이 시의 화자는 땅끝에 가서 깨
달은 바를 노래하고 있다. '땅끝'의
이미지와 그에 대한 화자의 생각이
바뀌는 과정에 주목하며 시를 읽어
야 한다.

어릴 때는 나비를 쫓듯 / 아름다움에 취해 땅끝을 찾아갔지
그건 아마도 끝이 아니었을지도 몰라
그러나 살면서 몇 번은 **땅끝**에 서게도 되지　　　　　　　[A]
파도가 끊임없이 땅을 먹어 들어오는 막바지에서
이렇게 뒷걸음질치면서 말야


살기 위해서는 이제 / 뒷걸음질만이 허락된 것이라고
**파도**가 아가리를 쳐들고 달려드는 곳
찾아나선 것도 아니었지만 / 끝내 발 디디며 서 있는 땅의 끝,
그런데 이상하기도 하지　　　　　　　　　　　　　　　　　[B]
위태로움 속에 아름다움이 스며 있다는 것이
땅끝은 늘 젖어 있다는 것이
그걸 보려고 / 또 몇 번은 여기에 이르리라는 것이

– 나희덕, 〈땅끝〉에서

● [A]~[B]에 대한 이해로 적절하지 <u>않은</u> 것은?

① [A]에서 화자는 '땅끝'을 현실에서 벗어난 이상적 공간으로 인식하고 있다.

② [B]에서 화자는 달려드는 '파도'를 삶의 위태로움으로 인식하고 있다.

③ [B]에서 화자는 '여기'에서 삶에 대한 역설적 깨달음을 얻고 있다.

# 02 표현상 특징과 효과 파악하기 유형

📖 **유형 다가가기** 시인이 주제를 효과적으로 드러내기 위해 활용한 표현 방법을 파악하는 문제 유형이다. 이 유형은 작품에 사용된 표현 방식과 그에 따른 효과의 연결이 적절한지도 묻는다. 따라서 다양한 표현 방법의 개념을 알고 여러 가지 예를 통해 시에 사용된 표현법과 그에 따른 효과를 파악하는 연습을 충분히 해야 한다.

| **대표 발문** | • (가)의 (표현상) 특징으로 가장 적절한(적절하지 <u>않은</u>) 것은?
• (가)와 (나)의 (표현상) 공통점으로 가장 적절한(적절하지 <u>않은</u>) 것은?

| **선택지 빈출 어휘** | #수미상관 #반어적표현 #역설법 #반복 #대비 #어조 #색채어 #의성어 #의문형 #명령형 #청유형 #영탄적표현 #감각적이미지 #인상 #분위기 #부각 #강조 #환기 #생동감 #안정감 #리듬감

---

## | 해결 방법 ❶ 선택지를 표현 방법과 효과로 구분하기

**이 유형의 감상 원리**

> 선택지 분석하기
> ⋮
> 작품에서 표현 방법이 쓰인 부분 찾기
> ⋮
> 표현 방법의 효과 파악하기

📖 선택지를 표현 방법과 그 효과로 분석하여 작품 속에서 찾을 표현 방법을 확인한다.

● 윗글의 표현상 특징으로 적절하지 <u>않은</u> 것은?    ☐ : 표현 방법  ■ : 효과

① <u>대구의 방식을 활용하여</u> <u>리듬감을 부여하고</u> 있다.
   대구법: 같거나 비슷한 문장 구조를 짝을 맞추어 나란히 배열하는 표현 방법
② <u>대상을 점층적으로 강조하여</u> <u>시적 긴장감을 높이고</u> 있다.
   점층법: 뜻이 점점 강해지거나, 커지거나, 높아지거나, 넓어지게 표현하는 방법
③ <u>감각적 심상을 활용하여</u> <u>대상을 생동감 있게 묘사하고</u> 있다.
   감각적 심상: 시각, 청각, 촉각, 후각, 미각 등과 관련된 느낌

✎ 작품에서 대구법, 점층법, ❶( ㄱㄱㅈ ) 심상을 찾아야 함을 확인한다.

---

## | 해결 방법 ❷ 작품에서 표현 방법과 그 효과 파악하기

> 표현법은 낯선 느낌을 중으로써 효과를 얻는 경우가 많습니다. 시에서 표현법을 찾을 때는 반복되는 단어나 구절, 일반적이지 않은 수식어나 문장 순서 등을 먼저 살펴보세요.

📖 선택지에 제시된 표현 방법이 작품 속에 사용되었는지 확인하고, 그 효과를 파악한다.

_ 2014학년도 11월 고1 학력평가

영중(營中)이 무사(無事)하고 시절이 삼월인 적에
  화자가 지역을 잘 다스리고 있다고 자신을 칭찬하는 말　　　　봄
화천 시내길이 풍악으로 뻗어 있다
  가을의 금강산 이름이지만 아름다움을 강조하려 일부러 바꿔 부름.
행장(行裝)을 다 떨치고 석경(石逕)에 막대 짚어

백천동 곁에 두고 만폭동 들어가니
       금강산에 있는 폭포
<u>은 같은 무지개 옥 같은 용의 꼬리</u> ― 대구법, 직유법 사용
     폭포의 물줄기를 묘사함.
<u>섞여 돌며 뿜는 소리 십 리에 잦았으니</u>
    폭포 소리 ― 청각적 심상 사용
<u>들을 적에는 우레더니 볼 때는 눈이로다</u> ― 대구법, 과장법 사용
   폭포 소리 ― 청각적 심상　폭포의 모습 ― 시각적 심상

― 정철, 〈관동별곡〉에서

● **영중** | 관찰사의 관청 안.
● **석경** | 돌이 많은 길.

**빈칸 답**
❶ 감각적 ❷ 청각적 ❸ 대구법

✎ 대상을 점층적으로 강조한 부분은 작품에 나타나지 않는다.
✎ '섞여 돌며 뿜는 소리 십 리에 잦았으니': 감각적 심상 중 ❷( ㅊㄱㅈ ) 심상('~ 소리')을 통해 시적 대상인 폭포를 묘사하고 있다.
✎ '은 같은 무지개 옥 같은 용의 꼬리', '들을 적에는 우레더니 볼 때는 눈이로다': 비슷한 문장 구조('~ 같은', '~ 적에(때)는 ~더니(로다)')를 나란히 배열하는 표현 방법인 ❸( ㄷㄱㅂ )을 통해 리듬감을 부여하고 있다.

## | 해결 방법 ❸ 표현 방법과 그 효과를 종합적으로 고려하여 선택지 판단하기

**✚ 점층법의 반대인 점강법**
점층법과 반대로 강하고 큰 것에서 약하고 작은 것의 순서로 점점 낮추어 표현하는 방법
⬚ 천하를 태평히 하려거든 먼저 그 나라를 다스리고, 나라를 다스리려면 그 집을 바로잡으며,

📖 작품에 사용된 표현 방법과 그 효과를 종합적으로 고려하여 선택지의 적절성을 판단한다.

● 윗글의 표현상 특징으로 적절하지 <u>않은</u> 것은?　　⬚: 표현 방법　▨: 효과

① 대구의 방식을 활용하여 / 리듬감을 부여하고 있다.

✔② 대상을 점층적으로 강조하여 / 시적 긴장감을 높이고 있다.

③ 감각적 심상을 활용하여 / 대상을 생동감 있게 묘사하고 있다.

① ○: '~ 같은', '~적에(때)는 ~더니(로다)'와 같이 비슷한 문장 구조를 나란히 배열하여 운율을 형성함.

② ✕: 대상을 점점 강하고 크게 표현한 시구는 없으며, 시적 긴장감이 느껴지는 시구도 없음.

③ ○: '섞여 ~ 소리 ~ 잦았으니', '~ 우레더니, ~ 눈이로다' 등을 통해 세차게 흐르는 폭포의 물줄기를 표현함.

**빈칸 답**
❶ 점층적

✎ 대상을 ❶( ㅈㅊㅈ )으로 강조한 부분은 드러나지 않고, 이를 통한 시적 긴장감도 찾을 수 없다.

### 기출로 바로 확인

_ 2016학년도 6월 고1 학력평가

💡 **도움말**
이 시는 모란이 피고 지는 과정과 모란에 대한 그리움을 다양한 표현법으로 아름답게 그려 내고 있다. '봄'을 수식하는 시구와 화자의 태도를 드러내는 시행을 중심으로 작품을 감상해 본다.

모란이 피기까지는

나는 아직 나의 봄을 기다리고 있을 테요

모란이 뚝뚝 떨어져 버린 날

나는 비로소 봄을 여읜 설움에 잠길 테요

오월 어느 날 그 하루 무덥던 날

떨어져 누운 꽃잎마저 시들어 버리고는

천지에 모란은 자취도 없어지고

뻗쳐오르던 내 보람 서운케 무너졌느니

모란이 지고 말면 그 뿐 내 한 해는 다 가고 말아

삼백예순 날 하냥° 섭섭해 우옵네다

모란이 피기까지는

나는 아직 기다리고 있을 테요 찬란한 슬픔의 봄을

– 김영랑, 〈모란이 피기까지는〉

● **하냥** | 늘, 한결같이.

● 윗글의 표현상 특징으로 적절하지 <u>않은</u> 것은?

① 역설적 표현을 통해 시의 주제를 드러내고 있다.

② 동일한 구절의 반복을 통해 운율을 형성하고 있다.

③ 색채의 대비를 통해 대상의 본질을 나타내고 있다.

# 유형 03 시상 전개 방식 파악하기 유형

📖 **유형 다가가기** 주제 구현을 위해 시의 구성 요소들을 결합한 방식을 시상 전개 방식이라고 한다. 표현상 특징 유형에 선택지로 포함되는 경우가 많지만 시상 전개 방식만을 단독으로 묻는 문제도 출제된다. 화자의 위치 변화나 시선의 이동, 시간의 변화, 시구의 배열 등을 분석함으로써 시상 전개 방식을 파악하는 능력이 필요하다.

**| 대표 발문 |** • (가)에 나타난 시상 전개 방식으로 적절한(적절하지 않은) 것은?
  • [A]~[E]에 대한 이해로 적절한(적절하지 않은) 것은?

**| 선택지 빈출 어휘 |** #시간의흐름 #공간의이동 #시선의이동 #점층적전개 #상승 #하강 #선경후정 #근경 #원경 #전반 #후반
  #확대 #확장 #계절의변화 #자연과인간 #과거와현재 #수미상관 #유사한구조 #병렬적구성

## | 해결 방법 ❶ 주요 소재나 시구의 배열과 관계 파악하기

**이 유형의 감상 원리**

주요 소재나 시구 파악하기
⋮
소재나 시구를 배열한
질서와 규칙 분석하기
⋮
시의 전체 구조 파악하기

✛ **시상 전개 방식의 종류**
시상을 전개하는 방식은 다양하다. 시간의 흐름, 공간의 이동, 화자의 시선 이동에 따라 전개되기도 하고, 수미상관, 선경후정의 구조, 대조적 구조, 점층적 구조 등으로 시어나 시구를 배열하여 시상 전개의 특징을 드러내기도 한다.

🏷️ 주요 소재 간의 관계, 시구들을 배열한 질서나 규칙을 분석한다.

_2020학년도 3월 고1 학력평가

대조법 사용 – □ : 가변성 ↔ ○ : 영원성
[구름] 빛이 좋다 하나 검기를 자로 한다. ┐ 대구법 사용
      (자주)
[바람] 소리 맑다 하나 그칠 적이 하노매라. ┘

좋고도 그칠 뉘 없기는 [물]뿐인가 하노라.    〈제2수〉
      (그칠 때)

대조법 사용 – □ : 순간성 ↔ ○ : 영원성
[꽃]은 무슨 일로 피면서 쉬이 지고 ┐ 대구법 사용
[풀]은 어이 하여 푸르는 듯 누르나니 ┘

아마도 변치 아닐손 [바위]뿐인가 하노라.    〈제3수〉
      (변치 않는 것은)

대조법 사용 – □ : 보통의 식물 ↔ ○ : 소나무
더우면 [꽃] 피고 추우면 [잎] 지거늘 — 대구법 사용

[솔]아 너는 어찌 눈서리를 모르느냐.
소나무: 지조와 절개 상징  고난, 시련
구천(九泉)의 뿌리 곧은 줄을 글로 하여 아노라.    〈제4수〉
      땅속 깊은 밑바닥

나무도 아닌 것이 풀도 아닌 것이 ┐ 대구법 사용
곧기는 뉘 시키며 속은 어이 비었느냐. ┘
      (누가 시킨 것이며)
저렇게 사시(四時)에 푸르니 [그]를 좋아하노라.    〈제5수〉
      죽(대나무): 지조와 절개

작은 것이 높이 떠서 만물을 다 비추니
      (달)
밤중에 광명(光明)이 [너]만한 이 또 있느냐.
      달: 어둠을 밝히는 존재
보고도 말 아니 하니 내 벗인가 하노라.    〈제6수〉
      달의 과묵한 모습 예찬
                              – 윤선도, 〈오우가〉에서

✎ 2수와 3수에서는 화자의 ( ❶ ㅂ )인 자연물과 그렇지 않은 자연물들의 속성을 ( ❷ ㄷㅈ )하고 있다.
✎ 2수의 초·중장, 3수의 초·중장, 4수의 초장, 5수의 초·중장은 ( ❸ ㄷㄱ )의 방식으로 운율감을 형성하고 있다.

**빈칸 답**
❶ 벗 ❷ 대조 ❸ 대구

## | 해결 방법 ❷ 주제를 구현한 방식을 중심으로 선택지 판단하기

기출 유형

📖 작품의 주제와 시상의 흐름을 고려하며 선택지의 적절성을 판단한다.

> 시상 전개 방식 유형에서는 작품의 구성과 관련된 표를 <보기>로 보여 주는 경우가 많습니다. 이를 참고하여 각 연이 어떻게 묶이고 공통된 특징을 보이는지 확인해 보세요.

● <보기>는 윗글의 시상 전개 과정을 나타낸 것이다. 이를 바탕으로 윗글을 이해한 내용으로 적절하지 않은 것은?

┌─ 보기 ─┐

| 제2, 3수 | 제4, 5수 | 제6수 |
|---------|---------|-------|
| A | B | C |

① A에서는 대조의 방식을 활용하여 중심 소재를 예찬하고 있다. ➜○
변하는 '구름'과 '바람'↔ 변하지 않는 '물', 순간적인 '꽃', '풀'↔ 영원한 '바위'

② B에서는 A와 유사하게 대구의 방법을 활용하여 시적 운율감을 이어가고 있다. ➜○
초·중장에서 유사한 문장 구조의 반복이 나타남.

✔③ A와 B에서 중심 소재로 향했던 화자의 시선이 C에서는 내면으로 이동하고 있다. ➜✕
화자의 시선이 중심 소재인 '달'에게 향함.

빈칸 답
❶ 자연물

✎ 화자는 2~6수까지 자연물을 열거하거나 비교하는 시상 전개 방식을 사용하였으며 (❶ ㅈㅇㅁ )을 예찬하는 태도를 보이고 있다. 화자의 내면을 표현한 부분은 나타나지 않는다.

---

## 기출로 바로 확인

_2017학년도 3월 고1 학력평가

💡 도움말

이 시는 느티나무들의 모습을 의인화하여 공동체적 삶의 모습을 형상화하고 있다. 느티나무의 모습이 변화하는 과정을 중심으로 작품을 읽어 보도록 한다.

산비알에 돌밭에 저절로 나서

저희들끼리 자라면서

재재발거리고 떠들어 쌓고

밀고 당기고 간지럼질도 시키고

시새우고 토라지고 다투고

시든 잎 생기면 서로 떼어주고

아픈 곳은 만져도 주고

끌어안기도 하고 기대기도 하고

이렇게 저희들끼리 자라서는

늙으면 동무나무 썩은 가질랑

슬쩍 잘라주기도 하고

세월에 곪고 터진 상처는

긴 혀로 핥아주기도 하다가

– 신경림, <우리 동네 느티나무들>에서

---

● 윗글의 표현상의 특징에 대한 설명으로 가장 적절한 것은?

① 역설적 표현으로 의미를 강조하고 있다.

② 시간의 흐름을 따라 시상을 전개하고 있다.

③ 화자가 대상에 말을 건네는 방식으로 친근한 분위기를 만들고 있다.

# 04 시어/시구의 의미와 기능 파악하기 유형

📖 **유형 다가가기** 시어에 담긴 의미, 시어가 화자에게 미치는 영향, 시어에 사용된 표현법 등을 다양하게 묻는 유형이다. 같은 시어나 시구라도 작품에 따라 다른 의미를 지니거나 반대로 기능할 수 있기 때문에 작품 전체의 맥락에서 시어의 의미와 기능을 파악하는 능력을 길러야 한다.

| **대표 발문** | • ㉠~㉤에 대한 설명으로 가장 적절한(적절하지 않은) 것은?
• ⓐ와 ⓑ를 비교한 내용으로 가장 적절한(적절하지 않은) 것은?

| **선택지 빈출 어휘** | #화자 #대상 #관계 #상황 #시간 #공간 #주관적 #객관적 #긍정적 #부정적 #자연 #현실 #이상 #초월 #인상 #감정 #정서 #이미지 #감각 #공감 #가치 #지향 #성찰 #소망

---

## | 해결 방법 ❶ 화자, 시적 상황, 주제 의식 파악하기

**이 유형의 감상 원리**

화자와 시적 상황 파악하기
⋮
주제 의식 파악하기
⋮
시어와 시구의 의미 및 기능 파악하기

시어는 겉으로는 일상에서 쓰는 언어와 다를 바 없지만 속으로는 새로운 의미를 지니기도 하고, 시인의 의도에 따라 특별한 기능을 하기도 합니다. 〈겨울산에 가면〉에서 시인이 나무의 나이를 알려 주는 '나이테'에 어떤 의미를 담고, 어떤 기능을 하도록 사용하는지 파악해 보세요.

📖 작품 속에서 화자와 시적 상황을 확인하고, 이를 바탕으로 주제 의식을 파악한다.

□: 화자　○: 시적 대상　　　　　　　　　_ 2020학년도 11월 고1 학력평가

「겨울산에 가면 / 밑둥만 남은 채 눈을 맞는 나무들이 있다
『」: '나'가 겨울 산에 올라 눈 속을 헤치고 밑둥만 남은 나무의 나이테를 바라봄.
쌓인 눈을 손으로 헤쳐내면 / 드러난 <u>나이테</u>가 □를 보고 있다」

들여다볼수록 / 비범하게 생긴 넓은 이마와

도타운 귀, 그 위로 오르는 외길이 보인다

그새 쌓인 눈을 다시 쓸어내리면

거무스레 습기에 지친 손등이 있고
　　　　힘겨운 삶의 흔적 ①
신열에 들뜬 입술 위로
　　　힘겨운 삶의 흔적 ②
물처럼 맑아진 눈물이 흐른다
　　　힘겨운 삶의 흔적 ③
잘릴 때 쏟은 톱밥가루는 지금도

마른 껍질 속에 흩어져

해산한 여인의 땀으로 맺혀 빛나고,

그 옆으로는 아직 나이테도 생기지 않은
　　　　　　어린나무 = 자식 = '나'
꺾으면 문드러질 만큼 어린것들이

뿌리박힌 곳에서 자라고 있다

도끼로 찍히고 / 베이고 눈 속에 묻히더라도

<u>고요히 남아서 기다리고 계신 어머니</u>, 화자가 '나이테'의 모습을 바라보고 떠올린 대상 = 어머니
　　시련과 고난 속에서도 자식을 기다리는 어머니의 사랑
눈을 맞으며 산에 들면

<u>처음부터 끝까지 나를 바라보는</u>
　　한결같은 사랑으로 자식을 바라보는 어머니의 사랑
<u>나이테</u>가 있다.

— 나희덕, 〈겨울산에 가면〉

🔹 화자인 '나'가 ( ❶ ㄴ )이 내리는 겨울 산에 올라 눈 속을 헤치고 밑둥만 남은 ( ❷ ㄴㅁ )의 '나이테'를 바라본다.
🔹 '나'는 나이테의 모습을 통해 어머니의 힘겨운 삶과 ( ❸ ㅈㅅ )을 향한 헌신적인 사랑을 연상한다.

**빈칸 답**
❶ 눈 ❷ 나무 ❸ 자식

## | 해결 방법 ❷ 주제 의식을 중심으로 시어의 의미나 기능을 파악하기

📖 작품에 나타난 주제 의식을 바탕으로 시어의 의미나 기능을 파악한다.

● 윗글의 나이테 에 대한 이해로 가장 적절한 것은?

✔① 자식을 향한 어머니의 모성을 떠올리게 하는 대상이다. ➡○
　　　'기다리고 계신 어머니'를 떠올리게 하는 '나이테'
② 자식에게 어머니의 편안한 삶을 떠올리게 하는 계기이다. ➡×
　　　'지친 손동', '들뜬 입술' 등의 고된 삶의 흔적
③ 자식에 대한 어머니의 희생적인 사랑을 단절시키는 소재이다. ➡×
　　　'도끼로 찍히고 베이고 ~ 계신 어머니'를 떠올림.

🖊 화자는 겨울 산에서 '나'를 바라보는 ( ❶ ㄴㅇㅌ )를 통해 해산의 과정을 거치며 '땀'을 흘리고 '도끼로 찍히고 베이고 눈 속에 묻히'는 어려움 속에서도 '고요히 남아서 기다리고 계신', '처음부터 끝까지 나를 바라보는' 어머니의 무한한 사랑과 위대한 ( ❷ ㅁㅅ )을 떠올리고 있다.

빈칸 답
❶ 나이테 ❷ 모성

---

## 기출로 바로 확인

💡 도움말

이 작품은 잠이 오는데도 일을 해야 하는 상황을 넋두리 형식으로 노래하고 있다. 시적 대상이나 시적 청자를 파악하며 읽어 보도록 한다.

잠아 잠아 짙은 잠아 이내 눈에 쌓인 잠아
염치 불구 이내 잠아 검치 두덕˙ 이내 잠아
어제 간밤 오던 잠이 오늘 아침 다시 오네
잠아 잠아 무삼 잠고 가라 가라 멀리 가라
세상 사람 무수한데 구태 너는 간 데 없어
원치 않는 이내 눈에 이렇듯이 자심(滋甚)˙하뇨
주야에 한가하여 월명 동창 혼자 앉아 / 삼사경 깊은 밤을 허도(虛度)˙이 보내면서
잠 못 들어 한하는데 그런 사람 있건마는
㉠무상불청(無常不請)˙ 원망 소래 온 때마다 듣난고니
석반(夕飯)˙을 거두치고 황혼이 대듯마듯 / ㉡낮에 못 한 남은 일을 밤에 할랴 마음먹고
언하당(言下當)˙ 황혼이라 섬섬옥수(纖纖玉手)˙ 바삐 들어
등잔 앞에 고개 숙여 실 한 바람 불어 내어
드문드문 질긋 바늘 두엇 뜸 뜨듯마듯 / 난데없는 이내 잠이 소리 없이 달려드네
㉢눈썹 속에 숨었는가 눈알로 솟아 온가 / 이 눈 저 눈 왕래하며 무삼 요수 피우든고
맑고 맑은 이내 눈이 절로 절로 희미하다

- 작자 미상, 〈잠노래〉

- **검치 두덕** | 욕심 언덕.
- **자심** | 더욱 심함.
- **무상불청** | 청하지 않은.
- **석반** | 저녁밥.
- **언하당** | 말이 끝나자마자 바로. 여기서는 '그런 생각을 하자마자 바로'의 뜻임.
- **섬섬옥수** | 가냘프고 고운 여자의 손.

● ㉠~㉢을 감상한 내용으로 적절하지 않은 것은?

① ㉠: 화자와 상반된 처지에 있는 사람이 '잠'에게 불만을 드러내고 있다.
② ㉡: 쉬지도 못하고 밤늦게까지 일을 해야 하는 화자의 고달픈 삶이 나타나 있다.
③ ㉢: '잠'을 의인화하여 잠이 쏟아지는 화자의 현재 상황을 해학적으로 표현하고 있다.

# 05 인물의 심리와 태도 파악하기 유형

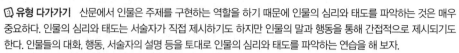

📖 **유형 다가가기**　산문에서 인물은 주제를 구현하는 역할을 하기 때문에 인물의 심리와 태도를 파악하는 것은 매우 중요하다. 인물의 심리와 태도는 서술자가 직접 제시하기도 하지만 인물의 말과 행동을 통해 간접적으로 제시되기도 한다. 인물들의 대화, 행동, 서술자의 설명 등을 토대로 인물의 심리와 태도를 파악하는 연습을 해 보자.

| **대표 발문** | • ㉠~㉤에서 알 수 있는 인물의 심리에 대한 설명으로 가장 적절한(적절하지 않은) 것은?
　　　　　　　• ㉠~㉤에 대한 이해로 가장 적절한(적절하지 않은) 것은?

| **선택지 빈출 어휘** | #실망 #걱정 #염려 #신뢰감 #확신 #불신감 #의구심 #질투심 #당황 #노골적 #냉소적 #회의적 #쓸쓸함
　　　　　　　　　　#우울함 #불안함 #애통함 #혼돈 #분노 #절박함 #책임감 #만족감 #안타까움 #두려움

---

| **해결 방법 ❶ 사건에 따른 인물의 대화와 행동 파악하기**

**이 유형의 감상 원리**

> 사건의 맥락 파악하기
> ⋮
> 인물의 대화, 행동, 서술자의 설명 찾기
> ⋮
> 인물의 심리, 태도, 성격 추론하기

**➕ 인물 제시 방법**

| 직접 제시 | 서술자가 인물의 성격, 심리, 특성 등을 직접적으로 설명하는 방법 |
|---|---|
| 간접 제시 | 인물의 말과 행동, 묘사를 통해 인물의 성격이나 심리를 간접적으로 드러내는 방법 |

**빈칸 답**
❶ 자전거 ❷ 도둑놈

📖 사건의 흐름 속에서 인물의 대화와 행동, 서술자의 설명을 파악한다.➕

_ 2016학년도 6월 고1 학력평가

"임마, 말을 해. 무슨 일이야? 네 놈 꼴이 영락없이 도둑놈 꼴이다, 임마."
　　　　　　　　　　　　　　　　　수남이에게 죄책감을 불러일으킨 말
㉠도둑놈 꼴이라는 소리가 수남이의 가슴에 가시처럼 걸린다. 수남이는 겨우 숨을 가
　　　　　　　　　서술자의 설명: '도둑놈 꼴'이라는 말에 수남이 느끼는 죄책감을 느낌.
라앉히고 자초지종을 주인 영감님께 고해 바친다. 다 듣고 난 주인 영감님은 무엇이 그리
수남이는 신사와의 갈등으로 자전거를 빼앗기게 되자 자전거를 들고 도망쳤음.
좋은지 무릎을 치면서 통쾌해 한다. (중략)

책을 펴 놓고 영어 단어를 찾고, 수학 문제를 풀어 보고, 턱을 괴고 소년답게 감미로운
공상에 잠길 수 있는 그런 시간이었다. ㉡그러나 오늘 수남이는 그게 되지를 않았다. 책
　　　　　　　　　　　　　　　　　　수남이의 혼란스러운 심리가 드러나는 행동(낮에 자전거를 들고 도망친 일로 심
을 집어던졌다.　　　　　　　　　　　　란하였기 때문에)

「낮에 내가 한 짓은 옳은 짓이었을까? 옳을 것도 없지만 나쁠 것은 또 뭔가. 자가용까지
「」: 낮에 자신이 한 일이 도덕적으로 옳은 일이었는지 고민함.
있는 주제에 나 같은 아이에게 오천 원을 우려 내려고 그렇게 간악하게 굴던 신사를 그
정도 골려 준 것이 뭐가 나쁜가? 그런데도 왜 무섭고 떨렸던가. 그 때의 내 꼴이 어땠으
면, 주인 영감님까지 "네 놈 꼴이 꼭 도둑놈 꼴이다."고 하였을까. / 그럼 내가 한 짓은 도
둑질이었단 말인가. 그럼 나는 도둑질을 하면서 그렇게 기쁨을 느꼈더란 말인가.」

「수남이는 몸을 부르르 떨면서 낮에 자전거를 갖고 달리면서 맛본 공포와 함께 그 까닭
「」: 자전거를 도둑질하듯 들고 도망치면서 죄책감보다 쾌감을 느꼈던 일을 떠올림.
모를 쾌감을 회상한다. 마치 참았던 오줌을 내깔길 때처럼 무거운 억압이 갑자기 풀리면
서 전신이 날아갈 듯이 가벼워지는 그 상쾌한 해방감—한 번 맛보면 도저히 잊혀질 것 같
지 않은 그 짙은 쾌감, 아아 도둑질하면서도 나는 죄책감보다는 쾌감을 더 짙게 느꼈던
것이다.」

혹시 내 피 속에 도둑놈의 피가 흐르고 있기 때문이 아닐까. ㉢순간 수남이는 방바닥에
　　　　　　　자신에게 도둑의 피가 흐르는 것일까 봐 겁이 남.
서 송곳이라도 치솟은 듯이 후닥닥 일어서서 안절부절을 못하고 좁은 방안을 헤맸다.
　　　　　　　　　　　　수남의 행동: 초조하고 불안해서 방 안을 헤맴.
　　　　　　　　　　　　　　　　　　　　　　　　– 박완서, 〈자전거 도둑〉에서

✎ 수남이는 ( ❶ ㅈㅈㄱ )를 들고 도망쳤던 자신의 행동을 되돌아보며 고민하고 있다.
✎ 수남이는 '( ❷ ㄷㄷㄴ ) 꼴'이라는 영감님의 말을 듣고 죄책감을 느낀다. 그리고 자신의 피 속에 도둑놈의 피가
　흐르고 있는 것이 아닐까 불안하며 안절부절못하는 모습을 보이고 있다.

## 해결 방법 ❷ 인물의 심리와 태도 추론하기

📖 인물의 말과 행동이나 서술자의 설명을 바탕으로 인물의 심리와 태도를 짐작한다.

● ㉠~㉢에 대한 이해로 적절하지 <u>않은</u> 것은?

① ㉠: '도둑놈 꼴'이라는 말을 통해 <u>양심의 가책</u>을 느끼는 수남이의 마음을 알 수 있군.
　　　'도둑놈 꼴'이라는 소리가 가슴에 가시처럼 걸린다는 설명을 바탕으로 추론할 수 있음.

② ㉡: 책을 집어던지는 행동을 통해 수남이의 <u>혼란스러운 마음</u>을 알 수 있군.
　　　㉡의 뒷부분에서 수남이가 자신이 낮에 한 일에 대해 고민하며 혼란스러워 하고 있는 것을 바탕으로 추론할 수 있음.

✔③ ㉢: 안절부절못하는 행동을 통해 신사에 대해 수남이가 <u>분노하는 마음</u>을 알 수 있군.
　　　안절부절못하는 행동은 신사에 대한 분노와 관련이 없음.

**빈칸 답**
❶ 안절부절

✎ ㉢의 앞부분의 문장 '내 피 속에 도둑놈의 피가 흐르고 있기 때문이 아닐까.'를 바탕으로 추론하였을 때, 수남이가 ( ❶ ㅇㅈㅂㅈ )못하는 까닭은 자신이 훔치듯 자전거를 가져온 일을 떠올리며 불안해하고 있기 때문이다.

---

 **인물의 말하기 방식 파악하기 유형**

## 해결 방법 표현 방식과 그 효과 파악하기

✚ **표현 방식과 효과**
　이 유형의 선택지는 표현 부분과 효과 부분으로 구성되는 경우가 많은데, 이때 두 부분이 모두 적절한지 판단해야 한다.

📖 인물이 사용한 표현 방식(설득 전략)과 그 효과(의도)를 파악한다.✚

_2019학년도 3월 고1 학력평가

처녀가 하루는 유복에게 말했다.

"옛글에 '장부 세상에 나서 입신하여 세상에 이름을 드날려 문호를 빛나게 하며, 조
　　　　　　　　　　　　　장부가 세상에 나면 입신하여 이름을 높여야 한다는 옛글을 인용함.
상 향불을 빛나게 하라' 하였으니 문필을 배우지 않으면 공명을 <u>어떻게 바라겠습니</u>
<u>까?</u> 그래서 <u>옛 사람도</u> 낮이면 밭 갈고, 밤이면 글을 읽어, 성공하여 길이길이 기린 [A]
설의적 물음 구사 → 문필을 배우지 않으면 공명을 바랄 수 없다는 자신의 생각을 강조함.
각에 화상을 그린 족자가 붙어 훗날에 유전하는 것을 장부다운 일로 여겼습니다. 무
식한 사람으로 영웅호걸이 되었다는 말은 듣지 못했습니다." 「」: 옛글과 옛 사람들의 이야기를
　　　　　　　　　　　　　　　　　　　　　　　　　　인용하여 공부의 당위성을 밝힘.
유복이 처녀의 말을 듣고 감동되어 말했다.

"내 어려서 글자나 읽었지만 어찌 이런 마음이 없겠소마는 글을 배우려 한들 어디서 배우
며 책 한 권도 없으니 어쩌겠소. 또한 장차 외로운 당신은 누구를 의지한단 말이요?"

－ 작자 미상, 〈신유복전〉에서

● [A]에 나타난 인물의 말하기에 대한 설명으로 적절하지 <u>않은</u> 것은?

① [A]에서 경패는 옛글을 인용하여/상대방의 각성을 촉구하고 있다.

✔② [A]에서 경패는 <u>상대방의 동정심에 호소해/자신의 결정을 따르도록</u> 유도하고 있다.

③ [A]에서 경패는 <u>설의적 물음</u>을 구사하여/자신의 의중을 상대방에게 드러내고 있다.

①○: 장부로서 해야 할 일에 대한 옛글을 인용하여 유복이 공부를 해야 함을 깨닫도록 함.
②✕: 동정심에 호소하는 것이 아니라 옛글과 옛 사람의 이야기를 인용하여 유복이 글공부를 하도록 유도함.
③○: 문필을 배우지 않고 공명을 바랄 수 있겠냐고 물으며 유복이 공부하기를 바란다는 뜻을 건달함.

● **입신하다** | 세상에서 떳떳한 자리를 차지하고 지위를 확고하게 세우다.
● **문호** | 대대로 내려오는 그 집안의 사회적 신분이나 지위.
● **유전하다** | 오래 전하다.

**빈칸 답**
❶ 인용

✎ 경패는 장부라면 입신양명해야 한다는 옛글과, 옛 사람이 주경야독하여 성공했다는 이야기를 ( ❶ ㅇㅇ )하여 유복이 글공부를 하도록 설득하고 있다.

## 기출로 바로 확인

💡 **도움말**

이 작품은 가난하고 고달픈 삶을 살고 있는 덕순이의 심리에 초점을 맞추어 사건을 전개하고 있다. 덕순 내외가 처한 상황과 이에 따른 인물의 심리를 파악해 본다.

**앞부분의 줄거리** 덕순은 동네 어른으로부터 이상한 병에 걸린 사람이 병원에 가면 월급도 주고 병도 고쳐 준다는 말을 듣는다. 덕순은 열세 달이 되도록 배가 불러만 있는 아내가 이상한 병에 걸렸다고 믿고, 아내를 업고 팔자를 고칠 희망에 차 대학병원으로 향한다. 그러나 덕순이는 간호사로부터 돈을 내고 당장 수술을 하지 않으면 아내는 일주일도 못 가 죽을 것이라는 말을 듣고, 수술하지 않겠다는 아내를 다시 지게에 지고 무거운 마음으로 병원을 나온다.

덕순이는 눈 위로 덮는 땀방울을 주먹으로 훔쳐 가며 장차 캄캄하여 올 그 전도를 생각해 본다. 서울을 장대고 왔던 것이 별도 제대로 안 되고 게다가 인젠 아내까지 잃는 것이다. 지에미붙을! 이놈의 팔자가, 하고 딱한 탄식이 목을 넘어오다 꽉 깨무는 바람에 한숨으로 터져 버린다. / 한나절이 되자 더위는 더한층 무서워진다.

덕순이는 통째 짓무를 듯싶은 등어리를 견디지 못하여 먼젓번에 쉬어 가던 나무 그늘에 지게를 벗어 놓는다. 땀을 들여 가며 아내를 가만히 내려다보니 그동안 고생만 시키고 변변히 먹이지도 못하였던 것이 갑자기 후회가 나는 것이다. ㉠이럴 줄 알았더면 동넷집 닭이라도 훔쳐다 먹였을 걸 싶어,

"울지 말아, 그것들이 뭘 아나 제까짓 게!" / 하고 소리를 뻑 지르고는,

"채미* 하나 먹어 볼 테야?" / "채민 싫어요."

아내는 더위에 속이 탔음인지 한길 건너 저쪽 그늘에서 팔고 있는 얼음냉수를 손으로 가리킨다. 남편이 한푼 더 보태어 담배를 사려던 그 돈으로 얼음냉수를 한 그릇 사다가 입에 먹여까지 주니 아내도 황송하여 한숨에 들이켠다. ㉡한 그릇을 다 먹고 나서 하나 더 사다 주랴 물었을 때 이번엔 왜떡이 먹고 싶다 하였다. 덕순이는 이것이 마지막이라는 생각으로 나머지 돈으로 왜떡 세 개를 사다 주고는 그대로 눈물도 씻을 줄 모르고 그걸 오직오직 깨물고 있는 아내를 이윽히 바라보고 있었다. 그러나 아내가 무슨 생각을 하였는지 왜떡을 입에 문 채 훌쩍훌쩍 울며,

㉢"저 사촌 형님께 쌀 두 되 꿔다 먹은 거 부대 잊지 말구 갚우."

하고 부탁할 제 이것이 필연 아내의 유언이라 깨닫고는,

"그래 그건 염려 말아!"

"그리구 임자 옷은 영근 어머니더러 사정 얘길 하구 좀 빨아 달래우."

하고 이야기를 곧잘 하다가 다시 입을 일그리고 훌쩍훌쩍 우는 것이다.

덕순이는 그 유언이 너무 처량하여 눈에 눈물이 핑 돌아 가지고는 지게를 도로 지고 일어선다. 얼른 갖다 눕히고 죽이라도 한 그릇 더 얻어다 먹이는 것이 남편의 도리 게다.

– 김유정, 〈땡볕〉에서

● **채미** | 참외의 방언.

● ㉠～㉢에 대한 이해로 적절하지 <u>않은</u> 것은?

① ㉠: 덕순의 어려운 가정 형편과 아내에 대한 안타까운 마음을 드러낸다.

② ㉡: 아내를 위로함으로써 상황이 나아질 것이라는 기대감을 드러낸다.

③ ㉢: 비정한 현실 속에서도 따뜻한 인간미를 잃지 않는 아내의 모습을 보여 준다.

# 06 사건 전개 / 갈등 양상 파악하기 유형

📖 **유형 다가가기**  등장인물에게 갈등이 발생하고 그것이 해소되는 과정이 산문 작품의 주요 줄거리이다. 그래서 사건이 일어난 순서와 구체적인 내용을 묻거나 갈등의 원인과 주체, 갈등의 깊이를 묻는 문제도 자주 출제된다. 사건의 흐름을 파악하고 인물의 심리를 바탕으로 갈등 양상을 분석하는 능력을 길러 보자.

| **대표 발문** |　• 윗글의 갈등 양상에 대한 이해로 가장 적절한(적절하지 않은) 것은?
　　　　　　　• 윗글에 나타난 갈등의 근본 원인으로 적절한 것은?

| **선택지 빈출 어휘** |　#내적갈등 #외적갈등 #인물간의갈등 #인물과사회의갈등 #인물과자연의갈등 #인물과운명의갈등 #고조
　　　　　　　　　　#심화 #절정 #해소/해결 #실마리 #원인 #계기 #서사구조 #환몽구조 #영웅소설구조

## | 해결 방법 ❶ 등장인물과 주요 사건 파악하기

**이 유형의 감상 원리**

📖 등장인물을 찾고, 등장인물이 겪는 사건의 성격을 파악한다.

등장인물과 사건 파악하기
⋮
갈등의 주체와 양상 파악하기
⋮
갈등의 의미 또는 갈등에
따른 주제 의식 파악하기

> 서로 사랑하는 이생과 최 여인이 외부적인 원인으로 헤어지고, 다시 만나는 과정이 이 작품의 주요 줄거리랍니다. 이를 고려한다면 작품의 주제도 알아낼 수 있을 거예요.

○: 주요 등장인물　　　첫 번째 이별(인물과 인물의 갈등) _ 2016학년도 6월 고1 학력평가

**앞부분의 줄거리**  ○이생○은 우연히 본 ○최 여인○을 사모하게 되고 시를 주고받으며 서로 사랑하는 사이가 된다. 이 사실을 알게 된 이생의 부모는 크게 노해 이생을 고향으로 쫓아 보내고, 최 여인은 이생과 만나지 못해 상사병에 걸린다. 이에 최 여인의 부모는 이생 부모를 설득해 이생과 최 여인을 혼인시킨다. 그 후 홍건적의 난이 일어나 이생은 간신히 도망하여 목숨을 보전하였으나, 최 여인은 정조를 지키려다가 홍건적의 손에 죽는다.두 번째 이별(인물과 사회의 갈등)

　밤중이 거의 되자 희미한 달빛이 들보를 비춰 주는데 복도에서 발자국 소리가 들려왔다. 그 소리는 먼 데서 차차 가까이 다가왔다. 살펴보니 사랑하는 최 여인이 거기 있었다. 이생은 그녀가 이미 이승에 없는 사람임을 알고 있었으나 너무나 사랑하는 마음에 반가움이 앞서 의심도 하지 않고 말했다.
　　　사회와의 외적 갈등 해소: 이생은 혼령이 된 최 여인과 다시 만남.

　"부인은 어디로 피란하여 목숨을 보전하였소?"

　여인은 이생의 손을 잡고 한바탕 통곡하더니 곧 사정을 이야기했다. (중략)

　두 사람은 서로 바라보며 눈물을 흘렸다. 잠시 후에 여인은 말했다.

　"낭군님, 부디 안녕히 계십시오."

　말을 마치자 점점 사라져서 마침내 종적을 감추었다. 이생은 아내가 말한 대로 그녀의
　　세 번째 이별: 인물과 운명 간의 갈등–최 여인은 죽은 사람이므로 저승으로 돌아감.
유골을 거두어 부모의 무덤 곁에 장사를 지내 주었다.

　그 후 이생은 아내를 지극히 생각한 나머지 병이 나서 두서너 달 만에 그도 또한 세상을 떠났다.
　　　　　　　비극적 결말: 이생도 세상을 떠남.

　이 사실을 들은 사람들은 모두 슬퍼하고 탄식하면서, 그들의 절개를 사모하지 않는 이
　　　　　　　　　　　　　　　　　　작품의 주제
가 없었다고 한다.

　　　　　　　　　　　　　　　　　　　　　　– 김시습, 〈이생규장전〉에서

✎ 이생과 최 여인은 세 번 이별을 한다. 첫 번째는 (❶ ㅇㅅ ㅂㅁ )의 반대 때문에, 두 번째는 (❷ ㅎㄱㅈㅇ ㄴ) 때문에, 세 번째는 최 여인이 (❸ ㅈㅇ ) 사람이기 때문에 이별한다.

✎ 이생과 최 여인의 거듭된 이별과 만남, 죽은 최 여인을 그리워하다 끝내 세상을 떠난 이생의 모습을 통해 남녀 간의 애절한 (❹ ㅅㄹ )을 그려 내고 있다.

**빈칸 답**
❶ 이생 부모 ❷ 홍건적의 난
❸ 죽은 ❹ 사랑

## | 해결 방법 ❷ 사건 전개 과정과 갈등 양상을 중심으로 선택지 판단하기

➕ **소설에서 갈등의 전개 양상**
　소설의 구성 단계인 '발단-전개-위기-절정-결말'에 따라 갈등은 점차 심화되다가 해소되는 양상을 보인다.

📖 사건 전개나 등장인물이 겪는 갈등의 양상에 따라 선택지를 판단한다.

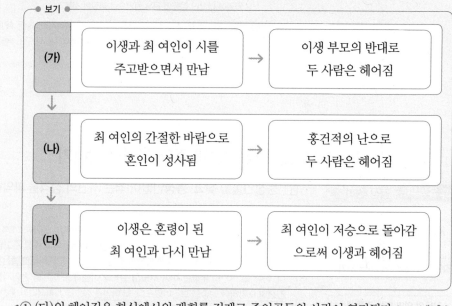

● 윗글에 나타난 주요 사건을 〈보기〉와 같이 정리할 때, (가)~(다)에 대한 설명으로 적절하지 **않은** 것은?

> **보기**
>
> | (가) | 이생과 최 여인이 시를 주고받으면서 만남 | → | 이생 부모의 반대로 두 사람은 헤어짐 |
> |---|---|---|---|
> | (나) | 최 여인의 간절한 바람으로 혼인이 성사됨 | → | 홍건적의 난으로 두 사람은 헤어짐 |
> | (다) | 이생은 혼령이 된 최 여인과 다시 만남 | → | 최 여인이 저승으로 돌아감으로써 이생과 헤어짐 |

✔① (다)의 헤어짐은 현실에서의 재회를 전제로 주인공들의 사랑이 연기된다. ➡ ✗: 이생도 죽음.

② (다)의 헤어짐에서는 (나)의 헤어짐과 달리 운명적 요인으로 주인공들의 사랑이 좌절된다. ➡ ○: 갈등을 일으킨 요인이 (나)는 사회적 요인, (다)는 운명적 요인으로 서로 다르다.
　　(사회적 요인(홍건적의 난)에 따른 갈등)　　(최 여인의 죽음에 따른 갈등)

③ (가)~(다)는 주인공들이 사랑을 이루기 위해 자신들을 둘러싼 세계와 끊임없이 갈등하는 과정이다. ➡ ○: 주인공들의 거듭된 만남과 헤어짐은 외부 세계와 끊임없이 갈등하는 과정으로 볼 수 있다.

- - - - - - - - - - - - - - - - - - - - - - - - - - - - - - - - - - - - -

✎ 세 번째 이별에서 최 여인이 저승으로 돌아간 후, 이생도 죽기 때문에 현실에서의 ( ❶ ㅈㅎ )가 전제되었다고 볼 수 없다.

**빈칸 답**
❶ 재회

---

### 개념 ➕ 갈등의 종류

➕ **외적 갈등**
　인물을 둘러싸고 있는 외부적인 요인 때문에 발생하는 갈등

| | 내적 갈등 | 고민과 불안, 방황 등 인물 내부에서 발생하는 갈등 |
|---|---|---|
| 외적➕ 갈등 | 인물과 인물의 갈등 | 한 인물과 다른 인물 사이의 가치관, 욕구, 이해관계, 감정 등이 대립할 때 발생함. |
| | 인물과 사회의 갈등 | 소설 속 인물이 살아가는 사회의 특정한 요인과 인물 사이에서 발생함. |
| | 인물과 자연의 갈등 | 인물이 자신이 처한 자연 환경과 대결 의식을 느껴 발생. 자연 환경은 인간의 힘으로 조종하기 힘들기 때문에 인물 대부분이 자연에 순응하는 태도를 보이나, 자연과의 대결을 통해 자신의 힘을 확인해 보려는 인물도 존재함. |
| | 인물과 운명의 갈등 | 정해진 운명에 인물이 대항하는 과정에서 갈등이 발생함. |

## 기출로 바로 확인

**앞부분의 줄거리** 만도는 전쟁에 나간 아들 진수가 돌아온다는 통지를 받고 마음이 들떠 기차역 정거장으로 나갔다.

바로 이 정거장 마당에 백 명 남짓한 사람들이 모여 웅성거리고 있었다. 그 중에는 만도도 섞여 있었다. 기차를 기다리고 있는 것이었으나, 그들은 모두 자기네들이 어디로 가는 것인지 알지를 못했다. 그저 차를 타라면 탈 사람들이었다. 징용에 끌려 나가는 사람들이었다. 그러니까, 지금으로부터 십이삼 년 옛날의 이야기인 것이다.

북해도 탄광으로 갈 것이라는 사람도 있었고 틀림없이 남양 군도로 간다는 사람도 있었다. (중략) 그러나 마음이 좀 덜 좋은 것은 마누라가 저쪽 변소 모퉁이 벚나무 밑에 우두커니 서서 한눈도 안 팔고 이쪽만을 바라보고 있는 때문이었다. 그래서 그는 주머니 속에 성냥을 두고도 옆 사람에게 불을 빌리자고 하며 슬며시 돌아서 버리곤 했다. (중략)

만도는 정신이 아찔했다. 공습이었던 것이다. 산등성이를 넘어 달려든 비행기가 머리 위로 아슬아슬하게 지나는 것이었다. 미처 정신을 차리기도 전에 또 한 대가 뒤따라 날아드는 것이 아닌가. 만도는 그만 넋을 잃고 굴 안으로 도로 달려 들어갔다. 달려 들어가서 굴 바닥에 아무렇게나 꽉 엎드리고 말았다. 그 순간이었다. 쾅! 굴 안이 미어지는 듯하면서 다이너마이트가 터졌다. 만도의 두 눈에서 불이 번쩍했다.

만도가 어렴풋이 눈을 떠 보니, 바로 거기 눈앞에 누구의 것인지 모를 팔뚝이 하나 놓여 있었다. 손가락이 시퍼렇게 굳어져서, 마치 이끼 낀 나무 토막처럼 보이는 것이었다. 만도는 그것이 자기의 어깨에 붙어 있던 것인 줄을 알자, 그만 으악! 하고 정신을 잃어버렸다. 재차 눈을 떴을 때 그는 푹신한 담요 속에 누워 있었고, 한쪽 어깻죽지가 못 견디게 쿡쿡 쑤셔댔다. 절단 수술은 이미 끝난 뒤였다.

쩨액 기차 소리였다. 멀리 산모퉁이를 돌아오는가 보았다. 만도는 앉았던 자리를 털고 벌떡 일어서며, 옆에 놓아두었던 고등어를 집어 들었다. 기적 소리가 가까워질수록 그의 가슴은 울렁거렸다. 대합실 밖으로 뛰어나가 플랫폼이 잘 보이는 울타리 쪽으로 가서 발돋움을 하였다. 째랑째랑 하고 종이 울자, 한참 만에 차는 소리를 지르면서 달려들었다. 기관차의 옆구리에서는 김이 픽픽 풍겨 나왔다. 만도의 얼굴은 바짝 긴장되었다. (중략) 이상한 일이다, 하고 있을 때였다. 분명히 뒤에서, / "아부지!" / 부르는 소리가 들렸다. 만도는 깜짝 놀라며, 얼른 뒤를 돌아보았다. 그 순간, 만도의 두 눈은 무섭도록 크게 떠지고 입은 딱 벌어졌다. 틀림없는 아들이었으나, 옛날과 같은 진수는 아니었다. 양쪽 겨드랑이에 지팡이를 끼고 서 있는데, 스쳐 가는 바람결에 한쪽 바짓가랑이가 펄럭거리는 것이 아닌가.

– 하근찬, 〈수난이대〉에서

● 윗글의 내용 흐름을 다음과 같이 나타낼 때, A~C에 대한 설명으로 적절하지 <u>않은</u> 것은?

| A | B | C |
|---|---|---|
| 정거장 마당 | 굴 안 | 울타리 |
| 징용을 떠나는 만도 | 공습으로 팔을 잃은 만도 | 진수와 재회하는 만도 |

① A에서 비롯된 인물의 내적 갈등이 B에서 해소된다.

② A에서 B로 공간이 변한 것은 시간의 흐름에 따른 것이다.

③ B에서 C로 장면이 전환될 때 '기차 소리'가 사용된다.

# 07 소재/배경의 의미와 기능 파악하기 유형

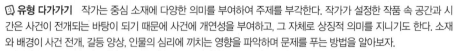

📝 **유형 다가가기** 작가는 중심 소재에 다양한 의미를 부여하여 주제를 부각한다. 작가가 설정한 작품 속 공간과 시간은 사건이 전개되는 바탕이 되기 때문에 사건에 개연성을 부여하고, 그 자체로 상징적 의미를 지니기도 한다. 소재와 배경이 사건 전개, 갈등 양상, 인물의 심리에 끼치는 영향을 파악하며 문제를 푸는 방법을 알아보자.

| **대표 발문** • ⊙과 ⓒ에 대한 이해로 적절한(적절하지 <u>않은</u>) 것은?
　　　　　　• '○○'의 기능(의미)에 대한 설명으로 적절한(적절하지 <u>않은</u>) 것은?

| **선택지 빈출 어휘** | #갈등유발 #갈등해소 #미래암시 #사건전개 #해결실마리 #시대상황 #심리반영 #인물의의도 #성격변화
#대비되는공간 #장면연결 #주제형상화 #향토감형성 #분위기조성

---

## | 해결 방법 ❶ 문제에 제시된 소재/배경을 지문에서 찾고 작품 내용 파악하기

**이 유형의　감상 원리**

┌─────────────────────┐
│ 문제에 제시된 소재/배경을 │
│ 지문 속에서 찾기 │
└─────────────────────┘
　　　　⋮
┌─────────────────────┐
│ 사건 전개, 인물의 심리 변화 │
│ 등을 파악하기 │
└─────────────────────┘
　　　　⋮
┌─────────────────────┐
│ 소재/배경이 작품에 끼친 │
│ 영향이나 의미 파악하기 │
└─────────────────────┘

➕ **중심 소재 파악**
　반복적으로 등장하거나 중심인물과 밀접하게 관련된 소재를 파악하는 것으로 대개는 지문에 원 기호나 굵은 글씨, 네모 칸으로 강조 표시된다. 따라서 그 부분을 중심으로 전후 내용을 정확하게 파악해야 한다.

📖 문제에서 언급한 소재/배경에 주목하여 작품의 내용을 파악한다.

> _2019학년도 6월 고1 학력평가
>
> 　훗날 문성현이 어른이 되어서까지 그의 이부자리 밑에 간직하고 있었던 장난감 **활**은
> 바로 막냇동생 승현의 돌상에 돌잡이로 올렸던 것이었다. 대나무를 별러 노끈으로 묶은
> 그것은 <u>그의 어린 시절 희망의 상징이었다.</u> 일부러 누가 그에게 가져다준 것은 아니었다.
> 　　문성현에게 '활'의 의미: 미래에 대한 희망
> 방구석에 활이 놓여 있는 것을 보고 그가 몸을 뒤치어 자신의 요 밑에 집어 넣었던 것이
> 다. 우현의 나이가 여섯 살이었으니 아마도 어른들을 피해 성현이 있는 건넌방에 가지고
> 　　　　　　　　　　문성현과 우현이 정서적 유대감을 가질 만한 내용은 언급되지 않음.
> 와서 놀다가 무심코 놓고 간 것이 분명했다.
>
> 　앗따따 활이다 활! 큰 장군이 될라. 그 작고 조잡한 활에는 누군가의 목소리가 묻어 있
> 었다. 그는 몇 번이고 되풀이했다. 하아, 하, 화, 화아아알. 화아알. 활.
>
> 　조용해지고부터, 체머리를 흔들지 않고부터, 입을 다물고부터 그는 **텔레비전**을 보기
> 　　　문성현은 뇌성 마비 때문에 생긴 행동을 제어하게 됨.　　　　　주요 소재 ②
> 시작했다. 그 속에 산과 들, 밀림이 있었다. 몸집이 큰 코끼리, 기린, 갖가지 색깔의 크고
> 작은 새들이 있었다. 현미경으로나 보일 만한 조그만 나비, 개구리알도 있었다. 먼 나라
> 에는 이상한 풍습을 가진 이상한 사람들이 있었다. 세상은 볼수록 흥미진진한 것들로 가
> 　　　　　　　　　　　　　　　　　　　　　텔레비전을 통해 외부 세계를 경험함.
> 득 차 있었다. 다른 이처럼 앉지도 서지도 걸어다닐 수도 없는 그에게는 <u>텔레비전을 통해
> 　　　　　　　　　　　　　　　　장애를 지닌 문성현
> 보는 다른 이들의 삶</u>이 한편으로는 △<u>가슴 떨리는 열망</u>이었으나 또 한편으로는 △<u>부서뜨리
> 고 싶은 안타까움</u>이기도 했다.　　　○·△: 다른 사람들의 삶에 대한 문성현의 복잡한 감정
>
> 　　　　　　　　　　　　　　　　　　　　　　　– 윤영수, 〈착한 사람 문성현〉에서

---

✎ 문성현은 어른이 되어서까지 미래에 대한 희망을 품었다. 또한 외부 세계를 이해하기 시작한 이후로 다른 사람들의 삶을 열망하면서도 자신은 그렇게 살지 못함에 (❶ ㅇㅌㄲㅇ)를 느꼈다.

✎ 문성현은 어른이 되기까지 '활'을 간직하였고, '(❷ ㅌㄹㅂㅈ)'을 통해 세상을 보기 시작하였다.

✎ '활'은 문성현에게 큰 사람이 되겠다는 희망을 품게 하였고, '텔레비전'은 문성현에게 외부 세계를 볼 수 있는 창이 되어 주었다.

**빈칸 답**
❶ 안타까움 ❷ 텔레비전

## 해결 방법 ❷ 사건, 인물과 관련지어 소재/배경의 의미와 기능 파악하기

📖 사건의 전개, 인물의 특성을 바탕으로 소재/배경의 의미와 기능을 파악한다.

---

● 활과 텔레비전에 대한 이해로 적절하지 않은 것은?

① '활'은 문성현이 미래 자신의 모습에 대해 기대와 희망을 품게 한다. ➡○: '활'은 '그의 어린 시절 희망'이었음.

② '텔레비전'은 문성현과 외부 세계를 이어주는 매개체 역할을 한다. ➡○: '텔레비전'을 통해 자연과 세상의 모습을 알게 됨.

✔③ '활'은 '텔레비전'과 달리 문성현과 그의 동생 우현이 정서적 유대감을 갖게 한다.
➡✗: 문성현과 우현이 유대감을 가질 만한 행위를 했다는 내용은 없음.

🔍 문성현이 우현과 함께 '텔레비전'을 보았다는 내용이 없으므로 '텔레비전'은 정서적 ( ❶ ㅇㄷㄱ )과 관련이 없다. '활' 또한 우현이 문성현의 방에 무심코 놓고 간 것이라고만 서술되어 있다.

빈칸 답
❶ 유대감

---

### 개념➕  소재/배경의 의미와 기능➕

**➕ 그 외 소재/배경의 의미와 기능**

| | |
|---|---|
| 갈등의 매개물 | 갈등의 원인이 되기도 하고 갈등 해소의 실마리를 제공하기도 함. |
| 장면의 연결 고리 | 여러 장면이나 사건을 자연스럽게 연결하는 매개물의 기능을 함. 과거의 사건을 회상하거나 장면을 전환할 때 특정 소재가 사용되기도 함. |
| 사실성, 개연성 부여 | 시간과 공간을 구체적으로 제시함으로써 독자에게 사건이 실제로 일어난 것처럼 느끼게 할 수 있으며 사건 전개에 개연성을 부여함. |
| 작품의 분위기 조성 | 시간, 날씨, 계절의 특성을 통해 작품 전체의 분위기를 형성함. |

**(1) 인물의 성격, 심리 상징:** 특정 소재를 대하는 인물의 태도나 반응을 통해 인물의 성격과 심리 상태를 드러내고, 배경을 통해 인물의 심리를 암시한다.

---

"나무다리가 있는데 건 왜 고치시나요?"
쉽고 편한 것을 추구하는 근대적 사고방식

"너두 그런 소릴 허는구나. 나무가 돌만 하다든? 넌 그 다리서 고기 잡던 생각두 안 나
안정적인 것을 추구하고 무생물에도 인정을 쓰는 전통적 사고방식
니? 서울루 공부 갈 때 그 다리 건너서 떠나던 생각 안 나니? 시체 사람들은 모두 인정
이란 게 사람헌테만 쓰는 건 줄 알드라! 내 할아버지 산소에 상돌을 그 다리로 건네
ᵢ: 돌다리가 가족의 삶과 깊은 관련을 맺고 있음.
모셨구, 내가 천잘 끼구 그 다리루 글 읽으러 댕겼다. 네 어미두 그 다리루 가말 타구
내 집에 왔어. 나 죽건 그 다리루 건네다 묻어라⋯⋯. 난 서울 갈 생각 없다."
돌다리와 고향에 대한 애착
– 이태준, 〈돌다리〉에서

---

🔍 '나무다리'와 '돌다리(그 다리)'를 통해 근대적 사고방식과 ( ❷ ㅈㅌㅈ ) 사고방식의 차이를 상징적으로 드러내고 있다.

**(2) 작품의 주제 부각:** 인물의 처지를 강조하거나 인물의 속성을 선명하게 드러내는 소재 및 배경을 설정함으로써 주제를 부각할 수 있다.

---

"방을 한 사람씩 따로 잡을까요?" / 여관에 들어갔을 때 안이 우리에게 말했다.
개인주의적인 성향의 인물

"그게 좋겠지요?"

"모두 한 방에 드는 게 좋겠어요."라고 나는 아저씨를 생각해서 말했다.
혼자 있는 것이 두려운 아저씨를 배려함.
아저씨는 그저 우리 처분만 바란다는 태도로, 또는 지금 자기가 서 있는 곳이 어딘지도
모른다는 태도로 멍하니 서 있었다. 여관에 들어서자 우리는 모든 프로가 끝나 버린 극장
갈 곳을 잃어버린 허전하고 막막한 심정
에서 나오는 때처럼 어찌할 바를 모르고 거북스럽기만 했다. 여관에 비한다면 거리가 우리
거리에서는 세 사람이 함께 있을 수 있었기 때문에
에게는 더 좁았던 셈이었다. 벽으로 나누어진 방들, 그것이 우리가 들어가야 할 곳이었다.
의사소통이 단절된, 소외된 현대인의 모습 상징
– 김승옥, 〈서울, 1964년 겨울〉에서

---

🔍 벽으로 나누어진 방이라는 공간에 각각 들어가는 설정을 통해 연대 의식을 상실하고 파편화된 ( ❸ ㅎㄷㅇ )의 인간관계를 보여 준다.

빈칸 답
❶ 전통적 ❷ 현대인

## 기출로 바로 확인

이때 도적 장군이 최 씨를 훔쳐온 뒤, 그녀가 옥 같은 얼굴에 선녀 같은 자태를 지녔음을 보고 만고의 절색이라 여겼다. 이에 크게 기뻐하고 즐거워하며 급히 길일을 택하여 혼례를 치르고자 하였으나, 최 씨가 송죽(松竹)처럼 꼿꼿한 마음으로 정절을 지키며 목숨을 지푸라기처럼 여겼기 때문에 만약 위력으로 핍박하다가는 아름다운 보옥이 부서지고 향기로운 꽃이 떨어지는 환란이 있을 것 같았다. 이에 장군은 다만 빨리 세월이 지나 최 씨가 체념하고 마음을 돌릴 때까지 기다리기로 하였다. (중략)

최 씨가 서해무릉에 온 지 수삼 년이 지났으나 몸을 일으켜 연보(蓮步)를 옮김이 없었는데, 이 날은 꿈속 일에 의심이 생겨 한번 나갈 결심을 하였다. 이에 계선이 크게 기뻐하며 하인들에게 채비를 차리라고 일렀다.

계선이 이끄는 대로 따라와 나와 보니, 서쪽으로 강물이 굽돌아 흐르는 곳에 산 우물이 있었고, 그 앞에 흰 옷을 입은 여승이 바랑을 메고 대나무 막대기를 쥐고 표연히 서 있었다. 최 씨가 은근히 눈을 들어 살펴보니, 삿갓 밑에 옥 같은 얼굴을 한 여승은 다름이 아니라 바로 자신의 지아비 유연이었다.

최 씨가 보니 낯빛과 용모가 바뀌고 풍채와 신수가 초췌하여 가슴이 찢어지는 듯하였다. 더구나 이렇게 머리를 깎고 중이 되는 부끄러움도 무릅쓰고 허다한 풍상(風霜)과 천신만고의 고생을 겪은 것이 모두 자신 때문이었으니, 최 씨의 심정이 오죽하였겠는가?

아주 놀라고 무척 기뻐하며 침통해하다 가만히 생각해보니 지금이 오히려 아주 위태로운 상황이었다. 남들이 유생의 정체를 안다면 어찌 될 것인가? 생각이 여기에 미치자 몸과 마음이 어지러워 능히 진정할 수 없었으나, 옆에 계선이 있고 또 좌우의 눈과 귀가 두려워 반갑고 놀라운 기색을 억지로 참으며 어찌할 바를 몰라 하였다.

한편 유생은 온 나라를 떠돌아다녔어도 끝내 찾지 못하다가 오늘 여기서 최 씨를 만나게 되니 천만의외였다. 그때 유생은 그저 대문 밖에 앉아 좌우로 경치를 구경하고 있었는데 안으로부터 사람 소리가 아스라이 들리더니 한 소저가 아리따운 비단 옷을 입고 걸어오고 있었다. 혹시나 하여 여러 번 살펴보니 초췌해진 얼굴과 슬픔에 젖은 모습 때문에 바로 알아보기 어려웠으나 선명하고 참신하며 미려한 그 모습은 완연히 최 씨였다.

– 작자 미상, 〈서해무릉기〉에서

● **다음은 윗글을 읽고 문학 탐구 보고서를 쓰기 위해 작성한 계획서이다. (가)에 들어갈 내용으로 적절하지 <u>않은</u> 것은?**

[의문] 왜 제목을 '유연전'이나 '최씨전'이라고 하지 않고 '서해무릉기'라고 했을까?
[탐구 과제 설정] '서해무릉'이라는 장소가 지닌 의미가 중요한 것 같으니 인물별로 그 의미를 탐구해 봐야겠어.
[자료 조사] '서해무릉'에서 등장인물들은 개인적 욕망을 꿈꾸기도 하고 시련을 겪기도 한다. 또한 애정을 지켜나가거나 소망을 실현하기도 하며 내적으로 성숙해지기도 한다.
[탐구 결과]                                                  (가)

① 잃어버린 배필인 최 씨와 다시 만나게 된 것을 보니 '유연'에게는 소망을 실현하는 공간으로 볼 수 있다.

② 도적 장군으로부터 정절을 지키며 마음을 돌리지 않은 것을 보니 '최 씨'에게는 애정을 지키는 공간으로 볼 수 있다.

③ 유연이 최 씨의 도움으로 용맹과 지략을 갖추게 되는 것을 보니 '유연'에게는 내적으로 성숙해지는 공간으로 볼 수 있다.

# 08 서술상 특징 파악하기 유형

📖 **유형 다가가기** 산문에서는 사건이나 인물의 심리를 효과적으로 드러내기 위해 특별한 서술 방식을 사용한다. 이러한 서술상 특징을 파악하기 위해서는 서술자와 시점, 인물이나 사건을 서술하는 방식, 문체와 표현법을 알아야 한다. 또한 특정 소재나 배경을 통해 주제를 형상화하기도 하므로 비유법과 상징 기법을 이해하고 있어야 한다.

| **대표 발문** | • 윗글의 서술상 특징에 대한 설명으로 가장 적절한(적절하지 않은) 것은?
　　　　　　 • [A]의 기능이나 효과로 가장 적절한(적절하지 않은) 것은?

| **선택지 빈출 어휘** | #서술자 #시점 #직접적 #간접적 #외양묘사 #성격 #장황한 #태도 #정서 #어투 #사건 #장면 #배경 #공간
　　　　　　　　　 #시간 #심리적 #분위기 #대화 #묘사 #표현 #전환 #의식의흐름 #자동기술법 #내면세계

## | 해결 방법 ① 시점, 서술 방식, 문체, 표현법 파악하기

**이 유형의** 감상 원리

📖 서술자와 시점을 확인하고, 서술 방식, 특징적인 표현법을 파악한다.

> 서술자와 시점 파악하기
> ⋮
> 서술 방식 파악하기
> ⋮
> 문체, 표현법 파악하기

> 고전 소설은 대부분 3인칭 전지적 시점입니다. 3인칭 전지적 시점의 작품이라도 설명과 묘사로만 사건을 서술하는 것은 아니므로 제시된 지문에 드러나는 서술상 특징을 잘 찾아보아야 합니다.

_ 2020학년도 9월 고1 학력평가

　어린 현이 물을 끝없이 토하며 어머니를 부르고 통곡하다가 사방을 둘러보니 무인지경(無人之境)이었다.

　이때 절강 소흥부에 유 소사라는 재상이 있었다. <u>황성에서 벼슬을 하다가 나이가 들어</u> <u>퇴사(退仕)하고 고향으로 돌아오는 중이었는데</u>, 문득 울음소리가 들려왔다. (중략)
　　　　　　　　　　　　　　인물의 내력을 요약적으로 서술함.

　<u>현이 여러 날만에 순천부에 이르러서는 밥을 빌러 한 집에 들어갔는데, 그 주인이 현의</u> <u>구걸하는 소리를 듣고 불쌍하게 여겨 가까이 부르고는 물었다.</u>
　　　　　　　시점: 작품 밖의 서술자가 이야기를 전달함.

　"그대는 어디 사람이며 어찌 이리 빌어먹는가?"

　"가화공참(家禍孔慘)하기로 자연히 걸식하오이다."

　주인이 가만히 현을 보다가 다시 물었다.

　「"그대의 이름과 얼굴이 본 듯하니 알지 못할 일이라. 그대 혹여 남에게 적선한 일이 있
는가?"
　　└ : 서술 방식 – 최현과 완삼의 대화를 통해 지난 이야기를 전달함.

　"구걸하는 아이가 어찌 사람을 구제함이 있으리오?"

　"칠 년 전에 진주강 모래사장에서 금은보화로 사람을 구제한 일이 없는가? 공자는 숨
기지 말고 바로 이르소서." / 현이 말했다.

　"<u>서촉으로 가려 하던 중 상인 완삼이 파선하고 물가에서 울거늘, 자연히 마음에 측은</u>
　　　　　　　　　　　　　　　　최현이 완삼을 도와준 적이 있음.
<u>하여서 약간 물건을 준 일이 있는데</u>, 이것을 어찌 구제하였다 하리오?"

　주인이 이 말을 듣고는 크게 놀라고 크게 기뻐하며 현을 붙들고 반기며 말했다.

　"공자는 나를 몰라보나이까? 내가 바로 완삼이로소이다. 간밤에 한 꿈을 얻었는데 공
자를 만나 은혜를 갚는 꿈이었으니, 내 어찌 공자를 뵈올 줄 알았으리오?"」

　　　　　　　　　　　　　　　　　　　　　　　　– 작자 미상, 〈최현전〉에서

● **가화공참** | 집안이 당한 화가 매우 참혹함.

**빈칸 답**
❶ 심리 ❷ 대화

✎ 서술자와 시점: 작품 밖의 서술자가 인물의 (❶ ㅅㄹ )와 사건의 내용까지 모두 전달한다.
✎ 서술 방식: 어린 최현을 구해 준 인물의 내력을 요약적 진술로 서술하고 있고, 최현과 완삼의 (❷ ㄷㅎ )를 통해 칠 년 전 두 사람에게 있었던 일이 나타난다.

## | 해결 방법 ② 서술상 특징과 효과를 중심으로 선택지 판단하기

📖 작품에 나타나는 서술상의 특징과 그 효과를 바르게 설명했는지 판단한다.

---

● **윗글에 대한 설명으로 가장 적절한 것은?**

① <u>언어유희를 활용하여</u>/인물을 희화화하고 있다. ➡ ✕: 말장난 같은 표현은 사용되지 않음.

② <u>세밀한 외양 묘사를 통해</u>/인물의 심리를 드러내고 있다. ➡ ✕: 인물의 겉모습을 묘사하는 부분은 없음.

✔③ <u>대화를 통해</u>/이전에 일어난 사건의 정황을 드러내고 있다. ➡ ○: 최현과 완삼의 대화에서 최현이 완삼을 도운 일이 드러남.

🖊 최현과 ( **❶** ㅇㅅ )의 대화 중 '칠 년 전에 진주강 ~ 구제한 일이 없는가?', '서촉으로 가려 하던 중 ~ 구제하였다 하리오?' 등을 통해 칠 년 전에 일어났던 ( **❷** ㅅㄱ )의 정황을 전달하고 있다.

---

빈칸 답
❶ 완삼 ❷ 사건

---

개념➕ **시점의 종류**

### ● 1인칭 주인공 시점

<u>나</u>는 속성 재배하는 채마처럼 쑥쑥 자
<sub>서술자=주인공. '나'가 자신의 이야기를 서술함.</sub>
라 여름철이 되면 아버지를 따라 은어 낚시를 다니곤 했다. 은어들은, 강을 거슬러 오르던 중에 우리의 털바늘 낚시나 놀림 낚시 채비에 걸려들었다. 우리는 은어가 산란을 하기 위해 하구로 내려오기 시작하는 9월 무렵까지 낚시를 계속했다.

 — 윤대녕, 〈은어 낚시 통신〉에서

🖊 작품 속 서술자인 '나'가 주인공인 자신의 이야기를 전달함.

### ● 1인칭 관찰자 시점

그 날도 <u>나</u>는 <u>명선</u>이와 함께 부서진 다
<sub>서술자   주인공</sub>
리에 가서 놀고 있었다. 예의 그 위험천만한 곡예 장난을 명선이는 한창 즐기는 중이었다. 콘크리트 부위를 벗어나 그 애가
<sub>'나'가 명선의 이야기를 전달함.</sub>
앙상한 철근을 타고 거미처럼 지옥의 가장귀를 향해 조마조마하게 건너갈 때였다.

 — 윤흥길, 〈기억 속의 들꽃〉에서

🖊 작품 속 서술자인 '나'가 ( **❶** ㅈㅇㄱ )인 명선의 이야기를 전달함.

### ● 3인칭 관찰자 시점

주막을 나선 그들 <u>부자</u>는 논두렁길로
<sub>주인공</sub>
접어들었다. 아까와 같이 만도가 앞장을 서는 것이 아니라, 이번에는 진수를 앞세웠다. 지팡이를 짚고 찌그뚱찌그뚱 앞서
<sub>만도와 진수의 모습을 객관적으로 묘사함.</sub>
가는 아들의 뒷모습을 바라보며, 팔뚝이 하나밖에 없는 아버지가 느릿느릿 따라가는 것이다. 손에 매달린 고등어가 대고 달랑달랑 춤을 추었다.

 — 하근찬, 〈수난이대〉에서

🖊 작품 밖 서술자가 만도와 진수 부자의 걸어가는 모습을 객관적인 입장에서 전달함.

### ● 3인칭 전지적 시점

1945년 8월 15일, 역사적인 날.

이날도 신기료장수 <u>방삼복</u>은 종로의 공
<sub>주인공</sub>
원 건너편 응달에 앉아서 구두 징을 박으면서 해방의 날을 맞이하였다. 그러나 삼복은 감격한 줄도 기쁜 줄도 모르겠었다.
<sub>서술자가 '방삼복'의 심리를 모두 알고 전달함.</sub>
지나가는 행인이 서로 모르던 사람끼리면서 덥석 서로 껴안고 기뻐하고 눈물을 흘리고 하는 것이 삼복은 속을 모르겠고……

 — 채만식, 〈미스터 방〉에서

🖊 작품 밖 서술자가 방삼복의 ( **❷** ㅅㄹ )와 행동을 모두 알고 있는 입장에서 전달함.

---

### ➕ 시점과 거리

| 관계\시점 | 서술자 -인물 | 서술자 -독자 | 인물 -독자 |
|---|---|---|---|
| 1인칭 주인공, 3인칭 전지적 | 가깝다. | 가깝다. | 멀다. |
| 1인칭 관찰자, 3인칭 관찰자 | 멀다. | 멀다. | 가깝다. |

여기서 말하는 '거리'란 심리적 거리를 뜻한다. '서술자-인물' 간 거리는 서술자가 인물의 내면을 얼마나 잘 알고 있는가, '서술자-독자' 간 거리는 서술자가 독자에게 얼마나 친절하게 서술하고 있는가, '인물-독자' 간 거리는 독자가 인물을 얼마나 유심히 관찰하여 친해질 필요가 있는가를 뜻한다.

빈칸 답
❶ 주인공 ❷ 심리

# 기출로 바로 확인

💡 **도움말**

이 글에서 김 주사는 마을의 지주로 자신의 이익을 위해 소작인들의 삶을 외면하는 이기적이고 부정적인 인물로 그려지고 있다. 인물의 성격을 드러내기 위해 어떤 서술 방식을 활용했는지 살펴보도록 한다.

**앞부분의 줄거리** 마을의 지주 김 주사는 춘이네가 소작하던 논을 하루아침에 일본인 고리대금업자에게 넘긴다. 소작하던 논을 떼이고 먹고살기가 어려워진 춘이 조모는 김 주사를 찾아간다.

김 주사는 감투를 쓰고―그는 지금 도 평의원이다마는 감투 쓸 일은 이 밖에도 많다. 전 금융조합장, 전 보통학교 학무위원, 전 군참사, 적십자사 정사원, 지주회 부회장―(이담에 죽을 때에는 명정을 쓰기가 어려울 만큼 이렇게 직함이 많았다)―점잖은 목소리로 논 떼는 이유를 이렇게 말하였다. **[A]**

"여태까지 몇 해를 잘 지어 먹었으니 인제는 고만 지어 먹게. 다른 사람도 좀 지어 먹어야지."

그때 노파는 벌벌 떨리는 목소리로

"아이구 나으리! 지금 와서 논을 떼면 어찌합니까? 그러면 제집 식구는 모다 굶어 죽겠습니다!"

하고 개개빌어보았으나 김 주사는 그런 것은 나는 모르고, 내 땅은 내 말대로 언제든지 뗄 수 있지 않느냐―됩다 불호령을 하였다.

그래도 춘이 조모는 한나절을 애걸복걸하며 올 일 년만 더 지어 먹게 해달래 보았으나 그는 도무지 막무가내이었다. 벌써 다시 변통이 없을 줄 안 춘이 조모는 그 길로 나오다가 그 집 대뜰 위에서 그 아래로 물구나무를 서서 고만 그 자리에 즉사하였다. 그는 지금 여든다섯 살인데 여기까지도 간신히 지팡이를 짚고 기어 왔었다.

그러나 김 주사는 조금도 개의치 않고 하인을 명하여 송장을 문밖으로 끌어내게 하였다. 그리고 송장 찾아가라고 춘이 집으로 전갈을 시키고 일변 구장을 불러서 경찰서로 보고하게 하였다. 김 주사는 마침 그 일인과 술을 먹을 때이므로 그는 물론 튼튼한 증인이 되었다. **[B]**

행여 무슨 도리나 있는가 하고 기다리던 춘이 모자는 천만뜻밖에 이 기별을 듣고 천지가 아득하여 전지도지° 쫓아갔다. 그들은 지금 시체 옆에 엎드려서 오직 섧게 통곡할 뿐이었다.

― 이기영, 〈농부 정도룡〉에서

● **전지도지**: 엎드러지고 곱드러지며 몹시 급히 달아나는 모양.

● [A]와 [B]에 대한 설명으로 가장 적절한 것은?

① [A]에서는 외양 묘사를, [B]에서는 배경 묘사를 통해 현실감을 부각하고 있다.

② [A]에서는 열거를, [B]에서는 행위 제시를 통해 인물의 성격을 드러내고 있다.

③ [A]에서는 인물의 대립을, [B]에서는 상황 제시를 통해 사건의 분위기를 드러내고 있다.

④ [A]와 [B] 모두 공간의 이동을 통해 갈등을 심화시키고 있다.

⑤ [A]와 [B] 모두 인물의 내적 독백을 통해 사건의 흐름을 지연시키고 있다.

# 09 외적 준거에 따라 작품 감상하기 유형

📖 **유형 다가가기**  외적 준거로 제시되는 〈보기〉에 따라 작품을 감상하는 유형으로 운문과 산문 모두에 자주 출제된다. 〈보기〉로는 사회·문화적 배경, 작가의 가치관이나 작품 세계, 문학 개념이나 갈래 이론 등이 제시된다. 따라서 〈보기〉로 주어진 외적 준거에 따라 작품을 감상하는 능력을 길러야 한다.

| **대표 발문** |  • 〈보기〉를 참고하여 윗글을 감상한 내용으로 가장 적절한(적절하지 <u>않은</u>) 것은?
  • 〈보기〉를 참고할 때, ⓐ와 ⓑ에 대한 이해로 가장 적절한(적절하지 <u>않은</u>) 것은?

| **선택지 빈출 어휘** |  #일제강점기 #근대 #민족 #해방 #이상적 #현실 #실천 #경험 #시인 #글쓴이 #작가 #서술자 #성장배경 #
공동체 #개인 #소외 #물질만능주의 #창작당시 #모티프 #귀양 #임금

---

## | 해결 방법 ❶ 〈보기〉를 읽고 감상의 관점과 내용 파악하기

**이 유형의** **감상 원리**

> 〈보기〉의 관점 파악하기
> ⋮
> 〈보기〉의 관점에 따라 작품의 주제 이해하기
> ⋮
> 〈보기〉에서 설명한 내용이 구현된 부분을 작품에서 찾기

📖 〈보기〉의 내용이 어떤 관점에서 작품을 설명하고 있는지 파악한다.

> ● 보기 ●
>
> 윤동주는 <u>이상을 지향하는 자아와 이를 실천하지 못하는 현실적 자아의 충돌</u>로 인
> 윤동주 작품의 주된 소재
> 해 나타나는 고뇌를 담은 작품을 다수 창작하였다. 그는 <u>절대적 가치를 추구하는 윤</u>
> ㄴ: 윤동주의 작품 속 화자의 주된 정서
> 리적인 삶을 꿈꾸지만 현실에서 <u>이를 완전하게 실현하지 못하는 자신을 성찰하는</u>
> 과정에서 부끄러움을 드러낸다. 그는 이러한 <u>성찰과 이상 추구의 의지</u>를 지속적으
> 윤동주가 작품에 담고자 하는 내용
> 로 시에 반영하면서 <u>시인으로서의 숙명</u>을 보여주고 있다.
> 윤동주가 작품을 창작할 때의 마음가짐

✎ 〈보기〉는 작가 중심의 관점에서 윤동주가 시인으로서의 숙명에 따라 작품에 (**❶** ㅇㅅ)적 자아와 현실적 자아의 충돌을 다루며, 이상 추구의 의지를 드러냈다고 설명하고 있다.

---

## | 해결 방법 ❷ 〈보기〉의 관점에 따라 작품 해석하기

> 〈보기〉는 작품을 감상할 때 실마리가 됩니다. 〈보기〉에 사용된 말과 비슷한 의미의 시어를 찾으며 작품의 의미를 해석해 보세요.

📖 〈보기〉의 관점에 따라 주제를 파악하고, 각 시어의 의미를 해석한다.

> _2017학년도 9월 고1 학력평가
>
> 죽는 날까지 하늘을 우러러 / 한 점 부끄럼이 없기를
> 절대적 가치 지향         이상을 지향하는 태도
> 잎새에 이는 바람에도 / 나는 괴로워했다.
> 이상과 현실의 충돌에서 오는 갈등
> 별을 노래하는 마음으로 / 모든 죽어가는 것을 사랑해야지
> 절대적 가치의 추구
> 그리고 나한테 주어진 길을 / 걸어가야겠다.
> 화자의 의지가 드러남.
>
> 오늘 밤에도 별이 바람에 스치운다.
> 현실에서의 실천을 방해하는 존재
>
> – 윤동주, 〈서시〉

✎ 화자가 하늘을 우러러 보는 것은 성찰의 행동으로 볼 수 있으며, 부끄러움과 괴로움은 윤리적 삶을 꿈꾸지만 이를 실현하지 못하는 자신의 처지에 따른 정서로 볼 수 있다.

✎ 죽어가는 것을 사랑하고 주어진 길을 걸어가야겠다는 것은 자신에게 주어진 숙명을 받아들이고 이상을 추구하겠다는 (**❷** ㅇㅈ)로 해석할 수 있다.

**빈칸 답**
**❶** 이상 **❷** 의지

## | 해결 방법 ❸ 〈보기〉의 내용에 따라 선택지를 판단하기

📖 〈보기〉의 내용과 선택지의 내용을 일대일로 대응시켜 적절성을 판단한다.

● 〈보기〉를 참고하여 윗글을 이해할 때, 적절하지 **않은** 것은?

① '죽는 날까지'는 이상을 지향하는 자아의 숙명을 강조하여 표현한 것이다. ➡ ○
　　　　　○: 숙명과 연결됨.
② '하늘을 우러러'는 절대적 가치를 지향하는 자아의 모습을 표현한 것이다. ➡ ○
　　　　　○: 절대적 가치와 연결됨.
③ '괴로워했다'는 현실에서 이상을 실현하지 못하는 고뇌를 나타낸 것이다. ➡ ○
　　　　　○: 고뇌와 연결됨.
✔④ '별을 노래하는 마음'은 윤리적 삶과 현실의 삶 사이의 갈등을 표현한 것이다. ➡ ✕
　　　　　✕: 이상을 추구하는 태도, 의지
⑤ '주어진 길을 걸어가야겠다'는 이상 실현을 위한 의지를 드러낸 것이다. ➡ ○
　　　　　○: 의지와 연결됨.

빈칸 답
❶ 갈등

✎ 윤리적 삶을 추구하지만 그렇지 못한 현실의 삶에서 (❶ ㄱㄷ)을 느낀다는 내용은 〈보기〉에 제시되지만 '별을 노래하는 마음'은 이상을 추구하는 태도와 의지를 드러낸 시구이다.

개념＋ 　외적 준거로 활용되는 〈보기〉의 종류

● 외적 준거
　외적 준거로는 문학 작품 감상의 관점 중 표현론(작가 중심), 반영론(사회·문화적 배경 중심), 효용론(독자 중심) 등의 관점에 따른 기준이 주로 제시된다.

### ● 작가의 작품 경향을 설명한 〈보기〉

― 보기 ―

　김유정 작품의 특징은 중심인물들이 대부분 순박하고 어리숙하다는 점이다. 작가는 그런 인물들을 연민의 시선으로 바라봄으로써 인물이 겪는 문제의 원인이 개인이 아니라 부조리한 사회에 있음을 보여준다.
　　　작가가 그려 내는 인물의 특징 / 작가의 관점 설명 / 작가의 문제의식

✎ 작가가 설정한 인물의 특징, 작가의 문제의식을 설명함.

### ● 작품 내용을 설명한 〈보기〉

― 보기 ―

　(가)에는 속세를 벗어나 자연의 아름다움을 즐기면서 유유자적한 삶을 살고자 하는 화자의 모습이 드러나 있다. 이 작품에서 자연은 화자가 지향하는 공간으로 인간 세상과 대립되는 공간을 의미한다.
　　　화자에 대한 설명 / 작품 속 배경의 의미 설명

✎ 화자의 정서 및 태도, 작품 속 공간의 의미 등 작품 내용을 설명함.

### ● 사회·문화적 배경을 설명한 〈보기〉

― 보기 ―

　〈여승〉은 한 여인의 비극적 삶을 통해 일제의 식민지 수탈로 농촌 공동체가 몰락하고 가족 공동체가 파괴되는 당대의 현실을 그리고 있다. 이 작품은 가족의 생계를 위해 집을 떠난 지 아비를 찾아 금점판을 떠돌다가 어린 딸마저 잃고 여승이 되어 버린……
　　　작품의 사회적 배경을 설명함. / 일제 강점하에서의 시적 대상의 삶

✎ 작품의 사회·문화적 배경을 설명하고 그것이 작품에 어떻게 형상화되었는지를 알려 줌.

### ● 문학 개념(갈래 이론)을 설명한 〈보기〉

― 보기 ―

　설(設)은 일반적으로 두 단계의 구조로 나뉜다. 글쓴이의 개인적인 경험을 들려주는 전반부와 그로부터 얻은 결과를 독자에게 전하는 후반부로 구분된다. 글쓴이의 주관이 직접적으로 드러나고 경험담이 기반이 되기 때문에 수필과 비슷하다.
　　　설의 이야기 구조 / 설과 수필의 공통점

✎ 설의 이야기 구조, 설과 (❶ ㅅㅍ)의 공통점 등 설의 갈래적 특성을 설명함.

빈칸 답
❶ 수필

길동 등이 임금에게 아뢰었다.

"신의 아비가 나라의 은혜를 많이 입었사온데, 신이 어찌 감히 나쁜 짓을 하오리까마는, 신은 본래 천한 종의 몸에서 났는지라, 그 아비를 아비라 못 하옵고 그 형을 형이라 못 하와, 평생 한이 맺혔기에 집을 버리고 도적의 무리에 참여하였사옵니다. 그러나 백성은 추호도 범하지 않고 각 읍 수령이 백성들을 들볶아 착취한 재물만 빼앗았을 뿐입니다. 이제 십 년이 지나면 조선을 떠나 갈 곳이 있사오니, 엎드려 빌건대 성상께서는 근심하지 마시고 신을 잡으라는 공문을 거두어 주십시오."

하고, 말을 마치며 여덟 명이 한꺼번에 넘어지므로, 자세히 보니 다 풀로 만든 허수아비였다. 임금이 더욱 놀라며 진짜 길동을 잡으라는 공문을 다시 팔도에 내렸다.

길동이 허수아비를 없애고 두루 다니다가 사대문에 글을 써 붙였는데, 그 글에다,

"소신 길동은 아무리 하여도 잡지 못할 것이오니, 병조판서 벼슬을 내리시면 잡히겠습니다." / 고 하였다.

(중략)

이에 여러 신하 중 한 사람이 아뢰기를,

"길동의 소원이 병조판서를 한번 지내면 조선을 떠나겠다는 것이라 하오니, 한번 제 소원을 풀면 제 스스로 은혜에 감사하오리니, 그때를 타 잡는 것이 좋을까 하옵니다."

고 했다. 임금이 옳다 여겨 즉시 길동에게 병조판서를 제수하고 사대문에 글을 써 붙였다.

그때 길동이 이 말을 듣고 즉시 고관의 복장인 사모관대에 서띠를 띠고 덩그런 수레에 의젓하게 높이 앉아 큰길로 버젓이 들어오면서 말하기를,

"이제 홍 판서 사은(謝恩)하러 온다."

고 했다. 병조의 하급 관리들이 맞이해 궐내에 들어간 뒤, 여러 관원들이 의논하기를,

"길동이 오늘 사은하고 나올 것이니 도끼와 칼을 쓰는 군사를 매복시켰다가 나오거든 일시에 쳐 죽이도록 하자." / 하고 약속을 하였다.

– 허균, 〈홍길동전〉에서

● 〈보기〉를 참고하여 윗글을 이해한 내용으로 적절하지 <u>않은</u> 것은?

보기

〈홍길동전〉이 지금까지 인기를 얻는 이유는 독자들의 흥미를 불러일으키는 길동의 활약이 돋보이기 때문이다. 길동은 백성의 편에 서서 백성이 살기 좋은 세상을 구현하려고 하며, 초월적 능력을 발휘하여 위기를 극복한다. 또한 새 나라를 건설하며, 자신이 가진 신분적 한계를 극복한다. 이러한 모습은 독자들의 기대를 충족시키며 공감을 이끌어낸다.

① 초월적 능력을 발휘하는 모습은 잡히지 않기 위해 길동이 도술을 부리는 것에서 나타나는군.

② 백성의 편에 서서 펼치는 활약은 수령이 백성들에게 착취한 재물을 길동이 빼앗았다는 것에서 파악할 수 있군.

③ 백성이 살기 좋은 세상을 구현하려는 노력을 인정받는 모습은 길동이 병조판서에 제수되는 것에서 확인할 수 있군.

실전으로 차곡차곡 익숙하게!

# 실전 1회

# 시+시 01 ㉮ 성탄제 ㉯ 수의 비밀

㉮     어두운 ㉠방 안엔 / 빠알간 숯불이 피고,

외로이 늙으신 할머니가 / 애처로이 잦아드는 어린 목숨을 지키고 계시었다.

이윽고 눈 속을 / 아버지가 약을 가지고 돌아오시었다.

아 아버지가 눈을 헤치고 따 오신 / 그 붉은 산수유 열매—

나는 한 마리 어린 짐승,
젊은 아버지의 서느런 옷자락에
열로 상기한 볼을 말없이 부비는 것이었다.

이따금 뒷문을 눈이 치고 있었다.
그날 밤이 어쩌면 성탄제의 밤이었을지도 모른다.

어느새 나도 / 그때의 아버지만큼 나이를 먹었다.

옛것이라곤 찾아볼 길 없는
성탄제 가까운 도시에는
이제 반가운 그 옛날의 것이 내리는데,

서러운 서른 살 나의 이마에
불현듯 아버지의 서느런 옷자락을 느끼는 것은,

눈 속에 따 오신 산수유 붉은 알알이
아직도 내 혈액 속에 녹아 흐르는 까닭일까.

－ 김종길, 〈성탄제〉

㉯     나는 당신의 옷을 다 지어 놓았습니다.
심의도 짓고 도포도 짓고 자리옷도 지었습니다.
짓지 아니한 것은 작은 주머니에 수놓는 것뿐입니다.

---

 **핵심 짚기**

㉮

**● 화자**
· 화자 '나'
· 시적 상황 성탄제 가까운 날, 도시에서 '나'가 눈을 맞음.
· 정서와 태도 어린 시절을 떠올리며 ❶ ㅇㅂㅈ 의 사랑을 그리워함.

**● 표현**
· 색채의 ❷ ㄷㅂ 색채를 나타내는 시어를 대비하여 의미를 강조함.

| 어두운 | ↔ | 빠알간 |
|---|---|---|
| 눈 | ↔ | 산수유 |

· 감각적 이미지의 시어 사용 촉각적, 시각적 이미지의 시어를 사용함.

| 촉각 | 서느런, 열 |
|---|---|
| 시각 | 어두운, 빠알간, 붉은 |

**● 시어**
· ❸ ㄴ ① '시련, 고난'을 의미함.
② 화자에게 과거를 떠올리게 함.
· 산수유, 서느런 옷자락 아버지의 사랑과 헌신을 의미함.

**빈칸 답**
❶ 아버지 ❷ 대비 ❸ 눈

● **상기하다** | 흥분이나 부끄러움으로 얼굴이 붉어지다.
● **심의** | 예전에, 신분이 높은 선비들이 입던 옷. 대개 흰 베를 써서 두루마기 모양으로 만들었으며 소매를 넓게 하고 검은 비단으로 가를 둘렀다.
● **자리옷** | 잠잘 때 입는 옷.

## 핵심 짚기

**(나)**

● **화자**
• 화자 '나'
• 시적 대상 '❶ ㄷ ㅅ'의 옷
• 정서와 태도 작은 주머니에 수 놓기를 미루며 '당신'을 기다림.

● **표현**
**역설법 사용** 앞뒤가 맞지 않는 표현으로 '당신'에 대한 기다림을 강조함.

**'짓고 싶어서 다 짓지 않는 것'**

| 짓고 싶음. | ⟷ | 짓지 않음. |

| 빈칸 답
❶ 당신

---

표현상 특징(시상 전개 방식)과 효과 파악하기 **1**

❖ **구조적 안정감을 부여하고**
작품의 외적 형태를 보았을 때 행이나 연의 내용, 길이 등이 비슷해서 안정적으로 보이는지를 찾으라는 말이다.

---

외적 준거에 따라 작품 감상하기 **2**

💡 **도움말**
〈보기〉에서 시인의 작품 경향과 성장 배경의 관계, 소재의 의미, 주제 의식을 파악하고, 선택지에서 그 내용을 어떻게 작품의 시구와 연관 짓는지 살펴보아야 한다.

---

그 주머니는 나의 손때가 많이 묻었습니다.

짓다가 놓아두고 짓다가 놓아두고 한 까닭입니다.

다른 사람들은 나의 바느질 솜씨가 없는 줄로 알지마는

그러한 비밀은 나밖에는 아는 사람이 없습니다.

나의 마음이 아프고 쓰린 때에 주머니에 수를 놓으려면

나의 마음은 수놓는 금실을 따라서 바늘구멍으로 들어가고

주머니 속에서 맑은 노래가 나와서 나의 마음이 됩니다.

그리고 아직 ⓒ이 세상에는 그 주머니에 넣을 만한 무슨 보물이 없습니다.

이 작은 주머니는 짓기 싫어서 짓지 못하는 것이 아니라 짓고 싶어서 다 짓지 않는 것입니다.

— 한용운, 〈수(繡)의 비밀〉

---

**(가)와 (나)에 대한 설명으로 가장 적절한 것은?**

① (가)는 수미상관의 방식을 통해, (나)는 설의적 표현을 통해 화자의 의지를 드러내고 있다.

② (가)는 (나)와 달리 동일한 종결 표현을 사용하여 구조적 안정감을 부여하고 있다. ❖

③ (나)는 (가)와 달리 역설적 표현을 통해 대상에 대한 화자의 정서를 부각하고 있다.

④ (가)와 (나)는 모두 후각적 이미지를 통해 시적 상황을 구체화하고 있다.

⑤ (가)와 (나)는 모두 시간의 흐름에 따라 시상을 전개하여 화자의 태도 변화를 드러내고 있다.

---

**고난도**

**〈보기〉를 참고하여 (가)를 감상한 내용으로 적절하지 않은 것은?**

● 보기 ●
　김종길 시인의 작품에 가족에 대한 시가 많은 것은 어린 시절 어머니의 부재 속에서도 가족의 보호를 받으며 자란 그의 성장 과정과 연관이 깊다. 〈성탄제〉에도 삼대로 이어지는 따뜻한 가족애가 다양한 소재를 통해 형상화되어 있다. 이러한 가족애는 개인의 경험을 넘어 현대인의 메마른 삶을 극복할 수 있는 인간애로 확장됨으로써 공감을 얻고 있다.

① '외로이 늙으신 할머니'가 어린 화자를 돌보고 있는 모습은 시인의 성장 배경과 관련이 있겠군.

② '눈 속'을 헤치고 '약'을 구해 온 아버지의 사랑은 삭막한 현실을 극복할 수 있는 인간애로 확장될 수 있겠군.

③ '반가운 그 옛날의 것'은 화자에게 어린 시절을 떠올리게 하는 역할을 하겠군.

④ '서느런 옷자락'은 화자가 경험하는 현대인의 메마른 삶을 형상화한 것이겠군.

⑤ '내 혈액 속에 녹아 흐르는' 산수유는 과거에서 현재까지 이어져 온 가족애를 의미한다고 볼 수 있겠군.

㉠과 ㉡에 대한 설명으로 가장 적절한 것은?

① ㉠은 화자가 자아를 성찰하는 공간이다.

② ㉠은 화자와 대상과의 관계가 단절된 공간이다.

③ ㉡은 화자의 소망이 실현되지 못하고 있는 공간이다.

④ ㉡은 화자가 일상의 삶에서 벗어난 초월적인 공간이다.

⑤ ㉠과 ㉡은 모두 화자가 추구하는 이상적 공간이다.

## 작품 정리하기

### ㉮ 성탄제

**갈래** 자유시, 서정시

**구성**

| | |
|---|---|
| 1~6연 | 어린 시절에 대한 회상 |
| 7~10연 | 삭막한 현실 |

**주제** 순수한 사랑에 대한 그리움과 그 계승의 참뜻

### ㉯ 수의 비밀

**갈래** 자유시, 서정시

**구성**

| | |
|---|---|
| 1연 | '당신의 옷'을 다 짓고, 주머니에 수놓는 것만 남겨 둠. |
| 2연 | 수놓는 과정에 담긴 의미와 주머니에 수를 놓지 않는 이유 |

**주제** 수에 담긴 사랑의 비밀

---

**◯ (가) 시적 상황과 화자의 정서**

| 성탄제(눈) | | | |
|---|---|---|---|
| **과거** | 아버지의 사랑을 느낌. | ⟷ **현재** | 삭막함을 느낌. |

눈이 내리는 성탄제 가까운 날, 화자는 어린 시절 열병을 앓던 화자를 위해 ❶□□ □□ 열매를 구해 오신 아버지의 모습을 회상한다. 이는 도시의 메마른 현실에서 느낄 수 없는 그 옛날 아버지의 사랑을 그리워하는 것이다.

**◯ (나) 표현상 특징**

(나)의 화자는 작은 주머니를 '짓고 싶어서 다 짓지 않는 것'이라고 역설적으로 표현함으로써 영원한 사랑을 이루기 위해 '당신'을 기다리고 있다는 태도를 드러내고 있다.

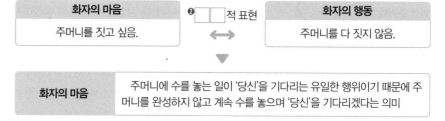

| 화자의 마음 | ❷□□적 표현 | 화자의 행동 |
|---|---|---|
| 주머니를 짓고 싶음. | ⟷ | 주머니를 다 짓지 않음. |

| 화자의 마음 | 주머니에 수를 놓는 일이 '당신'을 기다리는 유일한 행위이기 때문에 주머니를 완성하지 않고 계속 수를 놓으며 '당신'을 기다리겠다는 의미 |
|---|---|

**◯ (가)+(나) 공간의 의미 비교**

(가)의 '방 안'은 화자가 긍정적으로 생각하는 추억의 공간인 데 반해, (가)의 '도시'와 (나)의 '이 세상'은 화자가 바라는 바가 부재하는 공간이다.

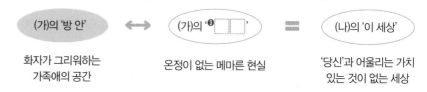

| (가)의 '방 안' | ⟷ | (가)의 '❸□□' | = | (나)의 '이 세상' |
|---|---|---|---|---|
| 화자가 그리워하는 가족애의 공간 | | 온정이 없는 메마른 현실 | | '당신'과 어울리는 가치 있는 것이 없는 세상 |

---

정답과 해설 8쪽
실전 1회

㉮ 넓은 벌 동쪽 끝으로 / 옛이야기 지줄대는 실개천이 회돌아 나가고,
얼룩백이 황소가 / 해설피 금빛 게으른 울음을 우는 곳,

—— 그곳이 차마 꿈엔들 잊힐 리야.

질화로에 재가 식어지면 / 비인 밭에 밤바람 소리 말을 달리고
엷은 졸음에 겨운 늙으신 아버지가 / 짚베개를 돋아 고이시는 곳,

—— 그곳이 차마 꿈엔들 잊힐 리야.

흙에서 자란 내 마음 / ㉠파아란 하늘빛이 그리워
함부로 쏜 화살을 찾으려 / 풀섶 이슬에 함초롬 휘적시던 곳,

—— 그곳이 차마 꿈엔들 잊힐 리야.

전설(傳說) 바다에 춤추는 밤물결 같은 / 검은 귀밑머리 날리는 어린 누이와
아무렇지도 않고 예쁠 것도 없는 / 사철 발 벗은 아내가
따가운 햇살을 등에 지고 이삭 줍던 곳,

—— 그곳이 차마 꿈엔들 잊힐 리야.

하늘에는 성근 별 / 알 수도 없는 모래성으로 발을 옮기고,
서리 까마귀 우지짖고 지나가는 초라한 지붕,
흐릿한 불빛에 돌아앉아 도란도란거리는 곳,

—— 그곳이 차마 꿈엔들 잊힐 리야.

– 정지용, 〈향수〉

㉯ 아무도 그에게 수심(水深)을 일러 준 일이 없기에
흰나비는 도무지 바다가 무섭지 않다.

---

### 핵심 짚기

㉮

**● 화자**
・화자 '나'
・시적 대상 고향
・시적 상황 '나'가 고향의 풍경을 떠올림.
・정서와 태도 간절하게 고향을 ❶ㄱㄹㅇ함.

**● 표현**
・**반복법 사용** 유사한 시구와 동일한 시행을 반복하여 운율을 형성하고 고향에 대한 그리움을 강조함. ('–ㄴ 곳', '–그곳이 ~ 잊힐 리야.')
・❷ㄱㄱㅈ 이미지의 시어 사용 시각, 청각, 촉각, 공감각적 이미지의 시어를 사용하여 다채롭게 고향의 모습을 묘사함.
・**설의법 사용** ❸ㅁㅇ의 형식으로 고향에 대한 화자의 그리운 마음을 강조함. ('꿈엔들 잊힐 리야.')

**빈칸 답**
❶ 그리워 ❷ 감각적 ❸ 물음

● **지줄대다** | 낮은 목소리로 자꾸 지껄이다.
● **회돌다** | '휘돌다(어떤 물체를 중심으로 휘어서 돌다.)'의 변형.
● **해설피** | '해가 질 무렵' 혹은 '소리가 낮고 느리게'로 해석됨.
● **함초롬** | 젖거나 서려 있는 모습이 가지런하고 차분한 모양.
● **성근 별** | 별들이 듬성듬성하게 있는 모습을 이르는 말.

✏️ 핵심 짚기

(나)

● 화자
· 시적 대상 나비, 바다
· 시적 상황 흰나비가 ❶ㅂㄷ의 냉혹함을 겪고 돌아옴.

● 표현
❷ㅅㅊ ㄷㅂ 바다의 푸른색과 나비의 흰색이 대비됨.

빈칸 답
❶ 바다 ❷ 색채 대비

ⓛ청(靑)무우밭인가 해서 내려갔다가는
어린 날개가 물결에 절어서
공주처럼 지쳐서 돌아온다.


삼월달 바다가 꽃이 피지 않아서 서글픈
나비 허리에 새파란 초생달이 시리다.

– 김기림, 〈바다와 나비〉

표현상 특징과 효과 파악하기 **1** (가)와 (나)에 대한 설명으로 가장 적절한 것은?

① (가)는 설의적 표현을 통해, (나)는 영탄적 표현을 통해 시적 상황을 압축적으로 드러내고 있다.

② (가)는 (나)와 달리 동일한 시행을 반복하여 통일성을 형성하고 있다.

③ (나)는 (가)와 달리 수미상관의 방식을 통해 화자의 일관된 태도를 나타내고 있다.

④ (가)와 (나)는 모두 명사로 연을 마무리하여 시적 여운을 자아내고 있다.

⑤ (가)와 (나)는 모두 역설적 표현을 사용하여 화자의 정서를 부각하고 있다.

외적 준거에 따라 작품 감상하기 **2**

고난도

〈보기〉를 참고하여 (가)와 (나)를 감상한 내용으로 적절하지 않은 것은?

💡 도움말

〈보기〉는 시인이 감각적 이미지를 활용하는 방법, 감각적 이미지의 기능 등을 설명하고 있다. 작품에서 이미지를 표현하는 시구를 찾아 종류별로 분류하며 그 의미나 기능을 선택지에서 바르게 설명하고 있는지 판단해야 한다.

─● 보기 ●─

시인은 사물을 인식하는 인간의 감각을 언어로 재현하여 보여 줌으로써 독자들이 시의 의미를 효과적으로 파악하게 한다. 한 종류의 감각을 다른 종류의 감각으로 전이시켜 나타낸 표현은 감각적 이미지를 효과적으로 드러낼 수 있으며, 이미지를 대비하는 표현은 시적 의미를 강조할 수 있다. 이와 같은 표현을 통해 독자는 시적 상황을 생생하고 다채롭게 느낄 수 있으며, 화자나 시적 대상의 정서를 깊이 있게 이해할 수 있다.

① (가)의 '옛이야기 지줄대는 실개천', '따가운 햇살'은 아름다운 고향의 모습을 감각적 이미지로 다채롭게 재현한 것이군.

② (가)의 '검은 귀밑머리 날리는 어린 누이'는 가난으로 인해 고통받는 누이의 절망감에 공감하게 만드는 표현이군.

③ (가)의 '흐릿한 불빛'은 시각적 이미지를 통해, '도란도란거리는'은 청각적 이미지를 통해 가족이 모여 앉은 방 안의 풍경을 생생하게 그려 내는군.

④ (나)의 푸른 '바다'와 '흰나비'는 색채 대비를 이루면서 냉혹한 현실과 순수한 존재라는 이미지의 대조를 강화하는군.

⑤ (가)의 '금빛 게으른 울음', (나)의 '나비 허리에 새파란 초생달이 시리다'는 한 종류의 감각을 다른 종류의 감각으로 전이시켜 나타낸 표현에 해당하는군.

시어/시구의 의미와 기능
파악하기

**3** ㉠과 ㉡의 공통점으로 가장 적절한 것은?

● **도래** | 어떤 시기나 기회가 닥쳐옴.

① 긍정적인 미래의 도래를 암시한다.
② 무의미한 일상이 반복되는 공간이다.
③ 비극적 분위기와 긴장감을 조성한다.
④ 화자나 시적 대상이 동경하는 세계이다.
⑤ 화자나 시적 대상에게 고난과 시련을 가져다준다.

 **작품 정리하기**

### (가) 향수

**갈래** 자유시, 서정시

**구성**

| 1연 | 평화롭고 한가로운 고향 마을의 정경 |
| 2연 | 겨울밤의 고향 정경과 늙은 아버지의 모습 |
| 3연 | 꿈 많던 어린 시절의 '나' |
| 4연 | 어린 누이와 아내의 모습 |
| 5연 | 단란한 가족의 모습과 고향 마을의 정겨움 |

**주제** 고향에 대한 그리움

### (나) 바다와 나비

**갈래** 자유시, 서정시

**구성**

| 1연 | 바다의 무서움을 모르는 나비 |
| 2연 | 바다에 내려갔다가 지쳐 돌아온 나비 |
| 3연 | 냉혹한 현실에 부딪혀 좌절한 나비의 모습 |

**주제** 낭만적 꿈의 좌절과 냉혹한 현실 인식

### (가) 감각적 이미지 사용과 그 효과

| 심상 | 시구 |
|---|---|
| 시각 | 얼룩백이 황소, 파아란 하늘빛, 검은 귀밑머리 날리는, 성근 별, 흐릿한 불빛 |
| ❶□□ | 옛이야기 지줄대는 실개천, 서리 까마귀 우지짖고, 도란도란거리는 |
| 촉각 | 풀섶 이슬에 함초롬 휘적시던, 따가운 햇살을 등에 지고 |
| 공감각 | 금빛 게으른 울음, 밤바람 소리 말을 달리고 |

▼

| 효과 | • 고향의 모습을 생생하고 다채롭게 형상화함.<br>• 고향에 대한 추억을 떠올리게 하고, 향수를 불러일으킴. |
|---|---|

### (가) 표현상 특징

| 의인법 사용 | '옛이야기 지줄대는 실개천': 실개천이 사람이 말하는 것처럼 흘러간다고 표현함. |
|---|---|
| ❷□□법 사용 | '─그곳이 차마 꿈엔들 잊힐 리야.': 고향을 꿈에서도 잊을 수 없다는 말을 물음의 형식으로 표현함. |
| 같거나 유사한 시구 반복 | • '─ㄴ 곳'의 반복<br>• '─그곳이 차마 꿈엔들 잊힐 리야.'의 반복 |

### (나) 주요 시어의 의미

| 흰나비 | 낭만적인 꿈을 지닌 순수하고 연약한 존재 |
|---|---|
| ❸□□ | 냉혹한 현실, 거대한 문명의 세계 |
| 청무우밭 | 나비가 동경하는 세계 |

**빈칸 답** ❶ 청각 ❷ 설의 ❸ 바다

# 03 눈사람 속의 검은 항아리

_ 2020학년도 6월 고1 학력평가

## ✏️ 핵심 짚기

### ● 인물
'나' 순수하면서도 임기응변으로 위기를 넘기는 모습을 보임.

### ● 배경
· 시간 과거: 1960~70년대, 겨울
　　　　현재: 1990년대
· 공간 미아리 산동네

### ● 사건

> '나'는 깨진 단지를 보고 걱정하다가 사람들의 목소리가 들리자 최후의 시도로 ❶ ㅈ ㅁ 을 외움.
>
> ⋮
>
> '나'는 혼날 위기에서 벗어나기 위해 눈을 모아 눈사람을 만들고 그 속에 ❷ ㄷ ㅈ 를 감춤.

### ● 시점
1인칭 ❸ ㅈ ㅇ ㄱ 시점 이야기의 주인공인 '나'가 깨진 단지를 숨기는 과정과 그때 느낀 심리를 직접 서술함.

### | 빈칸 답
❶ 주문 ❷ 단지 ❸ 주인공

---

● 짠지 | 무를 통째로 소금에 짜게 절여서 묵혀 두고 먹는 김치. 김장 때 담가서 이듬해 봄부터 여름까지 먹는다.
● 만무하다 | 절대로 없다.
● 지청구 | 아랫사람의 잘못을 꾸짖는 말.
● 봉쇄하다 | 굳게 막아 버리거나 잠그다.

---

**앞부분의 줄거리** '나'는 재개발이 시작되어 이제 곧 사라지게 될 고향 산동네를 찾아가면서 추운 겨울, 변소에 갔다가 짠지 항아리를 깨뜨렸던 어린 시절의 기억을 떠올린다.

　나는 깨진 단지를 눈으로 찬찬히 확인하는 순간 입술을 파르르 떨었다. 어찌 떨지 않을 수 있었을까. 그 단지의 임자가 욕쟁이 함경도 할머니임에 틀림없음에랴! 이 베락 맞아 뒈질 놈의 아새낄 봤나, 하는 욕설이 귀에 쟁쟁해지자 등 뒤에서 올라온 뜨뜻한 열기가 목덜미와 정수리께를 휩싸며 치솟아 올라 추운 줄도 몰랐다. 눈을 비비고 또 비볐지만 이미 벌어진 현실이 눈앞에서 사라져 줄 리는 만무했다.

　집 안팎에서 귀청이 떨어져라 퍼부어질 지청구와 매타작을 감수하는 게 상수인 듯싶었다. 아무도 밟지 않은 첫길이라고 일부러 발끝에 힘을 주어 제겨 딛고 가느라 우리 집 앞에서 변소 앞까지 뚜렷이 파인 눈 위의 내 발자국은 요즘 말로 도주 및 증거 인멸의 가능성을 일찌감치 봉쇄하고 있는 터였다. 이미 아홉 가구의 어느 방 안에서인지 잠에서 깨어난 사람들이 내 행동을 처음부터 끝까지 지켜보기라도 한 양 두런거리는 목소리들이 들려왔다. 나는 울기 전에 최후의 시도를 하기로 맘먹었다. 우랑바리나바롱나르비못다라까따라마까뿌라냐……

　손오공이 부리는 조화를 기대하며 입속으로 주문을 반복해서 외었다. 그러고는 고개를 확 돌려 깨진 단지를 내려 보았다. 주문이 헛되지 않았는지 내 입가에 기쁨의 미소가 어렸다. 깨진 단지는 그 모양 그대로였지만 어떤 기발한 생각이 별똥별처럼 머릿속을 스치고 지나갔기 때문이었다. 그렇다. 눈사람이다! 나는 가슴이 터질 듯 기뻐 하늘을 향해 두 팔을 쫙 벌렸다. 일단 이 아침만큼은 별일 없이 맞이할 수 있겠지.

　나는 장갑도 끼지 않은 손으로 서둘러 주위의 눈을 긁어모으기 시작했다. 마침 찰기가 좋은 눈이어서 손이 한번 닿을 때마다 흙알갱이가 알알이 박힌 눈덩이들이 붙어 올라왔다. 나는 우선 항아리 주변에 눈사람의 아랫부분을 뭉쳐 놓았다. 그리고는 조금 작은 눈덩이를 서둘러 올려놓았다. 그렇게 해서 깨진 단지를 감쪽같이 눈사람 속에 집어넣을 수 있었던 것이다.

　"너 벌써부터 나와 노는구나. 부지런하구나."

　바로 이웃방에 사는 현정이 아빠가 담배를 꼬나물고 변소에 가려고 내복 바람으로 나왔다.

　"방학 숙제로 낼 일기를 쓰는데요, 눈사람 굴리기라도 해서 적어 넣으려구요. 앞으론 날이 따뜻해서 눈사람을 만들려 해도 그러지 못할 거예요. 이것도 금세 녹을걸요."

**중략 부분의 줄거리** 욕쟁이 할머니의 짠지 항아리를 깬 후, 깨진 단지의 흔적을 치운다. 혼날 것을 두려워한 '나'는 가출을 한 후 여러 곳을 방황하다 해질녘에 집으로 돌아온다.

## 핵심 짚기

● 인물

'나'의 심리 변화

| 집으로 돌아오기 전 | **①** ㄱ ㅈ 함. |
| 사람들과 엄마를 마주친 후 | 혼란스럽고 낯섦. |
| 엄마가 '나'를 꾸짖은 후 | 정신을 차림. |

● 구성

역순행적 구성 현재 사건을 서술한 후 과거를 회상하다가 현재로 돌아옴. ('**②** ㄱ ㄹ ㄱ 컸다.': 현재)

빈칸 답
❶ 걱정 ❷ 그렇게

● 화기애애하다 | 온화하고 화목한 분위기가 넘쳐흐르다.

● 시래기 | 무청이나 배춧잎을 말린 것. 새끼 따위로 엮어 말려서 보관하다가 볶거나 국을 끓이는 데 쓴다.

● 곤혹스럽다 | 곤란한 일을 당하여 어찌할 바를 모르겠다는 느낌이 있다.

● 천연덕스럽다 | 시치미를 뚝 떼어 겉으로는 아무렇지 않은 체하는 태도가 있다.

● 아슴프레하다 | 아슴푸레하다. 또렷하게 보이거나 들리지 아니하고 희미하고 흐릿하다.

그러곤 어느덧 해질녘······ 이미 비밀이 다 까발려졌을 아홉 가구 집으로 돌아갔다. 대문간 앞에서 나는 심호흡을 몇 번이고 했다. 엄마한테 연탄집게로 맞으면 안 되는데 싶은 생각뿐이었다. 하지만 내가 대문간 앞을 흐르는 시궁창을 가로지르는 돌다리를 건너갔지만 아무도 나를 보고 아는 체하는 사람이 없었다. 내게 일제히 안됐다는 시선을 던지며 몰려들었어야 할 사람들이 평소와 다름없이 냄비를 들고 왔다 갔다 했고, 문짝에 기대 입을 가리고 웃었으며, 수돗가에 몰려나와 쌀을 일며 화기애애하게 얘기를 나누고 있었다. 심지어 수돗가에서 시래기를 다듬다 마주친 엄마도 너 점심 굶고 어디 갔다 왔니, 하는 지청구조차 내리지 않았다. 나는 무척 혼돈스러웠다. 사람들이 나를 더 곤혹스럽게 만들기 위해 일부러 짜고 그러는 것도 같았다. 나는 얼른 눈사람을 천연덕스럽게 세워두었던 변소통 쪽을 돌아다보았다. 거기엔 아무것도 없었다. 눈사람은 깨끗이 치워져 있었다. 물론 흉측한 몰골을 드러내고 있어야 할 짠지 단지도 눈에 띄지 않았다. 도대체 무슨 일이 일어난 것일까?

나는 **나를 둘러싼 세계가 너무도 낯설게 느껴졌다.** 내가 짐작하고 또 생각하는 세계하고 실제 세계 사이에는 이렇듯 머나먼 거리가 놓여 있었던 것이다. 그 거리감은 사실 이 세계는 나와는 상관없이 돌아간다는 깨달음, 그러므로 나는 결코 주변으로 둘러싸인 중심이 아니라는 아슴프레한 깨달음에 속한 것이었다. 더 이상 나를 상대하지도 혼내지도 않는 세계가 너무나 괴물스럽고 슬퍼서 싱거운 눈물이라도 흘려야 직성이 풀릴 듯했다. 하긴 눈물 서너 방울쯤 짜내는 것은 일도 아니었으니까. 난 ㉠시래기 줄기가 매달린 처마 밑에 서서 몇 방울 떨구며 소리 없이 울었다. 차라리 그 깨진 단지라도 제자리를 지키고 있었다면 혼은 나더라도 나는 혼돈스럽지도 불안해하지도 않았을 것 아닌가.

"뭘 잘했다고 소리 없이 눈물을 꼭꼭 짜니? 정초부터 에밀 못 잡아먹어서 그러니? 넉살 좋게 단지를 깨뜨려 눈사람 속에 파묻을 생각은 어찌 했담."

엄마가 물에 젖은 손으로 내 볼따구니를 야무지게 잡아 비틀며 어이가 없다는 듯 픽 웃음을 지었다. 그 얼얼함이 내 균형 감각을 바로 잡아 주었다. 아주머니들의 웃음소리 사이에서 나는 울음을 딱 그쳤다. 그러고는 어른처럼 땅을 쿵쾅거리며 뛰쳐나와 이 골목 저 골목을 헤집으며 어딘가를 향해 가슴이 터져라고 마구 달리고 또 달렸다. **그렇게 컸다.**

— 김소진, 〈눈사람 속의 검은 항아리〉

서술상 특징 파악하기

**✚ 소설의 내화와 외화를 넘나들면서**
한 이야기 속에 또 다른 이야기가 있는 액자식 구성인지를 살펴보라는 뜻이다.

**1** 윗글의 서술 방식에 대한 설명으로 적절한 것은?

① 인물 간의 대화를 중심으로 사건을 전개하고 있다.

② 작품 속의 서술자가 자신의 심리를 직접 서술하고 있다.

③ 소설의 내화와 외화를 넘나들면서 긴장감을 조성하고 있다.

④ 주변 인물을 서술자로 내세워 주인공의 심리를 전달하고 있다.

⑤ 서술자가 작품 밖에 위치하여 인물의 심리를 직접 서술하고 있다.

**㉠의 이유로 가장 적절한 것은?**

① '나'의 잘못을 용서해 준 어른들에게 고마움을 느꼈기 때문이다.

② 겨울날 해질녘에 귀가하면서 쓸쓸한 분위기를 느꼈기 때문이다.

③ 가출을 감행해야만 했던 '나'의 처지가 슬프게 느껴졌기 때문이다.

④ 가출 후 무관심으로 일관하는 어른들의 태도에 분노를 느꼈기 때문이다.

⑤ '나'가 예상하는 모습과 다르게 행동하는 어른들의 모습에서 혼돈과 불안함을 느꼈기
때문이다.

인물의 심리와 태도 파악
하기  3

💡 도움말
〈보기〉에서 제시한 사건이 지
문의 어디에서 어디까지인지 찾
은 후 인물의 심리 변화를 파악
해야 한다.

● 의기양양하다 | 뜻한 바를 이루
어 만족한 마음이 얼굴에 나타
난 상태이다.

**〈보기〉는 윗글의 사건을 순서대로 정리한 도표이다. ㉮~㉱의 각 사건에 따른 '나'의 심리 상태로
가장 적절한 것은?**

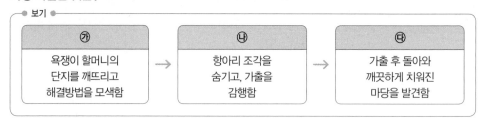

① ㉮: 단지를 깬 후, 당황하지 않고 침착함을 유지하고 있다.

② ㉮: 주문을 외운 후, 위기 상황을 모면할 수 있다는 생각에 기뻐하고 있다.

③ ㉯: 현정 아빠와 대화하기 전부터 '나'는 의기양양한 태도로 일관하고 있다.

④ ㉱: 가출 후 돌아와서, 깨끗하게 치워진 마당을 보며 편안함을 느끼고 있다.

⑤ ㉱: 볼을 비틀며 자신을 꾸짖는 엄마로 인해 심리적으로 위축되고 있다.

외적 준거에 따라 작품 감
상하기  4

➕ 소설에서 내적 시간이 유년기
의 시간대임
소설에서 주인공의 어린 시절
에 벌어졌던 일을 다룬다는 뜻이
다.

고난도

**〈보기〉를 참고하여 윗글을 이해할 때, 적절하지 않은 것은?**

> ● 보기 ●
>
> 성장 소설은 유년기에서 소년기를 거쳐 성인의 세계로 입문하는 한 인물이 겪는 내면
> 적 갈등과 정신적 성장, 자신을 둘러싸고 있는 세계에 대한 각성과 성찰의 과정을 담고
> 있다. 성장 소설은 대개 성인의 입장에서 자신의 어린 시절의 체험을 재평가하고, 반성적
> 으로 사유한 결과물을 고백의 담론 방식을 택하고 있다. 주인공은 지적, 도덕적, 정신적
> 으로 미숙한 상태의 인물인 경우가 많다. 소설에서 내적 시간이 유년기의 시간대임에 비
> 해서 실제적인 창작은 성인의 세계에 진입한 이후의 시간에서 이루어지기 때문에 양자
> 가 구별되어 제시된다.

① '깨진 단지'는 '나'에게 성장의 계기가 되는 소재로 쓰였군.

② '눈사람' 속에 깨진 항아리를 은폐하는 모습에서 내면적으로 갈등하는 '나'를 살펴볼
수 있겠군.

③ '방학 숙제로 낼 일기'에서 어린 시절의 경험을 그린 소설로 볼 수 있겠군.

④ '나를 둘러싼 세계'는 미성숙한 '나'가 각성하고 성찰하는 공간으로 볼 수 있겠군.

⑤ '그렇게 컸다'는 구절을 볼 때, 성인이 어린 시절을 떠올리고 있음을 알 수 있겠군.

## 작품 정리하기

### ◉ 갈래　단편 소설, 성장 소설

### ◉ 전체 구성

**발단**　'나'는 세를 준 옛집의 문제를 해결하기 위해 재개발 이야기가 한창인 미아리에 들르는 길에 어린 시절 짠지 단지를 깨뜨린 일을 떠올림.

**전개**　'나'는 얼마 전 장가를 든 창이 형의 집에서 술을 마시며, 창이 형의 부인에 대한 기억을 회상함.
┈┈ 42쪽 수록

**위기**　[과거] 깨진 짠지 단지를 눈사람 속에 숨긴 후 혼날 것이 두려워진 '나'는 가출하여 하루 종일 바깥을 돌아다님.
┈┈ 43쪽 수록

**절정**　[과거] 집에 돌아왔지만 눈사람, 짠지 단지도 모두 사라졌고 아무도 '나'를 꾸중하지 않아 '나'는 울음을 터트림.

**결말**　창이 형과 헤어져 돌아오는 길에 빈집에 들어가 똥을 누고는 산동네가 사라진다는 사실에 눈물을 흘림.

### ◉ 주제　세계 인식을 통한 정신적 성장

### ◯ 서술자와 시점

이 작품은 작품 속 주인공인 '나'가 어린 시절 자신의 이야기를 직접 전달하고 있다. 그래서 '나'가 단지를 깬 일, 눈사람 속에 단지를 감춘 일, 가출했다가 돌아온 후의 사건을 ❶◻◻◻의 시점에서 보여 줄 뿐, '나'에 대한 당시 어른들의 생각은 구체적으로 보여 주지 않는다.

### ◯ 사건에 따른 '나'의 심리 변화

| 사건 | '나'의 심리 |
|---|---|
| 단지를 깨뜨림. | 혼날 것을 걱정하며 해결 방법을 모색함. |
| ❷◻◻◻ 속에 단지를 넣음. | 위기에서 벗어났다고 생각하지만 자신의 잘못이 들통나서 혼날 것을 두려워함. |
| 가출했다가 돌아옴. | 걱정과 달리 사람들이 자신을 꾸짖지 않아 세상이 낯설게 느껴짐. |

### ◯ '나'의 정신적 성장

| 계기 | | 성장 |
|---|---|---|
| 예상과 달리 어른들이 단지를 깬 '나'를 꾸짖지 않음. | → | 세상이 자신과 상관없이 돌아간다는 깨달음을 얻음. |

단지 사건을 통해 '나'는 세상의 중심이 '나'가 아니며, 이 세상은 '나'와 무관하게 돌아간다는 사실을 깨닫는다.

### ◯ 소재의 의미와 기능

| 깨진 ❸◻◻ | • '나'에게 갈등을 유발하고, '나'가 가출하게 되는 원인이 됨.<br>• '나'가 정신적으로 성숙하는 계기를 만들어 줌. |
|---|---|
| 눈사람 | 단지를 깨뜨린 '나'가 아침부터 어른들에게 혼날 위기에서 벗어나기 위해 임시방편으로 만든 것 |

### ◯ 작품 전체의 구성

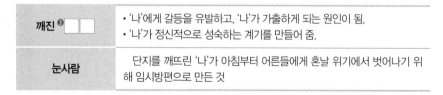

| 현재 | | 과거(회상) | | 현재 |
|---|---|---|---|---|
| 셋집 문제로 미아리로 찾아감. | → | 실수로 단지를 깨고 눈사람 속에 감춤. | → | 어린 시절의 공간이 사라져 슬픔. |

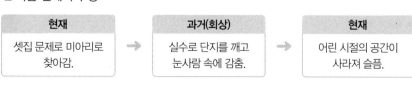

빈칸 답　❶ 주인공　❷ 눈사람　❸ 단지

## 핵심 짚기

### ● 인물
• '나' 점순네의 데릴사위로 우직하고 **❶ㅇㅅㄹ**함.
• 점순 '나'가 결혼할 대상으로 남들보다 몸집이 작음.

### ● 배경
• 시간 1930년대 봄
• 공간 강원도 산골의 농촌 마을

### ● 사건
┌─────────────────────┐
│ 장인이 '나'와 점순의 성례를 │
│ 계속 미루어 '나'는 불만이 쌓임. │
└─────────────────────┘
       ⋮
┌─────────────────────┐
│ 점순이 장인에게 성례를 시켜 │
│ 달라고 요구하라고 '나'를 부추 │
│ 김. │
└─────────────────────┘

### ● 시점
1인칭 주인공 시점 이야기 안의 **❷ㅈㅇㄱ**인 '나'가 자기 이야기를 전달함.

### ● 서술상 특징
사투리, **❸ㅂㅅㅇ 사용** 향토성과 현장감을 살리는 언어로 사건을 서술하고, 인물의 심리를 전달함.

### 빈칸 답
❶ 어수룩 ❷ 주인공 ❸ 비속

● **대구** | 대고. 무리하게 자꾸. 또는 계속하여 자꾸.
● **들입다** | 세차게 마구.
● **현칠이들** | 훤칠히들. ① 길고 미끈하게. ② 막힘없이 깨끗하고 시원스럽게.
● **혹혹히** | 톡톡히.
● **파** | 사람의 결점.
● **채시니** | 채신. '처신'을 낮잡아 이르는 말.

그 전날, 왜 내가 새고개 맞은 봉우리 ㉠화전밭을 혼자 갈고 있지 않았느냐. 밭 가생이로 돌 적마다 야릇한 꽃내가 물컥물컥 코를 찌르고 머리 우에서 벌들은 가끔 '붕, 붕.' 소리를 친다. 바위틈에서 샘물 소리밖에 안 들리는 산골짜기니까 맑은 하늘의 봄볕은 이불 속같이 따스하고 꼭 꿈꾸는 것 같다. 나는 몸이 나른하고 몸살(을 아즉 모르지만 병)이 날랴구 그러는지 가슴이 울렁울렁하고 이랬다. / "어러이! 말이! 맘 마 마……."

이렇게 노래를 하며 소를 부리면 여느 때 같으면 어깨가 으쓱으쓱한다. 웬일인지 ㉡밭 반도 갈지 않아서, 온몸의 맥이 풀리고 대구 짜증만 난다. 공연히 소만 들입다 두들기며

"안야! 안야! 이 망할 자식의 소(장인님의 소니까) 대리를 꺾어 들라." / 그러나 내 속은 정말 안야 때문이 아니라 점심을 이고 온 점순이의 키를 보고 울화가 났든 것이다.

점순이는 뭐 그리 썩 이쁜 계집애는 못 된다. 그렇다구 또 개떡이냐 하면 그런 것두 아니고, 꼭 내 안해가 돼야 할 만치 그저 툽툽하게 생긴 얼굴이다. 나보다 십 년이 아래니까 올에 열여섯인데, 몸은 남보다 두 살이나 덜 자랐다. 남은 잘도 현칠이들 크건만 이건 우 아래가 몽툭한 것이 내 눈에는 헐없이 감참외 같다.

참외 중에는 감참외가 젤 맛 좋고 이쁘니까 말이다. 둥글고 커단 눈은 서글서글하니 좋고, 좀 지쳐 찢어졌지만 입은 밥술이나 혹혹히 먹음직하니 좋다. 아따, 밥만 많이 먹게 되면 팔자는 고만 아니냐. 헌데 한 가지 파가 있다면 가끔가다 몸이 (장인님은 이걸 채시니 없이 들깐븐다고 하지만) 너머 빨리빨리 논다. 그래서 밥을 나르다가 때 없이 풀밭에다 깨빡을 쳐서 흙투성이 밥을 곧잘 먹인다. 안 먹으면 무안해할까 봐서 이걸 씹고 앉었노라면 으적으적 소리만 나고 돌을 먹는 겐지 밥을 먹는 겐지…….

그러나 ㉢이날은 웬일인지 성한 밥째루 밭머리에 곱게 나려놓았다. 그리고 또 내외를 해야 하니까 저만큼 떨어져 이쪽으로 등을 향하고 옹크리고 앉어서 그릇 나기를 기다린다.

내가 다 먹고 물러섰을 때, 그릇을 와서 챙기는데 난 깜짝 놀라지 않았느냐.

고개를 푹 숙이고 밥함지에 그릇을 포개면서 날더러 들으래는지 혹은 제 소린지

정답과 해설 11쪽

## 핵심 짚기

● **인물**
**구장** 장인에게 땅 두 마지기를 얻어 부치는 사람으로 장인의 편에서 '나'를 ❶ㅅㄷ함.

● **사건**

> '나'는 점순과의 ❷ㅅㄹ를 위해 장인을 이끌고 구장을 찾아감.
>
> ⋮
>
> 장인의 귓속말을 들은 구장은 '나'를 설득함.
>
> ⋮
>
> '나'는 구장에게서 장인의 약속을 듣고 일하러 돌아옴.

● **갈등**
**인물과 ❸ㅇㅁ 간의 갈등** 점순과의 성례를 요구하는 '나'와, 아직 성례를 해 줄 수 없다는 장인이 갈등함.

**빈칸 답**
❶ 설득 ❷ 성례 ❸ 인물

● **되알지다** | 힘주는 맛이나 억짓손이 몹시 세다.
● **귀정** | 그릇되었던 일이 바른 길로 돌아옴.
● **정장** | 소장(訴狀)을 관청에 냄.
● **사경** | 머슴이 주인에게서 한 해 동안 일한 대가로 받는 돈이나 물건.
● **들쓰다** | 책임이나 허물 따위를 억지로 넘겨 맡다.
● **빙장** | 다른 사람의 장인을 이르는 말. 여기서는 장인을 가리킨다.

"밤낮 일만 하다 말 텐가!"

하고 혼자서 좋알거린다. 고대 잘 내외하다가 이게 무슨 소린가 하고 난 정신이 얼떨떨했다. 그러면서도 한편 무슨 좋은 수나 있는가 싶어서 나도 공중을 대고 혼잣말로

"그럼 어떻게?" / 하니까, / "성례시켜 달라지 뭘 어떻게."

하고 되알지게 쏘아붙이고 얼굴이 발개져서 ㉣산으로 그저 도망질을 친다.

나는 잠시 동안 어떻게 되는 심판인지 맥을 몰라서 그 뒷모양만 덤덤히 바라보았다.

봄이 되면 온갖 초목이 물이 올르고 싹이 트고 한다. 사람도 아마 그런가 부다 하고 며칠 내에 부쩍(속으로) 자란 듯싶은 점순이가 여간 반가운 것이 아니다.

이런 걸 멀쩡하게 안즉 어리다구 하니까…….

**중략 부분의 줄거리** '나'는 장인을 이끌고 구장에게 가서 공정한 판결을 받고자 한다. '나'는 구장에게 점순이 다 크면 성례를 시켜 주겠다는 장인의 말만 믿고 삯도 받지 않고 점순네 농사일을 도맡아 해 온 자신의 처지를 하소연한다.

그러나 이 말에는 별반 신통한 귀정을 얻지 못하고 도루 논으로 돌아와서 모를 부었다. 왜냐면, 장인님이 뭐라구 귓속말로 수군수군하고 간 뒤다. 구장님이 날 위해서 조용히 데리구 아래와 같이 일러 주었기 때문이다.(뭉태의 말은 구장님이 장인님에게 땅 두 마지기 얻어 부치니까 그래 꾀었다구지만, 난 그렇게 생각하지 않는다.)

"자네 말두 하기야 옳지. 암, 나이 찼으니까 아들이 급하다는 게 잘못된 말은 아니야. 허지만, 농사가 한창 바쁠 때 일을 안 한다든가 집으로 달아난다든가 하면 손해죄루 그것두 징역을 가거든!(여기에 그만 정신이 번쩍 났다.) 왜 요전에 삼포 말서 산에 불 좀 놓았다구 징역 간 거 못 봤나. 제 산에 불을 놓아두 징역을 가는 이땐데 남의 농사를 버려 주니 죄가 얼마나 더 중한가. 그리고 자넨 정장을(사경 받으러 정장 갔다 했다.) 간대지만, 그러면 괜시리 죌 들쓰고 들어가는 걸세. 또, 결혼두 그렇지. 법률에 성년이란 게 있는데 스물하나가 돼야지 비로소 결혼을 할 수가 있는 걸세. 자넨 물론 아들이 늦일 걸 염려지만, 점순이루 말하면 인제 겨우 열여섯이 아닌가. 그렇지만 아까 빙장님의 말씀이 올 ㉤갈에는 열 일을 제치고라두 성례를 시켜 주겠다 하시니 좀 고마울 겐가. 빨리 가서 모 붓든 거나 마저 붓게. 군소리 말구 어서 가……."

그래서 오늘 아츰까지 끽소리 없이 왔다.

– 김유정, 〈봄·봄〉

**서술상 특징 파악하기**

**1** 윗글에 대한 설명으로 가장 적절한 것은?

① 외양을 구체적으로 묘사하여 특정 인물을 풍자하고 있다.

② 방언과 구어적 표현을 사용하여 생동감 있게 상황을 전달하고 있다.

③ 과거 회상을 통해 주인공이 자아를 성찰하는 계기를 마련하고 있다.

④ 동시에 일어나는 두 개의 사건을 병치하여 인물 간 갈등을 부각하고 있다.

⑤ 다른 사람의 체험을 듣고 독자에게 전해 주는 액자식 구성을 취하고 있다.

🔍 도움말

인물의 심리와 태도를 묻는 문제를 풀 때는 심리와 태도뿐만 아니라 인물이 그런 심리나 태도를 갖게 된 이유도 적절한지 판단해야 한다.

● 회유하다 | 어루만지고 잘 달래어 시키는 말을 듣도록 하다.

**윗글의 인물에 대한 이해로 적절하지 않은 것은?**

① '나'는 점순의 키가 충분히 자랐다고 판단하여 장인이 시킨 농사일을 하지 않으려 한다.

② '나'는 점순이 실수로 넘어져 흙투성이 밥을 가져와도 점순이 민망하지 않도록 순순히 밥을 먹는다.

③ 점순은 '나'에게 불만을 표하며 '나'가 성례를 올리는 일에 적극적으로 나서도록 부추긴다.

④ 구장은 장인을 통해 땅을 소작하고 있기 때문에 장인의 편에서 '나'를 회유한다.

⑤ 구장은 법률적인 내용을 근거로 들어 '나'에게 점순과의 혼례를 미룰 수밖에 없음을 이야기한다.

**평가원 모의고사 기출**

**〈보기〉를 참조할 때, ㉠~㉤에 대한 감상으로 적절하지 않은 것은?**

── 보기 ────

〈봄·봄〉은 시·공간의 이동을 통해 사건들이 전개된다. 소설 속 사건이 일어나는 배경은 단순히 물리적 시·공간을 제시하는 데에서 그치는 것이 아니다. 인물을 둘러싼 구체적 환경은 인물의 성격을 드러내거나 태도에 변화를 줄 뿐만 아니라 사건의 분위기를 조성하기도 한다. 그리고 인물이 처한 사회적 환경을 환기하기도 하고 때로는 인물의 심리 상태에 영향을 미친다.

① ㉠: '화전밭'에서 '나'는 생기 있는 봄의 분위기에 취해 정서적으로 반응하고 있군.

② ㉡: '밭'에서 '나'는 '점순이'와 결혼하지 못하는 자신의 처지 때문에 화가 나 '소'에게 화풀이를 하는군.

③ ㉢: '이날'은 '점순이'의 평소와 다른 말과 행동을 통해 '나'가 '점순이'의 본심을 알아채는 날이겠군.

④ ㉣: '산'은 부모와 자식 세대 간의 자유로운 소통이 어려웠던 당시의 사회적 환경을 상징하는군.

⑤ ㉤: '갈'은 '빙장님'이 약속한 때로 '나'가 논으로 돌아가는 계기를 제공하는군.

**작품 정리하기**

◉ **갈래** 단편 소설, 순수 소설

◉ **전체 구성**

| 발단 | '나'는 점순과 혼인하기 위해 점순네에서 머슴일을 하지만, 장인은 '나'와 점순의 성례를 계속 미룸. |

| 전개 | '나'는 꾀병을 부리기도 하고 점순의 충동질을 받아 장인에게 반항하며 구장을 찾아가 보기도 하지만 별 성과를 얻지 못함. --- 46~47쪽 수록 |

| 절정1 | 점순의 2차 충동질에 성례를 요구하며 '나'는 장인과 격렬한 몸싸움을 벌임. |

| 결말 | [현재] 가을에 성례를 시켜 준다는 장인의 말을 들은 '나'는 장인과 화해하고 다시 일을 하러 감. |

| 절정2 | [과거] '나'와 장인이 싸우는 장면을 목격한 점순은 장인의 편을 들고, 점순의 행동에 망연자실한 '나'는 장인에게 심하게 얻어맞음. |

◉ **주제** 우직하고 순박한 데릴사위와 그를 이용하는 교활한 장인 간의 갈등

### ◉ 시점과 서술상 특징의 효과

> 1인칭 **❶**[　][　][　] 시점: 소설 속 주인공 '나'가 자신의 이야기를 함.

⬇

> 무지하고 어수룩한 서술자가 사건을 서술함.

▼

> • '나'는 장인에게 번번이 이용당하면서도 이를 제대로 깨닫지 못함.
> • '나'의 어수룩한 면모를 부각하여 웃음을 유발함.

### ◉ 등장인물 간의 갈등

| **'나'** | | **❷**[　][　] |
|---|---|---|
| • 우직함, 어수룩함.<br>• 점순과의 혼인을 바람. | ↔ | • 교활함, 인색함.<br>• '나'의 노동력을 필요로 함. |

'나'는 점순과의 혼례 문제로 장인과 갈등을 겪는다. 장인은 점순의 키가 아직 크지 않았다는 이유로 혼례를 자꾸 미루며 '나'를 머슴으로 부려 먹고, 어수룩한 '나'는 그런 장인에게 불만을 품으면서도 장인의 회유에 넘어가며 혼례를 시켜 주기만을 바라고 있다.

### ◉ 배경의 의미와 기능

이 작품에서 배경은 등장인물의 성격을 드러내거나 심리 및 태도에 변화를 주고 사건의 분위기를 조성하기도 한다.

| **시간: 봄** | **공간: 논, 밭** |
|---|---|
| • 작품의 사건이 전개되는 계절적 배경<br>• '나'가 이성에 눈을 뜨게 되는 장치 | • '나'가 장인을 위해 힘들게 일해야 하는 곳<br>• '나'가 성례를 할 수 없음에 화를 터트리는 곳<br>• **❸**[　][　]의 본심을 알게 되는 곳 |

> • 등장인물의 심리, 태도, 성격에 영향
> • 사건의 분위기 조성

### ◉ 작품의 해학적 요소

| 인물과 시점 | 장인의 속셈을 알아차리지 못하는 '나'(서술자)의 어수룩한 성격과 우직한 모습, 잘못된 상황 판단 등이 해학성을 유발함. |
|---|---|
| 방언과 비속어의 사용 | 강원도 산골 농민의 생활 **❹**[　][　][　]와 비속어 사용을 통해 웃음을 유발함. |
| 익살스러운 표현 | 상황에 맞지 않는 익살스러운 표현이 해학성을 유발함. |

**빈칸 답** ❶ 주인공 ❷ 장인 ❸ 점순 ❹ 사투리

# 05 가 십 년을 경영하여 나 농가구장

_ 2021학년도 6월 고1 학력평가

## ✎ 핵심 짚기

### 가

● **화자**
· 화자 '나'
· 시적 상황 초려삼간을 지어 ❶ㅈㅇ과 함께 생활함.

● **표현**
❷ㅇㅇㅂ 사용 '달', '청풍'을 마치 사람인 것처럼 표현하여 자연과 친화하고자 하는 화자의 태도를 드러냄. ('나 한 칸 달 한 칸에 청풍 한 칸 맡겨 두고')

### 나

● **화자**
· 화자 '나'
· 시적 상황 농부들이 ❸ㄴㅅㅇ을 함.

● **표현**
· ❹ㄷㄱㅂ 사용 같거나 비슷한 문장 구조를 짝을 맞추어 나란히 배열함. ('땀은 듣는 대로 듣고 볕은 쬘대로 쬔다')
· ❺ㅅㅇㅂ 사용 말하려는 내용을 의문문의 형식으로 표현하여 의미를 강조함. ('먹은 뒤 한 숨 졸음이야 너나 나나 다를소냐')

### 빈칸 답
❶ 자연 ❷ 의인법 ❸ 농사일
❹ 대구법 ❺ 설의법

---

가 십 년(十年)을 경영(經營)하여 초려삼간(草廬三間) 지어 내니
　　나 한 칸 달 한 칸에 청풍(淸風) 한 칸 맡겨 두고
　　강산(江山)은 들일 데 없으니 둘러 두고 보리라

　　　　　　　　　　　　　　　　　　　　　　　　　　　　－ 송순

나 서산의 아침볕 비치고 구름은 낮게 떠 있구나
　　비 온 뒤 묵은 풀이 뉘 밭에 더 짙었든고
　　두어라 차례 정한 일이니 매는 대로 매리라　　　　　　〈제1수〉

　　둘러내자 둘러내자 긴 고랑 둘러내자
　　바라기 역고를 고랑마다 둘러내자
　　잡초 짙은 긴 사래 마주 잡아 둘러내자　　　　　　　　〈제3수〉

　　땀은 듣는 대로 듣고 볕은 쬘대로 쬔다
　　청풍에 옷깃 열고 긴 휘파람 흘리 불 때
　　어디서 길 가는 손님네 아는 듯이 머무는고　　　　　　〈제4수〉

　　밥그릇에 보리밥이요 사발에 콩잎 나물이라
　　내 밥 많을세라 네 반찬 적을세라
　　먹은 뒤 한 숨 졸음이야 너나 나나 다를소냐　　　　　〈제5수〉

　　돌아가자 돌아가자 해 지거든 돌아가자
　　냇가에 손발 씻고 호미 메고 돌아올 제
　　어디서 우배초적(牛背草笛)이 함께 가자 재촉하는고　　〈제6수〉

　　　　　　　　　　　　　　　　　　－ 위백규, 〈농가구장(農歌九章)〉

---

● **둘러내자** | 휘감아서 뽑자.
● **바라기 역고** | 잡초의 일종.
● **우배초적** | 소의 등에 타고 가면서 부는 풀피리 소리.

표현상 특징과 효과 파악
하기

**1**

**+ 음성 상징어**
소리나 모양, 움직임을 흉내
낸 말로, 의성어와 의태어가 있
다.

**(가)와 (나)의 공통점으로 가장 적절한 것은?**

① 시어의 반복을 통해 리듬감을 형성하고 있다.

② 구체적인 묘사를 통해 계절감을 부각하고 있다.

③ 설의적 표현을 통해 시적 상황을 드러내고 있다.

④ 색채어의 대비를 활용하여 주제를 강조하고 있다.

⑤ 음성 상징어를 사용하여 생동감을 드러내고 있다.

작품 내용 파악하기

**2**

**(나)를 활용하여 '전원일기'라는 제목으로 영상시를 제작하기 위해 학생들이 협의한 내용으로 적절하지 않은 것은?**

① 〈제1수〉는 아침부터 농기구를 가지고 밭을 가는 농부의 모습을 보여주면 좋겠어.

② 〈제3수〉는 농부들이 함께 잡초를 뽑고 있는 모습을 보여주면 좋겠어.

③ 〈제4수〉는 옷깃을 열고 바람을 쐬고 있는 농부의 모습을 보여주면 좋겠어.

④ 〈제5수〉는 농부들이 모여 식사하고 있는 모습을 보여주면 좋겠어.

⑤ 〈제6수〉는 해 질 무렵에 농사일을 마치고 마을로 돌아오는 농부의 모습을 보여주면 좋겠어.

외적 준거에 따라 작품 감
상하기

**3**

 **도움말**
〈보기〉는 (가)와 (나)에 나타난
자연에 대한 인식을 대조하여 설
명하고 있다. 자연에 대한 인식
과 관련지어 (가)와 (나)의 공간
의 차이점을 중심으로 감상해 보
도록 한다.

● **안빈낙도** | 가난한 생활을 하면
서도 편안한 마음으로 도를 즐
겨 지킴.

고난도

**〈보기〉를 참고하여 (가)와 (나)를 감상한 내용으로 적절하지 않은 것은?**

보기

　조선 시대 사대부들의 시조에는 자연이 자주 등장하는데, 작품 속 자연에 대한 인식이 같지는 않다. (가)에서의 자연은 속세를 벗어난 화자가 동화되어 살고 싶어 하는 공간이자 안빈낙도(安貧樂道)의 공간으로 그려져 있다. 반면에 (나)에서의 자연은 소박하게 살아가는 삶의 현장이자 건강한 노동 속에서 흥취를 느끼는 공간으로 그려져 있다.

① (가)의 '초려삼간'은 화자가 안빈낙도하며 사는 공간으로 볼 수 있군.

② (가)의 화자는 '강산'에서 벗어나 '달', '청풍'과 하나가 되어 살아가려는 태도를 보이고 있군.

③ (나)의 '묵은 풀'이 있는 '밭'은 화자가 땀 흘리며 일해야 하는 공간으로 볼 수 있군.

④ (나)의 '보리밥'과 '콩잎 나물'은 노동의 현장에서 맛보는 소박한 음식으로 볼 수 있군.

⑤ (나)의 화자가 '호미 메고 돌아올' 때에 듣는 '우배초적'에서 농부들의 흥취를 느낄 수 있군.

## 작품 정리하기

### (가) 십 년을 경영하여

**갈래** 평시조

**구성**

| | |
|---|---|
| 초장 | 오랜 계획 끝에 초려삼간을 지음. |
| 중장 | 달과 청풍을 집에 들여놓고 함께 삶. |
| 종장 | 강과 산을 병풍처럼 둘러 두고 봄. |

**주제** 자연에 대한 사랑과 안빈낙도

### (나) 농가구장

**갈래** 연시조, 농가

**구성**

| | |
|---|---|
| 제1수 | 아침에 김매기를 위해 나섬. |
| 제3수 | 일터에서 김을 맴. |
| 제4수 | 땀을 흘리며 농사일을 함. |
| 제5수 | 점심을 먹고 졸려 함. |
| 제6수 | 농사일을 마치고 돌아감. |

**주제** 농촌 생활과 그 보람

### (가)+(나) 화자의 삶에 나타나는 자연관

(가)와 (나)는 자연에 대한 인식에 있어서 차이를 보인다. (가)에서 자연은 화자가 동화되어 살고 싶어 하는 안빈낙도(安貧樂道)의 공간으로 제시된 반면, (나)에서 자연(농촌)은 건강한 노동이 이루어지는 삶의 현장으로 제시되고 있다.

| | 화자 | | 자연 |
|---|---|---|---|
| (가) | • 자연 속에 '❶□□□□(세 칸밖에 안 되는 작은 초가)'을 짓고 삶.<br>• '달', '청풍'과 한 집에 함께 살고 '❷□□'을 병풍처럼 둘러 두고 보면서 자연을 즐기고자 함. | → | • 안빈낙도(安貧樂道)의 공간<br>• 속세를 벗어나 동화되어 살고 싶어 하는 공간 |
| (나) | • '❸□'에서 땀 흘리며 풀 뽑는 일을 함.<br>• 일을 하다 '보리밥'과 '콩잎 나물' 등의 소박한 음식을 먹음.<br>• 일을 끝내고 '우배초적'을 들으며 집으로 돌아감. | → | 건강한 노동이 이루어지는 공간 |

### (가)+(나) 표현상 공통점

| | | | ❹□□법 |
|---|---|---|---|
| (가) | '나 <u>한 칸</u> 달 <u>한 칸</u>에 청풍(淸風) <u>한 칸</u> 맡겨 두고' | → | 동일한 시어를 반복하여 리듬감을 형성하고 말에 담긴 의미를 강조함. |
| (나) | '<u>둘러내자</u> <u>둘러내자</u> 긴 고랑 <u>둘러내자</u>', '<u>돌아가자</u> <u>돌아가자</u> 해 지거든 <u>돌아가자</u>' | | |

### (나) 표현상 특징과 효과

(나)에서 화자는 '달', '청풍'과 '초려삼간'의 한 칸씩을 차지하여 함께 살아간다고 표현하고 있다. 즉, '달'과 '청풍'을 사람인 것처럼 표현하여, 화자의 자연 친화적 태도와 물아일체(物我一體)의 삶을 효과적으로 드러내고 있다.

'초려삼간': '나' '달' '청풍' → **❺□□법** '달'과 '청풍'을 화자인 '나'와 동일한 인격체로 대우함.

↓

자연과 인간을 나누는 경계를 벗어나 ❻□□과 하나 되어 살고자 하는 화자의 자연 친화적 태도를 효과적으로 표현함.

**빈칸 답** ❶ 초려삼간 ❷ 강산 ❸ 밭 ❹ 반복 ❺ 의인 ❻ 자연

**06** 가 **동짓달 기나긴 밤을**
나 **강호사시가**

교과서
가 **고등** _ 미래엔, 비상(박안), 신사고 외 3
나 **고등** _ 금성

실전 1회

## 핵심 짚기

가

● **화자**
정서와 태도 임을 그리워함.

● **표현**
추상적 개념인 ' ❶ ㅂ '을 마치 구체적 사물인 것처럼 베어 내고, 넣어 두고, 다시 펼치겠다고 표현함.

나

● **화자**
정서와 태도 자연에서 지내며 ❷ ㅇ ㄱ 의 은혜에 감사함을 느낌.

● **표현**
• 계절에 따라 한 수씩 읊고, 각 수의 초장과 종장에서 통사 구조를 반복함. ('강호에 ~이 드니', '이 몸이 ~하옴도 역군은이샷다')
• ❸ ㅇ ㅇ ㅂ 사용 강물이 신의가 있다고 사람인 것처럼 표현함. ('유신한 강파는 보내느니 바람이로다')

### 빈칸 답
❶ 밤 ❷ 임금 ❸ 의인법

● **서리서리** | 국수, 새끼, 실 따위를 헝클어지지 아니하도록 둥그렇게 포개어 감아 놓은 모양.
● **탁료계변** | 막걸리를 마시며 노는 시냇가.
● **금린어** | 쏘가리.
● **역군은이샷다** | 역시 임금님의 은혜이시다.
● **초당** | 억새나 짚 따위로 지붕을 인 조그마한 집채.
● **강파** | 강에서 일어나는 물결.
● **소정** | 작은 배.
● **소일** | 어떠한 것에 재미를 붙여 심심하지 아니하게 세월을 보냄.
● **자히 남다** | 한 자가 넘는다.
● **누역** | 짚으로 만든 비옷.

가 동짓달 기나긴 밤을 한 허리를 베어 내어
춘풍(春風) 이블 아래 서리서리 넣었다가
어론 님 오신 날 밤이어든 굽이굽이 펴리라

– 황진이

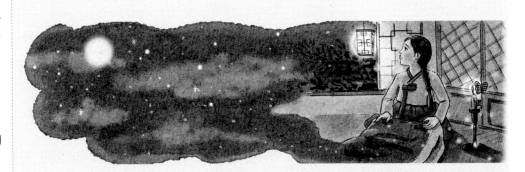

나 강호(江湖)에 봄이 드니 미친 흥(興)이 절로 난다
탁료계변(濁醪溪邊)에 금린어(錦鱗魚) 안주로다
이 몸이 한가하옴도 역군은(亦君恩)이샷다　　　　　　　〈제1수〉

강호(江湖)에 여름이 드니 초당(草堂)에 일이 없다
유신(有信)한 강파(江波)는 보내느니 바람이로다
이 몸이 서늘하옴도 역군은(亦君恩)이샷다　　　　　　　〈제2수〉

강호(江湖)에 가을이 드니 고기마다 살져 있다
소정(小艇)에 그물 실어 흘리 띄워 던져두고
이 몸이 소일(消日)하옴도 역군은(亦君恩)이샷다　　　　〈제3수〉

강호(江湖)에 겨울이 드니 눈 깊이 자히 남다
삿갓 비껴 쓰고 누역으로 옷을 삼아
이 몸이 춥지 아니하옴도 역군은(亦君恩)이샷다　　　　〈제4수〉

– 맹사성, 〈강호사시가(江湖四時歌)〉

표현상 특징과 효과 파악
하기

⊕ **반어적 표현**
  속마음과 반대로 표현하는 것
을 말한다. 반어적 표현을 사용
하면 의미를 강조하고 독자에게
강한 인상을 줄 수 있다.

**1** (가)와 (나)의 공통점으로 가장 적절한 것은?

① 음성 상징어를 사용하여 생동감을 부여하고 있다.
② 반어적 표현을 통해 화자의 의지를 강조하고 있다.
③ 구체적 청자와의 대화를 통해 시상을 전개하고 있다.
④ 자연물에 인격을 부여하여 자연과 인간의 조화를 드러내고 있다.
⑤ 계절적 배경을 드러내는 시어를 사용하여 주제 의식을 부각하고 있다.

**2** (가)와 (나)의 화자에 대해 이해한 내용으로 적절하지 <u>않은</u> 것은?

① (가)의 화자는 '밤'을 '굽이굽이' 펴겠다고 하고 있어. 이것은 임과 함께 오래 있고 싶은
  마음을 표현한 것으로 볼 수 있을 거야.
② (가)의 화자는 '춘풍(春風) 이블'을 정성껏 만들고 있어. 이것은 임이 돌아올 것이라는
  굳은 믿음을 반영한 것으로 볼 수 있을 거야.
③ (나)의 화자는 '미친 흥(興)이 절로 난다'고 하고 있어. 이것은 봄을 맞이하여 솟구치는
  흥겨움과 기쁨을 표현한 것으로 볼 수 있을 거야.
④ (나)의 화자는 '초당(草堂)에 일이 없다'고 하고 있어. 이것은 자연에 묻혀 살아가는 한
  가로운 삶의 모습을 표현한 것으로 볼 수 있을 거야.
⑤ (나)의 화자는 '삿갓'을 쓰고 '누역'을 옷 삼아 겨울을 보내고 있어. 이것은 안분지족(安
  分知足)하며 지내는 검소한 삶의 태도가 드러난 것으로 볼 수 있을 거야.

고2 학력평가 기출

**3** 〈보기〉를 참고하여 (나)를 감상한 내용으로 적절하지 <u>않은</u> 것은?

┌─● 보기
│   〈강호사시가〉는 유교적 이상이 현실화된 시기에 지어진 것으로, 여기에는 화자의 공
│ 적인 삶과 사적인 삶의 조화와 함께 개인의 평안한 삶을 가능하게 한 임금의 치적에 대한
│ 감사가 나타나 있다.
└───────────────────

① 각 수의 초장과 중장은 주로 화자의 사적인 삶의 모습을 그리고 있는 것이군.
② 각 수 종장의 '이 몸이 ~하옴도'는 사적인 삶의 모습을 압축하여 제시한 것이라 할 수
  있군.
③ 각 수 종장의 '역군은(亦君恩)이샷다'는 신하라는 공적인 삶과 관련지어 한 말이라 할
  수 있군.
④ 화자는 걱정이나 탈 없이 만족스럽게 살아가는 삶을 가능하게 한 임금의 은혜에 대해
  감사해 하고 있군.
⑤ 화자의 공적인 삶이 사적인 삶과 조화를 이루게 된 이유는 유교적 이상을 현실화하기
  위한 화자의 노력 때문이군.

 **작품 정리하기**

---

**가 동짓달 기나긴 밤을**

📍 **갈래** 평시조

📍 **구성**

| 초장 | 동짓달 긴 밤의 한가운데를 베어 냄. |
| 중장 | 베어 낸 밤을 따뜻한 이불 아래에 넣어 둠. |
| 종장 | 임이 오시면 밤을 펼쳐 길게 만들고 싶음. |

📍 **주제** 임을 기다리는 애타는 마음

**나 강호사시가**

📍 **갈래** 연시조, 강호 한정가

📍 **구성**

| 제1수 | 강호에서 느끼는 봄의 흥취 |
| 제2수 | 여름의 한가한 초당 생활 |
| 제3수 | 고기잡이하며 즐기는 생활 |
| 제4수 | 눈 쌓인 가운데 안분지족하는 생활 |

📍 **주제** 자연을 즐기며 임금의 은혜에 감사함.

---

🔍 **(가) 표현상 특징**

(가)는 추상적 개념을 구체적 사물로 형상화한 표현이 특징인 작품이다. 추상적 개념인 시간('밤')을 잘라 두었다가 펼칠 수 있는 구체적 사물처럼 표현하여, 임과 함께하고 싶은 소망과 임을 기다리는 마음을 효과적으로 드러내고 있다. 또한 '서리서리', '굽이굽이'와 같은 음성 상징어를 사용하여 표현 효과를 높이고 있다.

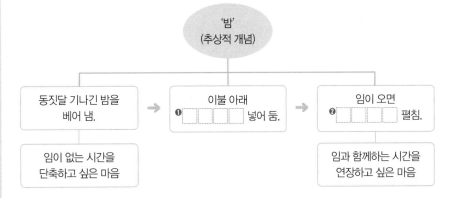

🔍 **(나) 계절에 따른 화자의 태도**

(나)의 화자는 자연과 조화를 이루어 한가롭고도 안분지족하며 사는 삶을 계절별로 노래하고 있다. 또한 이러한 삶을 사는 것은 모두 임금의 은혜 덕분이라고 여기면서 유교적 충의(忠義) 사상을 드러내고 있다.

| 봄 | 여름 | 가을 | 겨울 |
|---|---|---|---|
| 시냇가에서의 풍류를 통해 봄의 흥취를 느낌. | 초당에서 한가하게 지내며 시원한 강바람을 즐김. | 작은 배로 고기잡이하며 소일함. | 아름다운 설경 속에서 안분지족을 느낌. |

↓

| 임금의 은혜 |
|---|

🔍 **(나) 형식적 통일성**

(나)는 각 수마다 형식을 통일하여 안정감을 부여하는 한편, 자연과 조화를 이루는 화자의 모습과 임금의 끝없는 은혜에 대한 감사를 효과적으로 드러내고 있다.

| 초장 | 중장 | 종장 |
|---|---|---|
| ❸ ☐☐의 변화 | 계절에 따른 화자의 구체적인 생활 모습 | 계절마다 느끼는 심정과 삶의 모습 압축적 제시 및 임금의 은혜에 대한 ❹☐☐ |
| '강호에 ~이 드니 ~' | | '이 몸이 ~하옴도 역군은이샷다' |

**빈칸 답** ❶ 서리서리 ❷ 굽이굽이 ❸ 계절 ❹ 감사

## 핵심 짚기

### ● 인물
- **그이** 일생을 바쳐 완벽한 ❶ㅂㅅ을 세공하지만 이에 만족하지 못하고 '남자'와의 계약으로 젊어진 후 '그녀'와 사랑에 빠짐.
- **남자** '그이'와 계약을 맺음.
- **그녀** '그이'를 진심으로 사랑함. '그이'가 보석을 남긴 채 사라졌다는 소식을 '남자'를 통해 듣고 절규함.

### ● 배경
- **시간** 현대의 어느 날
- **공간** '그이'의 방

### ● 사건
'그이'가 '남자'와의 ❷ㄱㅇ을 어겨서 재가 되어 바람에 흩어짐.

### ● 서술상 특징
시간이 흐르는 순서대로 사건을 배열하지 않고 이야기의 결말 부분을 먼저 제시함.

### 빈칸 답
❶ 보석 ❷ 계약

---

**남자:** 네, 어떤 돌은 말입니다. 사람들이 다듬어서 보석을 만들지요. (보석을 가리키며) 이걸 보십쇼. 부인의 그이께서 밤새껏 다듬으신 겁니다. 참, 다시 없는 솜씨예요. 여든 여덟, 이 각면체(各面體)들이 서로 치밀하게 아물려서 한 점 빈틈이 없거든요. 부인, 이건 보석으로서의 가장 완전한 모양입니다. 일단 이 안으로 들어온 빛은 밖으론 절대 새어 나갈 수가 없습니다. 그래서 시간이 오래될수록 이 보석의 내부엔 자꾸만 빛이 축적되는 겁니다. 마침내는 하늘에서 방금 뜯어내온 별처럼 찬란하다 못해…… 그렇습니다, 부인. 이건 한낱 여인을 장식하기보다 저 장엄한 하늘의 별이 되어야 하는 겁니다.

**그녀:** 그런 건 상관없어요. 저에게 지금 소중한 건 그이에요. 어디 계시죠, 그인?

**남자:** ㉠바람에 흩어지고 있군요.

**그녀:** 제발 좀 저에게 가르쳐 주세요.

**남자:** 그인 계약을 어기셨습니다. 보석을 이런 완전한 모양으로는 다시 깎지 않겠다는. 그런데 그걸 어기신 겁니다. (보석을 내밀며) 사랑하는 부인께 대신 이걸 전해 달라 하시더군요.

**그녀:** 그이가 안 계신다면, 아, 이런 것이 무슨 소용 있겠어요!

**남자:** 진정하십시요, 부인, 이렇게 깎여진 보석은 세상에서 단 하나 이것뿐입니다.

**그녀:** 하나라구요! 수천 개인들 그게 무엇일까요! (보석을 내던지며) 아무 소용 없어요, 저에게. 그이면 됐던 거예요. ㉡그이라면 다 황홀하게 꾸미고도 남았어요! 오, 차라리 저에게 재앙을 주세요! (비탄으로 울부짖으며 나간다)

**남자:** (보석을 주워들고) 쯧쯧, 인간들이란 가장 완전하며 가장 소용없는 걸 만든단 말이야. 난 이해 못 하겠어. 기껏 그들 꼴을 보며 웃는 수밖에. (키득키득 웃는다) 웃는 것도 싫군. 그저 이 돌을 하늘에 던져 올려 별이나 만들자.

(암전(暗轉). 울려 퍼지는 결혼 축하곡. 사원(寺院)의 종소리. 사람들의 환호성이 거리를 메운다. 그이는 창 밖을 바라본다. 노인. 구부러진 허리. 백발(白髮). 살갗은 고목의 껍질 같다. 그이는 한숨을 쉰다. 남자, 어느 사이에 들어와 구석진 자리에서 지긋이 한탄하는 그이를 지켜본다.)

**중략 부분의 줄거리** 자신의 일생을 바쳐 완벽한 보석을 세공한 '그이'는 보석이 세상에서 가장 완벽한 형태로 완성되었지만 그 보석을 위해 모든 것을 다 포기하고 살아온 자신의 현실을 한탄한다.

**남자:** 참으로 묘한 일이군요. ㉢일생을 다 바쳐 마침내 바랐던 걸 성취하고서도 한탄해야 하니 말입니다.

**그이:** 이 부질없는 것에 평생을 매달렸다니……

**남자:** 전혀 없습니까, 드릴 만한 사람이?

---

- **비탄** | 몹시 슬퍼하면서 탄식함. 또는 그 탄식.
- **암전** | 연극에서, 무대를 어둡게 한 상태에서 무대 장치나 장면을 바꾸는 일.
- **세공하다** | 잔손을 많이 들여 정밀하게 만들다.
- **부질없다** | 대수롭지 아니하거나 쓸모가 없다.

✎ 핵심 짚기

● 사건

'남자'는 '그이'에게 계약을 제안하고, '그이'는 이를 받아들임.

**계약 내용**

• '그이'가 완전한 형태의 보석 세공술을 포기하면 '남자'로부터 **①** ㅈ ㅇ 을 얻음.
• 만약 '그이'가 계약을 어기고 완전한 형태의 보석을 다시 깎을 경우 즉시 재로 변하게 됨.

● 인물

• 그이 완벽한 보석을 위해 모든 것을 포기하고 늙어 버린 자신의 삶을 **②** ㅎ ㅎ 함. 다시 젊음을 얻어 한 여인을 사랑하게 되기를 소망함.
• 남자 완전한 **③** ㅅ ㄹ 과 완전한 보석을 모두 바라는 것은 욕심이라고 생각함.

빈칸 답
**①** 젊음 **②** 후회 **③** 사랑

● **냉소하다** | 쌀쌀한 태도로 비웃다.

그이: 있다면야 왜 내가 후회 하겠소? 보시오, 나를. 머리는 새하얗고 허리는 굽어 버렸소. 목소리는 쉬어터졌으며 살갗은 어느새 흉칙하게 찌그러졌소. 어리석다는 건 바로 이렇소. 차라리 이따위 걸 소망하기보다 한 여인을 사랑하는 쪽이 더 옳았던 것 같소. 더구나 오늘 거리엔 결혼식의 행렬이 지나갔소. 난 어여쁜 신부를 보았소. 그리고 하염없이 울었소. 만약 나에게 다시 젊음을 준다면, 한번 다시 젊음을 준다면…….

남자: 왜 말씀을 그만 두십니까?

그이: 아, 그건 불가능한 거요.

남자: 궁금한데요. 다시 젊음을 준다면 어떻게 하시겠습니까?

그이: 한 여인을 사랑하겠소.

남자: 글쎄요. 그것 역시 결국엔 후회되지 않을까요?

그이: 아니요. 난 결코 후회하지 않을 거요!

남자: 사랑 역시 당신이 늘 소망했던 그 완전한 보석과 같은 거지요. 말하자면 당신은 한 여인을 완전히 사랑하고자 할 겁니다.

그이: 물론이요, 나는.

남자: 그렇다면 어찌 될 것 같습니까? 당신은 그 여인에게 당신의 사랑을 드러내보이기 위해, 이 세상에서 가장 완전한 형태의 보석을 다듬어 주고자 할 겁니다.

그이: 당연히 난 그럴 거요.

남자: 아, 욕심도 많으시군요. ㉣완전한 사랑과 완전한 보석, 그 두 가지를 모두 갖고 싶지 않은 사람이 어디 있겠습니까? 그 중 하나만이라도 가질 수 있다는 것에 만족하셔야지요.

그이: (손 위에 놓인 보석을 바라보며) 내가 한 여인을 사랑할 수 있게 된다면 난 이것을 기꺼이 포기하겠소.

남자: (냉소하며) 그랬다가 다시 만드시려구요? ㉤만약 당신이 터득한 그 완전한 형태의 보석 세공술(細工術)을 포기하신다면, 난 당신의 사랑을 위해 젊음을 다시 드릴 수도 있겠습니다만…….

그이: 누구요? 당신이 누구이기에 다시 젊음을 주시겠다는 거요?

남자: 자, 어떻게 하시렵니까?

그이: 당신이 설마……?

남자: 그것 보십시요. 당신은 후회한다는 말은 하면서도 보석을 포기하진 못하는군요.

그이: (보석을 남자에게 내던진다) 젊음을 주시오! 당신이 그렇게 할 수 있다면!

남자: 계약하셔야 합니다.

그이: 좋소. 어떤 계약이요?

남자: 만일 당신이 이런 완전한 형태의 보석을 깎을 경우엔 당신은 늙어버립니다. ㉥그리고 그 즉시 재로 변해지고 말 겁니다.

그이: 계약하겠소!

– 이강백, 〈보석과 여인〉

**1** '남자'에 대한 설명으로 가장 적절한 것은?

① '그이'의 행동을 부추겨서 '그이'의 선택을 이끌어 내고 있다.

② '그이'의 상황을 전달하여 '그녀'와의 관계 회복을 유도하고 있다.

③ '그이'의 행동을 예측하여 '그이'의 미래를 낙관적으로 전망하고 있다.

④ '그녀'의 태도를 비판하여 '그녀'의 내면적 갈등을 유발하고 있다.

⑤ '그녀'에게 기회를 부여하여 '그이'와의 갈등 해소의 실마리를 제공하고 있다.

**2** 〈보기〉를 참고하여 윗글을 감상한 내용으로 적절하지 **않은** 것은?

✚ **모티프**
문학 작품 속에서 자주 반복
되어 나타나는 동일한 요소로서
의 사건, 공식이나 유사한 낱말,
내용 등을 말한다. 가령 주인공
이 알에서 태어났다는 '난생 모
티프'는 설화에서 흔히 나타난
다.

> ● 보기 ●
>
> 　이 작품은 고도의 상징성을 바탕으로 인간의 보편적이면서도 실존적인 측면을 형상화
> 하여 관객의 공감을 이끌어 내고자 했다. 즉 현실적 가치를 상징하는 '보석'과 이상적 가
> 치를 상징하는 '사랑'을 통해, 양립할 수 없는 가치를 동시에 추구하는 인간의 일반적인
> 속성과 삶의 본질적 한계를 보여주고 있는 것이다. 또한 '계약 모티프'를 바탕으로 이야
> 기의 결말 부분을 먼저 제시하는 원점회귀의 구성 방식을 취하면서 운명적 비극성을 극
> 대화하고 있다.

① ㉠과 ㉤을 통해 관객들은 결말 부분이 먼저 제시되고 있음을 확인할 수 있겠군.

② ㉡을 통해 관객들은 양립할 수 없는 가치를 동시에 추구하는 인간의 모습을 떠올릴 수
있겠군.

③ ㉢을 통해 관객들은 현실적 가치만으로는 만족하지 못하는 인간의 모습을 떠올릴 수
있겠군.

④ ㉣을 통해 관객들은 인간의 보편적 속성을 떠올릴 수 있겠군.

⑤ ㉤을 통해 관객들은 인물들 간의 계약을 바탕으로 내용이 전개되고 있음을 확인할 수
있겠군.

**작품 정리하기**

○ **갈래** 희곡, 단막극

○ **전체 구성**

| 발단 | '그이'는 '그녀'와의 결혼식 전날, '남자'와의 계약을 어기고 보석을 남긴 채 재로 변해 죽음. — 56쪽 수록 |

| 전개 | '그이'는 평생을 바쳐 완벽한 보석을 만들었지만 그 보석을 줄 대상이 없어 허무함을 느끼고 '남자'와 계약을 맺어 젊음을 얻음. — 56~57쪽 수록 |

| 절정 | '그이'는 기차에서 만난 '그녀'와 사랑에 빠짐. |

| 하강 | '그이'는 '그녀'와 결혼 반지를 사기 위해 보석상에 가지만 엉터리 반지들을 보며 못마땅해함. |

| 대단원 | '그이'는 '그녀'를 향한 자신의 사랑을 표현할 완벽한 보석을 직접 다듬기로 결심함. |

○ **주제** 양립할 수 없는 가치를 동시에 추구하는 인간의 속성과 삶의 본질적인 한계

○ **구성상 특징**

이 작품은 시간이 흐르는 대로 사건을 배열하지 않고 비극적인 결말 부분을 먼저 배치하는 구성 방식을 취하고 있다. 이에 따라 작품의 끝부분에서 사건이 마무리되지 않고 다시 처음으로 돌아가게 되는 효과를 줌으로써 벗어날 수 없는 운명의 비극성을 극대화하고 있다.

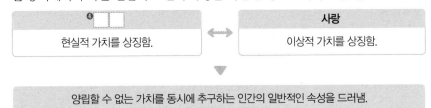

| 계약 이후 삶의 결과 | '그이'가 ❶□□을 어겨서 재가 되어 죽음을 맞이함. | 이야기의 결말 |
| 계약 제안 | '남자'는 '그이'에게 완전한 형태의 보석 세공술을 포기하면 ❷□□을 되찾아 주겠다고 제안하고, 계약을 어길 시 ❸□로 변하게 될 것이라고 경고함. | |
| 계약 체결 | '그이'는 '남자'와 계약을 맺기로 결정하고 젊음을 얻음. (후략 부분의 줄거리: '그이'는 사랑하는 '그녀'에게 줄 완전한 형태의 보석을 깎음.) | |

○ **소재의 상징적 의미**

'그이'는 일생을 다 바쳐 완벽한 형태의 보석을 완성하지만 이에 만족하지 못하고 다시 한번 젊음을 얻어 한 여인을 사랑할 수 있기를 바라며 한탄한다. 여기서 보석은 현실적 가치를, 사랑은 이상적 가치를 상징하며 '그이'는 양립할 수 없는 가치를 동시에 추구하는 인간의 보편적 속성을 지닌 존재로 그려지고 있다.

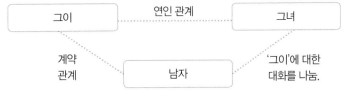

| ❹□□ | 사랑 |
| 현실적 가치를 상징함. | 이상적 가치를 상징함. |

양립할 수 없는 가치를 동시에 추구하는 인간의 일반적인 속성을 드러냄.

○ **등장인물의 특성**

이 작품은 등장인물에게 독자적인 이름을 부여하지 않고 '그이', '그녀', '남자'와 같이 익명으로 처리함으로써 주제의 보편성을 강화하고 있다.

```
        연인 관계
그이 ───────────── 그녀

계약                  '그이'에 대한
관계        남자       대화를 나눔.
```

**빈칸 답** ❶ 계약 ❷ 젊음 ❸ 재 ❹ 보석

# 08 성난 기계

## 🖊 핵심 짚기

### ● 인물
- **양회기** 종합 병원 과장으로 폐 전문 외과 의사임.
- **김인옥** 담배 공장에서 일하며 가족의 생계를 책임짐.
- **최상현** 인옥의 남편. ❶ㄷ 때문에 아내의 수술을 반대함.
- **정금숙** 회기가 근무하는 병원의 간호사임.

### ● 배경
- **시간** 현대의 어느 늦가을
- **공간** 종합 병원의 폐 외과 과장실

### ● 사건
인옥이 회기를 찾아와 ❷ㅅㅅ해 달라고 애원하지만, 회기는 거절함.

### ● 갈등
수술 문제를 사이에 둔 인옥과 회기 사이의 외적 갈등

| 인옥 | ⟷ | 회기 |
|---|---|---|
| 수술을 해 달라. | | 자신 없는 일이다. |
| 환자가 죽어 간다. | | 나는 나를 위해 산다. |
| 선생님(회기)은 ❸ㄱㄱ처럼 냉정하다. | | 직업은 사람을 기계로 만들게 마련이다. |

### 빈칸 답
❶ 돈 ❷ 수술 ❸ 기계

- **조소하다** 흉을 보듯이 빈정거리거나 업신여기다. 또는 그렇게 웃다.
- **선심** 남에게 베푸는 후한 마음.
- **고용인** 삯을 받고 남의 일을 해 주는 사람.
- **노골적** 숨김없이 모두 있는 그대로 드러내는 것.
- **공으로** 힘을 들이거나 대가를 치르지 않고 거저.

---

인옥: 선생님…….

회기: (조소하는 태도로) 나는 환자의 생명을 구해 줌으로써 기쁘게 해 주겠다거나 사회를 위해서 선심을 쓰겠다는 생각은 없소. 나도 이 병원에서 월급을 받고 일하는 고용인이니까, 댁과 마찬가지로…….

인옥: ㉠(다시 애원하며) 그러니 수술을 해 주시면 되잖아요?

회기: (냉정하게) 원래 나는 자신 없는 일엔 손을 안 대는 성질이오.

인옥: 환자가 죽어 가도 말씀이에요?

회기: 그렇다고 내가 죽일 수는 없소. 나는 나를 위해서 사는 거지, 그 누구를 위해서 사는 사람은 아니니까.

인옥: (안타깝게) 선생님…….

회기: 댁이 공장에서 담배를 사서 피울 사람을 생각하지 않는 것과 마찬가지 이치지요. 그렇잖아요?

인옥: (원망스럽게 쳐다보며) 선생님은 냉정하시군요…… 기계처럼…….

(이때 금숙의 표정이 크게 동요된다.)

회기: ㉡(창밖으로 시선을 돌리며) 직업이란 사람을 기계로 만들게 마련이죠. 댁의 손처럼…….

인옥: 그리고 내 손처럼……. ㉢(이제는 눈물도 말라 버린 표정으로) 그렇다고 마음까지 기계가 될 수는 없잖아요?…… (서서히 일어서며) 어두운 공장에서 담배 개비를 스무 개씩 집어넣는 것은 내 손이지만, 제 마음은 언제나 어린것들을 생각하고 나를 생각했어요…… 어떻게 하면 살 수 있을까 하고…….

회기: (약간 감동되며) 내 얘기가 좀 지나쳤는지 모르지만 나는 결코 댁이 죽어도 좋다는 것은 아닙니다. 그 대신 좋은 약을 소개해 드릴 테니 써 보세요.

인옥: (혼잣소리처럼) 알맹이는 어찌 되었든 포장만 그럴싸하게 꾸미라는 말이군요……. 늘 듣던 얘기지.

회기: (약간 난처해하며) 그런 뜻이 아니라…….

**중략 부분의 줄거리** 인옥이 돌아가고 얼마 후 인옥의 남편인 상현이 회기를 찾아온다. 그는 회기가 인옥의 수술을 거절했다는 말에 안심하면서, 성공 가능성이 낮은 수술을 하기에는 돈이 많이 든다며 폐 수술을 해 주지 말 것을 거듭 당부한다.

회기: (노골적으로 분노를 터뜨리며) 그건 너무 심하지 않소?

상현: (반항적으로) 심한 건 내 아내요. 그 병이 어떤 병이라고 수술을 합니까? 그것도 공으로 한다면 또 모르지만, 돈 쓰고 저 죽고 하면, 남은 우리들은 어떻게 살아가라고. 선

## 핵심 짚기

● **사건**

상현이 회기를 찾아와 인옥의 폐 수술을 반대하고, 회기는 금숙을 시켜 인옥에게 수술을 받으러 오라는 ❶ ㅅ ㄷ ㅇ ㅍ 을 보내도록 지시함.

● **갈등**

인옥의 수술 문제를 사이에 둔 상현과 회기 사이의 외적 갈등

| 상현 | ←→ | 회기 |
|---|---|---|
| 수술비가 아까워 인옥의 수술을 반대함. | | 상현의 비인간적인 태도에 ❷ ㅂ ㄴ 함. |

● **제목**

'기계'처럼 인간미가 없이 냉정하던 회기가 ❸ ㅇ ㄱ ㅅ 을 회복하게 됨을 의미함.

| 기계 | ⋯ | 성난 기계 |

**빈칸 답**
❶ 속달 우편 ❷ 분노
❸ 인간성

생님! 그러니 나는…….

회기: (외치며) 그건 살인이나 다름없소…….

(이 말이 떨어지자 금숙은 의아한 표정으로 회기를 쳐다본다.)

상현: 뭐라구요?

회기: (강하게) 아내가 죽어 가도 내버려 두는 법이 어디 있단 말이오?

상현: (처음에 지녔던 겸손과 비굴은 찾아볼 수 없는 태도로) 참견 마세요! 내 처를 내가 죽이건 살리건 무슨 걱정이오! 나 살고 남도 있지! (불쑥 일어서서 손가방을 쥐며) 아무튼 실례했습니다! (하며 문을 탁 닫고 나가 버린다.)

(회기는 감전된 사람처럼 멍하니 서 있고 금숙은 회기를 주시하고만 있다. 무거운 침묵이 흐른다.)

회기: (여전히 허공을 바라보며) 정 간호사!

금숙: 예?

회기: 아까 그 환자의 주소 알지!

금숙: 예, 접수부를 보면…….

회기: 좋아! 그럼 속달 우편으로 보내요.

금숙: 예? (하며 가까이 온다.)

회기: 수술을 받고 싶으면 편지 받는 즉시 찾아오라고!

금숙: ㉣(놀란 표정으로) 아니, 그렇지만…….

회기: (속삭이듯) 자신은 있어! 그 대신 수혈용 혈액을 충분히 준비할 것을 잊지 마! 알겠어?

금숙: ㉤(빙그레 웃으며) 선생님, 웬일이세요?

회기: 응? (가볍게 웃으며) 이번 환자는 꼭 살려 보고 싶은 의욕이 생기는군!

금숙: 왜요?

회기: (분노를 띠며) 그 친구에게 살해당할 바엔 내가 맡아서 살리지! 참을 수 없는 모욕을 당한 것 같아!

금숙: (흘긋 쳐다보며) 기계가 노하셨네요…….

회기: 잔소리 말고, 편지나 어서 써!

금숙: 예! (하며 제자리에 앉아 편지를 쓰기 시작한다.)

(회기는 상현이 두고 간 담뱃갑을 발견하자, 담배 한 개비를 빼더니 물끄러미 바라본다.)

회기: (혼잣소리로) 담배는 포장도 중하지만 알맹이가 좋아야지!

금숙: (편지를 쓰다 말고) 그 담배만은 진짜겠지요……. 공장에서 직접 나왔을 테니까…….

회기: 그렇지! (하며 라이터 불을 켠다.)

– 차범석, 〈성난 기계〉

● **주시하다** | 어떤 목표물에 주의를 집중하여 보다.
● **속달 우편** | 특정 구역 안에서 보통 우편보다 빨리 보내 주는 우편.

1

**윗글을 다음과 같이 정리하였을 때, ⓐ에 들어갈 변화의 계기로 가장 적절한 것은?**

> 회기가 인옥의 수술을 거절함.   ⓐ→   회기가 인옥의 수술을 하기로 결심함.

① 인옥의 자녀들의 부탁
② 수술비 부족 문제 해결
③ 금숙으로부터 받은 비판
④ 성공률 높은 수술법 발견
⑤ 상현의 태도에 대한 분노

외적 준거에 따라 작품 감
상하기

2

💡 **도움말**

　등장인물의 태도를 〈보기〉에서 설명하는 비정한 현실과 관련지어 이해해 보도록 한다.

**고3 학력평가 기출**

**〈보기〉를 참고하여 윗글을 감상한 내용으로 적절하지 않은 것은?**

> ● 보기 ●
>
> 　이 작품에서는 전쟁 이후의 비정한 현실과 그러한 현실에 종속되어 버린 인간을 발견할 수 있다. 비정한 현실은 인간의 삶을 비참하게 만들며, 인간의 태도나 의식에까지 영향을 미치고 있는데, 한편으로는 그러한 현실에 종속되지 않은 인물이 등장하여 그러한 현실이 극복될 수 있는 단서가 되고 있다.

① 회기가 일하고 있는 병원과 인옥이 일하고 있는 어두운 공장은 이들을 둘러싼 비정한 현실 중의 하나라고 볼 수 있군.
② 환자의 생명보다 자신의 안위를 중시하는 회기의 말에서 비정한 현실의 영향이 그의 의식에까지 미쳐 있음을 알 수 있군.
③ 부탁을 들어주지 않는 회기에게 기계와 같다고 말하는 인옥에게서 비정한 의식을 지니게 된 인간의 모습을 엿볼 수 있군.
④ 인옥의 생명보다 자신의 생계를 걱정하며 수술을 반대하는 상현의 태도는 그가 비정한 현실에 종속되어 버렸기 때문에 나타나게 된 것으로 볼 수 있군.
⑤ 어린 자식들을 생각하는 인옥의 마음이나, 금숙을 시켜 인옥에게 편지를 보내는 회기의 모습에서 비정한 현실이 극복될 수 있는 단서를 발견할 수 있군.

형상화 방식 이해하기

3

**㉠~㉤에 대한 연출자의 연기 지시로 적절하지 않은 것은?**

① ㉠: 회기의 마음을 돌리고자 하는 간절함이 드러나도록 연기해 주세요.
② ㉡: 자신의 본심을 숨겨야 하는 난처함이 드러나도록 연기해 주세요.
③ ㉢: 수술에 대한 기대감을 잃고 체념하는 모습이 드러나도록 연기해 주세요.
④ ㉣: 회기의 말이 뜻밖이라는 듯한 태도가 드러나도록 연기해 주세요.
⑤ ㉤: 회기의 변화를 긍정적으로 여기는 태도가 드러나도록 연기해 주세요.

 **작품 정리하기**

🔍 **갈래** 희곡, 단막극, 사실주의 극

🔍 **전체 구성**

| 발단 | 담배 공장 포장공인 인옥이 폐 전문 의사인 회기를 찾아와 수술을 해 달라고 애원함. |
|---|---|

| 전개 | 회기는 수술 결과에 대한 확신이 없다며 수술을 해 달라는 인옥의 요청을 거절함.--[60쪽 수록] |
|---|---|

| 절정 | 인옥의 남편인 상현이 회기를 찾아와 경제적인 이유를 들고 아내의 부정을 의심하며 인옥의 수술을 반대함. |
|---|---|

| 하강 | 회기가 상현의 이기적이고 비인간적인 태도에 분노함.--[60~61쪽 수록] |
|---|---|

| 대단원 | 회기는 금숙을 시켜 인옥에게 수술을 받으러 오라는 속달 우편을 보내게 함.--[61쪽 수록] |
|---|---|

🔍 **주제** 현대인의 인간성 상실과 회복

🔷 **구조상 특징**

이 작품은 주인공 회기가 부정적 인물 유형에서 긍정적 인물 유형으로 변화하는 극적 반전을 통해 작품의 전반부와 후반부가 대립하는 양상을 보인다. 이러한 대립 구조는 인간성 회복이라는 주제 의식을 효과적으로 드러내 준다.

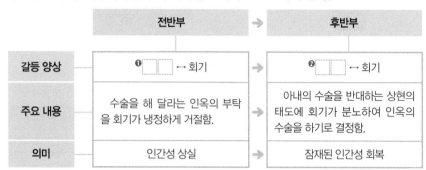

| | 전반부 | → | 후반부 |
|---|---|---|---|
| 갈등 양상 | ❶ ☐☐ ↔ 회기 | → | ❷ ☐☐ ↔ 회기 |
| 주요 내용 | 수술을 해 달라는 인옥의 부탁을 회기가 냉정하게 거절함. | → | 아내의 수술을 반대하는 상현의 태도에 회기가 분노하여 인옥의 수술을 하기로 결정함. |
| 의미 | 인간성 상실 | → | 잠재된 인간성 회복 |

🔷 **제목 '성난 기계'의 상징적 의미**

회기는 수술 결과에 확신이 없다며 인옥의 수술을 '기계'처럼 비정하게 거절했다. 이후 회기는 자신보다 더 비인간적이고 이기적인 상현의 모습을 보고 불쾌감과 분노를 느끼는 '성난 기계'가 되어 인옥의 수술을 하기로 마음을 바꾼다.

| 기계 | 인옥: 선생님은 냉정하시군요…… 기계처럼……. |
|---|---|
| | 인간성을 상실한 채 다른 사람의 고통을 외면하는 회기의 비정함을 단적으로 표현함. |

↓

| 성난 기계 | 금숙: 기계가 노하셨네요……. |
|---|---|
| | 기계가 감정을 가지게 되었다는 뜻으로, '성난 기계'는 '상실된 인간성의 ❸☐☐'을 상징함. |

🔷 **소재의 상징적 의미**

이 작품에서 '포장'은 겉모습을, '알맹이'는 내면을 상징하는 것으로, 포장보다 알맹이가 중요하다는 회기의 대사는 그가 인간성을 회복하였음을 암시한다. 또한 인간성을 상실한 현대인을 비판하고 인간성 회복에 대한 가능성을 전달하는 이 작품의 주제 의식을 드러내고 있다.

| "담배는 포장도 중하지만 알맹이가 좋아야지!" | | |
|---|---|---|
| **'담배'** | **'❹☐☐'** | **'❺☐☐☐'** |
| 인간 | 겉모습(육체) | 내면(인간성, 정신) |

▼

상실된 인간성을 회복해야 한다는 작품의 주제를 상징적으로 전달함.

**빈칸 답** ❶ 인옥 ❷ 상현 ❸ 회복 ❹ 포장 ❺ 알맹이

# 1 문천재가 알려 주는 시험 정보

학력평가? 수능? 나는 아직 이런 시험들이 뭔지 잘 모르겠어.

나는 문학 천재라서 문천재

내가 알려 줄게. 나만 따라와!

---

일단, 수능 국어 시험은 공통 과목 2개와 선택 과목 1개로 나뉘는데, 문학은 공통 과목에 속해.

| 공통 과목 (34문제) | | 선택 과목 (11문제) – 택 1 | |
|---|---|---|---|
| 문학 | 독서 | 화법과 작문 | 언어와 매체 |

수능 문학에는 보통 다섯 가지 갈래로 된 지문 4개가 나와. 그래서 현대 시, 고전 시가, 현대 소설, 고전 소설, 수필, 극 등 다양한 갈래의 작품들을 고루 공부해 놓아야 해.

수능 문학?

---

학력평가는 쉽게 말해 수능을 대비하기 위한 시험이야. 고1 때부터 차근차근 수능 출제 방식을 익히고, 자기 수준도 점검할 수 있지.

**고1~고2 학력평가**
3·6·9·11월 시행

▶

**고3 학력평가**
3·4·7·10월 시행
**고3 모의평가**
6·9월 시행

▶

**대학수학능력시험**
11월 시행

학력평가?

---

수능과 학력평가에 어떤 문학 작품이 출제될지 모르니 평소에 문학 개념어, 감상 원리, 기출 문제 유형을 익히며 기본적인 독해 능력을 갖추어 둬야 해. <문학 DNA 깨우기>를 통해 자신의 취약점을 보완하면 걱정 없어!

| 지문(문학 작품)을 어떻게 읽어야 할지 모르겠다. | NO ⇨ | 문제 선택지에 나온 말의 뜻을 잘 몰랐다. | NO ⇨ | 문제를 다시 풀면 다 맞는데 시간이 부족해 실수하고 말았다. |
|---|---|---|---|---|

⇩ YES

⇩ YES

⇩ YES

| <문학 DNA 깨우기> 2권을 복습하며 작품 감상 능력 익히기 | <문학 DNA 깨우기> 1권을 복습하며 문학 개념어 익히기 | <문학 DNA 깨우기> 3권을 복습하며 시험 유형 익히기 |
|---|---|---|

문학 시험 대비법?

실전으로 차곡차곡 익숙하게!

# 실전 2회

시 + 시

# 01 ㈎ 초록 기쁨 – 봄숲에서 ㈏ 오월

_ 2020학년도 6월 고1 학력평가

**핵심 짚기**

㈎

● **화자**
- **화자** 표면에 드러나지 않음.
- **시적 대상** 해, 하늘, 흙 등
- **정서와 태도** 화자가 숲속에서 ❶ㅈ ㅇ을 찬양함.

● **표현**
- ❷ㅈ ㅇ ㅂ **사용** 대상을 연결어를 사용하여 직접 빗대어 표현함. (‘내 코에 댄 깔대기와도 같은’)
- ❸ㅇ ㅇ ㅂ **사용** 사물을 사람처럼 표현함. (‘자기의 왕관인 초록과 꽃들에게 / 웃는다’, ‘흙은 ~ 주고받으며 싱글거린다’ 등)

㈏

● **화자**
- **화자** 표면에 드러나지 않음.
- **시적 대상** 들길, 보리, 산봉우리
- **시적 상황** 오월의 풍경을 ❹ㅁ ㅅ함.
- **정서와 태도** 자연에서 느끼는 생동감과 즐거움을 드러냄.

● **표현**
- ❺ㅂ ㅂ ㅂ **사용** ‘이랑’, ‘뿐’ 등의 시어를 여러 번 제시하여 운율을 형성함.
- **의인법 사용** ‘보리’와 ‘산봉우리’를 사람인 것처럼 표현하고 말을 건네기도 함.

빈칸 답
❶ 자연 ❷ 직유법 ❸ 의인법
❹ 묘사 ❺ 반복법

㈎ ⓐ해는 출렁거리는 빛으로 / 내려오며
제 빛에 겨워 흘러 넘친다
㉠모든 초록, 모든 꽃들의 / 왕관이 되어
자기의 왕관인 초록과 꽃들에게
웃는다, 비유의 아버지답게
초록의 샘답게 / 하늘의 푸른 넓이를 다해 웃는다
하늘 전체가 그냥 / 기쁨이며 신전이다

해여, 푸른 하늘이여,
그 빛에, 그 공기에 / 취해 찰랑대는 자기의 즙에 겨운,
공중에 뜬 물인 / 나뭇가지들의 초록 기쁨이여

흙은 그리고 깊은 데서 / ㉡큰 향기로운 눈동자를 굴리며
넌지시 주고받으며 / 싱글거린다•

오 이 향기 / 싱글거리는 흙의 향기
㉢내 코에 댄 깔대기와도 같은
하늘의, 향기 / 나무들의 향기!

– 정현종, 〈초록 기쁨 – 봄숲에서〉

㈏ ㉣들길은 마을에 들자 붉어지고
마을 골목은 들로 내려서자 푸르러졌다
바람은 넘실 천 이랑 만 이랑
㉤이랑 이랑 햇빛이 갈라지고
보리도 허리통이 부끄럽게 드러났다
꾀꼬리는 엽태 혼자 날아 볼 줄 모르나니
암컷이라 쫓길 뿐 / 수놈이라 쫓을 뿐
황금빛 난 길이 어지럴 뿐
얇은 단장하고 아양 가득 차 있는
ⓑ산봉우리야 오늘밤 너 어디로 가 버리련?

– 김영랑, 〈오월〉

● **싱글거리다** | 눈과 입을 슬며시 움직이며 소리 없이 정답게 자꾸 웃다.

정답과 해설 19쪽

**화자의 정서와 태도 파악**
**하기** **1**

**➕ 자연에 합일되지 못하는**
자연과 하나가 되는 느낌을
받고 싶지만 그러지 못한다는 뜻이
다.

**(가)와 (나)의 공통점으로 가장 적절한 것은?**

① 화자가 인식한 사물의 특징에서 삶의 교훈을 이끌어내고 있다.

② 이상과 현실을 대비시켜 이상에 대한 화자의 염원을 나타내고 있다.

③ 과거와 현재를 교차시켜 현실의 삶에 대한 반성의 태도를 나타내고 있다.

④ 자연물에 인격을 부여하여 화자가 자연과 교감하는 모습을 보여주고 있다.

⑤ 자연의 모습을 부각하여 자연에 합일되지 못하는➕ 인간의 고독감을 드러내고 있다.

**표현상 특징과 효과 파악**
**하기** **2**

**➕ 문장부호를 활용하여 호흡의**
**흐름을 조절하고**
문장부호가 있는 곳마다 독자
가 시를 끊어 읽게 되어, 숨을 들
이마시고 내쉬는 것도 화자의 의
도에 따라 조절된다는 뜻이다.

**➕ 감각적 이미지로 대상에 대한**
**인상을 표현하고**
시적 대상을 여러 가지 심상
(시각, 촉각, 후각, 미각, 청각)으
로 표현하였다는 뜻이다.

**(가)의 표현상 특징에 대한 설명으로 적절하지 않은 것은?**

① 문장부호를 활용하여 호흡의 흐름을 조절하고➕ 있다.

② 반어적 표현을 사용하여 숨은 의미를 나타내고 있다.

③ 동일한 시어를 반복함으로써 의미를 강조하고 있다.

④ 감각적 이미지로 대상에 대한 인상을 표현하고➕ 있다.

⑤ 영탄적 표현을 사용하여 화자의 정서를 나타내고 있다.

**외적 준거에 따라 작품 감**
**상하기** **3**

**● 정감** | 정조와 감흥을 불러일으
키는 느낌. 화자가 느끼는 정서
와 비슷한 의미를 지닌다.

[고난도]

**〈보기〉를 참고하여 ㉠~㉤을 감상한 내용으로 적절하지 않은 것은?**

┌─ **보기**
두 시는 모두 봄을 소재로 한 작품이다. (가)는 숲을 배경으로 해, 하늘, 나무, 꽃, 흙 등
이 어우러지는 조화로움을 보여준다. (나)는 보리밭이 펼쳐진 시골을 배경으로 봄날의
정감을 표현하고 있다. 이 시에서는 들, 보리, 꾀꼬리, 산봉우리 등으로 화자의 시선이 옮
겨간다.

① ㉠: 햇빛이 나무와 꽃에 비쳐 빛나는 모습을 '왕관'으로 표현한 것이라 볼 수 있어.

② ㉡: '큰 향기로운 눈동자를 굴리며'의 주체는 흙을 바라보는 화자라 볼 수 있어.

③ ㉢: 자연의 향기가 코로 전해지는 것을 비유적으로 나타낸 것이라 볼 수 있어.

④ ㉣: 화자가 본 시골길과 들판의 모습을 감각적으로 표현한 것이라 볼 수 있어.

⑤ ㉤: 보리밭의 이랑 사이로 햇빛이 비쳐 반짝이는 모습을 나타낸 것이라 볼 수 있어.

**ⓐ와 ⓑ에 대한 설명으로 가장 적절한 것은?**

① ⓐ는 화자의 지난 삶을 떠올리게 하는 대상이다.

② ⓐ는 기쁨을 느끼는 화자와 동일시되는 대상이다.

③ ⓑ는 화자에게 새로운 행동을 촉구하는 대상이다.

④ ⓑ는 화자가 밤의 시간에 관찰하여 파악한 대상이다.

⑤ ⓐ, ⓑ는 모두 화자가 관심을 갖고 주관적으로 인식하는 대상이다.

---

## 작품 정리하기

### ㉮ 초록 기쁨 – 봄숲에서

📍 **갈래** 자유시, 서정시

📍 **구성**

| | |
|---|---|
| 1연 | 숲을 비추는 햇빛의 아름다움 |
| 2연 | 기쁨에 흔들거리는 나뭇가지 |
| 3연 | 흙의 생동감 |
| 4연 | 흙, 하늘, 나무들의 향기 |

📍 **주제** 봄 숲에서 느끼는 생명력

### ㉯ 오월

📍 **갈래** 자유시, 서정시

📍 **구성**

| | |
|---|---|
| 1~2행 | 봄빛이 가득한 들길과 마을의 정경 |
| 3~5행 | 봄바람에 흔들리는 보리의 모습 |
| 6~9행 | 암수 꾀꼬리의 정다운 모습 |
| 10~11행 | 산봉우리의 아름다운 자태 |

📍 **주제** 오월에 느끼는 봄의 생동감, 봄날의 생명력

---

### ◯ (가)+(나) 정서와 태도의 공통점

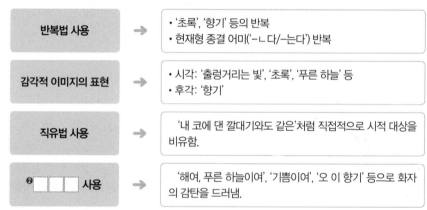

(가)의 화자는 '해', '흙' 등의 자연물을 사람인 것처럼 표현하고 자연과 교감하고 있고, (나)의 화자는 '보리', '산봉우리'를 의인화하고 말을 건네며 자연과 교감하는 모습을 보이고 있다.

### ◯ (가) 표현상 특징

| 반복법 사용 | → | • '초록', '향기' 등의 반복<br>• 현재형 종결 어미('-ㄴ다/-는다') 반복 |
|---|---|---|
| 감각적 이미지의 표현 | → | • 시각: '출렁거리는 빛', '초록', '푸른 하늘' 등<br>• 후각: '향기' |
| 직유법 사용 | → | '내 코에 댄 깔대기와도 같은'처럼 직접적으로 시적 대상을 비유함. |
| ❷ ☐☐☐ 사용 | → | '해여, 푸른 하늘이여', '기쁨이여', '오 이 향기' 등으로 화자의 감탄을 드러냄. |

다양한 표현법과 감각적 이미지를 활용하여 봄 숲을 묘사하며 그 생명력에 대한 화자의 감탄을 드러내고 있다.

### ◯ (나) 표현상 특징

| 반복법 사용 | '이랑', '뿐'을 반복함. |
|---|---|
| 의인법 사용 | '보리'와 '산봉우리'를 사람처럼 표현함. |
| 색채 대비 | 붉은 마을길과 ❸ ☐☐ 들판이 대비되어 봄의 생동감이 효과적으로 드러남. |

---

**빈칸 답** ❶ 교감 ❷ 영탄법 ❸ 푸른

## 시+시 02 ㉮ 절정 ㉯ 껍데기는 가라

◯◯ 교과서
㉮ **고등** _ 신사고, 지학사, 금성
㉯ **중3** _ 미래엔 **고등** _ 동아

### 핵심 짚기

**㉮**

● **화자**
• **시적 상황** 극한의 한계 상황에 처해 있음.
• **정서와 태도** 관조적인 인식으로 현실을 극복하겠다는 **❶ㅇㅈ**를 보임.

● **표현**
• **❷ㅈㅊㅊ 구조** 시상이 전개될수록 극한 상황이 점차 심화됨. ('북방 → 고원 → 서릿발 칼날진 그 위')
• **❸ㅇㅅㅂ 사용** 표면상으로는 모순된 표현이지만 그 속에 진리를 담고 있는 표현을 사용함. ('겨울은 강철로 된 무지갠가 보다.')

**㉯**

● **화자**
• **시적 상황** 부조리가 가득하고 남과 북이 분단된 현실
• **정서와 태도** 부정적 상황을 극복하겠다는 의지를 보임.

● **표현**
• **❹ㅁㄹㅈ 어조** 명령형 종결 어미로 강한 의지를 드러냄. ('-라')
• **대조적인 시어의 사용** 반대 의미를 갖는 시어들을 활용하여 화자의 의지를 선명하게 부각함.

| 부정 | 껍데기, 쇠붙이 |
|---|---|
| ↕ | |
| 긍정 | 알맹이, 흙 가슴 등 |

### 빈칸 답
❶ 의지 ❷ 점층적 ❸ 역설법
❹ 명령적

● **곰나루** | 충청남도 공주의 옛 이름. 동학 혁명 당시 우금치 전투가 있었던 곳.
● **초례청** | 전통적인 혼례를 치르는 장소.

---

㉮ 매운 계절(季節)의 채찍에 갈겨
　마침내 북방(北方)으로 휩쓸려 오다.

　하늘도 그만 지쳐 끝난 고원(高原)
　서릿발 칼날진 그 위에 서다

　어데다 무릎을 꿇어야 하나?
　한 발 재겨 디딜 곳조차 없다.

　이러매 눈 감아 생각해 볼밖에
　겨울은 강철로 된 무지갠가 보다.

　　　　　　　　　　　　－ 이육사, 〈절정〉

㉯ **껍데기는 가라.**
　사월도 알맹이만 남고
　껍데기는 가라.

　껍데기는 가라.
　동학년 곰나루의, 그 아우성만 살고
　껍데기는 가라.

　그리하여, 다시
　껍데기는 가라.
　이곳에선, 두 가슴과 그곳까지 내논
　아사달 아사녀가
　**중립의 초례청** 앞에 서서
　부끄럼 빛내며
　**맞절할지니**

　껍데기는 가라.
　한라에서 백두까지
　향그러운 **흙 가슴**만 남고
　그, 모오든 **쇠붙이**는 가라.

　　　　　　　　　　　　－ 신동엽, 〈껍데기는 가라〉

화자의 정서와 태도 파악
하기

1

● **괴리** | 서로 어그러져 동떨어짐.

**(가)와 (나)의 공통점으로 가장 적절한 것은?**

① 과거의 삶을 성찰하며 개선하고자 하고 있다.

② 자연으로부터 올바른 삶의 교훈을 이끌어 내고 있다.

③ 이상과 현실의 괴리에 따른 좌절감을 나타내고 있다.

④ 자신이 처한 현실에 대해 만족하는 태도를 보이고 있다.

⑤ 부정적인 상황을 극복하고자 하는 의지를 드러내고 있다.

표현상 특징(시상 전개 방
식)과 효과 파악하기

2

**(가)의 표현상 특징에 대한 설명으로 적절하지 <u>않은</u> 것은?**

① 현재형 시제를 사용하여 긴박감을 더하고 있다.

② 역설적인 표현을 사용하여 주제를 강조하고 있다.

③ 공간의 대비를 통해 화자의 처지를 드러내고 있다.

④ 계절적 이미지를 활용하여 시적 상황의 특성을 강화하고 있다.

⑤ 기승전결의 구조로 시적 상황과 화자의 인식을 보여 주고 있다.

외적 준거에 따라 작품 감
상하기

3

 **도움말**

〈보기〉는 작품의 창작 배경
을 설명하고 있다. 시어의 상징
적 의미는 사전적 의미에 기초하
여 확장된다는 점을 고려하여
〈보기〉를 통해 작품의 시어들을
이해하도록 한다.

➕ **형상화한 것**

작가가 말하고자 하는 바(내
용, 주제)를 문학의 여러 가지 요
소를 통해 실감 나는 모습으로
그려 내는 것(구체화)을 뜻한다.

`고난도`  `고2 학력평가 기출`

**〈보기〉를 참고하여 (나)를 감상한 내용으로 적절하지 <u>않은</u> 것은?**

● 보기 ●

　　신동엽 시인은 인간 생명의 원초적 본질인 대지에서 우리 민족공동체가 함께 살기를
소망했다. 하지만 당시는 외세의 개입으로 인한 사회적 모순과 부조리가 가득했고 남과
북은 이념 대립으로 분단되어 있는 상태였다. 시인은 이런 문제를 해결하기 위해서 외세
와 봉건에 저항했던 동학 혁명이나 불의에 저항했던 4월 혁명과 같은 정신이 필요하다고
생각했다.

① '껍데기'는 현실의 문제를 유발하는 외세와 그 추종 세력을 의미하는 것으로 볼 수 있
겠군.

② '중립의 초례청'은 우리 민족이 당면한 모순과 부조리가 담겨 있는 현실의 공간이라는
생각이 들어.

③ '맞절할지니'는 남과 북이 하나의 공동체로 화합되기를 소망하는 마음이 반영된 것 같
아.

④ '흙 가슴'은 우리 민족이 추구해야 할 인간 생명의 원초적 본질을 형상화한 것이라 볼
수 있겠어.

⑤ '쇠붙이'는 남과 북을 갈라놓은 부정적인 대상을 나타낸 것으로 보여.

# 작품 정리하기

## 가 절정

**갈래** 자유시, 서정시

**구성**

| | |
|---|---|
| **1연** | 수평적 공간에서의 극한 상황(기) |
| **2연** | 수직적 공간에서의 극한 상황(승) |
| **3연** | 극한 상황에서의 화자의 심리(전) |
| **4연** | 극한 상황을 초극하려는 의지(결) |

**주제** 극한 상황에서의 초월적 인식

## 나 껍데기는 가라

**갈래** 자유시, 서정시, 참여시

**구성**

| | |
|---|---|
| **1연** | 4·19혁명의 순수한 정신 강조 |
| **2연** | 동학 혁명의 순수한 정신 강조 |
| **3연** | 우리 민족의 순수함 강조와 통일의 소망 |
| **4연** | 순수의 옹호와 부정한 권력의 거부 |

**주제** 부정한 세력에 대한 저항, 민족의 화합과 통일에 대한 소망

---

### (가) 역설적 인식과 극복 의지

| 겨울, 강철 | | 무지개 |
|---|---|---|
| 혹독한 시련의 시간, 차가운 이미지 | + | ❶□□, 황홀한 이미지 |

↓

**겨울은 강철로 된 무지개**

역설적 인식을 통한 극한 상황의 초월 의지

(가)의 화자는 마지막 행에서 '강철'과 '무지개'라는 모순되는 이미지의 시어를 함께 사용하고 있다. 이는 겨울이라는 가혹한 계절을 아름답고 황홀한 무지개처럼 관조적으로 바라보겠다는 인식을 드러낸 것이다. 절망적 상황도 아름답다고 표현하여 그것을 이겨 내겠다는 의지를 강조한 표현으로 볼 수 있다.

### (가) 표현상 특징

| **기승전결의 구성** | → | 한시의 '기-승-전-결'의 구성을 활용하여 시적 상황을 제시하고 상황에 대한 화자의 인식을 순차적으로 제시함. |
|---|---|---|
| **현재형 시제 사용** | → | 현재형 시제 표현으로 모든 연을 종결하여 긴박감을 조성함. |
| **점층적 전개** | → | '북방 → 고원 → 서릿발 칼날진 그 위'로 극한 상황이 ❷□□적으로 제시됨으로써 시적 상황이 강조됨. |

(가)는 극한 상황을 조성하기 위해 현재형 시제 표현과 점층적 전개 방식을 사용하고 있다. 또한 한시의 기승전결의 구성으로 시적 상황과 화자의 인식을 제시함으로써 절제된 형식미도 보여 주고 있다.

### (나) 시어의 대비를 통한 주제 강조

| 화자가 거부하는 대상 | | 화자가 소망하는 대상 |
|---|---|---|
| 껍데기, 쇠붙이 | ↔ 대조 | 알맹이, 동학년 곰나루의 아우성, 아사달 아사녀, 중립의 초례청, 향그러운 흙 가슴 |
| ↓ | | ↓ |
| • ❸□□적 세력<br>• 화합과 통일을 가로막는 무력이나 세력 | | • 순수한 정신, 민족 공동체<br>• 분단 극복의 의지 |

부정적 대상과 화자가 소망하는 대상의 대비를 통해 민족의 화합과 통일 추구라는 주제를 강조하고 있다.

---

**빈칸 답** ❶ 희망 ❷ 점층 ❸ 부정

# 03 버들댁

## ✎ 핵심 짚기

### ● 인물
- **버들댁** 손자 **❶ㅇㅂ**을 삶의 희망으로 여기며 살아감.
- **용복** 금메달을 따서 편히 살겠다는 허황된 꿈을 꿈.

### ● 배경
- **시간** 겨울
- **공간** 전라도 시골 마을

### ● 사건
버들댁의 걱정거리인 손자 용복이 다친 얼굴로 찾아와 **❷ㄱㄱㄷㅍ**가 될 거라고 말함.

### ● 시점
3인칭 **❸ㅈㅈㅈ** 시점 이야기 밖의 서술자가 사건의 내막과 인물의 심리 등을 모두 전달함.

### ● 서술상 특징
- **비유적 표현 사용** 자연물이나 사물을 활용하여 인물의 정서, 의미를 표현함.

| '우중충한 안개가 ~ 있었다.' | 버들댁의 걱정 |
|---|---|
| '삶의 허기를 ~ 주는 **❹ㅂㅁ** | 버들댁에게 있어 용복의 의미 |

- **요약적 제시** 버들댁 아들의 삶, 버들댁이 용복을 키우게 된 과정 등을 서술자가 요약하여 설명함.

### 빈칸 답
❶ 용복 ❷ 국가 대표
❸ 전지적 ❹ 보물

● **허기** | 몹시 굶어서 배고픈 느낌.
● **종무소식** | 끝내 아무 소식이 없음.

---

버들댁은 들판과 바다를 왼쪽에 끼고 걸었다. 들판에는 겨울 보리들이 파랬다. 바다에는 부연 먼지 같은 안개가 덮여 있었다. 그 우중충한 안개가 그녀의 마음속에도 끼어 있었다. 한숨을 쉬었다. 이 자식은 언제나 철이 들어 제 앞가림을 하고 살려는가. 죽기 [A] 전에 그놈 당당하게 사는 모습 보는 것이 소망인데 좀처럼 기미가 보이지 않았다. 그 암담한 생각을 하자 다리가 팍팍해졌다. 후유, 하고 한숨을 쉬었다.

이날 용복은 방 안으로 들어오자마자, "춥구먼 불 조끔 때제잉" 하고 보일러의 센서를 오른편으로 틀 수 있는 데까지 틀어 놓았다. 화살표가 마지막 단계인 '연속'에 가 닿았다. 곧 보일러가 부르릉 소리를 내며 가동되었다. 버들댁은 **아깝다고 밤에 잘 때 한 차례만 때곤** 하는 기름을 용복은 집 안에 들어와 앉아 있는 한 **계속 때려고** 들었다. 그렇지만 버들댁은 손자가 하는 일을 **말리지 않았다.** 보일러 돌아가는 소리를 들으며 용복은 이불을 덮고 드러누웠다. 버들댁이 이렇게 **불편한 몸을 이끌고 살아가는 것은** 눈앞에 얼씬거리는 유일한 손자 용복 때문이었다. 용복은 그녀에게 있어서 **삶의 허기를 충족시켜 주는 보물**이었다.

늦둥이 아들 하나가 있었는데 막일을 하러 다니다가 싸움질을 하고는 교도소에 갔다. 두 해 뒤 겨울에 나와서 어디엔가 취직을 하고 요리 학원을 다닌다고 하더니 어느 날 갓난아기를 안고 나타났다. 앞으로 결혼할 미장원 처녀가 낳은 아기라는 것이었다. 잠시만 맡아 키워 주면 돈 벌어 결혼식 하고 살림 차린 다음 데려가겠다는 것이었다. 한데 아들은 아기를 맡기고 간 다음 종무소식이었다. 버들댁은 그 아기를 우유도 먹이고 밥도 씹어 먹여 키웠다. 그 아이가 용복이었다.

한데 용복도 제 아비의 길을 가고 있었다. 농고를 졸업하고 자동차 정비 공장에 다닌다더니 그것을 그만두고 식당 일을 한다고 했다. 이 자식도 싸움질을 하는지 가끔 눈두덩이 멍들거나 입술이 터진 채 밤 깊어 차를 몰고 찾아오곤 했다. 버들댁은 손자의 다친 얼굴을 보면 가슴이 아리고 쓰리고 미어지는 듯싶었다. 끌어안고 손으로 만지고 멍든 자리를 볼과 입술로 비벼 주었다.

"주인 양반이 시키는 대로 고분고분 일이나 할 일이지 누구하고 싸웠기에 이러냐아?"

버들댁이 애달은 소리로 말하자, 용복은 장차 국가 대표 선수가 되려고 도장에서 운동 연습을 한다고 했다.

"국가 대포가 멋 하는 것이라냐?"

"금메달만 몇 개 따면은 가만히 앉아 편히 먹고 사는 것이지잉."

㉠버들댁은 자기도 모르는 사이에 "호다!" 하고 말했다. 그것은 새각시 시절에 꼬부랑 시할머니가 쓰던 말이었다. 기대한 만큼 좋은 결과가 나타나지 않을지도 모른다고 생각은 되지만, 그래도 어찌할 수 없이 더러운 소망으로 기대하면서 지껄이는 말. '좋은 일에!

실전 2회

핵심 짚기

**● 인물**

- **버들댁** 국가에서 주는 생계비도 손자에게 모두 주는 헌신적인 모습을 보임.
- **용복 ❶ㅂㄷㄷ**의 생계비를 받아 가면서도 돈을 쉽게 생각하는 철없는 모습을 보임.
- **광주 양반** 딸에게 부채 의식이 있으며, 가난하게 살면서도 병에 걸린 딸에게 그동안 모은 돈을 모두 보내 줌.

**● 사건**

사고를 친 용복이 돈을 요구하자 버들댁은 돈을 빌리러 **❷ㄱㅈ** 양반에게 감.

광주 양반이 위암에 걸린 딸에게 모든 돈을 주었기 때문에 버들댁은 돈을 빌리지 못함.

**빈칸 답**
❶ 버들댁 ❷ 광주

- **무연고** 혈통, 정분, 법률 따위로 맺어진 관계나 그런 사람이 없음.
- **차장** 기차, 버스, 전차 따위에서 찻삯을 받거나 차의 원활한 운행과 승객의 편의를 도모하는 사람.
- **구차하다** ① 살림이 몹시 가난하다. ② 말이나 행동이 떳떳하거나 버젓하지 못하다.
- **시제** ① 음력 2월, 5월, 8월, 11월에 가묘에 지내는 제사. ② 음력 10월에 5대 이상의 조상 무덤에 지내는 제사.

제발 그렇게만 좀 된다면 얼마나 얼마나 좋겠느냐'는 말이었다.

"그런디 얼굴은 어쩌다가 그렇게 다쳤냐?"

할머니는 ⓛ손자의 멍든 곳을 어루만지고 쓰다듬었다. 아이고, 여기 다칠 때에 내 새끼 살이 얼마나 아팠을까. 가슴이 아리고 쓰렸다. 용복은 퉁명스럽게 말했다.

"연습하느라고 그런 것인께 염려 말고 얼른 이달 치 돈이나 내놓소."

"지난달에 가져간 돈 다 썼냐?"

ⓒ"삼십만 원 그것이 돈이란가?"

"이 사람아, 그것이 먼 소리냐?"

그 돈은 버들댁이 번 돈이 아니었다. 면사무소에서 다달이 통장에 넣어 주는 무연고의 **독거노인에게 주는 생계비**였다. 버들댁은 그 돈을 **한 푼도 쓰지 않고** 모두 놔두었다가 손자에게 주곤 하는 것이었다.

**중략 부분의 줄거리** 사고를 친 용복 때문에 버들댁은 돈을 꾸러 다닌다. 하지만 돈을 빌리지 못한 버들댁은 결국 광주 양반을 찾아간다.

버들댁은 광주 양반을 향해 "광주 양반, 나 돈 삼십만 원만 조끔 꿉시다이. 열흘 뒤에 돈 나오면 주께" 하고 말했다. 수문댁이 "아이고, 어질벵 앓는 사람이 염벵 하는 사람 보고 벵 고쳐 주라고 하네이. ⓔ광주 양반도 시방 맘이 천근만근이라요" 하고 말했다. 그러자 교동댁이 그 말을 받았다.

"부산 딸이 시방 많이 아프다요."

초등학교를 마치자마자 공장에 다니겠다고 마산 공단으로 간 딸이었다. 처음에는 신발 공장에 다니다가 나중에는 버스 차장을 했다. 버스 회사들이 차장들을 해고시키자 함께 사는 남자하고 술집을 차렸다고 했다. 광주 양반은 그 딸에게 부채가 많았다. 결혼식도 치러 주지 못하고 혼수 한 가지 해 주지 못한 것이었다.

"돈 한 푼 못 벌고, **벌어 놓은 재산**이 있는 것도 아니고, 똑똑한 자식들이 있어 다달이 돈을 보내 주는 것도 아니고, 그래 장차 무슨 희망이 있는 것도 아닌디, **동네 사람들**이 불쌍하고 가련하다고 조금씩 보태 주는 곡식이나 **반찬 얻어먹고** 사는 것이 부끄럽고 구차하지도 않아서 그렇게 끈질기게 살고 있소?"

먼 일가의 조카뻘 되는 상근이 시제를 모시러 왔다가 술 얼근해진 김에 찾아와서 이 말을 하고 갔다는 소문이 난 적이 있었다. 그 말에 광주 양반은 얼굴을 붉힌 채 "글쎄 말이시이" 하고 얼버무렸다고 했다. 그러나 상근이 돌아간 다음 그는 "개자식, 지놈이 나한테 쌀 한 됫박을 보태 주었다냐, 돈 백 원짜리 한 개를 던져 주었다냐? ⓜ지가 어쩐다고 부끄럽고 구차하지도 않아서 이렇게 끈질기게 살고 있느냐고 그래? 내사 불불 기어 다니든지 바람벽에 똥을 바르고 살든지 집어 묵고 살든지 지놈이 아랑곳할 것이 무엇이여잉?" 하고 노여워했다는 말이 마을 안에 나돌아 다녔다.

방 안에는 침묵이 흘렀다. 수문댁이 말했다.

"그 딸이 위암에 걸렸닥 안 하요? 그런디 수술비가 없어서 수술을 못한다요. 그래서 광주 양반이 그동안 **모아 놓은 돈** 사백만 원을 다 보내 줘뿌렀다요."

"아이고, 그래서 어쩌께라우잉? 그래도 광주 양반이 살어 있기 땜세……. 아부지 노릇 참말로 잘 하셌구먼이라우. 아부지나 된께 그런 돈을 보태 주제 세상 어느 누가 깽전 한 푼 보태 준다요?"

이렇게 위로의 말을 하는 것이지만, 버들댁의 마음은 벌써 절실 집으로 달려가고 있었다.

– 한승원, 〈버들댁〉

---

**서술상 특징 파악하기** **1**

➕ **현실과 환상의 교차를 통해 사건을 입체적으로**

실제 사건과 상상의 사건을 바꾸어 보여 주면서 사건의 여러 가지 측면을 제시하는지를 파악하라는 뜻이다.

**[A]에 나타난 서술상의 특징으로 가장 적절한 것은?**

① 구체적 자연물을 통해 인물의 정서를 드러내고 있다.
② 인물의 반복적 행위를 통해 성격의 변화를 암시하고 있다.
③ 요약적 진술을 통해 구체적인 시대 배경을 보여 주고 있다.
④ 과거의 회상을 통해 내적 갈등의 해소 과정을 서술하고 있다.
⑤ 현실과 환상의 교차를 통해 사건을 입체적으로 제시하고 있다.

---

**외적 준거에 따라 작품 감상하기** **2**

● **소외되다** │ 어떤 무리에서 기피되어 따돌림을 당하거나 배척된다는 뜻으로 여기서는 현대 사회로부터 배척되었음을 의미한다.
● **궁핍** │ 몹시 가난함.

고난도

**〈보기〉를 참고하여 윗글을 감상한 내용으로 적절하지 않은 것은?**

> ● 보기 ●
>
> 이 작품은 빈곤, 고립된 생활 환경, 젊은이의 무관심으로 인한 노인 계층의 소외된 삶과 피붙이에 대한 조건 없는 희생과 내리사랑을 서사의 중심에 두고 있다. 특히 쇠약한 몸과 경제적 궁핍 속에서도 손자를 삶의 희망으로 여기는 인물을 통해 노인 계층이 직면한 삶의 문제에 대한 주제 의식을 드러내고 있다.

① 버들댁이 '아깝다고 밤에 잘 때 한 차례만 때'는 기름을 용복이 '계속 때려고 들'어도 '말리지 않'는 것에서 피붙이에 대한 내리사랑을 짐작할 수 있겠군.
② 버들댁이 '불편한 몸을 이끌고 살아가'면서 용복을 통해 '삶의 허기를 충족'하는 것에서 쇠약한 노인이 손자에게 삶의 희망을 얻고 있음을 짐작할 수 있겠군.
③ 버들댁이 '독거노인에게 주는 생계비'를 '한 푼도 쓰지 않고 모두' 손자에게 주는 것에서 조건 없는 희생을 구현하고 있는 소외된 노인의 모습을 짐작할 수 있겠군.
④ 광주 양반이 '벌어 놓은 재산'도 없이 '동네 사람들'에게 '곡식이나 반찬 얻어먹고' 산다고 상근이 말한 것에서 노인 계층의 빈곤 문제를 짐작할 수 있겠군.
⑤ 광주 양반이 '모아 놓은 돈'을 딸에게 '다 보내'서 수술을 하지 못한다고 수문댁이 말한 것에서 노인의 경제적 궁핍에 대한 젊은이의 무관심을 짐작할 수 있겠군.

**3** **㉠~㉤에 대한 설명으로 적절하지 않은 것은?**

① ㉠: 버들댁은 기대한 만큼 좋은 일이 있을 것이라 확신하고 있다.

② ㉡: 버들댁은 상처 입은 용복을 가엾게 여기며 마음 아파하고 있다.

③ ㉢: 용복은 버들댁이 주었던 돈을 대수롭지 않게 여기고 있다.

④ ㉣: 수문댁은 광주 양반의 마음이 힘들다는 것을 인식하고 있다.

⑤ ㉤: 광주 양반은 자신의 처지에 참견하는 상근의 말에 분노하고 있다.

도움말

서술자의 직접적인 설명뿐만 아니라 ㉠~㉤의 전후 맥락을 참고하여 인물의 심리와 태도를 파악하도록 한다.

# 작품 정리하기

**갈래** 단편 소설, 연작 소설, 농촌 소설

**전체 구성**

**발단** 독거노인을 위한 국가의 보조를 받으며 생활하는 버들댁은 손자 용복이 잘되기만을 바라며 살아감.

**전개** 버들댁에게 지급되는 생계비가 아직 안 나왔다고 하자 용복은 사고를 쳐서 돈이 필요하다며 버들댁에게 돈을 빌려 오라고 말함. ──72~73쪽 수록

**위기** 버들댁은 마을 사람들에게 돈을 빌리는 데 실패하여 빈손으로 집으로 돌아감. ──73~74쪽 수록

**절정** 용곡 양반을 위협하여 버들댁의 집을 사게 하겠다고 뛰쳐나가려는 용복을 막은 후, 버들댁은 혼자 용곡 양반을 찾아가 설득함.

**결말** 용곡 양반에게서 돈을 받은 용복은 버들댁의 생계비가 지급되는 날 다시 오겠다고 말하며 떠나고. 버들댁은 용곡이 국가 대표가 되기를 기대함.

**주제** 소외된 노인의 고단한 삶과 손자에 대한 사랑

**서술상 특징**

| 간접 제시와 직접 제시 | • 간접 제시: 용복과 버들댁의 대화를 통해 용복의 철없는 성격이 드러나고, 버들댁과 교동댁, 수문댁의 대화를 통해 광주 양반의 상황이 드러남.<br>• 직접 제시: 주로 버들댁의 심리 변화를 서술자가 직접적으로 설명함. |
| --- | --- |
| 요약적 제시 | 버들댁이 손자 용복을 키우게 된 사연, 광주 양반이 딸에게 ❶□□ 의식을 지니게 된 이야기를 서술자가 요약해서 서술함. |
| 비유적 표현 | 용복에 대한 버들댁의 갑갑한 마음을 우중충한 안개로 표현하고, 버들댁에게 손자 용복이 어떤 의미를 지니는지를 보석에 비유함. |

**등장인물의 성격**

| 용복 | 버들댁 | ❷□□ 양반 |
| --- | --- | --- |
| 철없고 허황된 꿈을 꾸는 청년 | 소외된 삶을 살면서도 혈육을 위해 헌신하는 노인 | 가난한 삶을 살며 자식에게 부채 의식을 지닌 노인 |

이 작품에서 용복은 할머니(버들댁)의 희생을 모르고 자신만을 생각하는 청년이다. 반면에 버들댁과 광주 양반은 경제적으로 궁핍한 삶을 살면서도 피붙이에 대한 내리사랑의 모습을 보여 주는 인물들이다.

**작품의 주제**

| 혈육과 따로 떨어져 살며, 국가와 동네 사람들의 도움을 받는 버들댁과 광주 양반 | **노인 계층의 소외 문제** |
| --- | --- |
| ❸□□□를 손자에게 주는 버들댁, 딸을 위해 그동안 모은 돈을 보내는 광주 양반 | **혈육에 대한 헌신적인 사랑** |

버들댁과 광주 양반의 삶과 행동을 통해 노인이 겪고 있는 현실적 문제와, 자신은 가난하더라도 아낌없이 모든 것을 내주는 혈육애를 보여 준다.

# 04 황만근은 이렇게 말했다

## 📝 핵심 짚기

### ● 인물
- **황만근** 모자라지만 **❶** ㅇ ㅌ ㅈ 이고 성실하며 자기희생적임.
- **마을 사람들** 이기적이고 타산적임. 황만근을 무시함.

### ● 배경
- **시간** 1990년대 말
- **공간** 경상도 **❷** ㄴ ㅊ 마을

### ● 사건
- 전국 농민 총궐기 대회에 참가한 황만근이 돌아오지 않음.
- 마을 사람들이 일상생활에 불편을 느끼며 황만근의 빈자리를 체감함.

### ● 시점
**3인칭 전지적 시점** 이야기 밖의 **❸** ㅅ ㅅ ㅈ 가 황만근을 중심으로 벌어지는 모든 사건과 인물의 심리 등을 자세히 서술함.

### 빈칸 답
❶ 이타적 ❷ 농촌 ❸ 서술자

- **부채** 남에게 빚을 짐. 또는 그 빚.
- **탕감** 빚이나 요금, 세금 따위의 물어야 할 것을 삭쳐 줌.
- **분뇨** 똥오줌. 분(糞)과 요(尿)를 아울러 이르는 말.
- **여리** '여럿이'의 방언(경상).
- **곡석** '곡식'의 방언(강원, 경상, 전남).
- **공평무사하다** 공평하여 사사로움이 없다.
- **명약관화하다** 불을 보듯 분명하고 뻔하다.

---

**앞부분의 줄거리** ⓐ농가 부채 탕감 촉구 전국 농민 총궐기 대회에 참가한 황만근이 돌아오지 않아 마을 사람들이 모여 회의를 한다. 회의 도중 이장이 황만근에게 경운기를 몰고 대회에 참가하라고 강요하였음이 밝혀지고, 황만근의 어머니는 고등어를 사 오라고 한 것, 아들은 목욕을 하고 오라고 한 것이 실종 원인이라고 추측한다.

　그러는 동안 모든 사람들이 알게 되었다. 황만근이 집으로 돌아오지 않았다. 동네 사람 누구든 하루 이틀, 또는 한두 달 집을 비울 수도 있지만 그렇다고 그 사실을 모든 사람이 알게 되는 것은 아니다. 그러나 황만근만은 하루밖에 지나지 않았음에도 모든 사람이 그의 부재를 알게 되었다. 그렇지만 누구도 적극적으로 황만근을 찾아 나서려 하지 않았다. 그는 있으나 마나 한 존재이면서 있었고 없어서는 안 되는 존재이면서 지금처럼 없기도 했다. ㉠동네 사람들은 그를 바보라고 했다. 두어 해 전에야 신대 1리로 들어와 황만근의 탄생과 성장, 삶을 처음부터 지켜보지 못한 민 씨만은 그렇게 생각하지 않았다.

　ⓑ마을에서 젊은 축에 드는 마흔다섯 살의 **황영석**은 황만근이 벽돌을 찍고 구덩이를 파서 지은 마을 회관 변소에서 분뇨를 퍼내면서 황만근의 부재를 알게 되었다.

　"만그이 자석이 있었으마 내가 돈을 백만 원 준다 캐도 이런 일을 안 할 낀데. 아이구, 이 망할 놈의 똥 냄새, 여리가 싸 놔 그런지 독하기도 하네. 이기 곡석한테 독이 될지 약이 될지도 모르겠구마."

　㉡황만근이 있었으면 군말 없이 했을 일이었다. 늘 그렇듯이 벙글벙글 웃으면서.

　"만그이가 있었으모 저 거름이 우리 밭으로 올 낀데, 만그이가 도대체 어데 갔노."

　마을 회관 곁 조그만 밭에 채소를 심어 먹는 **여씨 노인**도 황만근의 부재를 알게 되었다.

　㉢황만근은 마을 공통의 분뇨를, 역시 자신이 판 마을 공통의 분뇨장으로 가져가서 충분히 익힌 뒤에, 공평하게 나누어 주었다. ㉣황영석처럼 제가 팠다고 바로 제 밭에 가져다가 뿌리지는 않았다. 특히 ㉤여씨 노인처럼 일찍 남편을 잃고 혼잣몸이 된 노인들에게는, 알고 그러는지 모르고 그러는지 더 자주 거름을 가져다주었다.

　"만그이한테 물어보자."

　아이들은 소꿉장난을 하다가 황만근의 부재를 알게 되었다. 공평무사한 것이 황만근의 평생의 처사였다. 그에게는 판단 능력이 없는 듯했지만 시비를 물으러 가면, 가노라 면 언제나 공평무사한 자연의 이법에 대해 깨우치게 되고 분쟁은 종식되었다. ⟩[A]

　또는 물어보나 마나 명약관화한 일을 두고도 황만근을 들먹였다.

　"만그이도 알 끼다."

　또한 동네에 오래도록 내려오는 노래, 구태여 제목을 붙이자면 〈황만근가〉를 자신도 모르게 중얼거리게 되면서 사람들은 황만근이 없다는 사실을 알게 되었다.

## 핵심 짚기

### ● 인물
- **만근의 어머니** 가사를 돌볼 줄 모르고 황만근에게 의지함.
- **민 씨** ❶ㄱㄴ했다가 실패하고 도시로 돌아가는 인물로 황만근의 훌륭한 성품을 알아봄.

### ● 사건
민 씨가 ❷ㅁㅂㅁ을 통해 황만근의 훌륭한 인품을 기림.

### ● 구성
**전의 형식**

| 앞부분 | 황만근의 생애와 행적 |
|---|---|

+

| 뒷부분 | ❸ㅁ씨가 묘비명을 써서 덧붙인 평가의 내용 |
|---|---|

### ● 작품에서 지향하는 사회·문화적 가치
- 공동체에 대한 봉사
- 이타적 삶의 자세
- 부채 없이 성실하게 자립하는 ❹ㄴㄷ의 가치

**빈칸 답**
❶ 귀농 ❷ 묘비명 ❸ 민 씨
❹ 노동

**중략 부분의 줄거리** 〈황만근가〉는 황만근의 사연을 담은 짧은 가사의 노래이다. 이 노래에 따르면 황만근은 이름이 만근산에서 유래했고 어렸을 때 잘 넘어졌으며, 혀가 짧아 발음이 불분명하다. 황만근의 가족은 어머니와 아들 두 사람이다. **황만근의 어머니**는 황만근이 배 속에 있을 때 전쟁으로 남편을 여의고 여덟 달 만에 황만근을 낳았는데, 예전이나 지금이나 가사를 돌볼 줄 모른다. 황만근은 우연히 물에 빠져 죽으려던 여자를 구해 주고 함께 살게 되었는데, 여자는 황만근에게 경운기를 사 주고 같이 산 지 일곱 달 만에 아들을 낳은 다음 사라져 버린다. 황만근은 실종 전날 민 씨와 술을 마시며 농사꾼은 빚을 지면 안 된다는 소신을 말하였고 이튿날 궐기 대회에 참가하였다. 궐기 대회에 갔다가 돌아오지 않은 황만근은 일주일 뒤에 항아리에 뼈만 담겨 돌아온다. **민 씨**는 황만근을 기리기 위해 묘비명을 바친다.

전일에, 선생은 경운기를 끌고 면 소재지로 갔지만 경운기를 타고 온 사람이 없어 같이 갈 사람을 만나지 못했다. 선생은 다시 경운기를 끌고 백 리 길을 달려 약속 장소인 군청까지 갔다. ⓒ가는 동안 선생은 여러 번 차에 부딪힐 뻔했다. 마른 봄바람에 섞인 먼지가 눈을 괴롭혔다. 날은 흐렸고 추웠다. 이윽고 비가 내리기 시작했다. 경운기에는 비를 피할 만한 덮개가 없어서 선생은 뼛속까지 젖어 드는 추위에 몸을 떨었다. ⓓ선생이 군청 앞까지 갔을 때 이미 대회는 끝나고 아무도 없었다. 어머니에게 가져다줄 생선을 사고 몸을 녹인 선생은 날이 어두워 오는 줄도 모르고 경운기에 올라 집으로 향했다. 경운기에는 빠르게 달리는 차량의 주의를 끌 만한 표지가 없어서 선생은 몇 번이나 사고를 당할 뻔했다. 그때마다 멈추었다가 다시 출발하는 바람에 시간은 점점 늦어졌다. 어두워지면서 경운기는 길옆의 논으로 떨어졌고 수레는 부서졌다. 결국 선생은 그 밤 안으로 집에 돌아갈 수 없다는 걸 알았다. 선생은 경운기에 실려 있는 땅의 젖에 취하여 경운기 옆에 앉아 경운기를 지켰다. 그러나 경운기는 선생을 지켜 주지 않았다. 추위와 졸음으로부터 선생을 지켜 주지 못했다. 아아, 선생이 좀 더 살았더라면 난세의 혹염에 그늘의 덕을 널리 베푸는 큰 나무가 되었을 것이다.

어느 누구도 알아주지 아니하고 감탄하지 않는 삶이었지만 선생은 깊고 그윽한 경지를 이루었다. 보라. 남의 비웃음을 받으며 살면서도 비루하지 아니하고 홀로 할 바를 이루어 초지를 일관하니 이 어찌 하늘이 낸 사람이라 아니할 수 있겠는가. 이 어찌 하늘이 내고 땅이 일으켜 세운 사람이 아니랴. [B]

단기 사천삼백삼십 년 오월 스무날

본디 묘지에나 쓰일 것[묘비명(墓碑銘)]이지만 천지를 대영혼의 집으로 삼은 선생인지라 아무 쓸모도 없는 이 글을, ⓔ새터말로 귀농하였다가 이룬 것 없이 다시 도시로 흘러가며, 남해인(南海人) 민순정(閔順晶)이 엎디어 쓰다.

— 성석제, 〈황만근은 이렇게 말했다〉

- **묘비명** | 묘비에 죽은 사람의 이름과 경력 등을 새긴 글.
- **혹염** | 몹시 심한 더위.
- **비루하다** | 행동이나 성질이 너절하고 더럽다.
- **초지** | 처음에 품은 뜻.

서술상 특징 파악하기

**⊕ 내적 독백**

등장인물의 의식 상태나 마음 속 생각을 말하기의 형태로 드러내 보여 주는 서술 기법. 즉흥적인 생각이나 연상뿐만 아니라 등장인물의 논리적이고 이성적인 생각을 표현하는 데 쓰이며, 1인칭, 3인칭 시점 모두에 사용될 수 있다.

# 1

**[A]와 [B]에 나타난 서술상의 특징으로 가장 적절한 것은?**

① [A]는 등장인물의 내적 독백을 서술하고 있고, [B]는 서술자가 자신의 경험을 서술하고 있다.

② [A]는 행동 묘사를 통해, [B]는 등장인물 간의 대화를 통해 특정 인물의 성격을 드러내고 있다.

③ [A]는 작품 밖의 서술자가 상황을 직접 서술하고 있고, [B]는 작품 안의 등장인물이 다른 등장인물을 평가하고 있다.

④ [A]와 [B]는 모두 등장인물이 다른 등장인물을 관찰한 내용을 서술하고 있다.

⑤ [A]와 [B]는 모두 작품 밖의 서술자가 관찰자의 입장에서 등장인물을 서술하고 있다.

인물의 심리와 태도 파악하기

# 2

**윗글의 등장인물들이 황만근을 대하는 태도를 설명한 내용으로 가장 적절한 것은?**

① 황영석: 황만근이 마을의 궂은일을 도맡아 하는 것에 대해 평소 감사하게 여겼다.

② 여씨 노인: 황만근의 수고에는 아랑곳하지 않고 자신의 이익에만 관심을 두었다.

③ 아이들: 황만근을 우습게 여기며 심심풀이로 황만근의 판단 능력을 시험하였다.

④ 황만근의 어머니: 황만근이 힘들지 않도록 황만근의 뒷바라지에 수고를 다하였다.

⑤ 민 씨: 황만근을 사회에 꼭 필요한 훌륭한 인품의 소유자라고 생각하였다.

외적 준거에 따라 작품 감상하기

**⚙ 도움말**

〈보기〉에서는 이 글의 형식적 특성과, 주인공의 성격을 설명하고 있다. 전에서 일반적으로 다루는 인물과 이 글의 주인공을 비교하며, 선택지에서 ⊙~⊕의 내용을 바르게 분석하고 있는지 판단하도록 한다.

# 3

**고난도**

**〈보기〉를 바탕으로 윗글을 이해한 내용으로 적절하지 않은 것은?**

> ● 보기 ●
>
> 이 작품은 어떤 사람의 행적을 밝히고, 여기에 교훈이나 비판을 덧붙이는 전(傳)의 형식을 띠고 있다. 전은 주로 남들보다 뛰어나거나 남들의 모범이 될 만한 사람을 대상으로 한다. 그것은 전을 기술하는 목적이 사람들에게 교훈을 주기 위함이기 때문이다. 이 점에서 황만근은 전의 형식에 어울리지 않아 보인다. 왜냐하면 그는 모든 면에서 평균치 이하인데다 사람들로부터 하대 받고 조롱당하기 때문이다.
>
> 그러나 그가 어리석어 보이는 것은 우리가 이기적이고 타산적이기 때문일 수 있다. 그가 남들이 꺼리는 궂은일을 마다하지 않는 것은 그가 못나서 그런 것도 아니고 그 외에는 할 줄 아는 것이 없어서 그런 것도 아니다. 이 모든 행위들은 그가 이타적이고 공평무사하며, 도량이 넓은 인물임을 알려 준다. 그는 그야말로 군자다. 그러니 그는 전의 형식으로 기술하기에 모자람이 없는 인물인 것이다.

① ⊙에서 황만근이 마을 사람들에게 낮은 평가를 받았음을 알 수 있다.

② ⓒ에서 남들이 꺼리는 궂은일을 마다하지 않는 황만근의 태도를 알 수 있다.

③ ⓒ에는 이타적이고 공평무사한 황만근의 태도가 드러나 있다.

④ ⓔ은 이기적이고 타산적인 사람과 황만근을 대비하고 있다.

⑤ ⓜ은 황만근이 자신의 도량이 넓음을 보여 주기 위해 한 노력으로 볼 수 있다.

배경의 의미와 기능 파악 **4**
하기

● **안착하다** | 마음의 흔들림 없이 어떤 곳에 착실하게 자리 잡다.

ⓐ~ⓔ로 보아 알 수 있는 윗글의 사회·문화적 배경으로 적절한 것은?

① ⓐ로 보아, 전국적으로 농가 부채가 심각한 상황임을 알 수 있어.

② ⓑ로 보아, 농촌에 청년 인구가 증가하고 있음을 알 수 있어.

③ ⓒ로 보아, 도로의 정비와 유지 관리가 부실하다는 것을 알 수 있어.

④ ⓓ로 보아, 소통의 부재 때문에 사람들이 서로 불신하고 있음을 알 수 있어.

⑤ ⓔ로 보아, 도시의 삶에서 벗어나 시골에 안착한 사람들이 많음을 알 수 있어.

## 작품 정리하기

📍 **갈래** 단편 소설, 농촌 소설

📍 **전체 구성**

**발단** 황만근이 실종됐지만 민 씨 외 마을 사람들은 별로 신경을 쓰지 않음.

**전개** 황만근은 마을 사람들에게 바보라 놀림을 받지만 실상은 이타적이고 성실한 사람임. ---- **76쪽 수록**

**위기** 실종 전날 이장은 황만근을 따로 불러 전국 농민 궐기 대회에 참가하라고 당부함.

**절정** 황만근은 민 씨와 술을 마시며 무리해서 농사를 짓는 이웃들을 비판함. 다음 날 농민 궐기 대회에 참가하기 위해 경운기를 타고 나간 황만근은 돌아오지 않음.

**결말** 황만근은 죽어서 돌아오고, 민 씨는 황만근을 긍정적으로 평가한 묘비명을 쓰고 다시 도시로 돌아감. ---- **77쪽 수록**

📍 **주제** 황만근의 덕성과 이타적인 삶에 대한 예찬, 부채로 얼룩진 농촌 현실과 각박한 인심에 대한 비판

### 🔵 서술상 특징

| '전'의 양식 계승 | 어떤 사람의 일생 동안의 행적을 기술하고 그에 대해 논평하는 '❶☐☐'의 양식을 따르고 있음. |
| --- | --- |
| 사투리와 비속어 사용 | 구수한 방언과 생생한 비속어의 사용으로 향토성과 사실감을 높임. |
| 3인칭 전지적 시점 | 작품 밖 서술자가 인물의 심리와 사건의 전말을 모두 알고 설명함으로써 작품에 대한 이해를 도움. |

### 🔵 등장인물의 대비

| 황만근 | | 마을 사람들 |
| --- | --- | --- |
| • ❷☐☐적이고 자기희생적인 인물<br>• 평균 이하의 인물<br>• 전통 사회의 인물 유형 | ↔ | • 이기적이고 타산적인 인물들<br>• 평균적인 인물들<br>• 자본주의 사회의 인물 유형 |

　마을 사람들에게 낮게 평가받는 황만근이 실제로는 본받을 점이 많은 훌륭한 인물이라는 점을 인물의 대비를 통해 보여 준다.

### 🔵 작품의 사회·문화적 배경

| ❸☐☐로 인한 농가의 어려움 | 농촌 인구의 고령화 | 농촌 사회의 자본주의화 | 귀농 현상 |
| --- | --- | --- | --- |

| **1990년대 후반** | IMF로 경제적인 위기를 겪으며 사회 변화가 크게 일어남. |
| --- | --- |

　이 작품은 1990년대 후반 농촌의 농가 부채 문제, 인구의 고령화, 자본주의화 등의 문제를 보여 주고 있다. 귀농과 같은 현상도 다루고 있지만 실패하고 돌아간 사람도 많다는 것을 민 씨라는 인물을 통해 알게 해 준다.

**빈칸 답** ❶ 전 ❷ 이타 ❸ 부채

# 시＋수필 05 ㉮ 도산십이곡 ㉯ 인형과 인간

_2021학년도 3월 고1 학력평가

## 핵심 짚기

### ㉮

● **화자**
- 화자 '나'
- **시적 대상** 고인, 가던 길, 청산, 유수 등
- **정서와 태도** 고인을 따라 청산, 유수처럼 꾸준히 ❶ㅎㅁ 수양에 힘쓸 것을 다짐함.

● **표현**
- ❷ㅇㅅㅂ **사용** 앞 구절 일부가 다음 구절에도 이어지는 표현법을 사용함. ('나도 고인 못 뵈네 / 고인을 못 봐도 가던 길' 등)
- ❸ㅅㅇㅂ **사용** 물음의 형식으로 의미를 강조함. ('아니 가고 어찌할까')

### ㉯

● **글쓴이의 태도**
❹ㅅㅇ들의 가르침에 긍정적 태도를 보이고, 불명료한 학문, 지식에 부정적 태도를 보임.

| 긍정 | 성인들의 가르침 |
| --- | --- |
| 부정 | 불필요한 접속사와 수식어로써 쪼개고 나눈 학문, 지식 |

**빈칸 답**
❶ 학문 ❷ 연쇄법 ❸ 설의법
❹ 성인

- **고인** | 옛 성인(聖人), 성현.
- **만고상청** | 아주 오랜 세월 동안 항상 푸름.
- **맹점** | 미처 생각이 미치지 못한, 모순되는 점이나 틈.
- **곡학아세** | 바른 길에서 벗어난 학문으로 세상 사람들에게 아첨함.
- **사명** | 맡겨진 임무.

---

㉮ 고인(古人)도 날 못 보고 나도 고인 못 뵈네 ⌉
　고인을 못 봐도 가던 길 앞에 있네　　　　[A]
　가던 길 앞에 있거든 아니 가고 어찌할까 ⌋　　　　　　　　〈제9수〉

　당시(當時)에 가던 길을 몇 해를 버려 두고 ⌉
　어디 가 다니다가 이제야 돌아왔는고　　　[B]
　이제야 돌아왔으니 딴 데 마음 말으리 ⌋　　　　　　　　〈제10수〉

　청산(靑山)은 어찌하여 만고(萬古)에 푸르르며
　유수(流水)는 어찌하여 주야(晝夜)에 그치지 않는고
　우리도 그치지 마라 만고상청(萬古常靑)하리라　　　　　〈제11수〉

– 이황, 〈도산십이곡〉

㉯ 지나간 성인들의 가르침은 하나같이 간단하고 명료했다. 들으면 누구나 다 알아들을 수 있는 내용이었다. 그런데 학자(이 안에는 물론 신학자도 포함되어야 한다)라는 사람들이 튀어나와 불필요한 접속사와 수식어로써 **말의 갈래를 쪼개고 나누어** 명료한 진리를 어렵게 만들어 놓았다. 어떻게 살아야 할 것인가에 대한 자기 자신의 문제는 묻어 둔 채, 이미 뱉어 버린 말의 찌꺼기를 가지고 시시콜콜하게 뒤적거리며 이러쿵저러쿵 따지려 든다. 생동하던 언행은 이렇게 해서 지식의 울안에 갇히고 만다.

　이와 같은 학문이나 지식을 나는 신용하고 싶지 않다. 현대인들은 자기 행동은 없이 남의 흉내만을 내면서 살려는 데에 맹점이 있다. 사색이 따르지 않는 지식을, 행동이 없는 지식인을 어디에다 쓸 것인가. 아무리 바닥이 드러난 세상이기로, 진리를 사랑하고 실현해야 할 지식인들까지 곡학아세(曲學阿世)와 비겁한 침묵으로써 처신하려 드니, 그것은 지혜로운 일이 아니라 진리에 대한 배반이다.

　얼마만큼 많이 알고 있느냐는 것은 대단한 일이 못 된다. 아는 것을 어떻게 살리고 있느냐가 중요하다. 인간의 탈을 쓴 인형은 많아도 인간다운 인간이 적은 현실 앞에서 지식인이 할 일은 무엇일까. 먼저 무기력하고 나약하기만 한 그 인형의 집에서 나오지 않고서는 어떠한 사명도 할 수가 없을 것이다.

## 핵심 짚기

● **글쓴이의 관점**
· 진리에 대한 ❶ ㅅ ㄴ 은 일상화 되어야 함.
· 이웃의 기쁨과 아픔을 나누어 가져야 함.
· 주체적으로 행동하며 ❷ ㄷ ㄷ 하 게 살아야 함.

### 빈칸 답
❶ 신념 ❷ 당당

● **무용론** : ① 쓸데없는 이론이 나 주장. ② 필요가 없다는 주장.
● **위선자** : 겉으로만 착한 체하 는 사람.

---

무학(無學)이란 말이 있다. 전혀 배움이 없거나 배우지 않았다는 뜻이 아니다. 학문에 대한 무용론도 아니다. 많이 배웠으면서도 배운 자취가 없는 것을 가리킴이다. 학문이나 지식을 코에 걸지 않고 지식 과잉에서 오는 관념성을 경계한 뜻에서 나온 말일 것이다. 지식이나 정보에 얽매이지 않은 자유롭고 발랄한 삶이 소중하다는 말이다. 여러 가지 지식에서 추출된 진리에 대한 신념이 일상화되지 않고서는 지식 본래의 기능을 다할 수 없다. 지식이 인격과 단절될 때 그 지식인은 사이비요 위선자가 되고 만다.

책임을 질 줄 아는 것은 인간뿐이다. 이 시대의 실상을 모른 체하려는 무관심은 비겁한 회피요, 일종의 범죄다. 사랑한다는 것은 함께 나누어 짊어진다는 뜻이다. 우리에게는 우리 이웃의 기쁨과 아픔에 대해 나누어 가질 책임이 있다. 우리는 인형이 아니라 **살아 움직이는 인간**이다. 우리는 끌려가는 짐승이 아니라 신념을 가지고 당당하게 살아야 할 인간이다.

– 법정, 〈인형과 인간〉

---

## 1 화자(글쓴이)의 정서와 태도 파악하기

**⊕ 지식인의 부정적 태도에 대한 냉소적인 인식**
지식인이 나쁜 태도를 보이고 있고, 화자가 그러한 지식인을 비판적으로 생각한다는 뜻이다.

### 💡 도움말
(가)는 연시조이고, (나)는 수필이다. 갈래가 다르더라도 화자와 글쓴이의 유사한 태도를 찾을 수 있다. 화자(글쓴이)가 긍정하는 대상과 부정하는 대상을 분류한 뒤에 선택지의 내용을 판단하도록 한다.

**(가)와 (나)의 공통점으로 가장 적절한 것은?**

① 옛사람의 행적을 긍정적으로 바라보고 있다.
② 새로운 도전에 대한 기대감을 형상화하고 있다.
③ 사물의 아름다움에 대한 예찬적 태도를 드러내고 있다.
④ 자연과 하나 되는 삶의 과정을 순차적으로 제시하고 있다.
⑤ 지식인의 부정적 태도에 대한 냉소적인 인식을 나타내고 있다.

## 2 표현상 특징과 효과 파악하기

**[A]와 [B]에 대한 설명으로 적절하지 않은 것은?**

① [A]는 유사한 문장 구조를 활용하여 운율감을 형성하고 있다.
② [B]는 시간과 관련된 표현을 활용하여 상황 변화의 기점을 강조하고 있다.
③ [A]와 [B]는 모두 의문형 어구를 활용하여 화자의 태도를 드러내고 있다.
④ [A]와 [B]는 모두 부정 표현을 사용하여 반성하는 자세를 드러내고 있다.
⑤ [A]와 [B]는 모두 앞 구절의 일부를 다음 구절에서 반복하여 내용을 연결하고 있다.

**◆ 작품에 제시된 대상이나 상황 간의 관계**

　작품에 제시된 시어나 소재, 상황이 서로 반대되거나 비슷한지 혹은 영향을 끼치는 관계인지 살펴보라는 뜻이다.

┌─── ● 보기 ●───
│　　문학 작품의 감상 과정에서 독자는 작품에 제시된 대상이나 상황 간의 관계를 파악함
│　으로써 내용을 더 잘 이해할 수 있다. (가)와 (나)의 독자는 이러한 방식을 통해 ㉠학문의
│　길을 걷는 사람이 지녀야 하는 올바른 삶의 태도를 발견하게 된다.
└──────────────

외적 준거에 따라 작품 감 **3**
상하기

`고난도`

**(가)와 (나)를 감상한 내용으로 적절하지 않은 것은?**

① (가)의 9수에서는 '고인'과 '나'가 만나지 못하는 현실을 인식하고 학문 수양이라는 '가던 길'을 매개로 '고인'을 따르겠다는 화자의 의도가 드러나고 있다.

② (가)의 10수에서는 '당시에 가던 길'과 '딴 데'가 대비되면서 학문 수양 이외에 다른 것에는 힘을 쏟지 않겠다는 화자의 의지가 드러나고 있다.

③ (가)의 11수에서는 '청산'과 '유수'의 공통적 속성이 '우리도 그치지' 않겠다는 다짐과 연결되면서 끊임없이 학문에 정진하겠다는 자세가 드러나고 있다.

④ (나)에서는 '말의 갈래를 쪼개고 나누'는 태도와 '자신의 문제는 묻어' 두는 태도가 대비되면서 학문 수양에서 자기 중심적 태도를 버려야겠다는 다짐이 드러나고 있다.

⑤ (나)에서는 '살아 움직이는 인간'과 '끌려가는 짐승'이 대비되면서 학문을 통해 배운 신념을 바탕으로 당당하게 살아가겠다는 태도가 드러나고 있다.

글쓴이의 관점과 태도 파 **4**
악하기

**◆ 지식의 과잉에서 오는 관념성**
　지식적인 내용으로만 채우다 보니 오히려 실제적인 것과는 떨어져 있다는 뜻으로 이해할 수 있다.

**(나)의** `무학(無學)` **의 의미를 바탕으로 〈보기〉의 ㉠을 설명한 내용으로 적절하지 않은 것은?**

① 지식의 과잉에서 오는 관념성을 경계하는 태도이다.

② 배움이 부족하여 지식을 인격과 별개로 보는 태도이다.

③ 많이 배웠으면서 배운 자취를 자랑하지 않는 태도이다.

④ 지식에서 추출된 진리에 대한 신념이 일상화된 태도이다.

⑤ 지식이나 정보에 얽매이지 않은 자유롭고 발랄한 태도이다.

## (가) 도산십이곡

**갈래** 연시조, 도학가

**구성**

| 제9수 | 학문 수양을 향한 다짐 |
| --- | --- |
| 제10수 | 벼슬을 그만두고 학문에 정진함. |
| 제11수 | 부단한 학문 수양의 의지 |

**주제** 학문 수양에 대한 변함없는 의지

## (나) 인형과 인간

**갈래** 경수필

**전체 구성**

| 1 | 버스에서 느낄 수 있는 연대감, 공동체 의식 |
| --- | --- |
| 2 | 모든 생명의 근원인 흙의 중요성 |
| 3 | 어리석은 우직함은 큰 지혜로움과 통함. |
| 4 | 지식을 실천하고 주체적으로 행동하며 살아야 함. |

`80~81쪽 수록`

**주제** 인간다운 삶의 의미

## (가)+(나) 정서와 태도의 공통점

| **(가)의 화자**<br>고인(古人)이 했던 것처럼 학문을 수양하려 함. | =<br>옛 사람에 대한 긍정적 태도 | **(나)의 글쓴이**<br>성인들의 가르침은 간단하고 명료함. |
| --- | --- | --- |

(가)의 화자는 옛사람이 학문을 닦은 것처럼 자신도 **❶**▢▢ 수양에 힘쓸 것을 다짐하고 있다. (나)의 글쓴이는 성인들의 가르침이 간단하고 명료했다며 그들이 말한 진리를 긍정적으로 평가하고 있다.

## (가) 표현상 특징

| 대구법 사용 | 비슷한 문장 구조의 시구를 짝을 지어 표현함.<br>예 '고인도 날 못 보고 나도 고인 못 뵈네' |
| --- | --- |
| 연쇄법 사용 | 앞 구절의 일부를 다음 구절에서 반복함.<br>예 '고인 못 뵈네 / 고인을 못 봐도'('**❷**▢▢▢ ~' 반복)<br>'가던 길 앞에 있네 / 가던 길 앞에 있거든'('가던 길 앞에 있~' 반복) |
| 의문형 종결 표현 | 의문형 종결을 사용하여 화자의 태도를 드러냄.<br>예 '아니 가고 어찌할까', '이제야 돌아왔는고', '그치지 않는고' |

## (가) 시어의 의미와 화자의 태도

(가)의 화자는 비유와 상징의 시어를 활용하여 학문 수양에 대한 다짐을 효과적으로 표현하고 있다.

| **딴 데**<br>벼슬길 | ⟷<br>대조 | **가던 길**<br>학문 수양의 길 | **청산**<br>변함없이 푸름. | =<br>유의 | **유수**<br>그치지 않음. |
| --- | --- | --- | --- | --- | --- |

▼

벼슬길에 마음을 두지 않고 학문 수양의 길을 청산과 유수처럼 변함없이 가겠다는 다짐

## (나) '무학(無學)'의 의미

| 무학(無學) | | | |
| --- | --- | --- | --- |
| 지식의 과잉에서 오는 **❸**▢▢▢을 경계함. | 많이 배웠으면서 배운 자취가 없는 것 | 지식에서 추출된 진리에 대한 신념이 일상화된 것 | 지식이나 정보에 얽매이지 않은 자유롭고 발랄한 태도 |

↓

적극적으로 학문을 배우고 배운 지식을 이웃과 함께하는 데 사용하는 정신

**빈칸 답** ❶ 학문 ❷ 고인 못 ❸ 관념성

## 핵심 짚기

가

● **화자**

· **시적 대상** 눈, 눈꽃, 꽃
· **시적 상황** 한겨울 나뭇가지에
  ❶ ㄴ ㄲ 이 피고, 봄이 되어 그
  자리에 ❷ ㄲ 이 핌.
· **정서와 태도** 화자는 자연 현상
  에서 ❸ ㅅ ㄹ 의 의미를 발견하
  고 감탄함.

● **표현**

· ❹ ㅇ ㅇ ㅂ **사용** '눈'을 의인화
  하여 도전하고, 두드리고, 춤추
  고, 마음을 다 퍼부어 주는 존재
  로 표현함.
· **역설법 사용** 모순되는 표현으로
  아픔 뒤 얻은 성숙한 사랑을 나
  타냄.

| 아름다운 | 봄꽃의 황홀한 모습 |
|---|---|
| + | |
| 상처 | 꽃이 피기까지의 시련 |

나

● **글쓴이의 관점**

· 사물에 꼭 이름이 필요한 것은
  아님.
· 이름은 구별하기 위한 것임.

● **표현**

· ❺ ㅅ ㅇ ㅂ **사용** 질문의 형식으로
  내용을 전개하며 글쓴이의 주장을
  강화함.

**빈칸 답**
❶ 눈꽃 ❷ 꽃 ❸ 사랑
❹ 의인법 ❺ 설의법

● **난분분** ｜ '난분분하다'의 어
  근. 눈이나 꽃잎 따위가 흩날
  리어 어지럽게.
● **순원** ｜ 글쓴이의 고향 순창에
  있는 정원.

---

가 흔들리는 나뭇가지에 꽃 한번 피우려고
눈은 얼마나 많은 도전을 멈추지 않았으랴

싸그락 싸그락 두드려 보았겠지
난분분‸ 난분분 춤추었겠지
미끄러지고 미끄러지길 수백 번,

바람 한 자락 불면 휙 날아갈 사랑을 위하여
햇솜 같은 마음을 다 퍼부어 준 다음에야
마침내 피워 낸 저 황홀 보아라

봄이면 가지는 그 한 번 덴 자리에
세상에서 가장 **아름다운 상처**를 터뜨린다

– 고재종, 〈첫사랑〉

나 순원(淳園)의 꽃 중에는 이름이 없는 것이 많다. 대개 사물은 스스로 이름을 붙일 수 없고, 사람이 그 이름을 붙인다. 꽃이 아직 이름이 없다면 내가 이름을 붙이는 것이 좋을 수도 있지만 또 어찌 꼭 이름을 붙여야만 하겠는가?

　사람이 사물을 대함에 있어 그 이름만을 좋아하는 것은 아니다. 좋아하는 것은 이름 너머에 있다. 사람이 음식을 좋아하지만 어찌 음식의 이름 때문에 좋아하겠는가? 사람이 옷을 좋아하지만 어찌 옷의 이름 때문에 좋아하겠는가? 여기에 맛난 회와 구이가 있다면 그저 먹기만 하면 된다. 먹어 배가 부르면 그뿐, 무슨 생선의 살인지 모른다 하여 문제가 있겠는가? 여기 가벼운 가죽옷이 있다면 입기만 하면 된다. 입어 따뜻하면 그뿐, 무슨 짐승의 가죽인지 모른다 하여 문제가 있겠는가? 내가 좋아할 만한 꽃을 구하였다면 꽃의 이름을 알지 못한다 하여 무슨 문제가 있겠는가? 정말 좋아할 만한 것이 없다면 굳이 이름을 붙일 이유가 없고, 좋아할 만한 것이 있어 정말 그것을 구하였다면 또 꼭 이름을 붙일 필요는 없다.

　이름은 구별하고자 하는 데서 나오는 것이다. 구별하고자 한다면 이름이 없을 수 없다. 형체를 가지고 본다면 '장(長)·단(短)·대(大)·소(小)'라는 말을 이름이 아니라 할 수 없으며, 색깔을 가지고 본다면 '청(靑)·황(黃)·적(赤)·백(白)'이라는 말도 이름이 아니라 할 수 없다. 땅을 가지고서 본다면 '동(東)·서(西)·남(南)·북(北)'이라는 말도 이름이 아니라 할 수 없다. 가까이 있으면 '여기'라 하는데 이 역시 이름이라 할 수 있고, 멀리 있으면 '저기'라고 하는데 그 또한 이름이라 할 수 있다. 이름이 없어서 '무명(無名)'이라 한다면 '무명' 역시 이름이다. 어찌 다시 이름을 지어다 붙여서 아름답게 치장하려고 하겠는가?

예전 초나라에 어부가 있었는데 초나라 사람이 그를 사랑하여 사당을 짓고 대부 굴원(屈原)과 함께 배향하였다. 어부의 이름은 과연 무엇이었던가? 대부 굴원은 《초사(楚辭)》를 지어 스스로 제 이름을 찬양하여 정칙(正則)이니 영균(靈均)이니 하였으니, 이로써 대부 굴원의 이름이 정말 아름답게 되었다. 그러나 어부는 이름이 없고 단지 고기 잡는 사람이라 어부라고만 하였으니 이는 천한 명칭이다. 그런데도 대부 굴원의 이름과 나란히 백대의 먼 후세까지 전해지게 되었으니, 이것이 어찌 그 이름 때문이겠는가? 이름은 정말 아름답게 붙이는 것이 좋겠지만 천하게 붙여도 무방하다. 있어도 되고 없어도 된다. 아름답게 해 주어도 되고 천하게 해 주어도 된다. 아름다워도 되고 천해도 된다면 꼭 아름답기를 생각할 필요가 있겠는가? 있어도 되고 없어도 된다면 없는 것도 정말 괜찮은 것이다.

어떤 이가 말하였다.

"꽃은 애초에 이름이 없었던 적이 없는데 당신이 유독 모른다고 하여 이름이 없다고 하면 되겠는가?"

내가 말하였다.

"없어서 없는 것도 없는 것이요, 몰라서 없는 것 역시 없는 것이다. 어부가 또한 평소 이름이 없었던 것은 아니요, 어부가 초나라 사람이니 초나라 사람이라면 그 이름을 당연히 알고 있었을 것이다. 그런데도 초나라 사람들이 어부를 좋아함이 이름에 있지 않았기에 그 좋아할 만한 것만 전하고 그 이름은 전하지 않은 것이다. 이름을 정말 알고 있는데도 오히려 마음에 두지 않는데, 하물며 모르는 것에 꼭 이름을 붙이려고 할 필요가 있겠는가?"

– 신경준, 〈이름 없는 꽃〉

**(가)와 (나)의 공통점으로 가장 적절한 것은?**

① 반어적인 표현을 통해 주제를 강조하고 있다.
② 설의적 표현을 활용하여 의미를 강화하고 있다.
③ 대화의 형식을 통해 대상과의 친밀감을 나타내고 있다.
④ 음성 상징어를 반복하여 대상에 생동감을 부여하고 있다.
⑤ 중국의 고사를 활용하여 화자의 생각을 뒷받침하고 있다.

**2** 외적 준거에 따라 작품 감 상하기

💡 **도움말**

〈보기〉는 작품의 내용을 구체적으로 설명하고 있다. 작품을 읽으며 파악하기 어려웠던 시어나 시구의 의미를 〈보기〉를 통해 정확히 이해하도록 한다. 특히 눈, 눈꽃, 봄꽃의 관계를 중심으로 선택지의 적절성을 판단해 보자.

● **고귀하다** | 훌륭하고 귀중하다.

**〈보기〉를 바탕으로 (가)를 이해한 내용으로 적절하지 않은 것은?**

● 보기 ●

　이 작품은 눈과 나뭇가지의 사랑을 그리고 있다. 눈은 바람이 불면 날아가 버릴지라도 나뭇가지에 눈꽃을 피우기 위해 인내하고 헌신하는 존재이다. 이러한 노력으로 첫사랑인 눈꽃을 피워 내고, 봄이 되면 나뭇가지는 아름다운 꽃을 피워 낸다. 이를 통해 인내와 헌신으로 피워 낸 사랑의 고귀함을 전달하고 있다.

① '미끄러지고 미끄러지길 수백 번'은 눈이 눈꽃을 피우기 위해 겪는 시련으로 볼 수 있다.

② '다 퍼부어 준 다음에야'는 나뭇가지에 대한 눈의 헌신적 태도로 볼 수 있다.

③ '마침내 피워 낸 저 황홀'은 나뭇가지의 노력을 통해 피어난 봄꽃의 기쁨으로 볼 수 있다.

④ '한 번 덴 자리'는 눈이 녹은 자리이자 봄꽃이 피는 자리라는 점에서 고귀한 사랑의 바탕으로 볼 수 있다.

⑤ '아름다운 상처'는 끝없는 인내와 헌신 끝에 얻은 사랑의 결실인 봄꽃으로 볼 수 있다.

**3** 글쓴이의 관점과 태도 파악하기

**(나)의 글쓴이의 생각으로 가장 적절한 것은?**

① 사물의 이름은 아름답게 지어야만 한다.

② 사물의 이름과 본질은 똑같이 중요하다.

③ 사물에 이름을 붙이면 본질이 훼손된다.

④ 어떤 사물이든 반드시 이름을 가져야 한다.

⑤ 사물에 중요한 것은 이름이 아니라 본질이다.

## 작품 정리하기

### 가 첫사랑

📍 **갈래** 자유시, 서정시

📍 **구성**

| | |
|---|---|
| **1연** | 눈꽃을 피우기 위한 눈의 도전 |
| **2연** | 눈꽃을 피우기 위한 눈의 시련 |
| **3연** | 마침내 피워 낸 눈꽃에 대한 예찬 |
| **4연** | 눈꽃이 진 후 봄에 피어난 꽃의 아름다움 |

📍 **주제** 인내와 헌신으로 피워 낸 아름다운 사랑

### 나 이름 없는 꽃

📍 **갈래** 한문 수필, 설

📍 **구성**

| | |
|---|---|
| **기** | 이름 없는 꽃에 이름을 붙여야 하는지에 대해 문제를 제기함. |
| **승** | 이름은 구별하기 위해 필요한 것으로, 다시 이름을 지어 붙일 필요가 없음. |
| **전** | 이름이 꼭 아름다워야 하는 것은 아니며, 없어도 됨. |
| **결** | 모르는 대상에 굳이 이름을 붙일 필요가 없음. |

📍 **주제** 이름 없는 꽃의 아름다움을 통해 이끌어 낸 본질의 중요성

### ◯ (가)+(나) 표현상 공통점

| (가) | | (나) |
|---|---|---|
| '눈은 얼마나 많은 도전을 멈추지 않았으랴' | =<br>설의적<br>표현 | '어부는 이름이 없고 ~ 대부 굴원의 이름과 나란하게 ~ 이것이 어찌 그 ❶◻◻◻ 때문이겠는가?' 등 |

　(가)는 1연에서, (나)는 글 전체에서 설의적 표현을 사용하여 시적 의미나 글쓴이가 말하고자 하는 바를 강조하고 있다.

### ◯ (가) '눈꽃'과 '첫사랑'의 공통점

　(가)는 자연물인 '눈꽃'의 모습을 통해 그와 비슷한 속성을 지닌 '첫사랑'의 의미를 형상화하고 있다.

| 눈꽃 | | 첫사랑 |
|---|---|---|
| 햇솜 같은 마음을 다 퍼부음. | | 온 마음을 다해 열정적으로 상대를 사랑함. |
| 바람 한 자락 불면 날아감. | | 헤어질 가능성이 높음. |
| 마침내 피워 낸 저 ❷◻◻ | = | 첫사랑을 이루었을 때의 큰 기쁨 |
| 세상에서 가장 아름다운 상처 | | 이별을 겪은 후에 더 성숙한 사랑을 할 수 있게 됨. |

### ◯ (가) 표현상 특징

| ❸◻◻법 사용 | '눈'을 의인화하여 눈꽃을 피우기 위해 노력하고 헌신하는 존재로 표현함. |
|---|---|
| 음성 상징어의 반복 | '싸그락'과 '난분분'과 같은 음성 상징어를 반복하여 운율을 형성함. |
| 역설법 사용 | '가장 아름다운 상처'라는 역설적 표현을 통해 아픔을 겪은 뒤 얻은 성숙한 사랑의 아름다움을 강조함. |

### ◯ (나) 글쓴이가 자신의 생각을 뒷받침한 방법

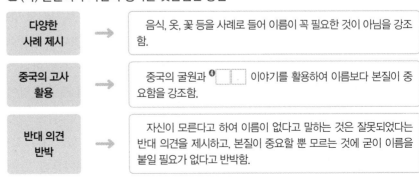

| 다양한 사례 제시 | → | 음식, 옷, 꽃 등을 사례로 들어 이름이 꼭 필요한 것이 아님을 강조함. |
|---|---|---|
| 중국의 고사 활용 | → | 중국의 굴원과 ❹◻◻ 이야기를 활용하여 이름보다 본질이 중요함을 강조함. |
| 반대 의견 반박 | → | 자신이 모른다고 하여 이름이 없다고 말하는 것은 잘못되었다는 반대 의견을 제시하고, 본질이 중요할 뿐 모르는 것에 굳이 이름을 붙일 필요가 없다고 반박함. |

빈칸 답　❶ 이름　❷ 황홀　❸ 의인　❹ 어부

## 핵심 짚기

### ● 인물
- 흥부 심성이 착하고 가난함.
- 제비 흥부의 도움으로 목숨을 구하여 **❶ㅇㄱ**을 갚으려 함.

### ● 배경
- 시간 조선 후기
- 공간 경상도와 전라도의 경계

### ● 사건
- 흥부 내외가 열심히 일하지만 가난에서 벗어나지 못함.
- 흥부 내외가 **❷ㄷㄹ**가 부러진 제비를 도와주고, 제비가 이듬해 은공을 갚는다며 박씨를 물어다 줌.

### ● 표현
- 열거법 사용 내용적으로 연결되는 내용을 여러 개 늘어놓으며 의미를 강조함. ('흥부 아내는 **❸ㅂㅇ** 찧기 ~ 이엉 엮기' 등)
- 과장법 사용 실제보다 과장된 표현으로 극적인 효과를 얻음. ('마치 북해 흑룡이 ~ 듯하였다.')

### ● 작품 속 시대상

**백성들의 ❹ㄱㄴ한 삶**

온갖 품을 팔아도 살기가 막연한 흥부 내외

### 빈칸 답
❶ 은공 ❷ 다리 ❸ 방아
❹ 가난

---

- **순종하다** | 순순히 따르다.
- **품** | 삯을 받고 하는 일.
- **소생되다** | 거의 죽어 가다가 다시 살아나게 되다.
- **은공** | 은혜와 공로를 아울러 이르는 말.

---

"여보 마누라, 슬퍼 마오. 가난 구제는 나라에서도 못한다 하니 형님인들 어찌하시겠소? 우리 부부가 품이나 팔아 살아갑시다."

흥부 아내 이 말에 순종하여 서로 나가서 품을 팔기로 하였다. 흥부 아내는 방아 찧기, 술집의 술 거르기, 초상난 집 제복 짓기, 대사 치르는 집 그릇 닦기, 굿하는 집의 떡 만들기, 얼음이 풀릴 때면 나물 캐기, 봄보리 갈아 보리 놓기. 흥부는 이월 동풍에 가래질하기, 삼사월에 부침질하기, 일등 전답의 무논 갈기, 이 집 저 집 돌아가며 이엉 엮기 등 이렇게 내외가 온갖 품을 다 팔았다. 그러나 역시 살기는 막연하였다.

(중략)

큰 구렁이가 제비 새끼를 모조리 잡아먹고 남은 한 마리가 허공으로 뚝 떨어져 피를 흘리며 발발 떠는 것이었다. 흥부 아내가 명주실을 급히 찾아내어 주니 흥부는 얼른 받아 제비 새끼의 상한 다리를 곱게 감아 매어 찬 이슬에 얹어 두었다. 그랬더니 하루 지나고 이틀 지나고 이리하여 십여 일이 지나자 상한 다리가 제대로 소생되어 날아다니게 되니, 줄에 앉아 재잘거리며 울고 둥덩실 떠서 날아갈 때 소상강 기러기는 왔노라 하고 강남 가는 제비는 가노라 하직하는 것이었다.

이리하여 제비가 강남 수천 리를 훨훨 날아가서 제비 왕을 뵈러 가니 제비 왕이 물었다.

"경은 어찌하여 다리를 절며 들어오느냐?"

"신의 부모가 조선국에 나가 흥부의 집에 깃들었는데 뜻밖에 큰 구렁이의 화를 입어 다리가 부러져 죽을 것을 흥부의 구조를 받아 살아서 돌아왔습니다. 흥부의 가난을 면케 해주신다면 소신은 그 은공을 만분의 일이라도 갚을까 합니다."

"흥부는 과연 어진 사람이다. 공 있는 자에게 보은함은 군자의 도리이니, 그 은혜를 어찌 아니 갚으랴? 내가 박씨 하나를 줄 테니 경은 가지고 나가 은혜를 갚도록 하라."

제비가 왕께 감사드리고 물러 나와서 그럭저럭 그 해를 넘기고 이듬해 춘삼월을 맞으니 모든 제비가 타국으로 건너갈 때였다. 그 제비 허공 중천에 높이 떠서 박씨를 입에 물고 너울너울 자주자주 바삐 날아 흥부네 집 동네를 찾아들어 너울너울 넘노는 거동은 마치 북해 흑룡이 여의주를 물고 오색구름 사이로 넘는 듯, 단산의 어린 봉이 대씨를 물고 오동나무에서 노니는 듯, 황금 같은 꾀꼬리가 봄빛을 띠고 수양버들 사이를 오가는 듯하였다. 이리 기웃 저리 기웃 넘노는 거동을 흥부 아내가 먼저 보고 반긴다.

"여보, 아이 아버지, 작년에 왔던 제비가 입에 무엇을 물고 와서 저토록 넘놀고 있으니 어서 나와 구경하오."

흥부가 나와 보고 이상히 여기고 있으려니 그 제비가 머리 위를 날아들며 입에 물었던 것을 앞에다 떨어뜨린다. 집어 보니 한가운데 '보은(報恩)박'이란 글 석 자가 쓰인 박씨였다.

실전 2회

## 핵심 짚기

● **인물**

**놀부**

• 부자가 된 동생 흥부의 살림살이를 쳐부숨.
• **❶ㅎㅊㅈ**을 직접 가지고 감.
    ⋮
심술궂고 욕심 많음.

● **사건**

• 흥부가 탄 박에서 진귀한 것들이 나와 흥부가 부자가 됨.
• 흥부의 재산을 빼앗으려다가, 흥부가 부자가 된 연유를 들은 놀부는 **❷ㅈㅂ**를 기다림.

● **서술상 특징**

흥부가 **❸ㅂ**을 탈 때마다 그 박에서 나온 것들이 열거되며 흥부가 매우 큰 부자가 된다는 사실이 강조됨.

● **작품의 주제 의식**

| 백성들의 소망 반영 | 큰 부자가 되는 흥부를 통해 대리만족을 느낄 수 있음. |
| --- | --- |
| 현실 비판 | 박씨의 보물로 문제가 해결된다는 점에서 실제로는 가난에서 벗어나기 힘든 현실을 **❹ㅂㅍ**함. |

**빈칸 답**
**❶** 화초장 **❷** 제비 **❸** 박
**❹** 비판

● **영글다** | 과실이나 곡식 따위가 알이 들어 딴딴하게 잘 익다.

● **욱대기다** | ① 난폭하게 억박질러 협박하다. ② 억지를 부려 우겨서 제 마음대로 해내다.

● **출타** | 집에 있지 아니하고 다른 곳에 나감.

● **화초장** | 문짝에 유리를 붙이고 화초 무늬를 채색한 옷장.

그것을 울타리 밑에 터를 닦고 심었더니 이삼일에 싹이 나고, 사오일에 순이 뻗어 마디마디 잎이 나고, 줄기마다 꽃이 피어 박 네 통이 열린 것이다. 추석날 아침이었다. 배가 고파 죽겠으니 영근 박 한 통을 따서 박속이나 지져 먹자 하고 박을 따서 먹줄을 반듯하게 긋고서 흥부 내외는 톱을 마주 잡고 켰다. 이렇게 밀거니 당기거니 켜서 툭 타 놓으니 오색 채운이 서리며 청의동자 한 쌍이 나오는 것이었다.

왼손에 약병을 들고 오른손에 쟁반을 눈 위로 높이 받쳐 들고 나온 그 동자들은,

"이것을 값으로 따지면 억만 냥이 넘으니 팔아서 쓰십시오."

라고 말하며 홀연히 사라져 버렸다.

박 한 통을 또 따놓고 슬근슬근 톱질이다. 쓱싹 쿡칵 툭 타 놓으니 속에서 온갖 세간붙이가 나왔다.

또 한 통을 따서 먹줄 쳐서 톱을 걸고 툭 타 놓으니 순금 궤가 하나 나왔다. 금거북 자물쇠를 채웠는데 열어 보니 황금, 백금, 밀화, 호박, 산호, 진주, 주사, 사향 등이 가득 차 있었다. 그런데 쏟으면 또 가득 차고 또 가득 차고 해서 밤낮 쏟고 나니 큰 부자가 된 것이다.

다시 한 통을 툭 타 놓으니 일등 목수들과 각종 곡식이 나왔다. 그 목수들은 우선 명당을 가려 터를 잡고 집을 지었다. 그다음 또 사내종, 계집종, 아이종이 나오며 온갖 것을 여기저기 다 쌓고 법석이니 흥부 내외는 좋아하고 춤을 추며 돌아다녔다.

이리하여 흥부는 좋은 집에서 즐거움으로 세월을 보내게 되었다.

이런 소문이 놀부 귀에 들어가니,

"이놈이 도둑질을 했나? 내가 가서 욱대기면 반재산을 빼어 낼 것이다."

벼락같이 건너가 닥치는 대로 살림살이를 쳐부수는 것이었다.

한참 이렇게 소란을 피우고 있을 때 마침 출타 중이던 흥부가 들어왔다.

"네 이놈, 도둑질을 얼마나 했느냐?"

"형님 그 말씀이 웬 말씀이오?"

흥부가 앞뒷일을 자세히 말하자, 그럼 네 집 구경을 자세히 하자고 놀부가 나섰다.

흥부는 형을 데리고 돌아다니며 집 구경을 시키는데 놀부가 재물이 나오는 화초장을 달라고 했다. 그러고는 흥부가 화초장을 하인을 시켜 보내주겠다는 것도 마다하고 스스로 짊어지고 가서 집에 이르니 놀부 아내는 눈이 휘둥그레진다. 그리고 그 출처와 흥부가 부자가 된 연유를 알게 되자,

"우리도 다리 부러진 제비 하나 만났으면 그 아니 좋겠소?"

라며, 그해 동지섣달부터 제비를 기다렸다.

– 작자 미상, 〈흥부전〉

서술상 특징 파악하기

**1**

**윗글에 대한 설명으로 가장 적절한 것은?**

① 인물의 반복적 행위와 결과를 나열하여 극적 효과를 높이고 있다.

② 서술자를 작중 인물로 설정하여 사건의 현장감을 조성하고 있다.

③ 전기(傳奇)적인 요소를 활용하여 주인공의 영웅성을 부각하고 있다.

④ 권위 있는 새로운 인물이 등장하여 인물 간의 갈등을 해소하고 있다.

⑤ 꿈과 현실을 교차적으로 서술하여 사건을 입체적으로 구성하고 있다.

❖ 전기적인 요소를 활용하여
실제가 아닌 상상 속에서나 일어날 수 있는 사건이 발생하는 것을 말한다. 이를 통해 갈등이 해결되고 인물의 소망이 실현되기도 하며, 인물의 특성이 부각되기도 한다.

사건 전개 파악하기

**2**

**윗글에 대한 이해로 적절하지 않은 것은?**

① 흥부 부부는 먹고 살기 위해 온갖 노력을 다하였다.

② 박에서 나온 목수들은 흥부 부부를 위해 좋은 터에 집을 지어 주었다.

③ 흥부는 자신이 치료해 준 제비가 박씨를 물고 온 사실을 알아채고 그를 매우 반겼다.

④ 제비는 다리를 다친 사연을 제비 왕에게 말하며 흥부에게 받은 은혜를 갚기를 원하였다.

⑤ 놀부는 흥부의 집을 방문하기 전까지 흥부가 어떻게 부자가 되었는지를 정확히 알지 못했다.

외적 준거에 따라 작품 감상하기

**3**

고난도

**〈보기〉를 참고하여 윗글을 감상한 내용으로 적절하지 않은 것은?**

> ● 보기 ●
>
> 조선 후기에는 잦은 자연재해와 관리들의 횡포 때문에 백성들은 아무리 노력해도 가난에서 벗어날 수 없었다. 이러한 시대적 배경에서 창작된 〈흥부전〉은 최소한의 의식주라도 해결하고 싶었던 당시 백성들의 소망이 반영된 작품으로 볼 수 있다. 특히 당시의 백성들은 성품이 착한 흥부 내외가 초월적인 존재의 도움으로 가난을 벗어나는 장면을 통해 대리만족을 얻기도 하였다. 하지만 착한 흥부에게 주어지는 보상이 환상성(幻想性)을 띠고 있다는 점은 가난이 실제 현실에서는 극복되기 어렵다는 것을 우회적으로 보여주고 있다.

① 흥부 내외가 '온갖 품을 다 팔았'지만 여전히 '살기는 막연'했던 것은 창작 당시의 시대적 배경과 관련이 있겠군.

② 흥부 집을 찾아간 놀부가 '화초장'을 '스스로 짊어지고' 간 것은 가난을 극복하기 위한 백성들의 노력으로 볼 수 있겠군.

③ '제비 왕'이 제비에게 준 '박씨'를 통해 흥부가 가난을 벗어날 수 있었다는 점에서 초월적 존재의 도움을 확인할 수 있겠군.

④ 흥부가 타는 박 속에서 '세간붙이'와 '각종 곡식'이 나온 것은 의식주 문제를 해결하고 싶었던 백성들의 소망과 관련이 있겠군.

⑤ '사오 일' 만에 열린 박에서 '순금 궤'가 나와 부자가 된다는 점에서 흥부에게 주어진 보상이 환상성을 띠고 있음을 알 수 있겠군.

● 대리만족 | 자신이 원하는 목적을 이룬 다른 사람의 성공담, 또는 그런 내용을 다루는 소설이나 영화 따위로부터 얻는 심리적인 만족감.
● 환상성 | 생각 따위가 현실적인 기초나 가능성이 없고 헛된 성질.

**4** 윗글의 놀부를 평가하는 말로 가장 적절한 것은?

① 불난 집에 부채질하는 인물이군.

② 소 잃고 외양간 고치는 인물이군.

③ 사촌이 땅을 사면 배 아파하는 인물이군.

④ 간에 붙었다 쓸개에 붙었다 하는 인물이군.

⑤ 오르지 못할 나무는 쳐다도 보지 않는 인물이군.

 **작품 정리하기**

◯ **갈래** 국문 소설, 설화 소설, 판소리계 소설

◯ **전체 구성**

| **발단** | 옛날에 심술 고약한 형 놀부와 순하고 착한 아우 흥부가 살았는데, 놀부는 부모의 유산을 독차지하고 흥부를 집에서 내쫓음. |

| **전개** | 흥부가 놀부의 집으로 쌀을 구하러 갔으나 매만 맞고 돌아옴. 여러 가지 품팔이를 해 보지만 흥부는 가난에서 못 벗어남. —88쪽 수록 |

| **위기** | 어느 봄날, 흥부는 다리가 부러진 제비 새끼를 치료해 주고, 이듬해 그 제비가 흥부의 은혜에 보답하고자 박씨 하나를 물어다 줌. —89쪽 수록 |

| **절정** | 다 자란 박에서 금은보화가 나와 흥부는 큰 부자가 되고, 그것을 안 놀부가 제비 다리를 일부러 부러뜨리고 고쳐 줌. 놀부도 제비가 물어다 준 박씨를 심었으나 놀부의 박에서는 괴인, 괴물이 쏟아져 나와 놀부는 패가망신함. |

| **결말** | 놀부가 패가망신했다는 소식을 들은 흥부는 놀부에게 재물을 나누어 주어 살게 하고, 놀부는 개과천선하여 형제가 화목하게 삶. |

◯ **주제** 형제간의 우애와 권선징악(勸善懲惡), 빈부 간의 갈등

◯ **서술상 특징**

| 전기적 요소의 활용 | 제비가 물어다 준 ❶◻◻를 심어 보물을 얻게 된다는 전기적 요소를 통해 흥부가 가난에서 벗어남. |
| --- | --- |
| 반복된 행위와 결과 나열 | 흥부 내외가 반복해서 박을 타고, 그 박에서 나온 것들로 인해 큰 부자가 됨. |
| 다양한 표현법의 활용 | • 흥부 내외가 먹고살기 위해 하는 일과, 박에서 나오는 보물을 열거하여 의미를 강조함.<br>• 제비가 박씨를 물고 온 장면을 과장되고 비유적인 표현으로 묘사함으로써 흥미를 유발함. |

◯ **등장인물의 성격**

이 작품에서는 흥부 내외와 놀부 내외의 성격이 대조되는데, 이는 착한 사람에게는 좋은 일이 생기고 나쁜 사람은 벌을 받는다는 ❷◻◻◻◻이라는 작품 전체의 주제 형상화에 기여한다.

| 흥부 내외 | | 놀부 내외 |
| --- | --- | --- |
| • 자신을 도와주지 않은 놀부를 이해함.<br>• 심성이 착하고 베풀 줄 앎. | ⟷ | • 흥부가 가난할 때 도움을 주지 않음.<br>• 욕심과 질투가 많음. |

◯ **시대적 배경에 따른 작품의 주제**

| 조선 후기 | 흥부전 |
| --- | --- |
| 자연재해, 관리들의 횡포로 백성들은 가난한 삶을 삶. | 착한 흥부가 가난한 삶에서 벗어나 부자가 됨. |

백성들의 소망 반영 →

착하게 살아가는 백성인 ❸◻◻가 어려움 끝에 부자가 되는 장면을 통해 당시 가난한 삶을 살았던 백성들은 대리만족을 얻기도 하였다.

**빈칸 답** ❶ 박씨 ❷ 권선징악 ❸ 흥부

# 08 허생전

## 핵심 짚기

### ● 인물

• 허생 경제적으로 **❶ㅁㄴ**했지만 비범한 능력을 발휘하는 모습을 보임.

• 이완 이 대장. 명분을 중시하여 새로운 변화를 시도하지 못함.

### ● 배경

• 시간 조선 효종 때(17세기)

• 공간 한양 묵적동

### ● 사건

**❷ㅎㅅ**이 이 대장에게 부국강병의 계책을 말함.

### ● 허생의 계책

| ① | 적극적인 인재 등용 |
|---|---|
| ② | 명나라 후손들에 대한 후대와 훈척, 권귀의 기득권 뺏기 |

### 빈칸 답

❶ 무능 ❷ 허생

---

● 매점매석 물건값이 오를 것을 예상하여 한꺼번에 샀다가 팔기를 꺼려 쌓아 둠.

● 도모하다 어떤 일을 이루기 위하여 대책과 방법을 세우다.

● 와룡 선생 중국 삼국 시대 촉한의 정치가이자 군사 전략가인 제갈량을 일컫는 말.

● 삼고초려 인재를 맞아들이기 위하여 참을성 있게 노력함. 중국 삼국 시대에, 촉한의 유비가 은거하고 있던 제갈량의 초옥으로 세 번이나 찾아갔다는 데서 유래한다.

● 종실 임금의 친족.

● 훈척 나라를 위하여 드러나게 세운 공로가 있는 임금의 친척.

● 권귀 지위가 높고 권세가 있음. 또는 그런 사람.

---

**앞부분의 줄거리** 십 년을 기약하고 책 읽기를 하던 허생은 생활고에 시달린 아내의 질책에 글 읽기를 중단하고 집을 나간다. 허생은 변 씨에게 돈을 빌려 매점매석으로 큰돈을 벌고 그 돈으로 빈 섬에 이상 사회 건설을 시도하였으며 조선에 있는 **가난하고 의지할 곳 없는 사람들을 구제**한다. 집으로 돌아온 허생은 변 씨에게 돈을 갚고 친분을 맺는다. 한편 변 씨에게 허생에 대한 이야기를 들은 이완이 허생과 대사를 도모하고자 허생을 찾아온다.

밤중에 이 대장은 아랫사람을 물리치고 변 씨와 둘이 걸어서 허생의 집에 당도하였다. 변 씨는 이 공을 문밖에서 기다리게 하고, 혼자 먼저 들어가서 허생을 만나 보고 이곳에 찾아온 연유를 이야기했다. 허생은 짐짓 못 들은 척하며,

"그만, 자네가 차고 온 술병이나 이리 풀어 놓으시게."

하고는 서로 즐겁게 마셨다. 변 씨는 이 공을 밖에서 기다리게 해 놓은 것이 민망하여 여러 차례 말을 꺼내 보았으나, 허생은 대꾸도 하지 않았다. 밤이 깊어지자 허생이 말했다.

"손님을 불러도 되겠소."

이 대장이 방에 들어왔으나, 허생은 편안하게 앉아서 일어나지도 않았다. 이 대장은 몸 둘 바를 모르고 엉거주춤하다가 겨우 나라에서 어진 인재를 구하려는 뜻을 설명하였다. 허생이 손을 내저으며 말했다. / "밤은 짧은데 말이 너무 길어서 듣기에 아주 지루하구먼. 그래, 너는 지금 무슨 벼슬을 하느냐?"

"어영청 대장입니다."

"그렇다면 너는 바로 나라에서 신임받는 신하가 아니더냐. 내가 응당 재야에 숨어 있는 와룡 선생을 천거할 터이니, 네가 임금께 아뢰어 그에게 삼고초려(三顧草廬)할 수 있게 하겠는가?"

㉠이 대장은 머리를 숙여 골똘히 생각하더니 한참 만에 대답했다.

"어렵겠습니다. 그다음의 것을 듣고자 합니다."

"나는 '그다음'이란 말은 아직 배우지 못했도다."

이 대장이 그래도 굳이 묻자, 허생은 말했다.

"명나라 장군과 병사들은 조선이 예전에 입은 은혜가 있다고 여겨서 그 자손들이 **되놈의 나라에서 몸을 빼어 우리나라로 많이 건너왔으나**, 이리저리 떠돌며 홀몸으로 외롭게 지내고 있는 이가 많다. 네가 임금께 아뢰어 종실의 여자들을 뽑아서 두루 시집을 보내고, 훈척과 권귀들의 집을 몰수하여 그들의 살림집으로 내어 줄 수 있게 하겠느냐?"

이 대장이 고개를 숙이고 한참 있다가 대답하였다.

"그것도 어렵겠습니다."

"아니, 이것도 어렵다, 저것도 어렵다 한다면 대관절 무슨 일이 가능하겠느냐? 아주 쉬운 일이 있으니, 네가 능히 할 수 있겠느냐?"

"말씀해 주시기 바랍니다."

## 핵심 짚기

● **사건**
- 이 대장은 허생의 **❶ ㄱ ㅊ**을 모두 거절하고, 허생은 이 대장을 칼로 위협하여 쫓아냄.
- 허생이 종적을 감춤.

● **허생의 계책**
| ③ | 청나라와의 교류 촉구 |

● **결말의 특징**
**❷ ㅁ ㅇ 의 결말**
| 허생이 종적을 감춤. |

- 작품에 여운을 남김.
- 당시 사회 개혁의 어려움을 암시함.

● **서술상 특징**
**❸ ㄷ ㅎ 중심의 전개** 허생과 이 대장의 대화를 통해 허생이 생각하는 조선 사회의 문제점과 대응책이 드러남.

**빈칸 답**
❶ 계책 ❷ 미완 ❸ 대화

---

● **변발** | 몽골인이나 만주인의 풍습으로, 남자의 머리를 뒷부분만 남기고 나머지 부분을 깎아 뒤로 길게 땋아 늘임. 또는 그런 머리.
● **빈공과** | 중국 당나라 때에, 관리를 뽑기 위해 외국인에게 보게 하던 시험.
● **대갈일성** | 크게 외쳐 꾸짖는 한마디의 소리.
● **번오기** | 중국 전국 시대의 장수. 본래 진나라의 장수였으나 연나라로 망명하였다. 진나라에 품은 원한이 있어, 진시황을 암살하려는 자객 형가를 돕고자 자신의 목숨을 내놓았다.
● **무령왕** | 중국 전국 시대 조나라의 왕.

---

"대저 천하에 대의를 외치려면 먼저 천하의 호걸들과 사귀어 결탁하지 않고는 되지 않는 법이고, 남의 나라를 정벌하려면 먼저 첩자를 쓰지 않으면 성공을 거둘 수 없는 법이다. 지금 만주족이 갑자기 천하의 주인이 되었으나, 아직 중국을 완전히 손아귀에 넣어 친하게 지내지 못하는 형편이니, 이때 조선이 다른 나라보다 먼저 솔선해서 복종한다면 저들에게 신뢰를 받을 것이다. 만약 당나라, 원나라 때의 예전 일처럼 우리 자제들을 **청나라에 파견하여 학교에 입학하고 벼슬도 할 수 있게 하고, 장사치들의 출입도 금하지 말도록** 저들에게 간청한다면, 저들도 자기네에게 친근해지고자 하는 우리를 보고 반드시 기뻐하여 이를 허락할 것이다.

이렇게 되면 나라의 자제들을 엄선하여 머리를 깎여 변발을 하게 하고 오랑캐 복장을 입히고 선비들은 빈공과에 응시하고, 일반 사람들은 멀리 강남까지 장사를 하게 만들어서 그들의 허실을 엿보고 한족의 호걸들과 결탁한다면, 천하를 도모할 수 있을 것이며 나라의 치욕도 씻을 수 있을 것이다. 만약 명나라 황족의 후손을 찾지 못하면, 천하의 제후들을 인솔해서 하늘에 임금이 될 만한 사람을 천거하여, 잘만 되면 대국의 스승이 될 것이며, 못되어도 성씨가 다른 제후 국가 중에서는 제일 큰 나라로서의 지위는 잃지 않을 것이다." [A]

이 대장이 낙심하고 허탈해서 말했다.

"사대부들이 모두 예법을 삼가 지키고 있거늘, 누가 기꺼이 머리를 깎고 오랑캐 옷을 입으려고 하겠습니까?"

허생이 대갈일성 하며, / "도대체 사대부라는 게 뭐 하는 것들이냐. 오랑캐 땅에서 태어난 주제에 자칭 사대부라고 뽐내고 앉았으니, 이렇게 어리석을 데가 있느냐? **입는 옷이란 모두 흰옷이니 이는 상복이고, 머리는 송곳처럼 뾰족하게 묶었으니 이는 남쪽 오랑캐의 방망이 상투이거늘**, 무슨 놈의 예법이란 말인가?

번오기는 원한을 갚기 위해 자신의 머리를 아끼지 않고 내주었고, 무령왕은 자기 나라를 강하게 만들기 위해 오랑캐 복장을 하는 것을 부끄럽게 여기지 않았다. 지금 명나라를 위해서 복수를 하려고 하면서도 그까짓 상투 하나를 아까워한단 말이냐. 장차 말을 달려 칼로 치고 창으로 찌르며, 활을 당기고 돌을 던져야 하는 판에 그따위 너풀거리는 소매를 바꾸지 않고서, 그걸 자기 딴에 예법이라고 한단 말이냐? [B]

내가 처음에 너에게 세 가지 계책을 일러 주었거늘, 도대체 너는 한 가지도 가능한 일이 없다고 하니, 그러면서도 신임을 받는 신하라고 말할 수 있겠느냐? 그래, 신임받는 신하라는 게 고작 이런 것이냐? 이런 자는 목을 잘라야 옳을 것이니라."

하고 좌우를 둘러보며 칼을 찾아서 찌르려고 하였다. 이 대장은 깜짝 놀라서 일어나 뒷문으로 뛰쳐나가 재빠르게 달아났다.

이튿날 다시 찾아갔더니 집은 이미 텅 비어 있고, 허생은 간 곳이 없었다.

– 박지원, 〈허생전〉

**윗글에 대한 설명으로 가장 적절한 것은?**

① 현재와 과거를 교차하여 장면의 전환을 시도하고 있다.
② 대화를 통해 특정 인물의 구체적인 생각을 드러내고 있다.
③ 서술자가 개입하여 사건에 대한 자신의 입장을 설명하고 있다.
④ 현학적인 표현으로 사건에 대한 다양한 관점을 제시하고 있다.
⑤ 초월적 공간을 설정하여 사건 해결의 실마리를 제공하고 있다.

인물의 말하기 방식 파악하기 **2**

💡 **도움말**
인물의 말하기 방식 유형은 인물을 설득하거나 평가하기 위해 활용한 전략을 찾는 문제가 많다. 비교, 대조, 예시, 열거 등의 설명 방식뿐만 아니라 다양한 문학적 표현 방법이 사용되었는지 파악하도록 한다.

**[A]와 [B]에 나타난 인물의 말하기에 대한 설명으로 가장 적절한 것은?**

① [A]는 문제 상황을 분석하고 있고, [B]는 다양한 해결 방법을 나열하고 있다.
② [A]는 과거의 경험을 떠올리게 해 반성을 촉구하고 있고, [B]는 미래의 상황을 가정하며 결과를 예측하고 있다.
③ [A]는 제안을 수용할 경우 얻게 될 이익을 설명하고 있고, [B]는 역사적 사실을 제시하며 상대방과 대비하고 있다.
④ [A]와 [B]는 모두 자신의 권위를 내세우며 상대방의 책임을 추궁하고 있다.
⑤ [A]와 [B]는 모두 자신의 본심을 숨긴 채 질문을 던져 궁금증을 유발하고 있다.

고난도

**〈보기〉를 참고하여 윗글을 감상한 내용으로 적절하지 않은 것은?**

> ● 보기 ●
>
> 조선 후기에는 실생활에 관심을 두는 실학이 꽃을 피웠는데, 〈허생전〉의 작가 박지원도 실학자였다. 실학자들은 지배 계층인 사대부의 허례허식을 비판하며 유능한 인재 등용을 주장하였고 상공업 유통 및 생산 기구 전반의 혁신에 관심을 두었다. 또한 청나라의 우수한 문물과 과학 문명을 도입하자는 주장도 펼쳤다. 실학자의 학문적 목적은 농민, 수공업자, 상인 등 서민층의 생활을 풍요롭게 하는 것이었다.

① '가난하고 의지할 곳 없는 사람들을 구제'한 허생의 행동은 서민층의 생활을 풍요롭게 하고자 하는 실학자의 목적에 부합하는군.
② '장사치들의 출입도 금하지 말도록 저들에게 간청한다면'이라는 허생의 말에는 상공업 유통에 대한 실학자들의 관심이 담겨 있군.
③ '우리 자제들을 청나라에 파견하여 입학하고'라는 허생의 말은 청나라의 우수한 문물을 도입하자는 실학자들의 주장과 관련지을 수 있군.
④ '되놈의 나라에서 몸을 빼어 우리나라로' 건너온 명나라 자손을 정착시키자는 허생의 말은 기술을 혁신할 인재를 등용하려는 노력으로 볼 수 있군.
⑤ '입는 옷이란 모두 흰옷이니 이는 상복이고, 머리는 송곳처럼 뾰족하게 묶었으니'라는 허생의 말은 사대부의 허례허식을 비판하는 말로 볼 수 있군.

㉠에 나타난 모습을 표현하는 한자 성어로 적절한 것은?

① 결초보은(結草報恩)  ② 전전긍긍(戰戰兢兢)
③ 심사숙고(深思熟考)  ④ 역지사지(易地思之)
⑤ 조삼모사(朝三暮四)

## 작품 정리하기

**갈래** 한문 소설, 풍자 소설

**전체 구성**

| | |
|---|---|
| **발단** | 가난한 선비 허생이 아내의 질책에 글 읽기를 중단하고 집을 나감. |
| **전개** | 매점매석으로 큰돈을 번 허생이 빈 섬에 이상 사회 건설을 시도하고, 집으로 돌아와 변씨와 친분을 맺음. |
| **위기** | 이완이 허생을 만나 허생이 제안한 세 가지 계책을 듣지만 이를 수용하지 않음. ··· 92~93쪽 수록 |
| **절정** | 허생은 명분만 중시하는 사대부 계층의 행태에 격분하여 이완을 크게 꾸짖음. ··· 93쪽 수록 |
| **결말** | 이튿날 이완이 허생의 집을 다시 찾아가지만 허생은 사라지고 없음. |

**주제** 무능한 양반 계층에 대한 비판, 새로운 삶의 각성 및 실천 촉구

### 대화를 통해 드러나는 허생과 이완의 입장 차이

| 허생의 제안 | | 이완의 거절 |
|---|---|---|
| 적극적인 인재 등용 | | 임금이 몸을 낮추기 어려움. |
| 명나라 후손에 대한 후대와 훈척, 권귀의 기득권 뺏기 | ↔ | 집권층이 기득권을 버리기 어려움. |
| 청나라와의 교류 촉구 | | 예법을 지켜야 함. |

| ❶☐☐ 중시 | | 명분 중시 |
|---|---|---|

허생은 부국강병과 청나라 정벌을 위한 세 가지 계책을 내놓지만 이완(이 대장)은 기득권과 예법 등을 이유로 거절하고 있다. 이를 통해 실리를 중시하는 실학자의 입장과 명분을 중시하는 기존 사대부 계층의 입장 차이를 확인할 수 있다.

### 이 작품의 사상적 배경

| 실학 | 조선 시대에, 실생활의 유익을 목표로 한 새로운 학풍 |
|---|---|
| 주요 주장 | • 제도 개혁과 과학 발달을 통한 서민층의 생활 개선<br>• ❷☐☐☐의 선진 문물과 제도 도입 |

이 작품의 작가 박지원은 실학자로서 북학파에 속한다. 특히 이 작품을 통해 사대부들의 현실성 없는 북벌론을 비판하며 주체적으로 청나라의 선진 문물과 제도를 도입하여 부국강병을 이루어야 함을 주장하였다.

### 결말의 특징

| 결말 | 주인공이 종적을 감추는 미완성의 결말 |
|---|---|
| 효과 | • 허생의 비범함이 부각됨.<br>• 짙은 ❸☐☐을 남기며 궁금증을 유발함.<br>• 허생의 주장이 당시에 수용되기 어려운 것임을 암시함. |

빈칸 답 ❶ 실리 ❷ 청나라 ❸ 여운

## 테마 특강

# 2 문천재가 알려 주는 문학 공부 비법

문천재, 너처럼 문학 문제를 다 맞히려면 어떻게 해야 돼? 무슨 비법이라도 있어?

나는 문학 천재라서 문천재

내가 알려 줄게. 나만 따라와!

나는 문제를 풀 때 작품을 바로 읽기보다는 작품 이해에 도움이 되는 정보를 먼저 파악하는 편이야. 작품 제목과 작가명을 확인하면 주요 소재가 제목으로 쓰이거나 작품 경향을 아는 작가인 경우 힌트를 얻을 수 있어. 또 미리 문제를 통해 작품을 읽을 때 주목해야 할 점을 파악하고 문제에 제시된 〈보기〉 내용을 읽어 두면 작품 독해가 수월해진단다.

작품 제목, 작가 확인 ⇨ 문제(선택지)에서 작품 독해 시 주목할 요소 파악 ⇨ 〈보기〉 내용 읽기 ⇨ 작품 독해 시작

**작품 읽기 전**

그리고 틀린 문제는 물론, 헷갈렸던 문제들까지 다시 풀어 보며 복습하는 습관을 들이면 좋아. 복습할 때 선택지들을 분석하며 그 근거를 작품 속에서 찾는 훈련을 해 두면, 실전에서 어떤 작품을 만나더라도 정답이 보이게 될 거야!

예 아아, 늬는 산새처럼 날아갔구나! → 영탄법
　감탄사　　　　　　　　감탄형 어미, 느낌표

— 정지용, 〈유리창 1〉에서

**1** 윗글에 나타난 표현상의 특징으로 적절한 것은?

① 영탄법을 사용하여 화자의 정서를 부각하고 있다.
　정서를 감탄의 형태로 표현하여 강조하는 방법

**문제 풀이 복습**

또 평소에 공부할 때 선택지 속 표현들이 낯설다면 그때그때 익혀 두는 것이 좋아. 시험에 똑같은 문제는 다시 안 나와도 똑같은 개념과 어휘는 자주 나오니까 말이야.

예 **1** 윗글에 나타난 표현상의 특징으로 적절한 것은?

① 수미상관식 구성을 통해 시적 여운을 남기고 있다.
　시의 처음과 끝에　　　　　끝난 다음에도 남아 있는 느낌
　동일하거나 유사한 시구를
　배열하는 시상 전개 방식

**개념과 어휘는 기본**

실전

**3**회

시+시 **01** ㉮ 추억에서  ㉯ 담양장

_2020학년도 3월 고1 학력평가

㉮  진주 장터 생어물전에는
바닷밑이 깔리는 해 다 진 어스름을,

울 엄매의 장사 끝에 남은 고기 몇 마리의
빛 발(發)하는 눈깔들이 속절없이
은전(銀錢)만큼 손 안 닿는 한(恨)이던가
울 엄매야 울 엄매,

별 밭은 또 그리 멀리
우리 오누이의 머리 맞댄 골방° 안 되어
손 시리게 떨던가 손 시리게 떨던가,

진주 남강 맑다 해도 / 오명 가명
신새벽이나 밤빛에 보는 것을,
울 엄매의 마음은 어떠했을꼬,
달빛 받은 옹기전의 옹기들같이
말없이 글썽이고 반짝이던 것인가.

　　　　　　　– 박재삼, 〈추억에서〉

㉯  죽장°의 김삿갓은 죽고 / 참빗으로 이 잡던 시절도 가고
대바구니 전성 시절에

새벽 서리 밟으며 어머니는 바구니 한 줄 이고 장에 가시고 고구마로 점심 때운 뒤 기다리는 오후, 너무 심심해 아홉 살 내가 두 살 터울 동생 손 잡고 신작로를 따라 마중 갔었다. 이십 리가 짱짱한 길, 버스는 하루에 두어 번 다녔지만 ㉠꼬박꼬박 걸어오셨으므로 가다보면 도중에 만나겠지 생각하며 낯선 아줌마에게 길도 물어가면서 ㉡하염없이…… 그런데 이 고개만 넘으면 읍이라는 곳에서 해가 ㉢덜렁 졌다. 배는 고프고 으스스 무서워져 ㉣한참 망설이다가 되짚어 돌아오는 길은 한없이 멀고 캄캄 어둠에 동생은 울고 기진맥진 한밤중에야 호롱° 들고 찾아나선 어머니를 만났다. — 어머니는 그날 따라 버스로 오시고

아, 요즘도 장날이면 / 허리 굽은 어머니
플라스틱에 밀려 시세도 없는 대바구니 옆에 쭈그려앉아
㉤멀거니 팔리기를 기다리는 / 담양장.

　　　　　　　– 최두석, 〈담양장〉

---

✏ 핵심 짚기

㉮

● 화자
• 시적 상황  장터에서 생선을 팔았던 ❶ㅇㅁㄴ의 고된 삶과 화자의 가난했던 어린 시절을 떠올림.
• 정서와 태도  어머니의 고단한 삶에 대한 연민을 느낌.

● 표현
❷ㅈㅇㅂ 사용  어머니의 눈물을 연결어를 사용하여 '옹기들'에 직접 빗대어 표현함. ('달빛 받은 옹기전의 옹기들같이 / 말없이 글썽이고 반짝이던 것인가')

㉯

● 화자
• 시적 상황  장터에서 ❸ㄷㅂㄱㄴ를 파는 어머니의 고된 삶과, 어린 시절에 어머니를 마중 갔던 기억을 떠올림.
• 정서와 태도  고단한 삶을 살고 있는 어머니에 대한 연민을 느낌.

● 표현
• ❹ㅇㅌㅂ 사용  어머니에 대한 안타까움의 정서를 감탄의 형태로 표현하여 강조함. ('아, 요즘도 장날이면')
• 명사로 작품 종결  명사로 시를 종결하여 여운을 남김. ('멀거니 팔리기를 기다리는 / 담양장.')

빈칸 답
❶ 어머니 ❷ 직유법
❸ 대바구니 ❹ 영탄법

● 은전 | 은으로 만든 돈.
● 골방 | 큰방의 뒤쪽에 딸린 작은방.
● 죽장 | 대로 만든 지팡이.
● 호롱 | 석유를 담아 불을 켜는 데에 쓰는 그릇.

## 1

표현상 특징(시상 전개 방식)과 효과 파악하기

**⊕ 수미상관**

시의 처음과 끝에 형태나 의미가 동일하거나 유사한 시구를 배열하는 것을 말한다. 수미상관의 구조는 안정감과 운율감을 주고, 시적 의미를 강화한다.

**(가)와 (나)의 표현상 공통점으로 가장 적절한 것은?**

① 동일한 어미를 반복하여 리듬감을 주고 있다.

② 역설법을 활용하여 내면 심리를 부각하고 있다.

③ 자조적인 어조를 사용하여 시적 정서를 드러내고 있다.

④ 공감각적 이미지를 사용하여 표현 효과를 높이고 있다.

⑤ 수미상관의 기법을 활용하여 주제 의식을 강조하고 있다.

## 2

시어/시구의 의미와 기능 파악하기

**💡 도움말**

〈보기〉에서는 (가)와 (나) 두 작품을 서로 비교하며 감상하라는 과제가 제시되고 있다. (가)와 (나) 사이의 유사점과 차이점에 주목하여 작품을 감상하고 선택지의 적절성을 판단하도록 한다.

● **연민** | 불쌍하고 가련하게 여김.

**고난도**

**〈보기〉의 수업 상황에서 선생님이 제시한 과제를 수행한 것으로 적절하지 않은 것은?**

┌─ 보기 ──────────────────────────────
선생님: 〈추억에서〉와 〈담양장〉은 '시 엮어 읽기'의 방법으로 감상하기에 좋은 작품입니다. 시 엮어 읽기란 시적 맥락을 고려하여 다른 시를 서로 비교하며 감상함으로써 작품 감상의 폭을 넓히는 방법입니다. 여러분, 이 두 작품의 시적 상황, 정서, 소재, 배경 등을 고려하면서 시 엮어 읽기를 해 볼까요?
└──────────────────────────────────────

① (가)의 '고기'와 (나)의 '대바구니'는 어머니가 가족들의 생계유지를 위하여 장터에서 팔아야 하는 소재라는 점에서 유사합니다.

② (가)의 '울 엄매야 울 엄매'와 (나)의 '허리 굽은 어머니'에는 고단한 삶을 살아온 어머니에 대한 연민의 정이 담겨 있다는 점에서 유사합니다.

③ (가)의 '골방'에 비해 (나)의 '신작로'는 어머니를 기다리는 마음이 더 능동적인 행위로 나타나는 공간이라는 점에서 차이가 있습니다.

④ (가)의 '신새벽'과 (나)의 '한밤중'은 어머니의 부재로 인해 어린 화자가 느끼는 불안감이 해소되는 시간적 배경이라는 점에서 유사합니다.

⑤ (가)의 '말없이 글썽이고 반짝이던 것인가'에서는 어머니의 과거 삶을, (나)의 '아, 요즘도 장날이면'에서는 과거로부터 이어지는 어머니의 현재 삶을 떠올리고 있는 시적 상황이라는 점에서 차이가 있습니다.

## 3

시어의 의미와 기능 파악하기

**〈보기〉를 참고하여 ㉠~㉤을 이해한 내용으로 적절하지 않은 것은?**

┌─ 보기 ──────────────────────────────
시에서는 정서나 상황 등을 효과적으로 표현하기 위해 부사어를 사용하기도 한다. 따라서 부사어를 사용한 의도를 파악해 보면 시적 의미를 섬세하게 해석할 수 있어 감상의 묘미가 높아진다.
└──────────────────────────────────────

① ㉠: 늘 걸어서 장에 다니시는 어머니의 일상을 강조한다.

② ㉡: 어머니를 마중 갔던 길이 길고 멀었다는 것을 부각한다.

③ ㉢: 갑작스럽게 해가 져 놀라고 겁이 난 심리를 강조한다.

④ ㉣: 더 갈지 돌아가야 할지 주저하는 내적 갈등을 부각한다.

⑤ ㉤: 장이 끝나 가서 장사를 마쳐야 하는 아쉬움을 강조한다.

## (가) 추억에서

**갈래** 자유시, 서정시

**구성**

| 1연 | 저녁 무렵의 진주 장터 |
| 2연 | 가난으로 한 맺힌 어머니의 삶 |
| 3연 | 추운 골방에서 어머니를 기다리던 오누이 |
| 4연 | 어머니의 한과 눈물 |

**주제** 한스러운 삶을 살았던 어머니에 대한 회상

## (나) 담양장

**갈래** 자유시, 서정시

**구성**

| 1연 | 대바구니가 많이 사용되던 과거 상황 |
| 2연 | 어머니를 마중 갔던 기억 회상 |
| 3연 | 여전히 장터에서 대바구니 장사를 하는 어머니 |

**주제** 어린 시절에 대한 회상과 어머니의 고달픈 삶에 대한 연민

---

### ◎ (가)+(나) 시적 상황과 화자의 정서

(가)와 (나)의 화자는 어머니의 고단한 삶을 떠올리며 연민의 정을 느낀다는 점에서 유사하다. 그런데 (가)의 화자는 과거에 장터에서 고기를 팔던 어머니의 삶을 떠올리고, (나)의 화자는 과거부터 현재까지 변함없이 장터에서 대바구니를 파는 어머니의 삶을 떠올리고 있다는 점에서 차이가 있다.

| (가) | (나) |
|---|---|
| 화자는 ❶◻◻◻의 삶에 대해 떠올리고 있음. ||
| 과거에 화자의 어머니는 가족들의 생계유지를 위해 장터에서 '고기'를 팔며 가난한 삶을 살았음. | 과거부터 현재까지 화자의 어머니는 장터에서 '대바구니'를 팔며 살아옴. |
| 화자는 어머니의 고단한 삶에 대해 ❷◻◻의 정을 느낌. ||

### ◎ (가)+(나) 표현상 공통점

| (가) | (나) |
|---|---|
| '손 안 닿는 한이던가', '손 시리게 떨던가', '말없이 글썽이고 반짝이던 것인가' | '죽장의 김삿갓은 죽고', '참빗으로 이 잡던 시절도 가고' 등 |

▼

동일한 ❸◻◻('-ㄴ가', '-고')를 반복하여 리듬감을 형성함.

### ◎ (가) 시각적 이미지의 사용

| '울 엄매의 장사 끝에 남은 고기 몇 마리의 / 빛 발하는 눈깔들이 속절없이 / 은전만큼 손 안 닿는 한이던가' | '달빛 받은 옹기전의 옹기들같이 / 말없이 글썽이고 반짝이던 것인가.' |
|---|---|
| 팔고 남은 고기의 둥근 눈에서 ❹◻◻(돈)을 떠올리는 것으로, 벗어날 수 없었던 가난으로 인한 한을 시각적 이미지를 통해 감각적으로 표현함. | 달빛이 반사되는 옹기의 반짝임에서 눈물을 떠올리는 것으로, 남몰래 눈물을 글썽이며 슬퍼하셨을 어머니의 심정을 시각적 이미지를 통해 감각적으로 표현함. |

▼

어머니의 ❺◻과 슬픔의 정서를 시각적으로 형상화하여 표현 효과를 높임.

---

빈칸 답 ❶ 어머니 ❷ 연민 ❸ 어미 ❹ 은전 ❺ 한

# 시+시 02

㉮ **아침 이미지 1**
㉯ **광화문, 겨울, 불꽃, 나무**

∞ 교과서
㉮ 고등 _ 천재(이)
㉯ 중3 _ 미래엔

---

## ✎ 핵심 짚기

**㉮**

● **시어**

> **❶ㅇㄷ**
> 온갖 물상을 낳는 생명력을
> 지닌 존재

● **표현**

• **❷ㅎㅇㅂ 사용** 무생물을 마치 생물인 것처럼 표현함. ('어둠은 ~ 꽃을 낳는다.', '어둠은 ~ 굴복한다.')
• **❸ㄱㄱㄱ적 이미지** 시각적 이미지를 청각적 이미지로 전이하여 표현함. ('금으로 타는 태양의 즐거운 울림')

**㉯**

● **시어**

> **어둠, ❹ㅂ**
> 생명체가 새로운 에너지를 얻기 위해 안식과 휴식을 누리는 시간

● **표현**

• **❺ㅅㅇㅂ 사용** 말하고자 하는 내용을 의문문의 형식으로 표현함. ('어둠도 이젠 병균 같은 것일까')
• **활유법 사용** 무생물을 마치 생물인 것처럼 표현함. ('해군 장군의 동상도 잠들지 못하고', '문 닫은 세종문화회관도 두 눈 뜨고 있다')

┌ 빈칸 답
❶ 어둠 ❷ 활유법 ❸ 공감각
❹ 밤 ❺ 설의법

● **물상** | 자연계의 사물과 그 변화 현상.
● **개벽** | 세상이 처음으로 생겨 열림.
● **교란** | 마음이나 상황 따위를 뒤흔들어서 어지럽고 혼란하게 함.

---

㉮ 어둠은 새를 낳고, 돌을
낳고, 꽃을 낳는다.
아침이면, / 어둠은 온갖 물상(物象)을 돌려주지만
스스로는 땅 위에 굴복한다.
무거운 어깨를 털고
물상들은 몸을 움직이어
노동의 시간을 즐기고 있다.
즐거운 지상의 잔치에
금(金)으로 타는 태양의 즐거운 울림.
아침이면, / 세상은 개벽을 한다.

– 박남수, 〈아침 이미지 1〉

㉯ 해가 졌는데도 어두워지지 않는다
겨울 저물녘 광화문 네거리
맨몸으로 돌아가 있는 가로수들이 / 일제히 불을 켠다 나뭇가지에
수만 개 꼬마전구들이 들러붙어 있다
**불현듯 불꽃 나무! 하며 손뼉을 칠 뻔했다**

어둠도 이젠 병균 같은 것일까
**밤을 끄고 휘황하게 낮을 켜 놓은 권력들**
내륙 한가운데에 서 있는
해군 장군의 동상도 잠들지 못하고
문 닫은 세종문화회관도 두 눈 뜨고 있다

엽록소를 버린 겨울나무들 / 한밤중에 이상한 광합성을 하고 있다
광화문은 광화문(光化門) / 뿌리로 내려가 있던 겨울나무들이
저녁마다 황급히 올라오고
겨울이 교란당하고 있는 것이다
**밤에도 잠들지 못하는 사람들**
광화문 겨울나무 불꽃 나무들
**다가오는 봄이 심상치 않다**

– 이문재, 〈광화문, 겨울, 불꽃, 나무〉

**1**

**(가)와 (나)의 표현상 공통점으로 가장 적절한 것은?**

① 시각의 청각화를 통해 생동감을 부각하고 있다.

② 수미상관의 구조를 통해 안정감을 부여하고 있다.

③ 반어적 표현을 반복하여 주제 의식을 강조하고 있다.

④ 설의적 표현을 활용하여 화자의 인식을 드러내고 있다.

⑤ 시간적 배경을 제시하여 시적 상황을 구체화하고 있다.

**2**

수능 기출

**(가)에 대한 이해로 가장 적절한 것은?**

① '무거운 어깨를 털고'는 지상으로부터 벗어나기 위해 사물들이 몸부림치는 모습을 표현한 것이다.

② '노동의 시간을 즐기고'는 노동의 고단함을 잊기 위해 사물들이 경쾌하게 움직이는 모습을 표현한 것이다.

③ '즐거운 지상의 잔치'는 기존의 사물들이 새로 태어난 사물들을 반갑게 맞이하는 모습을 표현한 것이다.

④ '태양의 즐거운 울림'은 하늘의 태양이 지상에 있는 사물들과 서로 어울려 생기를 띠는 모습을 표현한 것이다.

⑤ '세상은 개벽을 한다'는 사물들이 새로운 형태로 변화하면서 혼란을 겪는 모습을 표현한 것이다.

**3**

고난도

**〈보기〉를 참고하여 (나)를 감상한 내용으로 적절하지 않은 것은?**

> ● 보기 ●
>
> 이 시는 우리가 평범하게 보아 오던 현상의 이면에 존재하는 부정적인 모습을 형상화한 작품으로, 자연의 질서가 현대 문명에 의해 파괴되고 있는 상황을 보여 주고 있다. 이 시의 화자는 단순한 자연의 순리조차 지켜지지 못하게 하는 인간 중심적 태도를 비판적으로 바라보고, 현재의 비정상적인 상황이 미래에도 지속될지 모른다는 염려를 내비치고 있다.

① '해가 졌는데도 어두워지지 않는다'는 자연의 질서가 파괴된 비정상적인 모습을 표현한 것이군.

② '불현듯 불꽃 나무! 하며 손뼉을 칠 뻔했다'는 부정적인 현실 상황을 깊은 생각 없이 긍정적으로 인식할 뻔하였음을 표현한 것이군.

③ '밤을 끄고 휘황하게 낮을 켜 놓은 권력들'은 비정상적인 상황을 만들어 내고 있는 인간들로, 화자가 비판하는 대상이라고 볼 수 있겠군.

④ '밤에도 잠들지 못하는 사람들'은 비정상적인 상황 속에 놓이게 된 사람들로, 현대 문명이 인간도 파괴할 수 있다는 인식을 드러낸 표현으로 볼 수 있겠군.

⑤ '다가오는 봄이 심상치 않다'는 겨울이 지나면 봄이 오듯, 현재의 비정상적인 상황이 극복될 수 있을 것이라는 기대감을 표현한 것이군.

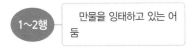 **아침 이미지 1**

📍 **갈래** 자유시, 서정시

📍 **구성**

| 1~2행 | 만물을 잉태하고 있는 어둠 |
| 3~5행 | 어둠의 소멸 |
| 6~10행 | 밝게 빛나는 태양과 물상들의 활기찬 모습 |
| 11~12행 | 아침마다 새롭게 태어나는 세상 |

📍 **주제** 즐겁고 생동감 넘치는 아침의 이미지

**(나) 광화문, 겨울, 불꽃, 나무**

📍 **갈래** 자유시, 서정시

📍 **구성**

| 1연 | 불 켜진 광화문 네거리의 찬란함 |
| 2연 | 순리를 거스르는 도시 풍경 |
| 3연 | 자연의 순리를 벗어난 현실과 염려 |

📍 **주제** 비정상적인 현실에 대한 걱정

---

🔍 **(가)+(나) '어둠'의 의미**

(가)에서 '어둠'은 생명(물상)을 잉태하고 있는 긍정적 이미지로, (나)에서 '어둠(밤)'은 휴식을 위한 시간이라는 긍정적 이미지로 그려지고 있다.

| (가) | | (나) |
|---|---|---|
| 생명, 모태의 이미지. 새, 돌, 꽃과 같은 온갖 물상을 낳는 존재 | '어둠' | 모든 생명체가 새로운 에너지를 얻기 위한 ❶ ____ 의 시간 |

🔍 **(가) 시구의 상징적 의미**

| 시구 | 상징적 의미 |
|---|---|
| 무거운 어깨 | 어둠이 걷히기 전 어둠 속에 있는 물상의 모습 |
| 노동의 시간 | 어둠이 걷혀 ❷ ____ 이 오기까지의 시간 |
| 즐거운 지상의 잔치 | 활기차고 밝은 아침의 모습 |
| 금으로 타는 태양의 즐거운 울림 | 생동감 넘치는 아침의 모습 |

🔍 **(가) 표현상 특징과 효과**

(가)는 아침의 생동감 넘치는 풍경을 감각적 이미지와 역동적 이미지를 사용해 효과적으로 그려 내고 있다.

| 시각적, 역동적 이미지 | | ❸ ____ 이미지 |
|---|---|---|
| • '어둠은 온갖 물상을 돌려주지만' <br> • '무거운 어깨를 털고' <br> • '물상들은 몸을 움직이어' | ➕ | '금으로 타는 태양의 즐거운 울림' |

▽

어둠이 사라지며 찾아온 아침의 모습을 생동감 넘치게 표현함.

🔍 **(나) 시적 상황과 화자의 태도**

(나)의 화자는 겨울밤 자연의 질서가 현대 문명으로 인해 파괴되고 있는 비정상적이고 부자연스러운 상황을 부정적으로 바라보며 인간 중심적 태도를 비판하고 있다.

| | | | |
|---|---|---|---|
| • 해가 져도 어두워지지 않음. <br> • 해군 장군의 동상이 내륙 한가운데에 서서 잠들지 못함. <br> • 문 닫은 세종문화회관이 불을 밝히고 있음. <br> • 겨울나무들이 한밤중에 이상한 광합성을 하고 있음. <br> • 사람들은 밤에도 잠들지 못함. | → | 비정상적인 상황을 인식함. | → | 다가올 미래(봄)를 염려함. |

**빈칸 답** ❶ 휴식 ❷ 아침 ❸ 공감각적

소설

## 03 복덕방

✎ 핵심 짚기

● 인물
· **안 초시** 경제적 기반을 잃어 ❶ㄸ 에게 의존하며 지냄. 궁핍한 처지에도 자존심을 잃지 않음.
· **안경화(안 초시의 딸)** 사회적으로 성공했으나 아버지에게는 인색하게 대하는 이기적인 인물임.

● 배경
· **시간** 1930년대
· **공간** 서울 변두리의 한 복덕방

● 사건
안 초시는 경제적 능력이 없어 딸의 눈치를 보며 돈을 얻어 쓰면서 살아감.

● 갈등
❷ㄷ 을 사이에 둔 안 초시와 딸의 외적 갈등

안 초시 ⟷ 안 초시의 딸

| 자신에게 인색한 딸에게 반감을 느낌. | 아버지에게 쓰는 돈을 아까워함. |

● 시점
**3인칭 전지적 시점** 이야기 ❸ㅂ 의 서술자가 인물의 속마음과, 사건의 처음과 끝을 모두 전달함.

│ 빈칸 답
❶ 딸 ❷ 돈 ❸ 밖

● **야심** 무엇을 이루어 보겠다고 마음속에 품고 있는 욕망이나 소망.
● **마코** 일제 강점기 때의 담배 이름.

안 초시는 한나절이나 화투패를 떼다 안 떨어지면 그 화풀이로 박희완 영감이 들고 중얼거리는 《속수국어독본》을 툭 채어 행길로 팽개치며 그랬다.

"넌 또 무슨 재술 바라구 밤낮 화투패나 떨어지길 바라니?" / "난 심심풀이지."

그러나 속으로는 박희완 영감보다 더 세상에 대한 야심이 끓었다. 딸이 평양으로 대구로 다니며 지방 순회까지 하여서 제법 돈냥이나 걷힌 것 같으나 연구소를 내느라고, 집을 뜯어고친다, 유성기를 사들인다, 교제를 하러 돌아다닌다 하느라고, 더구나 귀찮게만 아는 이 아비를 위해 쓸 돈은 예산에부터 들지 못하는 모양이었다.

"얘? 낡은 솜이 돼 그런지, 삯바느질이 돼 그런지 바지 솜이 모두 치어서 어떤 덴 홑옷이야. 암만해두 샤쓰 한 벌 사입어야겠다."

하고 딸의 눈치만 보아 오다 한번은 입을 열었더니,

"어련히 인제 사드릴라구요."

하고 딸은 대답은 선선하였으나 셔츠는 그해 겨울이 다 지나도록 구경도 못 하였다. ㉠셔츠는커녕 안경다리를 고치겠다고 돈 1원만 달래도 1원짜리를 굳이 바꿔다가 50전 한 닢만 주었다. 안경은 돈을 좀 주무르던 시절에 장만한 것이라 테만 오륙 원 먹는 것이어서 50전만으로 그런 다리는 어림도 없었다. 50전짜리 다리도 있지만 살 바에는 조촐한 것을 택하던 초시의 성미라 더구나 면상에서 짝짝이로 드러나는 것을 사기가 싫었다. ㉡차라리 종이 노끈인 채 쓰기로 하고 50전은 담뱃값으로 나가고 말았다.

"왜 안경다린 안 고치셨어요?" / 딸이 그날 저녁으로 물었다.

"흥……." / 초시는 말은 하지 않았다. 딸은 며칠 뒤에 또 50전을 주었다. 그러면서 어떻게 들으라고 하는 소리인지,

"아버지 보험료만 해두 한 달에 3원 80전씩 나가요."

하였다. 보험료나 타 먹게 어서 죽어 달라는 소리로도 들리었다.

"그게 내게 상관있니?" / "아버지 위해 들었지, 누구 위해 들었게요 그럼?"

초시는 '정말 날 위해 하는 거면 살아서 한 푼이라두 다오. 죽은 뒤에 내가 알 게 뭐 냐' 소리가 나오는 것을 억지로 참았다. [A]

"50전이문 왜 안경다릴 못 고치세요?" / 초시는 설명하지 않았다.

"지금 아버지가 좋고 낮은 것을 가리실 처지야요?"

그러나 50전은 또 마코 값으로 다 나갔다. 이러기를 아마 서너 번째다.

"자식도 소용없어. 더구나 딸자식…… 그저 내 수중에 돈이 있어야……."

초시는 돈의 긴요성을 날로날로 더욱 심각하게 느끼었다.

(중략)

## 핵심 짚기

### ● 사건

안 초시는 박희완 영감을 통해 얻은 토지 개발 정보를 딸에게 전하며 투자를 권함.

↓

안 초시의 딸은 연구소 집을 담보로 돈을 구해 부동산 투기를 함.

↓

토지 개발 정보가 **❶** ㅅㄱ 로 밝혀지고 안 초시의 딸은 투자에 실패함.

### ● 서술상 특징

**요약적 제시** 투자가 실패로 끝나게 된 사건의 내막을 요약하여 전달함.

### ● 소재

| 흰 '조각구름' | ←→ | '때 묻은 **❷** ㅈㅅ' |
| --- | --- | --- |

↓

상반된 이미지를 형성하여 안 초시의 비극적인 삶을 심화함.

**빈칸 답**
**❶** 사기 **❷** 적삼

● **출자** | 자금을 내는 일.

● **청장** | 장부를 청산한다는 뜻으로, 빚 따위를 깨끗이 갚음을 이르는 말.

● **금시발복** | 어떤 일을 한 다음 이내 복이 돌아와 부귀를 누리게 되는 것.

● **멸시하다** | 업신여기거나 하찮게 여겨 깔보다.

● **가쾌** | 집 흥정을 붙이는 일을 직업으로 가진 사람.

● **축항** | 항구를 구축함. 또는 그 항구.

● **옥양목** | 빛이 썩 희고 얇은 무명의 한 가지.

---

초시는 이날 저녁에 박희완 영감에게서 들은 이야기를 딸에게 하였다. 실패는 했을지라도 그래도 십수 년을 상업계에서 논 안 초시라 **출자(出資)**를 권유하는 수작만은 딸이 듣기에도 딴사람인 듯 놀라웠다. 딸은 즉석에서는 가부를 말하지 않았으나 그의 머릿속에서도 이내 잊혀지지는 않았던지 다음 날 아침에는, ⓒ딸 편이 먼저 이 이야기를 다시 꺼내었고, 초시가 박희완 영감에게 묻던 이상을 시시콜콜히 캐어물었다. 그러면 초시는 또 박희완 영감 이상으로 손가락으로 가리키듯 소상히 설명하였고 1년 안에 **청장**을 하더라도 최소한도로 50배 이상의 순이익이 날 것이라 장담 장담하였다.

딸은 솔깃했다. 사흘 안에 **연구소 집**을 어느 신탁 회사에 넣고 **3천 원**을 돌리기로 하였다. 초시는 **금시발복**이나 된 듯 뛰고 싶게 기뻤다.

"서 참위 이놈, 날 은근히 **멸시**했것다. 내 굳이 널 시켜 네 집보다 난 집을 살 테다. 네깟 놈이 천생 **가쾌**지 별거냐……." / 그러나 신탁 회사에서 돈이 되는 날은 웬 처음 보는 청년 하나가 초시의 앞을 가리며 나타났다. 그는 딸의 청년이었다. ㉣딸은 아버지의 손에 단 1전도 넣지 않았고 꼭 그 청년이 나서 돈을 쓰며 처리하게 하였다. 처음에는 팩 나오는 노염을 참을 수가 없었으나 며칠 밤을 지내고 나니, 적어도 3천 원의 순이익이 오륙만 원은 될 것이라, 만 원 하나야 어디로 가랴 하는 타협이 생기어서 안 초시는 으슬으슬 그, 이를테면 사위 녀석 격인 청년의 뒤를 따라나섰다.

1년이 지났다. / 모두 꿈이었다. 꿈이라도 너무 악한 꿈이었다. 3천 원 어치 땅을 사 놓고 날마다 신문을 훑어보며 수소문을 하여도 거기는 **축항**이 된단 말이 신문에도, 소문에도 나지 않았다. 용당포(龍塘浦)와 다사도(多獅島)에는 땅값이 30배가 올랐느니 50배가 올랐느니 하고 졸부들이 생겼다는 소문이 있어도 여기는 감감소식일 뿐 아니라 나중에 역시 이것도 박희완 영감을 통해 알고 보니 그 관변 모씨에게 박희완 영감부터 속아 떨어진 것이었다. **축항** 후보지로 측량까지 하기는 하였으나 무슨 결점으로인지 중지되고 마는 바람에 너무 기민하게 거기다 땅을 샀던, 그 모씨가 그 땅 처치에 곤란하여 꾸민 **연극**이었다. [B]

돈을 쓸 때는 1원짜리 한 장 만져도 못 봤지만 벼락은 초시에게 떨어졌다. ㉤서너 끼씩 굶어도 밥 먹을 정신이 나지도 않았거니와 밥을 먹으러 들어갈 수도 없었다.

"재물이란 친자 간의 의리도 배추 밑 도리듯 하는 건가?"

**탄식**할 뿐이었다. 밥보다는 술과 담배가 그리웠다. 물론 안경다리는 그저 못 고치었다. 그러나 이제는 50전짜리는커녕 단 10전짜리도 얻어 볼 길이 없다.

추석 가까운 날씨는 해마다의 그때와 같이 맑았다. 하늘은 천 리같이 트였는데 조각구름들이 여기저기 널리었다. 어떤 구름은 깨끗이 바래 말린 **옥양목**처럼 흰빛이 눈이 부시다. 안 초시는 이번에도 자기의 때 묻은 적삼 생각이 났다. 그러나 이번에는 소매 끝을 불거나 떨지는 않았다. 고요히 흘러내리는 눈물을 그 더러운 소매로 닦았을 뿐이다.

– 이태준, 〈복덕방〉

서술상 특징 파악하기 **1**

**➕ 시간의 흐름에 역행하여 사건이 진행되고**
시간이 흐르는 순서대로 사건을 배열하는 것이 아니라 시간의 흐름을 바꾸어 사건을 구성하는 것을 말한다.

**[A]와 [B]에 대한 설명으로 가장 적절한 것은?**

① [A]는 외양 묘사를 통해 인물의 성격을 드러내고 있고, [B]는 배경 묘사를 통해 인물의 처지를 드러내고 있다.

② [A]는 대화와 서술을 통해 인물 간의 갈등이 드러나고 있고, [B]는 요약적 서술을 통해 사건의 전모가 드러나고 있다.

③ [A]는 작품 속 서술자가 사건에 대해 평가하고 있고, [B]는 작품 밖 서술자가 앞으로 전개될 사건을 예측하고 있다.

④ [A]는 시간의 흐름에 역행하여 사건이 진행되고 있고, [B]는 시간의 흐름에 따라 사건이 순차적으로 진행되고 있다.

⑤ [A]는 향토적인 소재를 통해 주제 의식을 드러내고 있고, [B]는 상징적인 소재를 통해 사건의 의미를 드러내고 있다.

고난도

**다음은 윗글이 창작될 당시 신문 기사의 일부이다. 이를 참고하여 윗글을 감상한 내용으로 적절하지 <u>않은</u> 것은?**

> ## ○○ 일보
>
> ### 부동산 투기 열풍으로 전국은 지금 …
>
> 일본의 축항 사업 발표 후, 전국이 부동산 투기 열풍으로 떠들썩하다. 한탕주의에 빠진 많은 사람들이 제2의 황금광 사업으로 불리는 축항 사업에 몰려들고 있다. 1932년 8월, 중국 동북부와 연결되는 철도의 종착지이자 축항지로 나진이 결정되자, 빠르게 정보를 입수한 브로커들로 나진은 북새통을 이루고 있다. 하지만 누구나 투자에 성공하는 것은 아니어서, 잘못된 소문으로 투자에 실패하여 전 재산을 잃은 사람들, 이로 인해 가족들에게 외면받는 사람들, 자신의 피해를 사기로 만회하려는 사람들까지 등장하여 사회적 혼란이 커지고 있다. 이러한 모습은 물질 만능주의가 만연한 우리 사회의 어두운 단면을 보여준다는 비판이 일고 있다.

① 딸에게 '출자를 권유하는 수작'으로 보아 안 초시는 건설 사업이 확정된 부지에 빠르게 투자하였겠군.

② 안 초시가 '50배 이상의 순이익이 날 것이라 장담 장담하'며 부추기는 모습에서 한탕주의에 빠져 있음을 알 수 있군.

③ 안 초시의 딸이 '연구소 집'을 담보로 '3천 원'을 마련한 것은 당시의 투기 열풍과 관련이 있겠군.

④ 모씨가 '축항 후보지'에 대해 '연극'을 꾸민 것은 자신의 피해를 사기로 만회하기 위한 것이었겠군.

⑤ 안 초시가 '친자 간의 의리도 배추 밑 도리듯' 한다고 '탄식'하는 모습에서 물질 만능주의의 어두운 모습을 엿볼 수 있군.

㉠~㉤에 대한 설명으로 적절하지 <u>않은</u> 것은?

① ㉠: 형편이 어려운 안 초시를 인색하게 대하는 딸의 모습이 드러나 있다.

② ㉡: 저렴한 안경다리는 사지 않겠다는 안 초시의 자존심이 드러나 있다.

③ ㉢: 안 초시가 전해준 이야기에 적극적으로 관심을 보이는 딸의 모습이 드러나 있다.

④ ㉣: 안 초시의 수고로움을 덜어 주려는 딸의 심리가 드러나 있다.

⑤ ㉤: 예상 밖의 결과로 딸과 마주할 자신이 없는 안 초시의 모습이 드러나 있다.

 **작품 정리하기**

📍 **갈래** 단편 소설, 세대 소설

📍 **전체 구성**

**발단** 생활의 기반을 잃은 안 초시, 서 참의, 박희완 영감은 복덕방에서 소일하면서 뚜렷한 미래가 없는 삶을 살아감.
> **104쪽 수록**

**전개** 박희완 영감을 통해 황해 연변의 개발 정보를 입수한 안 초시는 단단히 한 몫을 잡을 것이라는 기대를 안고 딸 안경화에게 부동산 투기를 권함.
> **105쪽 수록**

**위기** 토지 개발 정보가 사기로 밝혀지고 부동산 투자에 실패한 안경화는 이에 대한 모든 비난을 안 초시에게 퍼부음.
> **105쪽 수록**

**절정** 좌절한 안 초시는 극단적인 선택을 하고, 죽은 안 초시를 발견한 서 참의가 안경화를 불러 안 초시의 장례를 성대하게 치러 주기를 당부함.

**결말** 안 초시의 장례식장에서 안경화와 그 주변 사람들의 위선적인 행동을 보면서 서 참의와 박희완 영감은 울분을 느끼고 서러워함.

📍 **주제** 근대화의 물결 속에서 소외된 세대의 좌절과 비애

🔲 **등장인물의 관계**

| ❶ ☐☐☐ |
| --- |
| • 경제적으로 딸에게 의존하며 지냄. |
| • 일확천금을 꿈꾸며 잘못된 토지 개발 정보임을 모른 채로 딸에게 부동산 투자를 권유하여 물질적 손해를 입힘. |

↔

| 안경화(안 초시의 딸) |
| --- |
| • 사회적으로 성공하였으나 안 초시에게 돈을 아끼려 하며 인색한 태도를 보임. |
| • 투자 실패로 손해를 보게 되자 안 초시를 더욱 냉대함. |

❷ ☐ 때문에 빚어진 외적 갈등

🔲 **작품에 반영된 시대상**

이 작품에는 한탕주의에 빠져 일확천금을 꿈꾸는 인물들의 모습, 다른 가치들보다 물질적 이익을 가장 중시하는 인물들의 모습이 나타나 있다. 이는 작품 창작 당시 물질 만능주의가 만연하고, 전통적 가치관이 점차 사라져 가던 시대적 상황이 반영된 것이라고 볼 수 있다.

| 작품 내용 | 시대상 |
| --- | --- |
| • 안 초시의 딸은 아버지를 보살피는 것에 소홀함.<br>• 안 초시와 딸은 부동산 투기로 하루아침에 큰돈을 벌기를 바람.<br>• 관변 모씨는 자신의 물질적 손해를 남에게 떠넘기기 위해 사기극을 벌임.<br>• 부동산 투자가 실패로 돌아간 후 안 초시는 딸로부터 이전보다 심한 박대를 받고, 가족보다 재물을 중시하는 딸의 태도에 탄식함. | ❸ ☐☐ 만능주의가 만연하고, 전통적 가치관(효 사상, 인간적인 정)이 사라져 감. |

**빈칸 답** ❶ 안 초시 ❷ 돈 ❸ 물질

## 핵심 짚기

### ● 인물
- '나' 수술비를 빌려 달라는 권 씨의 부탁을 거절했다가 뒤늦게 도움을 줌. 자신의 집에 든 강도가 권 씨임을 알아차리고도, 권 씨의 자존심이 상하지 않도록 이를 모르는 척하며 돌려보내고자 함.
- 권 씨 '나'의 집에 세 들어 삶. 아내의 수술비를 구하려 ❶ㄱㄷ로 돌변하여 '나'의 집에 침입함.

### ● 배경
- 시간 1970년대 후반
- 공간 경기도 성남 지역

### ● 사건
권 씨가 '나'의 집에 강도로 침입했다가 자신의 정체가 '나'에게 탄로 났다고 느끼자 ❷ㅈㅈㅅ이 상한 채 대문 밖으로 나감.

### ● 시점
1인칭 ❸ㄱㅊㅈ 시점 작품 속 서술자인 '나'의 시선으로 권 씨에 대한 이야기를 전달함.

### 빈칸 답
❶ 강도 ❷ 자존심 ❸ 관찰자

---

- **조처** | 제기된 문제나 일을 잘 정돈하여 처리함. 또는 그러한 방식.
- **망연하다** | 아무 생각이 없이 멍하다.
- **칠흑** | 옻칠처럼 검고 광택이 있음. 또는 그런 빛깔.

---

**앞부분의 줄거리** 성남이 재개발된다는 소문을 듣고 권 씨는 무리하게 돈을 마련하여 입주 권리를 손에 넣지만, 행정 당국의 압박에 밀려 입주커녕 직장과 재산을 잃는다. 심지어 그 과정에서 전과자가 된 권 씨는 '나'의 집 문간방에서 셋방살이를 시작한다. 얼마 뒤 집에서 아이를 낳으려던 권 씨의 아내는 진통이 길어져 병원으로 옮겨진다. '나'는 아내의 수술비를 빌려 달라는 권 씨의 부탁을 거절했다가 뒤늦게 병원에 수술비를 대신 지불한다. 권 씨는 그날 밤 '나'의 집에 복면강도로 침입하고 '나'는 어설프게 행동하는 강도의 정체를 알아차린다.

나는 강도를 안심시켜 편안한 맘으로 돌아가게 만들 절호의 기회라고 판단했다.

"그 피치 못할 사정이란 게 대개 그렇습디다. 가령 식구 중에 누군가가 몹시 아프다든가 빚에 몰려서⋯⋯."

㉠그 순간 강도의 눈이 의심의 빛으로 가득 찼다. 분개한 나머지 이가 딱딱 마주칠 정도로 떨면서 그는 대청마루를 향해 나갔다. 내 옆을 지나쳐 갈 때 그의 몸에서는 역겨울 만큼 술 냄새가 확 풍겼다. 그가 허둥지둥 끌어안고 나가는 건 틀림없이 갈기갈기 찢어진 한 줌의 자존심일 것이었다. 애당초 의도했던 바와는 달리 내 방법이 결국 그를 편안케 하긴커녕 외려 더욱더 낭패게 만들었음을 깨닫고 나는 그의 등을 향해 말했다.

"어렵다고 꼭 외로우란 법은 없어요. 혹 누가 압니까, 당신도 모르는 사이에 당신을 아끼는 어떤 이웃이 당신의 어려움을 덜어 주었을지?"

"개수작 마! 그따위 이웃은 없다는 걸 난 똑똑히 봤어! 난 이제 아무도 안 믿어!"

그는 현관에 벗어 놓은 구두를 신고 있었다. 그 구두를 보기 위해 전등을 켜고 싶은 충동이 불현듯 일었으나 나는 꾹 눌러 참았다. 현관문을 열고 마당으로 내려선 다음 부주의하게도 그는 식칼을 들고 왔던 자기 본분을 망각하고 엉겁결에 문간방으로 들어가려 했다. 그의 실수를 지적하는 일은 훗날을 위해 나로서는 부득이한 조처였다.

㉡"대문은 저쪽입니다."

문간방 부엌 앞에서 한동안 망연해 있다가 이윽고 그는 대문 쪽을 향해 느릿느릿 걷기 시작했다. 비틀비틀 걷기 시작했다. 대문에 다다르자 그는 상체를 뒤틀어 이쪽을 보았다.

㉢"이래 봬도 나 대학까지 나온 사람이오."

누가 뭐라고 그랬나. 느닷없이 그는 자기 학력을 밝히더니만 대문을 열고는 보안등 하나 없는 칠흑의 어둠 저편으로 자진해서 삼켜져 버렸다.

㉣나는 대문을 잠그지 않았다. 그냥 지쳐 놓기만 하고 들어오면서 문간방에 들러 권 씨가 아직도 귀가하지 않았음과 깜깜한 방 안에 어미 아비 없이 오뉘만이 새우잠을 자고 있음을 아울러 확인하고 나왔다. 아내는 잠옷 바람으로 팔짱을 끼고 현관 앞에 서 있었다.

"무슨 일이라도 있었나요?" / "아무것도 아냐."

잃은 물건이 하나도 없다. 돼지 저금통도 화장대 위에 그대로 있다. 아무것도 아닐 수밖에. 다시 잠이 들기 전에 나는 아내에게 수술 보증금을 대납해 준 사실을 비로소 이야기했

● 사건

권 씨는 아홉 켤레의 구두만 남긴 채 자취를 감추고 '나'는 권 씨의 행방불명을 경찰에 알림.

● 소재

• '나'

'구두코가 유리알처럼 반짝반짝 닦여 있는 한 자존심은 그 이상으로 광발이 올려져 있었을 것이며, ……'

↓

권 씨 구두의 상태가 권 씨의 ❶ ㅈ ㅈ ㅅ 을 상징한다고 여김.

• 권 씨

'가장 값나가는 세간의 자격으로 …… 구두들이 사열받는 병정들 모양으로 가지런히 놓여 있었다.'

↓

❷ ㄱ ㄷ 를 가장 소중히 여김.

● 서술상 특징

미완의 결말 결말 부분에서 권 씨의 행방과 관련한 이야기를 완결 짓지 않음으로써 독자의 궁금증을 유발하고 ❸ ㅇ ㅇ 을 남김.

빈칸 답
❶ 자존심 ❷ 구두 ❸ 여운

다. 한참 말이 없다가 아내는 벽 쪽으로 슬그머니 돌아누웠다.

"뗄 염려는 없어, 전셋돈이 있으니까." / "무슨 일이 있었군요?"

아내가 다시 이쪽으로 돌아누웠다. 우리 집에 들어왔던 한 어리숙한 강도에 관해서 나는 끝내 한마디도 내비치지 않았다.

이튿날 아침까지 권 씨는 귀가해 있지 않았다. 출근하는 길에 병원에 들러 보았다. 수술 보증금을 구하러 병원 문밖을 나선 이후로 권 씨가 거기에 재차 발걸음한 흔적은 어디에서도 찾아볼 수 없었다.

그다음 날, 그 다음다음 날도 권 씨는 귀가하지 않았다. 그가 행방불명이 된 것이 이제 분명해졌다. 그리고 본의는 그게 아니었다 해도 결과적으로 내 방법이 매우 졸렬했음도 이제 확연히 밝혀진 셈이었다. 복면 위로 드러난 두 눈을 보고 나는 그가 다름 아닌 권 씨임을 대뜸 알아차릴 수 있었다. 밝은 아침에 술이 깬 권 씨가 전처럼 나를 떳떳이 대할 수 있게 하자면 복면의 사내를 끝까지 강도로 대우하는 그 길뿐이라고 판단했었다. 그래서 아무 일도 없었던 듯이 병원에 찾아가서 죽지 않은 아내와 새로 얻은 세 번째 아이를 만날 수 있게 되기를 기대했던 것이다. 현관에서 그의 구두를 확인해 보지 않은 것이 뒤늦게 후회되었다. 문간방으로 들어가려는 그를 차갑게 일깨워 준 것이 영 마음에 걸렸다. 어떤 근거인지는 몰라도 구두의 손질의 정도에 따라 그의 운명을 예측할 수도 있지 않았을까 하는 생각이 드는 것이었다. 구두코가 유리알처럼 반짝반짝 닦여 있는 한 자존심은 그 이상으로 광발이 올려져 있었을 것이며, 그러면 나는 안심해도 좋았던 것이다. 그때 그가 만약 마지막이란 걸 염두에 두고 있었다면 새끼들이 자는 방으로 들어가려는 길을 가로막는 그것이 그에게는 대체 무엇으로 느껴졌을 것인가.

아내가 병원을 다니러 가는 편에 아이들을 죄다 딸려 보낸 다음 나는 문간방을 샅샅이 뒤졌다. 방을 내준 후로 밝은 낮에 내부를 둘러보긴 처음인 셈이었다. 이사 올 때 본 그대로 세간이라곤 깔고 덮는 데 쓰이는 것과 쌀을 익혀서 담는 몇 점 도구들이 전부였다. 별다른 이상은 눈에 띄지 않았다. 구태여 꼭 단서가 될 만한 흔적을 찾자면 그것은 구두일 것이었다. 가장 값나가는 세간의 자격으로 장롱 따위가 자리 잡고 있을 꼭 그런 자리에 아홉 켤레나 되는 구두들이 사열받는 병정들 모양으로 가지런히 놓여 있었다. 정갈하게 닦인 것이 여섯 켤레, 그리고 먼지를 덮어쓴 게 세 켤레였다. 모두 해서 열 켤레 가운데 마음에 드는 일곱 켤레를 골라 한꺼번에 손질을 해서 매일매일 갈아 신을 한 주일의 소용에 당해 온 모양이었다. 잘 닦인 일곱 중에서 비어 있는 하나를 생각하던 중 ⓗ나는 한 켤레의 그 구두가 그렇게 쉽사리는 돌아오지 않으리란 걸 알딸딸하게 깨달았다.

권 씨의 행방불명을 알리지 않으면 안 될 때였다. 내 쪽에서 먼저 전화를 걸기는 그것이 처음이자 마지막이었다. 나는 되도록 침착해지려 노력하면서 내게, 이웃을 사랑하게 될 거라고 누차 장담한 바 있는 이 순경을 전화로 불렀다.

– 윤흥길, 〈아홉 켤레의 구두로 남은 사내〉

**윗글에 대한 설명으로 가장 적절한 것은?**

① 반어적인 표현을 통해 사회의 부조리를 고발하고 있다.

② 인물의 회상을 통해 갈등 해결의 단서를 제시하고 있다.

③ 액자식 구성을 사용하여 주제를 효과적으로 드러내고 있다.

④ 작품 속 서술자가 주인공에 대해 판단한 내용을 서술하고 있다.

⑤ 같은 시간에 서로 다른 공간에서 발생한 사건을 비교하고 있다.

**윗글을 이해한 내용으로 적절하지 <u>않은</u> 것은?**

① 권 씨는 '나'가 병원에 수술 보증금을 내준 사실을 알지 못했다.

② '나'는 집에 강도가 들어왔다는 것을 아내에게 말하지 않았다.

③ '나'는 궁핍한 생활 형편에도 구두에만 집착했던 권 씨에 대해 반감을 느꼈다.

④ 권 씨는 '나'의 집에 강도로 침입했다가 아무것도 훔치지 못하고 집을 나갔다.

⑤ '나'는 권 씨를 배려하고자 했던 자신의 행동이 오히려 권 씨를 가출하게 만들었다고 생각했다.

**고난도**

**〈보기〉를 참고할 때, 윗글에 대한 감상으로 적절하지 <u>않은</u> 것은?**

> ● 보기 ●
>
> 　이 작품의 시대적 배경은 산업화와 도시화가 급속도로 일어나던 1970년대이다. 당시에는 급격한 사회 변화로 인해 수많은 문제들이 양산되었는데, 이 작품은 사회 변동 속에서 도시 빈민으로 전락하게 된 권 씨의 삶을 드러내고 있다. 생활 수준이 조금 높지만 평범한 소시민에 불과한 '나'는 권 씨에 대해 연민을 느끼면서도 손해는 보지 않으려는 이중성을 보이기도 한다. 작가는 이 작품을 통해 사회가 약자에 대한 책임을 다하지 못하고, 약자로 하여금 생존을 위해 극단적인 행동까지 하게 만드는 현실을 비판하고 있다.

① 아내의 수술비조차 마련하기 힘든 권 씨의 가난은 사회 구조의 변화에서 기인한 것으로 볼 수 있겠군.

② '나'가 강도가 권 씨라는 점을 눈치챘지만 모른 체하고자 하는 것은 권 씨에 대한 연민의 시선 때문이겠군.

③ '나'가 이 순경에게 전화를 거는 것은 급격한 산업화 과정에서 드러난 비인간성과 이기주의를 보여 주는군.

④ 권 씨가 '나'의 집에 들어와 강도 짓을 하려는 것은 도시 빈민으로 전락한 권 씨의 극단적 행동으로 볼 수 있겠군.

⑤ '나'가 권 씨를 도와주면서도 권 씨에게 받은 전셋돈이 있어 돈을 떼일 염려가 없음을 생각하는 것에서 소시민의 이중성을 확인할 수 있군.

㉠~㉤에 대한 설명으로 적절하지 <u>않은</u> 것은?

① ㉠: '나'가 자신의 정체를 눈치채고 있다는 사실을 알아차린 권 씨의 모습이 드러난다.

② ㉡: 권 씨가 훗날 자신의 잘못을 뉘우치고 용서를 구하기를 바라는 '나'의 태도가 드러난다.

③ ㉢: 마지막 자존심을 지키려고 하는 권 씨의 마음이 드러난다.

④ ㉣: 권 씨가 집으로 돌아오기를 바라는 '나'의 배려가 드러난다.

⑤ ㉤: 권 씨가 쉽게 돌아오지 않을 것이라는 '나'의 예상이 드러난다.

---

## 작품 정리하기

### 📍 갈래 중편 소설, 세태 소설

### 📍 전체 구성

| **발단** | 고생 끝에 집을 마련한 '나'는 권 씨 가족에게 문간방을 세놓음. |
|---|---|
| **전개** | 권 씨는 공사장에서 막일을 하면서도 구두를 윤이 나게 닦고 다님. '나'는 권 씨가 전과자가 된 사연을 듣게 됨. |
| **위기** | '나'는 아내의 수술비를 빌려 달라는 '권 씨'의 부탁을 거절했다가 뒤늦게 병원에 가서 수술 보증금을 냄. |
| **절정** | 권 씨는 아내의 수술비 때문에 강도로 돌변하여 '나'의 집에 침입했지만 자신의 정체를 들켜 자존심에 상처를 입음. <br> ┈▸ 108~109쪽 수록 |
| **결말** | 권 씨는 아홉 켤레의 구두만 남긴 채 가출하여 돌아오지 않음. <br> ┈▸ 109쪽 수록 |

### 📍 주제 산업화 시대에 소외된 계층의 비참한 삶

### ❑ 서술자와 시점

이 작품은 1인칭 관찰자 시점으로, 작품 속 서술자 '나'가 주인공인 권 씨의 삶을 관찰한 내용을 전달하고 있다.

### ❑ 등장인물(권 씨)의 성격

| 권 씨의 말과 행동 | 권 씨의 성격 |
|---|---|
| • "이래 봬도 나 대학까지 나온 사람이오." <br> • 궁색한 살림살이 속에서도 구두만큼은 소중히 여기며 깨끗하게 닦아 놓음. | 대학 나온 사람이라는 권 씨의 말은 자존심의 표현이고, 구두를 깨끗하게 닦는 행동은 자존심만은 잃지 않겠다는 의지의 표현임. 이를 통해 권 씨는 가난하고 궁핍한 현실에서 오는 자괴감에서 벗어나 자존심을 지키려고 안간힘을 쓰는 인물임을 짐작할 수 있음. |

### ❑ 제목 '아홉 켤레의 구두로 남은 사내'의 의미

권 씨는 뜻하지 않게 전과자가 되고 지금은 가난한 생활을 하지만 지식인으로서의 자존심만은 지키려고 노력하는 인물로, 잘 닦여 있는 구두는 그의 자존심을 상징한다. 그러나 그는 아내의 수술비가 없어 강도 짓까지 하게 되고, '나'가 자신의 정체를 눈치채 자존심에 상처를 입는다. 이 사건으로 권 씨는 열 켤레의 구두 중 아홉 켤레를 남겨 둔 채 집을 나가게 되는데, 이 아홉 켤레의 구두는 권 씨의 부재를 상징하며 자존심마저 잃게 된 권 씨의 처지를 보여 준다.

| 열 켤레의 구두 | 아홉 켤레의 구두 |
|---|---|
| 권 씨의 자존심을 상징함. | ❸ ☐☐☐에 상처를 입은 권 씨가 가출을 하여 돌아오지 않는 상황을 상징함. |

---

빈칸 답 ❶ 나 ❷ 권 씨 ❸ 자존심

## 시+시 05 ㉮ 유민탄 ㉯ 장육당육가

✎ **핵심 짚기**

● **화자**
· 화자 '나'
· 정서와 태도 '나'가 **❶ ㅂ ㅅ** 들이 처한 암담한 현실을 한탄힘.

● **표현**
· 반복법 사용 '백성들의 어려움이여', '백성들의 괴로움이여'와 같은 동일한 시구를 되풀이하여 운율을 형성하고 백성들의 어려운 현실을 강조함.
· **❷ ㅅ ㅇ ㅂ** 사용 백성들의 안타까운 현실을 의문문의 형식으로 표현하여 강조함. ('어느 겨를에 ~ 말이나 하겠소')

● **화자**
· 화자 '나'
· 정서와 태도 '나'가 자연과 동화되어 풍류를 즐기며 살아감.

● **표현**
· **❸ ㅇ ㅇ ㅂ** 사용 '백구'를 사람처럼 표현하여 자연과 하나 된 화자의 삶의 자세를 드러냄. ('백구도 나를 잊네')
· **❹ ㅇ ㅇ ㅂ** 사용 '공명'을 '해진 신'에 빗대어 세속적 가치를 멀리하는 화자의 마음을 드러냄.
· 설의법 사용 의문문의 형식을 사용하여 화자의 마음을 부각함. ('세상에 득 찾는 무리 어찌 알기 바라리' 등)

**빈칸 답**
❶ 백성 ❷ 설의법 ❸ 의인법
❹ 은유법

● **조서** ┃ 임금의 명령을 일반에게 알릴 목적으로 적은 문서.
● **급회양** ┃ 중국 한나라 때 선정(善政)을 베푼 것으로 유명한 태수.

㉮
| | |
|---|---|
| 백성들의 어려움이여, 백성들의 어려움이여 | 蒼生難蒼生難 |
| 흉년 들어 ㉠너희들은 먹을 것이 없구나 | 年貧爾無食 |
| ㉡나는 너희들을 구제할 마음이 있어도 | 我有濟爾心 |
| 너희들을 구제할 힘이 없구나 | 而無濟爾力 |
| 백성들의 괴로움이여, 백성들의 괴로움이여 | 蒼生苦蒼生苦 |
| 날이 추워 네가 이불이 없을 때 | 天寒爾無衾 |
| ㉢저들은 너희들을 구제할 힘이 있어도 | 彼有濟爾力 |
| 너희들을 구제할 마음이 없구나 | 而無濟爾心 |
| 원컨대, 잠시라도 소인배의 마음을 돌려서 | 願回小人腹 |
| 군자의 생각을 가져 보게나 | 暫爲君子慮 |
| 군자의 귀를 빌려 | 暫借君子耳 |
| 백성의 말을 들어 보게나 | 試聽小民語 |
| 백성은 할 말 있어도 임금은 알지 못하니 | 小民有語君不知 |
| 오늘 백성들은 모두 살 곳을 잃었구나 | 今歲蒼生皆失所 |
| 궁궐에서는 매양 백성을 걱정하는 조서 내리는데 | 北闕雖下憂民詔 |
| 지방 관청에 전해져서는 한갓 헛된 종이 조각 | 州縣傳看一虛紙 |
| 서울에서 관리를 보내 백성의 고통을 물으려 | 特遣京官問民瘼 |
| 역마로 날마다 삼백 리를 달려도 | 馹騎日馳三百里 |
| 백성들은 문턱에 나설 힘도 없어 | 吾民無力出門限 |
| 어느 겨를에 마음속 일을 말이나 하겠소 | 何暇面陳心內事 |
| 비록 한 고을에 한 서울 관리 온다고 해도 | 縱使一郡一京官 |
| 서울 관리는 귀가 없고 백성은 입이 없다네 | 京官無耳民無口 |
| 급회양 같은 착한 관리를 불러다가 | 不如喚起汲淮陽 |
| 아직 죽지 않은 백성을 구해봄만 못하리라 | 未死孑遺猶可救 |

– 어무적, 〈유민탄(流民歎)〉

㉯ 내 이미 **백구** 잊고 백구도 **나**를 잊네
둘이 서로 잊었으니 누군지 모르리라
언제나 해옹을 만나 이 둘을 가려낼꼬

붉은 잎 산에 가득 **빈 강**에 쓸쓸할 때

가랑비 낚시터에 낚싯대 제 맛이라

세상에 득 찾는 무리 어찌 알기 바라리


내 귀가 시끄러움 네 바가지 버리려믄

**네 귀를 씻은 샘**에 내 소는 못 먹이리

**공명**은 해진 신이니 벗어나서 즐겨보세


**옥계산** 흐르는 물 못 이루어 달 띄우네

맑으면 갓끈 씻고 흐리거든 발 씻으리

어찌타 세상 사람 **청탁**(清濁) 있는 줄 모르는고

– 이별, 〈장육당육가(藏六堂六歌)〉

정답과 해설 37쪽

---

표현상 특징과 효과 파악하기 **1**

**➕ 선경후정**
앞부분에서는 시적 대상의 모습이나 경치를 묘사한 뒤, 뒷부분에서는 그 대상이나 경치에 대한 화자의 정서와 태도를 드러내는 시상 전개 방식을 말한다.

**(가)와 (나)에 대한 설명으로 가장 적절한 것은?**

① (가)는 (나)와 달리 색채 대비를 통해 시적 분위기를 환기하고 있다.

② (가)는 (나)와 달리 선경후정의 방식을 통해 시상을 전개하고 있다.

③ (나)는 (가)와 달리 대구적 표현을 사용하여 시적 운율감을 형성하고 있다.

④ (가)와 (나) 모두 설의적 표현을 활용하여 시적 의미를 부각하고 있다.

⑤ (가)와 (나) 모두 자연물에 인격을 부여하여 화자의 정서를 드러내고 있다.

외적 준거에 따라 작품 감상하기 **2**

**💡 도움말**
작품에 드러나는 화자의 삶을 〈보기〉에서 설명하는 작가의 삶 및 창작 의도와 관련지어 이해해 보도록 한다.

**고난도**

**〈보기〉를 참고하여 (나)를 감상한 내용으로 적절하지 않은 것은?**

> **보기**
> (나)는 갑자사화로 인해 유배되었다 풀려난 작가가 옥계산에 은거하며 쓴 작품이다. 이 작품을 통해 작가는 세속적 가치를 멀리하고 자연 속에서 자연과 하나 되어 풍류를 즐기는 삶을 추구하고 있음을 보여주고 있다. 또한 옳고 그름을 분간하지 못하는 사람들을 비판하면서 분별 있는 삶의 자세에 대한 의지도 드러내고 있다.

① '백구'와 '나'가 서로 잊어 누군지 모른다는 것에서 화자가 자연과 하나가 된 삶을 살고 있음을 보여주는군.

② '빈 강'에서 쓸쓸해하는 모습에서 유배되었다 풀려나도 '득 찾는 무리'로부터 벗어나기 어려운 화자의 현실이 드러나는군.

③ '공명'을 '해진 신'에 비유한 것에서 화자가 세속적 삶의 가치를 멀리하고 있음이 드러나는군.

④ '옥계산'에서 '물', '달'과 함께 지내는 모습에서 화자의 자연 친화적 삶의 태도가 드러나는군.

⑤ '세상 사람'을 '청탁'을 모르는 사람들로 여기는 것에서 맑고 탁함을 분간할 수 있어야 한다는 화자의 인식이 드러나는군.

**네 귀를 ~ 못 먹이리** : 벼슬 제안을 듣고 귀가 더렵혀졌다며 영수에 귀를 씻은 허유와 그 물을 소에게도 먹이지 않으려 했다는 소부의 고사에서 차용한 것임.

**공명** : 공을 세워서 자기의 이름을 널리 드러냄. 또는 그 이름.

**청탁** : 맑음과 흐림을 아울러 이르는 말.

**⊙~ⓒ에 대한 설명으로 적절하지 <u>않은</u> 것은?**

① ⊙은 자신들의 삶을 돌보지 않는 ⓒ을 원망하고 있다.

② ⓒ은 ⊙을 구제하지 못하는 것에 안타까움을 느끼고 있다.

③ ⓒ은 ⓒ이 군자와 같은 생각을 갖기를 바라고 있다.

④ ⓒ은 ⊙의 삶을 구제할 힘을 지니고 있다.

⑤ ⓒ은 ⊙이 겪고 있는 문제를 해결하지 않고 있다.

---

## 작품 정리하기

### 가 유민탄

**갈래** 한시

**구성**

 1~8행 — 백성을 구제하는 것에 무관심한 관리들

 9~12행 — 소인배 같은 관리들을 군자로 만들고 싶은 소망

 13~20행 — 백성들의 말이 임금에게 전해지지 않는 암담한 현실

 21~24행 — 현실에 대한 답답함

**주제** 백성의 고통을 외면하는 관리 비판, 백성의 암담한 현실에 대한 한탄

### 나 장육당육가

**갈래** 연시조

**구성**

 제1수 — 자연과 하나 되어 살아가는 삶

 제2수 — 자연 속에서 낚시를 즐기며 살아가는 삶

 제3수 — 공명을 멀리하며 살아가는 삶

 제4수 — 자연과 함께 살아가는 삶

**주제** 세속적 가치에 대한 거부와 자연 친화적 삶에 대한 지향

---

### (가)+(나) 화자의 정서와 태도

|  | 관련 시구 | 화자의 정서와 태도 |
|---|---|---|
| (가) | '나는 너희들을 구제할 ~ 힘이 없구나' | 백성들을 구제하지 못하는 것에 대한 ❶☐☐☐☐을 느낌. |
| | '저들은 너희들을 구제할 ~ 마음이 없구나', '원컨대, ~ 백성의 말을 들어 보게나' | 관리들이 군자와 같은 생각을 가져 백성들을 구제하기를 바람. |
| (나) | '내 이미 백구 잊고 백구도 나를 잊네 ~ 언제나 해옹을 만나 이 둘을 가려낼꼬', '가랑비 낚시터에 낚싯대 제 맛이라' | 자연 속에서 ❷☐☐과 하나 되어 풍류를 즐기는 삶을 추구함. |
| | '세상에 득 찾는 무리 어찌 알기 바라리', '공명은 해진 신이니 벗어나서 즐겨보세' | 세속적 가치를 멀리함. |
| | '어찌타 세상 사람 청탁 있는 줄 모르는고' | 옳고 그름을 분간하지 못하는 사람들을 비판함. |

### (가)+(나) 표현상 공통점

| | | |
|---|---|---|
| (가) | '서울 관리는 귀가 없고 백성은 입이 없다네' 등 | '어느 겨를에 마음속 일을 말이나 하겠소' |
| (나) | '내(가) 이미 백구(를) 잊고 백구도 나를 잊네' 등 | '언제나 해옹을 만나 이 둘을 가려낼꼬', '세상에 득 찾는 무리 어찌 알기 바라리', '어찌타 세상 사람 청탁 있는 줄 모르는고' |
| | ▼ | ▼ |
| 표현상 특징과 효과 | ❸☐☐적 표현: 같거나 비슷한 문장 구조를 나란히 배열하여 운율감을 형성함. | ❹☐☐적 표현: 말하려는 내용을 의문문의 형식으로 표현하여 의미를 강조함. |

**빈칸 답** ❶안타까움 ❷자연 ❸대구 ❹설의

## 시 + 시 06 ㉮ 님이 오마 하거늘 ㉯ 송인

∞ 교과서
㉮ **고등** _ 비상(박안), 동아
㉯ **고등** _ 금성

### 핵심 짚기

**㉮**

● **화자**
· 화자 '나'
· 시적 상황 대문 밖에 나가 임을 기다리다 ❶ㅈㅊㄹ ㅅㄷ를 임으로 착각함.
· 정서와 태도 남을 웃길 뻔했다고 겸연쩍어함.

● **표현**
❷ㄷㄱㅂ 사용 같거나 비슷한 문장 구조를 짝을 맞추어 나란히 배열함. ('버선 벗어 품에 품고 신 벗어 손에 쥐고')

**㉯**

● **화자**
· 화자 표면에 안 드러남.
· 정서와 태도 임과의 이별을 슬퍼함.

● **표현**
❸ㅅㅇㅂ 사용 말하려는 내용을 의문문의 형식으로 표현하여 의미를 강조함. ('대동강 물이야 언제나 마르려나.')

### 빈칸 답
❶ 주추리 삼대 ❷ 대구법
❸ 설의법

---

● **이수로 가액하고** | 손으로 이마를 가리고.
● **거머횟들** | 검은빛과 흰빛이 뒤섞인 모양.
● **곰븨님븨** | 엎치락뒤치락 급히 구는 모양.
● **천방지방** | 너무 급하여 허둥지둥 함부로 날뛰는 모양.
● **워렁충창** | 급히 달리는 발소리.
● **상년** | 지난해.
● **주추리 삼대** | 삼의 줄기.
● **모쳐라** | 마침. 공교롭게도.

---

**㉮** 님이 오마 하거늘 저녁밥을 일찍 지어 먹고

중문(中門) 나서 대문(大門) 나가 지방 위에 치달아 앉아 이수(以手)로 가액(加額)하고 오는가 가는가 건넌 산(山) 바라보니 거머횟들 서 있거늘 저야 님이로다 **버선 벗어 품**에 품고 신 벗어 손에 쥐고 **곰븨님븨** 님븨곰븨 **천방지방** 지방천방 진 데 마른 데 가리지 말고 워렁충창 건너가서 정(情)옛말 하려 하고 곁눈을 흘깃 보니 상년(上年) 칠월(七月) 사흗날 갉아 벗긴 주추리 삼대 살뜰이도 날 속였구나

모쳐라 밤일세망정 행여 낮이런들 남 웃길 뻔 하괘라

- 작자 미상

**㉯** 비 갠 둑에 풀빛이 고운데,                    雨歇長堤草色多

남포에서 임 보내며 슬픈 노래 부르네.        送君南浦動悲歌

대동강 물이야 언제나 마르려나.              大同江水何時盡

이별 눈물 해마다 푸른 물결 보태나니.        別淚年年添綠波

- 정지상, 〈송인(送人)〉

정답과 해설 37쪽

실전 3회

정답과 해설 37쪽

표현상 특징(시상 전개 방식)과 효과 파악하기

➕ **자연물에 감정을 이입하여**
화자의 감정을 자연물에 불어넣어 자연물이 화자의 감정을 대신 나타내는 것을 말한다.

**1** **(가)와 (나)에 대한 설명으로 가장 적절한 것은?**

① (가)는 (나)와 달리 계절에 따른 풍경 변화를 실감 나게 묘사하고 있다.

② (나)는 (가)와 달리 자조적 어조를 통해 화자의 자책감을 드러내고 있다.

③ (가)와 (나)는 모두 과장된 표현을 사용하여 화자의 정서를 강조하고 있다.

④ (가)와 (나)는 모두 상대에게 말을 건네는 방식으로 시상을 전개하고 있다.

⑤ (가)와 (나)는 모두 자연물에 감정을 이입하여 현실을 극복하려는 의지를 표현하고 있다.

외적 준거에 따라 작품 감상하기

➕ **해학성**
웃음을 유발하는 우스꽝스러운 성질로, 대상을 부정적인 시선이 아닌 호감이나 연민 등의 긍정적인 시선으로 바라보며 웃음을 유발하는 경우를 말한다.

**2**

고1 학력평가 기출

**〈보기〉를 참고하여 (가)를 감상한 내용으로 적절하지 <u>않은</u> 것은?**

● 보기 ●

조선 후기에 등장한 사설시조는 형식 면에서 평시조와 달리 중장이 제한 없이 길어졌다. 내용 면에서는 실생활 소재들을 활용하여 일상에서 일어나는 문제를 주로 다루었는데 솔직함, 해학성, 애정을 서슴없이 표현하려는 대담성 등을 그 특징으로 하며 비유, 상징 등 다양한 표현기법을 활용하여 대상을 생동감 있게 그려 냈다.

① '곰븨님븨', '천방지방' 같은 음성 상징어를 활용하여 화자의 행동을 생동감 있게 표현하고 있군.

② 일상에서 흔히 볼 수 있는 '버선', '신'이라는 소재를 활용하여 임의 소중함을 상징하고 있군.

③ '주추리 삼대'를 임으로 착각하여 달려가는 화자의 우스꽝스러운 모습에서 해학성을 느낄 수 있군.

④ 임을 그리워하는 절실한 마음을 드러내기 위해 화자의 행동을 구체적으로 제시하다 보니 중장이 길어졌군.

⑤ '진 데 마른 데 가리지' 않고 임에게 가서 '정(情)엣말'을 하려는 모습에서 애정을 표현하려는 화자의 대담성을 엿볼 수 있군.

표현상 특징과 효과 파악하기

➕ **원형적 이미지**
민족과 문화를 초월하여 신화, 전설, 문예, 의식 등에 되풀이되어 나타나는 보편적 상징을 뜻한다. '물'의 원형적 이미지에는 '죽음, 이별, 재생, 정화' 등이 있다.

**3**

고난도

**(나)의 각 구에 대한 이해로 적절하지 <u>않은</u> 것은?**

① 1구에서 시각적 이미지를 통해 비가 그친 뒤의 모습을 형상화하고 있다.

② 2구에서 청각적 이미지를 통해 임을 떠나보내는 화자의 정서를 드러내고 있다.

③ 3 · 4구에서 자연사와 인간사를 대조하여 화자의 정서를 심화하고 있다.

④ 3 · 4구에서 물의 원형적 이미지를 활용하여 이별의 정한(情恨)을 표현하고 있다.

⑤ 1 · 3구에서는 자연의 상태가, 2 · 4구에서는 인간사가 나타나 있다.

## (가) 님이 오마 하거늘

**갈래** 사설시조

**구성**

 **초장** 저녁밥을 일찍 먹고 임을 기다림.

 **중장** 임을 만나러 허겁지겁 달려 갔으나 자신의 착각임을 알게 됨.

 **종장** 자신의 행동을 겸연쩍어함.

**주제** 임을 애타게 기다리는 마음

## (나) 송인

**갈래** 한시

**구성**

 **기 (1구)** 비 온 뒤 강변의 싱싱한 풀빛

 **승 (2구)** 임을 보내는 애절한 슬픔

 **전 (3구)** 대동강 물에 대한 원망

 **결 (4구)** 강물에 더해지는 눈물

**주제** 이별의 슬픔

---

### ◑ (가) 작품에 나타나는 사설시조의 특성

이 작품에는 화자가 임을 기다리는 마음이 너무 간절한 나머지 임이 온 줄 착각하고 정신없이 달려가는 과정이 구체적으로 나타나 있으며, 자신의 행동에 대해 겸연쩍어하는 모습이 나타난다. 이 과정에서 사설시조 특유의 해학성, 진솔성, 낙천성 등이 드러나고 있다.

| 작품 내용 | 사설시조의 특성 |
|---|---|
| '❶□□□ □□'를 임으로 착각하여 허둥지둥 달려가는 우스꽝스러운 모습 | 해학성 |
| '진 데 마른 데 가리지' 않고 임에게 급히 가서 '정엣말'을 하려는 모습 | 애정을 서슴없이 표현하려는 대담성, 진솔성 |
| 실망감이나 좌절감보다는 ❷□□□을 느끼는 모습 | 낙천성, 해학성 |
| 화자의 행동을 구체적으로 제시 | 평시조의 정형성에서 벗어나 중장이 제한 없이 길어짐. |

### ◑ (가) 표현상 특징과 효과

| '버선 벗어 품에 품고 신 벗어 손에 쥐고 곰 븨님븨 님븨곰븨 천방지방 지방천방 진 데 마른 데 가리지 말고 <u>워렁충창</u> 건너가서' | ❸□□ □□□를 사용하여 화자의 행동을 과장되게 표현함. |
|---|---|

▼

화자의 행동을 생동감 있게 표현하고, 그리운 임을 빨리 만나고 싶어 하는 화자의 마음을 강조함.

### ◑ (나) 표현상 특징과 효과

1·2구에서는 아름다운 자연의 풍경과 화자의 슬픈 이별이 대조되어 이별의 슬픔이 더욱 고조되고 있으며, 3·4구에서는 대동강 물을 이별의 눈물과 동일시하여 이별의 눈물로 대동강 물이 마르지 않을 것이라는 과장된 표현을 통해 슬픔의 깊이를 확대하고 있다.

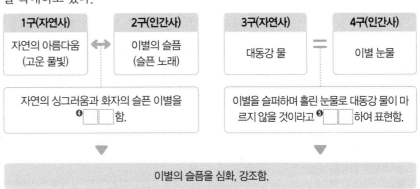

빈칸 답  ❶ 주추리 삼대  ❷ 멋쩍음  ❸ 음성 상징어  ❹ 대조  ❺ 과장

✎ 핵심 짚기

● 인물
• 초원 자폐증을 가지고 있으며,
❶ ㅁ ㄹ ㅌ 을 좋아함.
• 경숙 초원의 엄마로, 초원에게
마라톤을 시키지만 이후 초원이
자신 때문에 마라톤을 억지로 했
을지도 모른다고 생각하며 ❷ ㅈ
ㅊ 함.
• 정욱 초원의 마라톤 스승으로,
초원에게 마라톤을 그만두게 하
려는 경숙의 마음을 돌리고자 함.

● 배경
• 시간 2000년대
• 공간 한국

● 사건
  경숙이 과거 동물원에서 초원을
버리려 했던 기억을 떠올리고 그동
안 자신의 욕심 때문에 초원을 힘
들게 한 것은 아닌지 생각하며 괴
로워함.

┃ 빈칸 답
❶ 마라톤 ❷ 자책

S# 90. 전철역 안 / 오후

　경숙, 비틀거리며 뒤편에 있는 의자로 가서 앉는다. 점점 일그러지는 그녀의 표정. 조금씩
새어 나오는 신음 소리. 배를 움켜쥔 손. 의자로 점점 기울어져 눕다시피 되는 경숙. 점점 흐려
지는 눈빛.


(플래시백)

　동물원의 인파˙ 속에 서 있는 젊은 경숙과 어린 초원. 초원은 한쪽 손에 풍선을 들고 멍하게
서 있고, 경숙은 초원의 손을 잡고 있다. 우울한 표정의 경숙, 초원을 바라보고 서 있다. ⓐ스
르륵 풀리는 초원의 손. 초원, 사람들 틈으로 마술처럼 사라진다.

S# 93. 병원 병실 / 밤

경숙: 이왕 이렇게 세상에 태어난 이상, 뭐 하나라도 즐길 수 있는 거, 살아 있다는 기분
　느낄 수 있는 거 하나쯤 엄마가 만들어 주고 떠나자. 그런데 어느 날 보니……. 그러면
　서, 내가 좋아하고 꿈꾸고 위로받고 있는 거였어. 아무것도 모르는 애를 멋대로 굴려 가
　면서. 하지만 그만둘 수가 없었어. 그럼 난 살 수가 없을 것 같았거든. (눈물을 떨군다)
　…… 애가 기억하더라구. 옛날에 동물원에서 잃어버렸던 걸……. 기억나지 당신도? 사
　실은 말야, 그때, 내가 초원이를 버렸던 거야. 사람들 틈에서 손을 놓았지. 도저히, 키울
　자신이 없었거든……. 그러니까, 제 살자고 애를 버렸던 엄마가, 이제 또 제가 살려고
　애를 그렇게 한평생 못살게 군 거야.

희근: 당신 그때 스물일곱이었어.

경숙: 지금은 아니야. 담임 선생님이 그랬어. 애가 힘들어도 힘들단 소리를 안 한대. 내가
　늘 그랬거든. 초원이 힘들어, 안 힘들어? 안 힘들지? 힘들지 않지? 좋지? 좋아하지?
　…… 십오 년을 그렇게 애를 다그쳤어. 그래서 이젠 힘들다, 하기 싫단 말을 아예 못 해.
　어떡하지? 우리 초원이 불쌍해서? 어쩜, 초원이는 엄마가 자길 또 내버릴까 봐, 그렇게
　열심히, 힘들단 소리도 못 하고 지금껏 산 거 아닐까, 여보? 어떡하지? 그럼 나 정말 지
　옥 갈 거야, 그치?

S# 94. 병원 정원 / 낮

정욱: 예전에 초원이 마라톤 좋아한다고 했을 때, 내가 직접 달려 보지도 않고 그만 소리
　하지 말라고 한 거 기억나요?

　허공을 바라보고 있는 경숙에게 진지하게 계속 말하는 정욱.

● 플래시백ㅣ영화가 순차적으
　로 진행되는 도중 과거 시간
　대의 장면을 삽입하는 기법.
● 인파ㅣ사람의 물결이란 뜻으
　로, 수많은 사람을 이르는
　말.

◆ 핵심 짚기

**● 사건**

경숙은 초원이 더 이상 마라톤을 하지 못하게 하다가 초원이 진심으로 달리고 싶어 한다는 것을 깨닫고 마라톤을 뛰는 것을 막지 않음.

**● 갈등**

• 초원이 ❶ ㅁ ㄹ ㅌ 을 하는 것을 두고 벌이는 정욱과 경숙의 외적 갈등

```
정욱  ⟷  경숙
```

| 초원이 마라톤을 뛰게 허락해 달라. | 초원에게 마라톤을 더 이상 시키지 않겠다. |
|---|---|

• 초원의 마라톤 대회 참가 여부를 두고 벌이는 초원과 경숙의 외적 갈등

```
초원  ⟷  경숙
```

| 마라톤 대회에 나가 달리겠다. | 마라톤 대회에 나가면 안 된다. |
|---|---|

⋮

경숙이 초원의 의지를 확인하고 마라톤을 뛰게 허락해 줌으로써 갈등이 ❷ ㅎ ㅅ 됨.

**● 서술상 특징**

**몽타주 기법 사용** 몽타주 기법을 사용하여 경숙과 초원의 일상을 간단하게 나열해 보여 주며 사건을 ❸ ㅅ ㄷ ㄱ 있게 전개함.

❘ 빈칸 답
❶ 마라톤 ❷ 해소 ❸ 속도감

● **페이스메이커** ❘ 중거리 이상의 달리기 경주나 자전거 경기 따위에서, 기준이 되는 속도를 만드는 선수.
● **총성** ❘ 총을 쏠 때에 나는 소리.

---

정욱: 그건 정말 모르는 거예요. 직접 뛰어 본 사람만 아는 거죠. 승부를 위해, 기록을 위해, 다른 사람을 위해 뛰는 거랑은 다른 거거든요. 그럴 땐 멈추고 싶죠. 그리고 멈춰 서 있으면……. 그 느낌은 쉽게 까먹어요. 그럼 영영 다시 뛸 수 없죠. (경숙을 바라보며) 제가 페이스메이커 할게요. 같이 뛴다구요.

경숙: 하지만, 우리 앤 달라요. 남들과 달라요. 똑같지 않다구요! 그걸 깨닫는 데 20년 걸렸어요. 바보처럼……. 그깟 200시간으로 뭐가 달라졌을 것 같아요? 어림도 없어요. 애 맘을 아냐구요? 그걸 알면, 난 지금 당장 죽어도 소원이 없어요. (큰 목소리로) 가세요! 이젠, 안 해요! 내가 그놈의 걸 알 때까지 하루라도 더 살기 위해서라도 이제 마라톤 안 해요!

**S# 95. 몽타주**

• 학교로 가는 승합차에 올라타는 초원. 차에 타기 전 아파트를 올려다보지만 엄마가 늘 손 흔들어 주던 자리엔 아무도 없다. ⋯⋯⋯⋯⋯⋯⋯⋯⋯⋯⋯⋯⋯⋯⋯⋯⋯⋯⋯⋯ ㉠

• 병원에서 탁상 달력을 바라보는 경숙. 10월 10일 날짜에 눈이 간다. 미련을 버리려는 듯, 텔레비전을 켠다. ⋯⋯⋯⋯⋯⋯⋯⋯⋯⋯⋯⋯⋯⋯⋯⋯⋯⋯⋯⋯⋯⋯⋯⋯⋯⋯⋯⋯ ㉡

• 아파트 복도 구석에 앉아 정욱이 사 준 얼룩말 러닝화를 박스에서 꺼내 보는 초원. 냄새를 킁킁 맡아 본 후, 다시 박스에 넣는다. ⋯⋯⋯⋯⋯⋯⋯⋯⋯⋯⋯⋯⋯⋯⋯⋯⋯⋯⋯ ㉢

**중략 부분의 줄거리** 경숙은 퇴원하고, 초원은 정욱에게 마라톤 훈련을 받지 않으나 깊은 밤 운동장을 스스로 달린다. 10월 10일 마라톤 대회가 열리는 날, 초원은 혼자 대회 현장으로 향한다. 초원이 사라지자 놀란 경숙과 동생 중원은 초원을 찾아 나서고, 대회 현장에서 초원을 발견한다.

**S# 101. 춘천 공설 운동장 / 아침**

경숙, 초원을 잡아끌지만, 초원은 움직일 생각을 안 한다.

경숙: 너 뛰다가 쓰러지면 또 주사 맞잖아. 주사 맞을 거야?

초원: (머뭇거리다가 이내) 안 쓰러져. 초원이 안 쓰러져.

그 순간 '타앙' 울리는 출발 총성. '와아' 하는 함성 소리와 함께 물밀 듯이 밀려 나가기 시작하는 사람들. 그 틈바구니에서 손을 붙잡은 채, 서로 노려보고 있는 초원과 경숙.

중원: (가운데에 서서 간절한 표정으로) 엄마!

경숙: 초원아, 나중에 오자. 오늘은 안 돼. 너 혼자선 안 돼.

초원 모자와 거칠게 부딪치면서 출발하는 사람들. 달려 나가는 수많은 사람들 틈에서, 보였다 안 보였다 하는 초원과 경숙. 하지만 초원의 손을 꼭 잡고 있는 경숙.

경숙: 초원아, 엄마가 잘못했어. 이제, 이런 거 안 시킬게.

초원: 초원이 다리는…….

경숙, 숨이 멎는 듯

초원: 초원이 다리는……?

경숙: (경숙의 눈가가 젖어 들고) 백만 불짜리 다리…….

어느새, ⓑ스르르 손이 풀리고, 초원은 바람처럼 군중들 틈으로 사라진다.

– 정윤철·윤진호·송예진 각본, 〈말아톤〉

형상화 방식 이해하기 **1**

● **현장감** | 어떤 일이 이루어지고 있는 현장에서 느낄 수 있는 느낌.

**윗글을 영화로 연출하기 위한 연출자의 주문 사항으로 적절하지 않은 것은?**

① S# 93에서 경숙이 말할 때, 자책감을 담아낼 수 있는 표정으로 연기해 주세요.

② S# 94에서 정욱이 경숙을 설득할 때, 진지한 태도가 드러나는 어조로 대사를 해 주세요.

③ S# 94에서 경숙이 정욱의 제안을 거절할 때, 감정을 억누르려는 차분한 목소리로 연기해 주세요.

④ S# 101에서 마라톤 대회가 시작되는 상황일 때, 생생한 현장감이 부각될 수 있는 효과음을 넣어 주세요.

⑤ S# 101에서 초원과 경숙이 대화할 때, 마라토너들은 일시에 그들의 주변을 빠르게 지나쳐 가도록 해 주세요.

고난도

외적 준거에 따라 작품 감상하기 **2**

● **몽타주** | 영화나 사진 편집 구성의 한 방법. 따로따로 촬영한 화면을 적절하게 떼어 붙여서 하나의 긴밀하고도 새로운 장면이나 내용으로 만드는 일. 또는 그렇게 만든 화면.

**〈보기〉를 감독의 인터뷰라고 할 때, 〈보기〉를 바탕으로 S# 95의 ㉠~㉢을 감상한 내용으로 적절하지 않은 것은?**

● 보기 ●

"S# 95에서 몽타주 기법을 사용한 것은 장면과 장면을 연결해 주면서 사건을 압축적으로 전개하고자 했기 때문입니다. 몽타주 기법을 사용하게 되면 장면들이 서로 연결되면서, 하나의 장면만으로는 보여 줄 수 없었던 사건의 진행 과정과 인물의 심리를 관객들이 짐작할 수 있게 됩니다. 그리고 자칫 느슨해질 수 있는 사건 전개에 속도감을 부여하여 영화에 대한 몰입도를 높일 수 있습니다."

① ㉠은 S# 90과 연계된 S# 93에서 경숙이 입원한 것과 관련하여 초원의 일상에 변화가 생겼음을 알 수 있게 하는군.

② ㉡은 S# 94에서의 대사와는 달리 초원의 마라톤 대회 참가에 대해 경숙이 미련을 가지고 있었음을 알 수 있게 하는군.

③ ㉢은 S# 101에서 마라톤을 하고 싶어 하는 모습을 보이는 초원과 연결하여 이해할 수 있겠군.

④ ㉡, ㉢을 통해 초원과 경숙의 모습을 대비하여 S# 101에서 중원에 의해 두 사람의 갈등이 해소될 것임을 나타내는군.

⑤ ㉠~㉢을 나열한 것은 초원과 경숙의 일상을 압축적으로 보여 줌으로써 속도감 있게 사건을 전개하기 위한 것이군.

인물의 심리와 태도 파악하기 **3**

**도움말**

비슷한 행동에 담긴 태도의 차이를 파악하는 문제이다. 어릴 때의 초원과 현재 초원에 대한 경숙의 생각이 어떻게 바뀌었는지 추측해 보도록 한다.

- **살갑다** | 마음씨가 부드럽고 상냥하다.
- **야속하다** | 무정한 행동이나 그런 행동을 한 사람이 섭섭하게 여겨져 언짢다.

**ⓐ와 ⓑ를 연계하여 초원에 대한 경숙의 인식 변화를 이해한 것으로 가장 적절한 것은?**

① 책임을 져야 하는 부담스러운 존재에서 의지를 지닌 주체적인 존재로 인정하게 되었음을 알 수 있다.

② 보살핌을 받지 못하던 소외된 존재에서 남을 위해 애쓰는 대견한 존재로 인식하게 되었음을 알 수 있다.

③ 다가가기 어려운 고독한 존재에서 먼저 마음을 열고 다가오는 살가운 존재로 인식하게 되었음을 알 수 있다.

④ 가르침에 잘 따르는 순종적인 존재에서 자기 고집만 내세우는 야속한 존재로 받아들이게 되었음을 알 수 있다.

⑤ 함께하며 위안을 얻는 존재에서 뒤늦게 속마음을 알게 되어 미안함을 느끼는 존재로 생각하게 되었음을 알 수 있다.

## 작품 정리하기

**갈래** 시나리오

**전체 구성**

**발단** 초원이 자폐증 진단을 받고 엄마 경숙은 좌절함.

**전개 1** 초원은 달리기에 재능을 보이고, 경숙은 초원이 마라톤 대회에 나가 '마라톤 서브쓰리(마라톤 전체 거리를 3시간 안에 달리는 것)'를 달성하는 것을 목표로 초원에게 마라톤 훈련을 시킴.

**전개 2** 초원은 유명한 마라톤 선수였던 정욱의 지도를 받게 됨.

**절정** 경숙은 정욱의 훈련이 불성실해 보여 정욱과 다투게 되고, 경숙은 자신의 욕심 때문에 초원을 혹사시킨 것은 아닌지 자책하면서 더 이상 초원에게 마라톤 훈련을 시키지 않기로 함. 118~119쪽 수록

**하강** 초원은 스스로 마라톤 대회 현장에 가고, 경숙은 초원이 진심으로 달리고 싶어 한다는 것을 알게 되어 초원이 원하는 대로 마라톤 경기를 뛰게 함. 119~120쪽 수록

**대단원** 초원은 경기에서 '마라톤 서브쓰리'를 달성함.

**주제** 마라톤을 통해 마음의 문을 열고 자기 삶의 주인공이 되어 가는 초원의 성장 과정

**이 작품에 사용된 몽타주 기법**

이 작품에서는 몽타주 기법을 통해 사건을 압축적으로 전개하여 속도감을 부여하고, 장면들을 서로 연결하여 하나의 장면으로는 보여 줄 수 없었던 사건의 진행 과정과 인물의 심리를 관객들이 짐작할 수 있게 하고 있다.

| 내용(S# 95. 몽타주) | 효과 |
|---|---|
| • 초원이 등굣길에 경숙이 늘 있던 자리를 보지만 아무도 없는 장면<br>• 경숙이 병원에서 달력으로 초원의 마라톤 대회 날짜를 보는 장면<br>• 초원이 정욱이 사 준 운동화를 꺼내 보는 장면 | • 초원과 경숙의 달라진 일상을 압축적으로 보여 주어 ❶☐☐☐ 있게 사건을 전개함.<br>• 초원의 마라톤 대회 참가에 대해 미련을 가지고 있는 경숙과, 마라톤을 하고 싶어 하는 초원의 ❷☐☐를 짐작할 수 있게 함. |

**초원에 대한 경숙의 인식 변화**

| 경숙의 말과 행동 | 초원에 대한 경숙의 인식 |
|---|---|
| S# 90. 동물원에서 초원의 손을 놓음.<br>S# 93. "사실은 말야, 그때, 내가 초원이를 버렸던 거야. 사람들 틈에서 손을 놓았지. 도저히 키울 자신이 없었거든……." | 초원을 ❸☐☐ 져야 하는 부담스러운 존재라고 느낌. |
| ↓ | ↓ |
| S# 101. 마라톤 대회 현장에서 초원의 손을 잡고 '너 혼자선 안' 된다고 하며 말리다가 초원의 의지를 확인하고 초원이 달릴 수 있도록 손을 놓음. | 초원을 ❹☐☐를 지닌 주체적인 존재로 인정하게 됨. |

빈칸 답 ❶ 속도감 ❷ 심리 ❸ 책임 ❹ 의지

**/ 핵심 짚기**

● **인물**

• 이도 세종 대왕. 백성을 위해 새 ❶ ㄱ ㅈ 를 만들고자 함.
• 혜강 이도의 새로운 글자 창제에 반대함.

● **배경**

• 시간 조선 태종 ~ 세종 때
• 공간 조선

● **사건**

유생들이 이도가 새 글자를 만드는 일에 ❷ ㅂ ㄷ 하는 시위를 벌이자 이도는 이들을 직접 만나 설득하고자 노력함.

| 빈칸 답

❶ 글자 ❷ 반대

**앞부분의 줄거리** 이도(세종대왕의 이름)는 왕이 백성과 직접 소통하는 나라를 만들고자 노력한다. 그러나 이것이 국가의 근간을 뒤흔드는 일이라 생각하는 사대부들 때문에 어려움을 겪는다. 그는 반대를 무릅쓰고 집현전의 몇몇 학사들과 비밀리에 우리 글자를 만드는 일을 진행한다. 그러다 그 사실이 알려져 유생들의 극렬한 반대에 부딪힌다.

S# 13. 광화문 앞 (낮)

혜강 맨 앞에 앉아 있고, 유생들 뒤에 앉아 "전하!" 하며 시위하고 있는데,

순간, 광화문이 활짝 열리면서, 내시와 궁녀들이 의자와 괘도˚ 등을 들고 와, 시위하는 유생들의 앞에 놓는다. 이게 뭔가 싶은데 이때 이도가 걸어 나와 혜강의 앞에 앉는다. 경비를 서고 있던 채윤도 그런 이도를 의아하게 본다.

혜강: (그런 이도를 보며) 전하! 어찌 성리학을 버리시고 스스로 이적˚이 되려 하시옵니까?

이도: 좋소! 허면 글자를 만드는 일이 어찌 성리학을 버리는 일인지부터 논하도록 합시다. (하고는 유생들 모두에게) ㉠누구든 나와 자유로이 얘기하라!

cut. 이도의 괘도에 크게 쓰여 있는 '武(무)' 자. 앞엔 혜강이 있다.

혜강: 중국의 한자는 그냥 글자가 아니옵고······ 그 자체로 유학의 도이며, 개념이옵니다. (화면은 '무' 자 보이며) 보시옵소서. 싸울 무 자에는 '창'과 '그치다'라는 두 개의 글자가 들어 있사옵니다. / 이도: (보고)

혜강: 즉 싸울 무 자 자체에 싸움을 그치게 하라는 의미와, 싸움을 하지 않기 위한 싸움이라는 '유학의 도'가 들어 있는 것이옵니다. 헌데······ 다른 이적의 글자에 이런 도가 있을 수 있사옵니까?

이도: ······.

혜강: 전하의 글자는 이것을 표현할 수가 있사옵니까? / 채윤: (보는데)

이도: 아니오, 없소.

혜강: ㉡(그럼 그렇지.) 헌데 어찌 유학을 버리는 것이 아니라 하시옵니까?

이도: 허면 말이오. (하며 괘도로 간다.)

cut. 괘도에 "作開言路 達四聰"이라 써 있고, 앞엔 이도가 서 있다.

이도: 작개언로 달사총, 즉 언로˚를 틔워 사방 만민의 소리를 들으라. 이것은 유학에서 임금에게 가장 강조하는 덕목이오.

혜강: 예, 전하. 백성의 소리를 들으시면 되옵니다.

이도: (무시하고) 삼봉 정도전의 《경제문감》˚에 이르기를.

혜강: (멈칫) / 모두: (멈칫)

● **괘도** 벽에 걸어 놓고 보는 학습용 그림이나 지도.
● **이적** 오랑캐.
● **컷(cut)** 장면을 중지한다는 의미를 나타냄. 한 번의 연속 촬영으로 찍은 장면을 이르는 말로도 쓰임.
● **언로** ① 신하들이 임금에게 말을 올릴 수 있는 길. ② 말하는 길. 여기서는 백성의 소리가 전달되는 통로를 뜻한다.
● **《경제문감》** 조선 건국 초기에 정도전이 조선의 정치 조직에 대한 구상을 밝혀 놓은 책.

**핵심 짚기**

● **갈등**

새 글자 창제를 두고 벌이는 혜강과 이도의 외적 갈등

| 혜강 | ⟷ | 이도 |
|---|---|---|
| 새 글자를 창제한다는 것은 한자에 담긴 유학의 도를 버리는 일임. | | 백성과 소통하기 위해 쉬운 우리 글자를 만드는 것이며 이것은 유학의 덕목과도 통함. |

● **인물**

· 개파이, 연두 이도가 만든 새 글자를 읽고 쓸 줄 알게 됨.
· 한가 놈, 가리온 새 글자의 실체를 확인하고 크게 **❶ ㄴ ㄹ**.

● **사건**

개파이와 연두가 새 글자를 **❷ ㅇ ㅌ** 만에 익혀 사용하고, 이를 본 가리온과 한가 놈이 새 글자가 배우기 쉽고 말소리를 그대로 적을 수 있는 문자라는 것을 깨달아 큰 충격을 받음.

빈칸 답
❶ 놀람 ❷ 이틀

● **요순** | 중국 고대의 요임금과 순임금을 아울러 이르는 말. 덕으로 천하를 다스려 태평성대를 이루었던 전설적인 임금.
● **간관** | 임금의 잘못을 고치도록 말하고 모든 벼슬아치의 비행을 규탄하던 관리.
● **관료** | 직업적인 관리. 또는 그들의 집단. 특히, 정치에 영향력이 있는 고급 관리를 이른다.

이도: 요순 3대에는 간관이라는 관리가 없었음에도 언로는 넓었으나 진나라 때 모든 비방을 금지한 뒤, 한나라에 이르러 언로를 터 주기 위해 간관을 만들었으나 간관이라는 관리가 생기면서 언로는 더욱 막히었다. 이런 말이 있지요?

채윤: (보는데) / 혜강: …….

이도: 이는 말이오. 한자를 아는 자가 관료가 된 시기와 정확히 맞아떨어지오. (점점 강한 목소리로) 한자가 어렵기에, 백성이 그들의 말을 임금께 올리려면 관료를 거칠 수밖에 없었고! / 채윤: (보는데)

이도: 그 관료들은 백성의 소리를 왜곡, 편집하여 올린 것이오! 하여 언로가 막혔다 쓴 것이오! 삼봉은! / 혜강: ⓒ……．

이도: 난 유학에서 가장 중시하는 덕목, 언로를 틔워 주고 싶고, 하여 백성의 글자가 필요하다 판단하였소. 내가 어찌 유학을 버린 것이오? / 채윤: (보는 데서 cut.)

**S# 55. 반촌 한구석 (낮)**

한가 놈이 어느 쪽을 보면 옆의 가리온도 한가 놈이 보는 곳을 보는데 땅바닥에 쪼그리고 앉아 마주 보고 있는 개파이와 연두. 나뭇가지로 땅에 뭔가를 쓰며 놀고 있다.

개파이가 손바닥으로 흙을 지우더니, 새로 쓴다.

"카르페이". 그 앞에 연두가 쓴 글자도 보인다.

"나는 밥을 먹었다." / 가리온, 놀라서 본다.

한가 놈: (자기도 믿기지 않아) 개파이는 자기 이름을 쓰고, 연두는 이 글자로 문장을 쓰고 있습니다.

가리온: ⓔ(쿵!) ……! / 한가 놈: 이틀 만입니다!

가리온: (쿵! 천천히 개파이에게 다가가 이름 쓴 걸 가리키며) 이게 뭐냐.

개파이: 내…… 이름이다. / 가리온: 어떻게…… 읽는 것이냐?

개파이: (한 글자씩 짚으며) 카…… 르…… 페…… 이…….

가리온: 진정…… 이틀 사이에……?

하는데 연두, 옆에서 뭔가를 쓰고 있다. 가리온 고개를 돌려, 연두가 쓴 것을 보는데, 바닥에 있는 글자는 다음과 같다. / "진정 이틀 사이에" 한가 놈도 보고 놀란다.

한가 놈: (경악하여) 아니, 이럴 수가……. / 가리온: 어찌 그러는가?

한가 놈: 지금 본원이 하신 말을 그대로 쓴 것입니다. '진정…… 이틀…… 사이에'.

● 인물

**가리온** 모든 백성이 글자를 읽고 쓸 줄 알게 되면 ❶ ㅅ ㄷ ㅂ 의 권력이 흔들릴 것이라고 생각함.

● 사건

새 글자의 실체와 파급력을 알게 된 가리온과 한가 놈이 새 글자 반포를 막기로 결정함.

빈칸 답
❶ 사대부

**가리온:** (충격과 경악) ……! (꽝! 하는 효과음이나 음악)

**한가 놈:** (놀라움으로 글자와 본원 번갈아 보면)

**가리온:** (놀라움으로) 말한 것을 그대로 쓸 수 있고, 쓴 것을 그대로 읽을 수 있다?

**S# 56. 반촌 내 도축소 (낮)**

가리온, 탁자에 망연자실하게 앉아 있다. 한가 놈의 표정도 심각하다.

**가리온:** (멍하게 놀라움에) 모든 사람이…… 글자를 쓰는 세상에 대해 생각해 본 적이 있는가?

**한가 놈:** 예? / **가리온:** (멍하게 놀라움에) 그것은 어떤 세상일까?

**한가 놈:** 글쎄요, 한 번도 상상해 보지 못했던 일이라.

**가리온:** 글자는 무기다. 칼보다, 창보다, 유황보다 무서운 무기다. 사대부가 사대부인 이유는! 양반집에 태어나서가 아니라, 그런 혈통 때문이 아니라, 글을 알기 때문에 사대부인 것이야. / **한가 놈:** 예, 물론입니다.

**가리온:** 그게 사대부의 권력이요, 힘의 근거다. 헌데 이 글자라면, 모두가 글자를 읽고 쓰는 세상이 온다면…… 조선의 모든 질서가 무너질 것이다. 세상은 혼돈에 가득 차고…… 이 조선의 뿌리인 사대부가 무너질 것이야!

**한가 놈:** 어찌해야 합니까?

**가리온:** ㉤(결연하게) 막아야지. 이 글자를 막는 것이, 무엇보다 우선해야 한다!

– 이정명 원작, 김영현·박상연 각색, 〈뿌리 깊은 나무〉

---

**사건 전개/갈등 양상 파악하기**

**1** 윗글의 등장인물에 대한 이해로 적절하지 <u>않은</u> 것은?

① 혜강은 유생들을 대표하여 이도에게 의견을 전달한다.
② 혜강은 글자를 만드는 일이 유학을 버리는 일이라고 생각한다.
③ 이도는 정도전의 글을 인용하여 혜강의 주장을 반박한다.
④ 이도는 유학을 버려서라도 글자를 만들어야 한다고 생각한다.
⑤ 가리온은 모든 백성이 글을 알게 되면 사대부가 권력을 잃을 것이라고 생각한다.

**형상화 방식 이해하기**

**2** 연출자가 ㉠~㉤에 대해 연기 지시를 할 때, 지시 사항으로 적절하지 <u>않은</u> 것은?

① ㉠: 자신이 하는 일에 대한 자신감이 드러나도록 당당한 어조로 말해 주세요.
② ㉡: 예상했던 반응이 나와 만족스러워하는 표정을 지어 주세요.
③ ㉢: 상대의 발언을 여유 있게 듣는 표정을 지어 주세요.
④ ㉣: 큰 충격을 받아 놀란 표정을 지어 주세요.
⑤ ㉤: 굳은 의지가 드러나는 단호한 어조로 말해 주세요.

**고난도**

S# 55~56이 〈보기〉를 각색한 것이라 할 때, 각색 과정에서 고려한 내용으로 볼 수 <u>없는</u> 것은?

💡 **도움말**

〈보기〉와 S# 55~56의 내용을 비교하여 읽고 소설을 시나리오로 각색하는 과정에서 달라진 점이 무엇인지 파악해 보도록 한다.

● **전유물** | 혼자 독차지하여 가지는 물건.

● 보기 ●

　골똘한 최만리의 표정을 심종수는 냉정하게 살폈다. 최만리는 초조함으로 바짝 마른 입술을 손바닥으로 쓰다듬었다. / "새 글이 만들어지면 십 년 안에 세상이 바뀔 것이다."
　"아무리 그렇기야 하겠습니까? 정인지도 밝혔듯이 새 글자가 만들어져도 스물여덟 자일 뿐입니다. 수천 년을 내려온 수만 자가 넘는 대국의 문자를 금방 만들어진 스물여덟 자가 어찌 당하겠습니까? 한강에 물 한 바가지를 붓는 것과 같습니다."
　"이제 글은 사대부의 것이 아니다. 학문 또한 사대부의 전유물이 아니다."
　"그것은 무슨 말씀입니까?" / "글만 익히면 세상천지가 학문하는 자들로 넘쳐날 것이다. 종놈들은 시종학을 한다고 나설 것이고 장사치들은 상학을 한다고 할 것이며 갖바치들은 피혁학을 한다고 나설 것이다. 그뿐만이 아니다. 무지렁이 농군이 송사에서 이치를 따질 것이고 세상의 모든 자들이 자기 이익을 주장하고 나설 것이다. 그렇게 되면 학문하는 사대부가 갈 곳이 어디겠느냐?"

　　　　　　　　　　　　　　　　　　　　　　　　　　　　　- 이정명, 《뿌리 깊은 나무》에서

① 음향 효과를 통해 인물의 심리를 강조해야겠어.
② 대사를 통해 새 글자의 특징과 장점을 드러내야겠어.
③ 장소를 변화시켜 두 개의 장면으로 내용을 구성해야겠어.
④ 새 글자를 익혀 사용하고 있는 인물을 직접 보여 줘야겠어.
⑤ 상반된 의견을 지닌 두 인물 간의 대화 상황을 구성해야겠어.

---

## 작품 정리하기

📍 **갈래** 　시나리오

📍 **전체 구성**

| 발단 | 이도는 무자비한 정치를 펼친 아버지와는 다른 왕이 되리라 결심함. |
|---|---|
| 전개 | 왕이 된 이도는 백성과 소통하는 나라를 만들기 위해 우리 글자를 창제하려 하는데, 비밀 결사 조직 '밀본'이 집현전 학자들을 암살하기 시작함. [122~124쪽 수록] |
| 절정 | 이도는 신하들의 반대에 부딪히지만 글자 창제 작업을 계속함. |
| 하강 | 이도는 자신의 편이라 여겼던 가리온이 밀본의 수장임을 알게 됨. |
| 대단원 | 이도는 여러 조력자들의 도움으로 훈민정음을 반포하는 데 성공함. |

📍 **주제** 　훈민정음 창제와 반포에 담긴 애민(愛民) 사상

🔎 **갈등 양상**

　이 작품은 새 글자(훈민정음)의 창제와 반포를 둘러싼 갈등을 중심으로 사건이 전개되고 있다.

| ❶ 　　 |
|---|
| 훈민정음 창제·반포 주장 |
| 쉬운 우리 글자가 있어야 백성들과 직접 소통하는 정치를 할 수 있음. |

| ❷ 　　 |
|---|
| 훈민정음 창제·반포 반대 |
| 새 글자를 쓰고 한자를 버리는 것은 유학의 도를 버리는 것임. |

| **가리온** |
|---|
| 훈민정음 창제·반포 반대 |
| 모든 백성들이 글자를 쓰게 되면 조선의 질서가 무너지고 ❸ 　　　의 권력이 흔들릴 것임. |

**빈칸 답** 　❶ 이도 　❷ 혜강 　❸ 사대부

# 3 문천재가 알려 주는 문제 풀이 유의점

나는 왜 문제를 풀 때마다 실수를 많이 하는 걸까? 혹시 이런 걸 해결할 방법은 없을까?

나는 문학 천재라서 문천재

내가 알려 줄게. 나만 따라와!

나는 실수 없이 정답을 골라 내기 위해 몇 가지 원칙에 따라 문제를 풀어. 먼저 '바꿔치기를 조심하자!'. 작품과 특징을 바꾼 선택지나 등장인물과 그 행동을 바꾼 선택지처럼 바꿔치기한 선택지가 자주 나오므로 함정에 빠지지 않도록 주의 깊게 살펴야 해.

예 ① (가)는 (나)와 달리 비유를 통해 사물에 대한 새로운 인식을 드러낸다.

예를 들어 (나)에 비유법이 쓰이고, (가)에는 비유법이 쓰이지 않았는데, 선택지에서 (가)와 (나)의 자리를 바꾸어서 제시할 수도 있어.

**바꿔치기를 조심하자**

두 번째는 '선택지 문장을 나누어 모든 내용이 맞는지 살펴보자!'. 표현을 물을 때는 표현과 그 효과가 모두 맞는지, 서술상 특징도 그 효과까지 모두 맞는지 확인하는 건 필수야.

예 ① 계절적 배경을 통해 / 애상적 분위기를 환기하고 있다.

계절적 배경을 나타내는 시어가 쓰였지만 생명력 가득한 여름날을 나타낸다면, 애상적 분위기와는 거리가 멀 수밖에 없어. 이와 같은 문제는 <문학 DNA 깨우기> 3권에 많이 있으니까 문제를 풀면서 꼼꼼히 연습해 보렴.

**선택지 문장을 나누어 읽자**

마지막으로 '부분인지 전체인지 구분하자!'. 이건 작품으로 설명해 볼게.

예 [3연] 어데다 무릎을 꿇어야 하나? / 한 발 재겨 디딜 곳조차 없다.
[4연] 이러매 눈 감아 생각해 볼밖에 / 겨울은 강철로 된 무지갠가 보다.
— 이육사, <절정>에서

이육사의 <절정>에서 화자는 3연까지는 부정적인 상황에서 위기감을 느껴. 그러나 4연에서는 이것을 극복하려는 의지와 희망을 보이게 되지. 그러므로 가령 화자의 정서와 태도를 묻는 문제에서 1~3연의 어느 부분을 물었을 때와 작품 전체를 물었을 때의 답이 달라질 수 있겠지.

**부분과 전체를 구분하자**

실전으로 차곡차곡 익숙하게!

# 실전 4회

# 기출 문제

## 01 시+시

㉮ 장자를 빌려 – 원통에서
㉯ 누군가 나에게 물었다

 핵심 짚기

**㉮**

● 화자
· 화자 우리
· 시적 상황 산 정상과 세상 가까이에서 세상을 바라봄.
· 정서와 태도 ❶ㅅㅅ을 멀리서도 바라보고, 가까이서도 바라보아야 함을 깨달음.

● 표현
❷ㅅㅇㅂ 사용 말하려는 내용을 의문문의 형식으로 표현하여 의미를 강조함. ('너무 멀리서만 보고 있는 것은 아닐까', '너무 가까이서만 보고 있는 것은 아닐까')

**㉯**

● 화자
· 화자 '나'
· 시적 상황 서울 곳곳을 다니며 시란 무엇인가를 사색하던 화자가 남대문 시장에서 그 답을 얻게 됨.
· 정서와 태도 성실하고 건강하게 살아가는 ❸ㅅㄹ들의 삶이 아름다움을 깨달음.

● 표현
❹ㄷㅊㅂ 사용 말의 차례를 바꾸어 씀. ('누군가 나에게 물었다. 시가 뭐냐고', '그런 사람들이 ~ 슬기롭게 사는 사람들이')

┃빈칸 답
❶ 세상 ❷ 설의법 ❸ 사람
❹ 도치법

● **대청봉**｜설악산의 가장 높은 봉우리.
● **노령노래**｜구한말 함경도 지방의 남자들이, 일자리를 찾아 러시아로 떠나면서 느꼈던 심경과 삶의 고달픔 따위를 담고 있는 근대 민요.
● **알파**｜그리스 문자의 첫째 자모. 'A, α'로 쓴다.

㉮ 설악산 대청봉에 올라
발아래 구부리고 엎드린 작고 큰 산들이며
떨어져 나갈까 봐 잔뜩 겁을 집어먹고
언덕과 골짜기에 바짝 달라붙은 마을들이며
다만 무릎께까지라도 다가오고 싶어
안달이 나서 몸살을 하는 바다를 내려다보니
온통 세상이 다 보이는 것 같고
또 세상살이 속속들이 다 알 것도 같다
그러다 속초에 내려와 하룻밤을 묵으며
중앙시장 바닥에서 다 늙은 함경도 아주머니들과
노령노래 안주 해서 소주도 마시고
피난민 신세타령도 듣고
다음 날엔 원통으로 와서 뒷골목엘 들어가
지린내 땀내도 맡고 악다구니도 듣고
싸구려 하숙에서 마늘 장수와 실랑이도 하고
젊은 군인 부부 사랑싸움질 소리에 잠도 설치고 보니
세상은 아무래도 산 위에서 보는 것과 같지만은 않다
지금 우리는 혹시 세상을
너무 멀리서만 보고 있는 것은 아닐까 아니면
너무 가까이서만 보고 있는 것은 아닐까

– 신경림, 〈장자를 빌려 – 원통에서〉

㉯ 누군가 나에게 물었다. 시가 뭐냐고
나는 시인이 못됨으로 잘 모른다고 대답하였다.
무교동과 종로와 명동과 남산과 / 서울역 앞을 걸었다.
저녁녘 남대문 시장 안에서 / 빈대떡을 먹을 때 생각나고 있었다.
그런 사람들이 / 엄청난 고생 되어도
순하고 명랑하고 맘 좋고 인정이
있으므로 슬기롭게 사는 사람들이
그런 사람들이 / 이 세상에서 알파이고
고귀한 인류이고 / 영원한 광명이고
다름 아닌 시인이라고.

– 김종삼, 〈누군가 나에게 물었다〉

표현상 특징과 효과 파악
하기

**1** **(가)와 (나)의 공통점으로 가장 적절한 것은?**

① 도치의 방식을 활용하여 주제를 부각하고 있다.

② 자연물을 이용하여 화자의 정서를 표현하고 있다.

③ 계절적 배경을 통해 시적 분위기를 조성하고 있다.

④ 유사한 시구를 반복하여 시적 의미를 강조하고 있다.

⑤ 설의적 표현을 통해 현실에 대한 화자의 인식을 드러내고 있다.

---

외적 준거에 따라 작품 감
상하기

➕ **공간의 이동에 따른 관점의
변화**
　화자가 장소를 이동하고 있고,
그 장소에 따라서 생각이 변하고
있는지를 살펴보라는 뜻이다.

**2**

고난도

**〈보기〉를 참고하여 (가)를 감상한 내용으로 적절하지 <u>않은</u> 것은?**

> ● 보기 ●
>
> 　이 시는 장자의 〈추수편〉에 실린 '대지관어원근(大知觀於遠近)'을 빌려 '큰 지혜는 멀
> 리서도 볼 줄 알고, 가까이서도 볼 줄 아는 것'이라는 생각을 드러낸 작품이다. 특히 공간
> 의 이동에 따른 관점의 변화를 그리며, 삶을 바라보는 태도에 대한 성찰을 드러내고 있다.

① '설악산 대청봉'에서 화자가 본 '산들'과 '마을들'은 '멀리'에서 본 세상의 모습이라 할
수 있겠군.

② 화자는 '바다'를 내려다보며 '세상살이 속속들이' 알기 위해서는 '가까이'에서 보아야
함을 깨달았겠군.

③ '함경도 아주머니들', '마늘 장수' 등을 만난 것은 화자에게 '가까이'에서 세상을 보는
경험이 되었겠군.

④ '속초'와 '원통'에서 겪은 일들로 인해 삶을 바라보는 화자의 관점이 변화하였겠군.

⑤ 화자는 '멀리'와 '가까이'에서 본 세상의 모습을 비교하며 삶을 바라볼 때 두 관점이 모
두 필요하다고 느꼈겠군.

---

종합적으로 작품 감상하
기

**3** **다음은 학생이 (나)를 감상한 내용이다. 적절하지 <u>않은</u> 것은?**

> 　이 시의 제목을 보니, ㉠시란 무엇인가에 대한 질문이 이 시를 쓴 계기가 된 것 같아.
> 화자는 이 질문에 대해, ㉡자신은 '시인이 못됨'으로 모른다고 대답하였어. 그래서 ㉢여
> 러 곳을 다니며 사람들에게 그 답을 물어보던 중, ㉣남대문 시장에서 질문에 대한 답을
> 얻게 되었어. 화자는 이런 경험을 통해 ㉤삶이 고되어도 맘 좋고 인정 넘치는 사람들이
> 다름 아닌 시인이라고 생각하게 된 것 같아.

① ㉠　　　② ㉡　　　③ ㉢　　　④ ㉣　　　⑤ ㉤

## (가) 장자를 빌려─원통에서

**갈래** 자유시, 서정시

**구성**

| 1~8행 | 멀리에서 바라본 세상의 모습 |
|---|---|
| 9~17행 | 가까이에서 바라본 세상의 모습 |
| 18~20행 | 세상을 바라보는 관점에 대한 깨달음 |

**주제** 삶을 바라보는 태도에 대한 깨달음

## (나) 누군가 나에게 물었다

**갈래** 자유시, 서정시

**구성**

| 1~2행 | 시란 무엇인가에 대한 질문을 받음. |
|---|---|
| 3~6행 | 무교동에서 남대문 시장까지 배회함. |
| 7~15행 | 삶이 고되어도 인정 넘치고 슬기로운 사람들이 시인이라고 생각함. |

**주제** 서민들의 성실하고 건강한 삶에 대한 긍정

### (가)+(나) 공간의 이동에 따른 화자의 심리

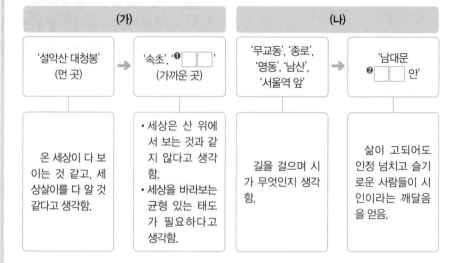

### (가)+(나) 표현상 공통점

(가)와 (나)는 모두 유사한 시구를 반복하여 작품의 주제나 화자의 생각을 강조하고 있다.

### (나) 시상 전개 과정

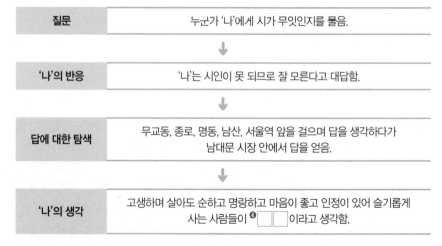

(나)의 화자는 질문을 받고 답을 탐색하는 과정을 거쳐 사람이 지녀야 할 덕성을 조화롭게 갖추고 사는 사람들이 시인임을 깨닫는다.

**빈칸 답**  ❶ 원통  ❷ 시장  ❸ 사람  ❹ 시인

## 시 + 시  02 ㉮ 눈 ㉯ 자화상

∞ 교과서
㉮ **고등** _ 창비, 해냄
㉯ **고등** _ 비상(박안), 신사고

실전 4회

### ✎ 핵심 짚기

**㉮**

● **화자**
• **시적 상황** 억압적이고 부정적인 현실에 처해 있음.
• **정서와 태도** 부정적 현실에 저항하고 순수하고 정의롭게 살아가기를 **❶ ㅅ ㅁ** 함.

● **표현**
• **시어의 대비** '눈'과 '**❷ ㄱ ㄹ**'의 상징적 의미가 대립 구도를 보임.
• **반복법 사용** '눈은 살아 있다', '기침을 하자'를 반복하여 의미를 강조함.
• **점층법 사용** 같은 문장에 점차로 문장 요소들이 덧붙으면서 의미가 뚜렷해짐. ('눈은 살아 있다 / 떨어진 눈은 살아 있다 / 마당 위에 떨어진 눈은 살아 있다')

**㉯**

● **화자**
• **시적 상황** 우물을 들여다보며 자아를 **❸ ㅅ ㅊ** 함.
• **정서와 태도** 자아 성찰 과정에서 '사나이' 즉 자신에 대한 미움, 가엾음, 그리움을 느낌.

● **표현**
**대립 구도** **❹ ㅇ ㅁ** 속 자연의 풍경과 현실적 자아의 모습이 대립 구도를 보임.

**빈칸 답**
❶ 소망 ❷ 가래 ❸ 성찰
❹ 우물

● **외딴** | 외따로 떨어져 있는.
● **추억** | 지나간 일을 돌이켜 생각함. 또는 그런 생각이나 일.

---

**㉮** 눈은 살아 있다 / 떨어진 눈은 살아 있다
마당 위에 떨어진 눈은 살아 있다

기침을 하자 / 젊은 시인이여 기침을 하자
눈 위에 대고 기침을 하자
눈더러 보라고 마음 놓고 마음 놓고 / 기침을 하자

눈은 살아 있다 / 죽음을 잊어버린 영혼과 육체를 위하여
눈은 새벽이 지나도록 살아 있다

기침을 하자 / 젊은 시인이여 기침을 하자
눈을 바라보며 / 밤새도록 고인 가슴의 가래라도 / 마음껏 뱉자

– 김수영, 〈눈〉

**㉯** 산모퉁이를 돌아 ㉠논가 외딴˚ 우물을 홀로 찾아가선 가만히 들여다봅니다.

우물 속에는 ㉡달이 밝고 구름이 흐르고 하늘이 펼치고 파아란 바람이 불고 가을이 있습니다.

그리고 한 사나이가 있습니다.
어쩐지 그 사나이가 미워져 돌아갑니다.

돌아가다 생각하니 ㉢그 사나이가 가엾어집니다.
도로 가 들여다보니 사나이는 그대로 있습니다.

㉣다시 그 사나이가 미워져 돌아갑니다.
돌아가다 생각하니 그 사나이가 그리워집니다.

㉤우물 속에는 달이 밝고 구름이 흐르고 하늘이 펼치고 파아란 바람이 불고 가을이 있고 추억(追憶)˚처럼 사나이가 있습니다.

– 윤동주, 〈자화상〉

**1**

**(가)와 (나)의 공통점으로 가장 적절한 것은?**

① 청유형 어미를 반복하여 독자의 공감을 유도하고 있다.

② 대조적 이미지를 활용하여 주제 의식을 강화하고 있다.

③ 공감각적 심상을 통해 자연과의 친화를 보여 주고 있다.

④ 처음과 끝을 동일한 시구로 상응시켜 정서의 변화를 강조하고 있다.

⑤ 역설적 표현을 사용하여 현실 상황에 대한 극복 의지를 드러내고 있다.

**2**

**〈보기〉를 참고하여 (가)를 감상한 내용으로 적절하지 않은 것은?**

**💡 도움말**

〈보기〉는 작품 창작 당시의
시대적 상황을 설명하고 있다.
이를 바탕으로 시어의 상징적 의
미를 해석하여 선택지의 적절성
을 판단해야 한다.

● **사사오입** | 반올림. 근삿값을 구
할 때 4 이하의 수는 버리고 5
이상의 수는 그 윗자리에 1을
더하여 주는 방법을 의미한다.

> ● 보기 ●
>
> 1954년 당시 여당인 자유당은 초대 대통령인 이승만에 한해 연임 제한을 두지 않는다
> 는 헌법 개정안을 국회에 제출했다. 이 개헌안은 11월 27일에 한 표 차이로 부결되었다.
> 하지만 자유당은 29일에 사사오입이라는 논리를 내세워 개헌안이 통과되었다고 선포했
> 다. 사사오입 개헌을 통해 이승만과 자유당이 영구 집권의 기반을 마련하고 언론을 통제
> 하자, 그동안 이승만 정권의 부정부패에 불만이 많았던 국민의 반발이 거세졌다. 이러한
> 상황에서 작가 김수영은 불법적인 일도 서슴지 않는 기득권 세력을 비판하고, 지식인이
> 앞장서서 시민들을 일깨워 함께 저항해야만 현실의 부정부패를 물리칠 수 있다고 생각하
> 였다. 〈눈〉에는 이러한 작가의 의도가 담겨 있다고 볼 수 있다.

① '눈'은 저항하는 정신을 일깨워 주는 존재를 형상화한 것으로 볼 수 있겠어.

② '기침을 하자'는 부정적인 현실에 대해 함께 저항하자는 의미를 담은 표현으로 볼 수
있겠어.

③ '젊은 시인'은 부정한 현실의 타파에 앞장선 지식인으로도 볼 수 있겠어.

④ '죽음을 잊어버린 영혼과 육체'는 불법적인 일도 서슴지 않는 기득권에 대한 냉소를
드러낸 표현이라고 할 수 있겠어.

⑤ '가래라도 마음껏 뱉자'는 현실의 부정부패를 물리치려는 의지의 표현이라고 할 수 있
겠어.

**3**

고난도

**㉠~㉤에 대한 이해로 적절하지 않은 것은?**

① ㉠: 화자는 우물을 통해 자아를 성찰하고자 하고 있다.

② ㉡: 화자가 지향하는 순수하고 아름다운 세계가 나타나 있다.

③ ㉢: 화자 자신에 대한 연민의 정서가 나타나 있다.

④ ㉣: 화자의 내적 갈등이 해소된 모습이 드러나 있다.

⑤ ㉤: 우물 속에서 화자가 과거의 자신을 발견하고 있다.

# 작품 정리하기

## 가 눈

**갈래** 자유시, 서정시

**구성**

| | |
|---|---|
| **1연** | 순수한 생명력을 지닌 눈 |
| **2연** | 부정적 현실에 대한 저항 의지 |
| **3연** | 눈의 강인한 생명력 |
| **4연** | 순수하고 정의로운 삶에 대한 소망 |

**주제** 부정적 현실을 극복하려는 소망과 의지

## 나 자화상

**갈래** 자유시, 서정시

**구성**

| | |
|---|---|
| **1연** | 우물을 찾아가 자아를 성찰함. |
| **2연** | 우물 속의 평화로운 풍경 |
| **3연** | 초라한 자아에 대한 부끄러움 |
| **4연** | 자아에 대한 연민 |
| **5연** | 자아에 대한 미움과 그리움 |
| **6연** | 추억 속 자아에 대한 그리움 |

**주제** 자아 성찰과 현실 속 자신에 대한 애증

## ◑ (가) 표현상 특징

| 시어의 대비 |
|---|
| • '눈': 순수한 ❶□□□<br>• '가래': 불순하고 부정적인 것 |
| ↓ |
| 시어의 대립적 구도를 통해 상징적 의미를 강조함. |

+

| 시구의 반복 |
|---|
| • 1연과 3연: '눈은 살아 있다'의 반복<br>• 2연과 4연: '기침을 하자'의 반복 |
| ↓ |
| 시구의 ❷□□을 통해 눈의 생명력과, 순수한 삶을 회복하려는 의지를 강조함. |

▼

| 효과 |
|---|
| 부정적 현실에 대한 극복과 순수한 삶에 대한 소망이라는 주제 의식을 선명하게 드러냄. |

## ◑ (가) 시어 및 시구의 상징적 의미

| | |
|---|---|
| **눈** | 순수한 생명력을 지닌 존재, 현실에 타협하지 않고 불의에 저항하는 정신을 일깨워 주는 존재 |
| ❸□□ | 마음속에 고여 있는 불순한 것들을 쏟아 내는 행위 |
| **젊은 시인** | 순수한 영혼을 가진 존재. 부정적인 것과 타협하지 않고 순수와 정의를 지키는 삶을 살고자 하는 존재 |
| **가래** | 불순하고 부정적인 것, 부정적이고 부패한 현실에서 생긴 태도 |

상징적인 시어를 통해 부정부패한 현실을 비판하고, 순수하고 정의로운 삶을 회복하려는 화자의 바람을 드러내고 있다.

## ◑ (나) 표현상 특징

아름다운 자연과 대비되는 자신의 모습에 화자는 부끄러움을 느끼며 미워하고 연민하기를 반복하고 있는데, 이를 평서형 종결 어미를 사용하여 산문적으로 진술하고 있다.

| 대조적 이미지의 사용 | '우물 속' 평화롭고 아름다운 풍경과, 현실 속 '한 사나이'의 부끄러운 모습을 대조하며 화자의 갈등이 나타남. |
|---|---|
| 평서형 종결 어미의 사용 | '-ㅂ니다'라는 평서형 종결 어미를 반복 사용하여 시상을 산문적으로 진술함. |
| ❹□□□적 심상의 사용 | '파아란 바람'이라는 촉각을 시각화한 표현을 통해 자연 풍경의 아름다움을 부각함. |

빈칸 답 ❶ 생명력 ❷ 반복 ❸ 기침 ❹ 공감각

# 03 맹순사

## 핵심 짚기

### ● 인물

• **맹순사** 일제 강점기에 순사를 하면서 뇌물을 받으며 지냈음에도 스스로 ❶ㅊㅂ하다고 생각함.

• **서분이** 맹순사의 아내. 남편이 자신을 호강시켜 주지 못하는 것을 불만스러워함.

### ● 배경

• **시간** 해방 직후

• **공간** 서울 종로

### ● 시점

**3인칭 전지적 시점** 작품 밖 서술자가 모든 인물의 심리와 사건의 전말을 자세하게 서술함.

### ● 소재

**양복장, 대마직 ❷ㄱㅁㅂ**

맹순사가 청렴하지 않았음을 드러내는 소재로 맹순사가 부끄러움을 느끼도록 함.

---

빈칸 답

❶ 청백 ❷ 국민복

---

• **청백하다** 재물에 대한 욕심이 없이 곧고 깨끗하다.

• **손틀** 손으로 손잡이를 돌려서 바느질하게 되어 있는 재봉틀.

• **발틀** 발을 놀려 돌리는 재봉틀.

• **내력** 일정한 과정을 거치면서 이루어진 까닭.

---

"좌우간, 내가 그만침이나 **청백했기**° 망정이지, 다른 동간들 당했단 소리 들었지? 누구는 맞아죽구, 누구는 집에다 불을 지르구, 누구는 팔대리가 부러지구."

푸시시 일어서다가, 비 오는 뜰을 이윽히 내다보면서, 맹순사는 곰곰이 그렇게 아낙을 타이르듯 한다. 서분이에게는 그러나, 그런 소리가 다 말 같지도 아니한 소리요 억지엣발명이었다.

"흥, 가네모도상은 그렇게 들이 긁어 먹구두, 되려 승찰 해서 부장이 된 건 어떡하구?"

㉠ "며칠 가나."

"그렇게만 생각허믄 뱃속은 무척 편하겠수. 여주루 내려갔든 기노시다상년, 이살 해 오는데, 재봉틀이 인장표루다 손틀° 발틀° 두 개에, 방안 짐이 여덟 개에, 옷이 옥상옷만 도랑꾸루 열다섯 도랑꾸드래요. 그리구두 서울루 **뼈젓이** 와서 기계방아 사놓구 돈벌이만 잘 허믄서, **활개 펴구** 삽다다. 죽길 어째 죽으며, 팔대리가 부러질 팔대린 어딨어?"

"그런 게 글쎄 다 불한당질루 장만한 거 아냐?"

"뱃속에서 꼬록 소리가 나두, 만날 청백야?"

"아무렴, 사람이 청백하면, 가난해두 두려울 게 없는 법야, 헴."

맹순사는 마침내 양복장 문을 연다. 연방 청백을 뇌던 끝에, 이 양복장을 보자니 얼굴이 간지러웠다. 유치장 간수로 있을 때에, 가구장수 하나가 경제범으로 들어와 있었는데, 서분이가 쪽지 한 장을 그에게다 주어 달라고 졸랐다. 못 이기는 체하고 전해 주었다. 그런 지 이틀 만에 이 양복장이 방 윗목에 가 처억 놓여진 것을 보았으나, 그는 내력°을 물으려고 아니 하였다.

양복점 안에서 떼어 입은 대마직 국민복은 양복장보다도 조금 더 청백 순사를 얼굴 간지럽게 하였다.

작년 초가을, 좋지 못한 풍문이 들리는 파출소 건너편의 양복점에서 맞추어 입은 것이었다. 공정가격 삼십이 원 각순데, 양복을 찾아 들고는 지갑을 꺼내는 체하면서,

㉡ "얼마죠?"

하고 물었다. 지갑에는 돈이라야 삼 원밖에 없었다.

양복점 주인은, 온 천만에 말씀을 다 하신다면서, 어서 가시라고 등을 밀어 내었다.

이 양복장이나 양복은 한 예에 불과하고, 팔 년 동안 순사를 다니면서, 그 중에서도 통제경제가 강화된 이삼 년, 육십 몇 원이라는 월급으로는 도저히 지탱해 나갈 수 없는 생활을 뇌물 받는 것으로써 보태어 나왔다. 몇십 원씩, 돈 백 원씩 쥐어 주는 것을, 사양하다가 못 이기는 체 받아 넣기 얼말는지 모른다. 자청해 주는 것을 따담기만 한 것이 아니라, 아쉴 때면 그럴싸한 사람을 찾아가서,

## 핵심 짚기

### ● 사건

맹순사는 자신은 다른 이들에 비해 **❶ ㄴ ㅁ** 을 적게 받았기 때문에 죄가 없고 청백하다고 생각함.

**❷ ㅎ ㅂ** 후 맹순사는 순사를 그만두었지만 생활이 힘들어지자 다시 순사가 됨.

**❸ ㅍ ㅊ ㅅ** 로 가는 길에 맹순사는 행인들이 순사를 미워하고 깔보는 느낌을 받고 일제 강점기 순사들이 저지른 나쁜 짓을 떠올리며 심란해함.

### ● 서술상 특징

**주인공 중심의 서술** 맹순사가 생각하는 뇌물의 기준, 파출소에 도착할 때까지 맹순사가 느끼고 생각하는 바를 중심으로 내용이 전개됨.

빈칸 답
❶ 뇌물 ❷ 해방 ❸ 파출소

● **뉴똥** 빛깔이 곱고 보드라우며 잘 구겨지지 아니하는 명주실로 짠 옷감.

● **예사로** 보통 일처럼 아무렇지도 아니하게.

● **독직** 어떤 직책에 있는 사람이 그 직책을 더럽힘. 특히, 공무원이 그 지위나 직권을 남용하여 뇌물을 받는 따위의 부정한 행위를 저지르는 것을 이른다.

● **위엄** 존경할 만한 위세가 있어 점잖고 엄숙함. 또는 그런 태도나 기세.

● **행악** 모질고 나쁜 짓을 행함. 또는 그런 행동.

● **화무십일홍** 열흘 동안 붉은 꽃은 없다는 뜻으로, 한 번 성한 것이 얼마 못 가서 반드시 쇠하여짐을 비유적으로 이르는 말.

● **연유** 일의 까닭.

---

ⓒ"수히 갚을 테니 백 원만……."

하고 가져다 쓰기도 여러 번이었다.

술대접을 받기는 실로 부지기수였다. 쌀, 나무, 고기, 생선, 술 모두 다 그립지는 아니할 만큼 들어도 오고, 청해다 먹기도 하고 하였다. 못 해주었네 못 해주었네 하여도, 아낙의 옷감도 여러 번 얻어다 준 것이었다. 공교로이 그 뉴똥치마만은 기회가 없고서 8·15가 덜컥 달려들고 말았지만.

이렇게 그는 작은 것이나마 뇌물을 먹지 아니한 것이 아니면서도, 스스로 청백하였노라고 팔분의 자신이 있었다. 맹순사의 생각엔 양복벌이나 **빼앗아** 입고, 돈이나 몇십 원, 돈 백 원 받아 쓰고, 쌀 나무며 찬거리나 조금씩 얻어먹고, **술대접**이나 받고 하는 것은, 아무나 예사로 하는 일이요, 하여도 죄 될 것이 없고, 따라서 독직이 되거나 **죄가 되는 것이 아**니었다. 그것이 적어도 독직이나 죄가 되자면, 몇만 원 집어먹고서 소위 팔자를 고친다는 둥, 허리띠를 푼다는 둥의 수준에 올라야 비로소 문제가 되는 것이었다.

**중략 부분의 줄거리** 해방 직후 순사를 그만 두고 사람들을 피해 다니던 맹순사는 생활고로 인해 다시 순사가 되어 파출소로 첫 출근을 한다.

옛날의 순사와 꼭 같이 차리고 하였건만 맹순사는 웬일인지 우선 스스로가 위엄도 없고, 신도 나는 줄을 모르겠고 하였다. 만나거나 지나치는 행인들의 동정이, 전처럼 조심하는 것 같은, 무서워하는 것 같은 기색이 없고, 그저 본숭만숭이었다. 더러는 다뿍 적의와 경멸의 눈초리로 흘겨보기까지 하였다.

함부로 체포도 아니 하고, 위협도 아니 하고, **뺨** 같은 것은 물론 때리지 못하게 되었고 하니, 전보다 친근스러하고 안심한 얼굴로 대하고 하여야 할 것인데, 대체 웬일인지를 모르겠었다.

걸으면서 곰곰 생각하여 보았다. / ⓔ'전에 많이들 행악을 했대서?'

정녕 그것인 성싶었다.

'애먼 사람, 불쌍한 사람한테 못 할 짓도 많이 했지.'

'쯧, 지금 와서 푸대접받아도 한무내하지.'

'화무십일홍이요, 달도 차면 기우는 법인데, 한때 잘들 해먹었으니 인제는 그 대갚음도 받아야겠지.' / 무엇인지 모를 한숨이 절로 내쉬어졌다.

마침내 ××**파출소**에 당도하였다. 여기서 맹순사는, 백성들이 순사를 멸시하는 눈으로 보는 연유를 또 한 가지 발견하여야 하였다.

뚜벅뚜벅 파출소 안으로 들어서는 소리에, 테이블에 엎드려 졸고 있다가 놀라 깨어 고개를 번쩍 드는 동간……

맹순사는 무심결에,

ⓜ"아니, 네가 웬일이냐?"

하면서 다시금 짯짯이 그를 바라다보았다.

● **인물**
- **❶ ㄴ ㅁ** 맹순사의 행랑채에 세들어 살던 행랑아들. 해방 전에는 행패를 부리며 지내다 해방 후 순사가 됨.
- **맹순사의 심리**

  **❷ ㅍ ㅊ ㅅ** 에서 예상하지 못한 인물인 노마를 만나 놀람.

  노마가 순사의 자격이 없다고 생각하며 못마땅해함.

| 빈칸 답
❶ 노마 ❷ 파출소

● **작파하다** | 어떤 계획이나 일을 중도에서 그만두어 버리다.
● **겸연쩍다** | 쑥스럽거나 미안하여 어색하다.
● **수모** | 모욕을 받음.

노마.

볼때기에 있는 붉은 점이 아니더라면, 얼굴 같은 딴사람인가 하였을 것이었다.

행랑아들 노마였다.

맹순사는 금년 봄, 시방 사는 홍파동으로 이사해 오기까지 여섯 해를 눌러, 사직동 그 집에서 살았다. 그 행랑에 노마네가 전 주인 때부터 들어 있었고, 왼편 볼때기에 붉은 점이 박힌 노마는 열두 살이었다. 근처의 삼 년짜리 학원을 일 년에 작파하고서, 저무나 새나 우미관 앞에 가 놀다간, 깃대도 받아 주고 삐라도 뿌려 주고 하는 것이 일이요, 집에 들어와서는 어멈 아범한테 매맞기가 일이요 하였다. 조금 더 사라더니, **우미관패**에 들어 가지고, 밤거리로 행패를 하고 다녔고. 사람을 치다 붙잡혀 간 것을 몇 차례 놓이게 하여 주기도 하였다.

노마는 겸연쩍은 듯, 그러나 일변 반갑기도 한 듯 싱글싱글 웃으면서,

"이렇게 됐습니다, 나리. 많이 점 가르켜 줍쇼, 나리."

"동간끼리두 나린가, 이 사람."

나이가 시킴이리라. 맹순사는 내색을 아니 하고 소탈히 그러면서 같이 웃었다.

그러나 속으로는,

'저런 것이 다 순사니, 수모도 받아 싸지.'

하였다.

― 채만식, 〈맹순사〉

---

**서술상 특징 파악하기**

**1**

**윗글의 서술상의 특징으로 가장 적절한 것은?**

① 서술자를 교체하여 새로운 사건을 도입하고 있다.

② 장면을 빈번하게 전환하여 긴박한 분위기를 형성하고 있다.

③ 인물의 외양을 묘사하여 인물의 성격 변화를 암시하고 있다.

④ 특정 인물의 시각에서 사건을 서술하여 인물의 내면을 드러내고 있다.

⑤ 서로 다른 장소에서 동시에 일어난 사건을 제시하여 인물들의 상황을 대비하고 있다.

---

**인물의 심리와 태도 파악하기**

**2**

**㉠~㉤에 대한 설명으로 적절하지 않은 것은?**

① ㉠: 맹순사는 서분이가 알고 있는 상황이 지속되지 않을 것이라고 말하고 있다.

② ㉡: 맹순사는 양복 값을 지불할 의사가 없으면서도 가격을 물어보고 있다.

③ ㉢: 맹순사는 뇌물을 받는 것으로도 모자라 상대에게 돈을 요구하고 있다.

④ ㉣: 맹순사는 과거의 행악을 생각하며 자신이 저지른 행동을 부인하고 있다.

⑤ ㉤: 맹순사는 의외의 장소에서 뜻밖의 인물인 노마를 만나 놀라고 있다.

💡 **도움말**

먼저 문제에 해당하는 부분을 지문에서 찾을 때, '공간'을 중심으로 파악한다. '질문' 항목을 참고하여 어떤 인물에 대해 묻는 것인지를 확인한 후, 심리에 대한 설명이나 인물과 심리의 연결이 적절한지 판단한다.

**다음은 윗글에 대한 [학습 활동] 과제이다. 이를 수행한 결과로 적절하지 <u>않은</u> 것은?**

**[학습 활동]** ⓐ~ⓔ에 들어갈 인물의 심리를 작품의 내용을 바탕으로 서술하시오.

| 공간 | 질문 | 답변 | 심리 |
|---|---|---|---|
| 방 | 맹순사와 대화를 나눌 때, 서분이의 심정을 드러내는 소재는? | 재봉틀 | ⓐ |
| | 맹순사가 양복장을 보며 얼굴이 간지럽다고 느낀 이유는? | 뇌물로 받은 것이어서 | ⓑ |
| 파출소 가는 길 | 행인들이 다시 순사가 된 맹순사를 바라보는 시선은? | 흘겨 봄 | ⓒ |
| | 맹순사가 길을 걸으며 여러 생각들을 한 뒤 보인 행동은? | 한숨을 쉼 | ⓓ |
| 파출소 | 맹순사가 노마와 인사를 나누며 보인 행동은? | 내색을 아니 하고 웃음 | ⓔ |

① ⓐ: 자신들보다 부유하게 살고 있는 사람들에 대한 서분이의 부러움을 알 수 있다.

② ⓑ: 팔자를 고칠 만큼 뇌물을 많이 받지 못했다고 생각하는 모습에서 맹순사가 다른 사람들에게 느끼는 질투심을 알 수 있다.

③ ⓒ: 예전과 다른 눈초리에서 순사를 적대시하는 행인들의 마음을 알 수 있다.

④ ⓓ: 예전과 달라진 자신의 처지에 대한 맹순사의 착잡한 마음을 알 수 있다.

⑤ ⓔ: 동간이라고 말하면서도 속으로 노마를 무시하는 것에서 노마에 대해 못마땅해하는 맹순사의 마음을 알 수 있다.

**고난도**

**〈보기〉를 참고하여 윗글을 감상한 내용으로 적절하지 <u>않은</u> 것은?**

**▶ 보기 ◀**

이 작품은 혼란스러웠던 해방 전후의 사회 현실 속에서 도덕적 관념이 부족한 인물들을 비판적으로 드러내고 있다. 특히, 부정적 인물이 스스로를 긍정적으로 인식하는 모습을 제시한 뒤 그의 실상을 드러내는 방법을 통해 인물의 허위와 위선을 고발하고 있다. 또한 해방 이후 친일 잔재를 청산하지 못해서 나타나게 된 비극적 역사의 반복을, 당대 인물들의 모습을 통해 보여주고 있다.

① 맹순사가 '다른 동간들'과 달리 자신은 '청백'하다고 말하는 모습에서 부정적 인물이 스스로를 긍정적으로 인식하고 있음을 확인할 수 있겠군.

② '뻐젓이' '돈벌이만 잘 허믄서, 활개 펴구' 사는 사람에 대한 서분이의 말에서 혼란스러운 당대 사회 모습을 확인할 수 있겠군.

③ 스스로 청백하다고 여기면서 '술대접'을 받은 것은 '죄가 되는 것이 아니었다'라고 생각하는 맹순사의 모습에서 인물의 허위와 위선을 확인할 수 있겠군.

④ 해방 후 다시 '순사'가 되어 '××파출소'에서 일하게 된 맹순사의 모습에서 친일 잔재를 청산하지 못해 비극적인 역사가 반복되는 것을 확인할 수 있겠군.

⑤ '우미관패'에 들어가 '사람을 치다 붙잡'힌 노마를 놓아줬던 맹순사의 모습에서 맹순사가 도덕적 관념을 회복하는 과정을 확인할 수 있겠군.

○ **갈래** 단편 소설, 풍자 소설

○ **전체 구성**

**발단** 해방 후 순사 자리에서 물러난 맹순사에게 아내 서분이가 옷을 해 주지 않는다며 과거를 들먹이고 타박함. ... `134쪽 수록`

**전개** 맹순사가 생활이 어려워지자 다시 순사가 되고자 지원서를 내고, 맹순사는 순사 경험이 있기에 채용되어 파출소로 발령받음.

**위기** 맹순사는 첫 출근한 파출소에서, 과거에 행패를 부려 파출소에 끌려오곤 하던 노마를 만나 그가 순사가 되었음을 알고 놀람. ... `135~136쪽 수록`

**절정** 노마가 전근을 가고, 맹순사가 간수로 일할 때 맹순사에게 앙심을 품었던 살인 전과자 강봉세가 노마의 후임으로 옴.

**결말** 겁에 질린 맹순사는 다시 순사가 된 것을 후회하면서 집으로 돌아와 사직서를 쓰고, 예전 순사나 살인강도범이나 다를 게 없다고 말함.

○ **주제** 해방 전후의 혼란하고 무질서한 사회 현실 비판

○ **서술상 특징**

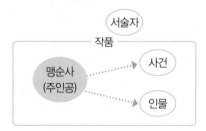

이 글은 3인칭 전지적 시점에서 내용을 서술하고 있지만, 주로 주인공 맹순사의 시각에서 사건과 인물을 바라보고 있다. 이를 통해 맹순사라는 인물의 내면 ❶[ ][ ]를 구체적으로 보여 준다.

○ **공간의 이동에 따른 맹순사의 심리**

이 글에는 맹순사가 집에서 서분이와 대화를 나누다가 양복장을 들여다보는 장면과 길에서 행인들의 시선을 느끼는 장면, 파출소에서 노마를 만나는 장면이 제시되어 있다. 이를 통해 친일 행위를 했던 인물이 해방 전후에 겪은 일과 심리를 나타내고 있다.

| 공간 | 맹순사가 겪은 일 | 맹순사의 심리 |
|---|---|---|
| 방 | 양복장과 대마직 국민복을 보며 얼굴이 간지럽다고 느낌. | 겉으로는 청백하다고 말하는 것과 달리, 뇌물을 받았던 자신의 행동에 대해 ❷[ ][ ][ ][ ]을 느낌. |
| 파출소 가는 길 | 행인들의 적의와 경멸이 담긴 눈초리를 느끼고, 그 이유가 일제 강점기 순사들이 나쁜 짓을 많이 해서라고 생각하며 ❸[ ][ ]을 쉼. | 예전과 달라진 자신의 처지에 대해 착잡하고 심란한 마음을 느낌. |
| 파출소 | 순사가 된 노마를 보고 사람들이 순사를 깔보는 것이 당연하다고 생각함. | 노마에 대해 못마땅해함. |

○ **작품의 주제 의식**

- 가네모도상이나 기노시다상은 뇌물을 받고도 처벌받지 않고 오히려 풍족하게 잘 지냄.
- 맹순사는 뇌물을 받으며 생활했지만 자신은 죄가 없고 청백하다고 생각함.

→ 해방 전후 사회 현실 속 도덕적 관념이 부족한 인물들의 모습

일제 강점기에 사람들한테 못할 짓도 많이 했던 맹순사가 해방 후에 다시 순사가 됨.

→ 친일 잔재를 청산하지 못해 반복되는 비극적 역사

↓

❹[ ][ ] 전후의 혼란하고 무질서한 사회 현실 비판

**빈칸 답** ❶ 심리 ❷ 부끄러움 ❸ 한숨 ❹ 해방

## 소설

# 04 도요새에 관한 명상

## 핵심 짚기

### ● 인물
• **병국** 대학교에서 제적돼 고향으로 온 뒤 ❶ㅎㄱ 문제에 관심을 두고 동진강 일대를 조사함.
• **임 영감** 석교 마을의 토박이로 공단이 들어선 이후 농사를 포기하였음.

### ● 배경
• **시간** 1970년대 후반
• **공간** 동진강 유역

### ● 사건
• 병국이 석교 마을의 임 영감을 만나 ❷ㄱㄷ이 생긴 후 입은 피해에 대해 들음.
• 석교 마을 사람들은 환경 오염으로 농사를 망치게 되자 농지를 팔게 됨.

### ● 시점
**1인칭 주인공 시점** 이야기 안의 주인공인 '❸ㄴ'가 자기 이야기를 전달함.

### 빈칸 답
❶ 환경 ❷ 공단 ❸ 나

---

● **긴급 조치** | 1972년 공포된 유신 헌법에서, 국가의 안전 보장이나 공공의 안녕과 질서가 중대한 위협을 받거나 재정적·경제적 위기에 처했을 때 대통령이 국정 전반에 걸쳐서 내리던 특별한 조치. 국민의 자유나 권리의 일부를 제한하거나 정부, 국회, 법원의 활동을 제한할 수 있다.
● **미터글라스** | 유리 용기에 눈금을 새긴 액체의 부피 측정 기구.
● **공한지** | 농사를 지을 수 있는데도 아무것도 심지 않고 놀리는 땅.
● **일등호답** | 물을 대기가 좋아 농사 짓기에 좋은 논.
● **폐농하다** | 농사를 그만두다.

---

**앞부분의 줄거리** 서울의 명문 국립 대학교 사회 계열에 재학하던 병국은 불온 유인물을 제작하여 배포하였다가 긴급 조치법 위반으로 제적된 뒤 고향인 석교 마을로 돌아온다. 이후 병국은 실향민인 아버지, 오로지 재산을 늘려 가는 데만 관심이 있는 어머니, 그리고 재수를 하는 동생 병식과 더불어 살게 된다. 고향에 내려온 이후 절망적인 삶을 살아가던 병국은 동진강 일대의 환경 문제에 관심을 둔다.

나는 석교천 물을 떠 온 미터글라스에 종이를 붙이고 볼펜으로 날짜와 시간을 적었다. 코르크 마개로 주둥이를 닫고 시험관 꽂이에 꽂았다. 시험관 꽂이를 들고 둑길로 올라섰다. 갈대와 풀이 죄 말라 버린 만여 평의 ⓐ공한지가 양쪽으로 펼쳐져 있었다. 벌레는 물론이고 지렁이류의 환형동물조차 살 수 없는 버려진 땅이었다. 이 땅에도 내년이면 연간 오만 톤의 아연을 생산할 아연 공장 착공식이 있을 예정이란 신문 기사를 읽었다. 내가 중학을 졸업하던 해까지 이 들녘은 일등호답이었다. 가을이면 알곡을 매단 볏대가 가을바람에 일렁였다. 참새 떼의 근접을 막느라 허수아비가 섰고 사방으로 쳐진 비닐 띠가 햇살에 반짝였다. 바다를 끼고 있었지만 ⓑ석교 마을은 어업보다 농업 종사자가 많은 부촌이었다. [A]

마을 입구 들길에서 나는 산책 나온 임 영감을 만났다.

"이곳도 참 많이 변했죠?"

마을 경로회 부회장인 임 영감에게 물었다.

"공업 단지가 들어서고 말이지."

임 영감은 회갑 연세로 석교 마을에서 삼대째 살고 있는 읍 서기 출신이었다.

"변하다마다. 십 년이면 강산도 변한다지 않는가. 공업 단지가 들어선 지도 벌써 팔 년째네."

"언제부터 농사를 못 짓게 됐나요?"

"공단이 들어서고 이태 동안은 그럭저럭 농사를 지었더랬지. 그런데 이듬해부터 농사를 망치기 시작했어. 못자리에 기름 물이 스며들지 않나, 모를 내도 **뿌리째 썩어 버리**니, 결국 폐농했지."

"보상 문제는 어떻게 해결 지었나요?"

"관에 폐수 분출 금지 가처분 신청인가 뭔가도 냈지. 그러나 폐농한 마당에 소장(訴狀)이 문젠가. 용지 보상 대책 위원회를 만들어 시청과 공단 측에 항의했더랬지. 공장에서 쏟아 내는 기름 찌꺼기 때문에 땅을 망쳤다구 말야. 일 년을 넘어 끌다 끝장에는 ⓒ동남만 개발 공사에서 땅을 사들이기로 해서, 삼 년 연차로 보상을 받긴 받았지. 우리만 손해를 봤지 뭔가. 옛날부터 그런 사람들과 싸워 촌무지렁이가 이긴 적이 있던가."

"공단 측은 수수방관한 셈입니까?"

"그때나 지금이나 그 사람들 세도는 대단해. 지도에 등재도 안 된 촌이 자기네들 입주로

## 핵심 짚기

● 인물

**병식** 철새를 **①ㄷㅅ**했다는 의심을 받으며 형 병국과 다툼을 벌임.

● 사건

병국은 병식에게 새를 독살하고 **②ㅂㅈ**하지 않았냐며 추궁하고, 병식이 반발하여 형제끼리 다툼을 벌임.

● 갈등

**병국과 병식의 갈등**

> 병국: **③ㅁㅈ**되고 있는 희귀조를 사냥하면 안 됨.
>
> ⋮
>
> 새
>
> ⋮
>
> 병식: 새를 몇 마리 죽인다고 문제가 되지 않음.

● 시점

**3인칭 전지적 시점** 중략 이후에는 이야기 **④ㅂ**의 서술자가 인물의 심리와 사건의 전개를 모두 알고 있는 입장에서 이야기를 전달함.

빈칸 답

❶ 독살 ❷ 박제 ❸ 멸종 ❹ 밖

● **흐지부지** | 확실하게 하지 못하고 흐리멍덩하게 넘어가거나 넘기는 모양.

● **박제하다** | 동물의 가죽을 곱게 벗기고 썩지 아니하도록 한 뒤에 솜이나 대팻밥 따위를 넣어 살아 있을 때와 같은 모양으로 만들다.

● **개떡** | 못생기거나 나쁘거나 마음에 들지 않는 것을 비유적으로 이르는 말.

● **개시** | 하루 중 처음으로, 또는 가게 문을 연 뒤 처음으로 이루어지는 거래.

크게 발전을 했는데 그까짓 피해가 대수롭냐는 게지. 땅값이 천정부지로 올랐으니 팔자 고치지 않았느냐구 우기더군. 이젠 귀에 익은 소리지만 그때만 해도 생경한 수출입국이니, 중공업 시대니, 지엔피(GNP)니 하는 소리를 귀에 딱지가 앉도록 들었지. 공단 측은 마을 대책 위원과 촌로들을 초청해서 술 사주며 선심을 쓰다, 나중에는 마을 청장년을 자기네 공장에 취직시켜 주겠다고 해서 흐지부지 끝났어."

"어르신 댁도 혜택을 봤나요?"

"우리 집 둘째 놈이 제대하고 와 있던 참이라 피브이시(PVC) 공장엔가 들어갔어. 제 놈이 배운 기술이 있어야지. 월급 몇 푼 받아 와야 제 밑 닦기 바빠. 딸년은 바람이 들어 서울로 떠났지. 거기서 공장 노동자 짝을 얻어 월세방 살아."

**중략 부분의 줄거리** 병국은 동진강 주변의 환경 문제에 계속 몰두한다. 어느 날, 병국은 동생 병식이 철새 도래지에서 새들을 독살하는 이들과 한패일 것이라는 의심을 한다.

"입 닫아."

병국의 눈빛이 날카로워졌다.

"괜히 엄숙 떨지 마."

"너 그날 석교천 방죽에서 새를 독살하고 오던 길이지?"

㉠"그게 뭘 어쨌다는 거야?"

병식의 표정에서 장난기가 사라졌다.

㉡"뻔뻔스런 자식. 언제부터 그 짓 시작했어? 왜 새를 죽여, 죽인 새로 뭘 해?"

병국이 언성을 높였다.

"별 말코 같은 소릴 다 듣는군. 날아다니는 새도 임자 있나? **지구의 새를 형이 몽땅 사들였어?**"

병식이가 주모가 놓고 간 주전자의 막걸리를 두 잔에 쳤다.

㉢"우선 한 잔 꺾지. 형제의 우애를 위해서."

"누가 네게 그 일을 시켜? 그 사람을 대."

병국이 잔을 밀치며 소리쳤다.

"형이 고발할 테야? 날아다니는 새 잡아 박제한다구? 그건 죄가 되구, 허가 낸 ⓓ사냥총으로 새 잡는 치들은 죄가 안 된다 말이지?"

병식이 코웃음 쳤다.

"희귀조가 멸종되고 있다는 건 너도 알지? 인간이 새를 창조할 순 없어."

"개떡 같은 이론은 집어치워. 지구상에는 삼십억 넘는 새가 살아. 그중 내가 몇 마리를 죽였다 치자, 형은 그게 그렇게 안타까워?"

㉣"박제하는 놈을 못 대겠어?"

병국이가 의자에서 일어나 아우 멱살을 틀어쥐었다.

주모가 달려와 둘 사이에 끼었다. 개시도 안 한 ⓔ술집에서 웬 행패냐고 주모가 소리쳤다.

## 핵심 짚기

### ● 사건

병식은 학생 운동을 했던 병국이 ❶ ㄱ ㅊ ㅅ 를 다녀왔던 일을 언급하며 비웃듯 말하고 두 사람은 몸싸움까지 벌임.

빈칸 답
❶ 구치소

"못 불겠다면? 형이 고발해 봐. 형 손에 아우가 쇠고랑 차지!"

병식이 형 손목을 잡고 비틀어 꺾었다.

㉤ "형도 구치소 출입해 봤으니 나만 별 보고 살란 법 있어?"

"말이면 다야!"

병국의 주먹이 아우 턱을 갈겼다. 병식의 머리가 뒷벽에 부딪히자 입술에서 피가 터졌다.

"형이 날 쳤어!"

병식이 형의 허리를 조여선 번쩍 안아 들었다. 그는 마른 장작개비 같은 형을 바닥에 내동댕이치곤 의자를 치켜들었다. 형 면상에다 의자를 찍으려다 그 짓은 차마 못 하겠다는 듯 손을 내렸다.

– 김원일, 〈도요새에 관한 명상〉

---

서술상 특징 파악하기  **1**

➕ **어리숙한 인물을 서술자로 내세워**

서술자를 어리숙한 인물로 설정하면, 서술자가 사건이나 인물의 심리를 정확하게 파악하지 못하여, 독자의 웃음을 유발하거나 인물을 풍자할 수 있게 된다.

**[A]에 대한 설명으로 가장 적절한 것은?**

① 어리숙한 인물을 서술자로 내세워 현실을 풍자하고 있다.

② 등장인물의 말과 행동을 과장하여 해학성을 강조하고 있다.

③ 주변 인물이 주인공을 관찰하여 갈등 상황을 전달하고 있다.

④ 서술자가 작품 밖에서 인물의 심리를 섬세하게 묘사하고 있다.

⑤ 서술자가 자신의 경험을 바탕으로 현실의 문제를 제시하고 있다.

---

인물의 말하기 방식 파악  **2**
하기

● **냉소적** 쌀쌀한 태도로 남을 업신여기어 비웃는 것.

고1 학력평가 기출

**㉠~㉤에 대한 이해로 적절하지 않은 것은?**

① ㉠: 병식은 잘못한 게 없다는 듯 자신 있게 말하고 있군.

② ㉡: 병국은 쓸데없는 일을 하는 병식을 비웃고 있군.

③ ㉢: 병식은 충돌을 피하기 위해 화제를 돌리려 하는군.

④ ㉣: 병국은 병식에게 화가 나서 덤벼들 듯 다그치고 있군.

⑤ ㉤: 병식은 병국의 아픔을 들추어 냉소적으로 말하고 있군.

🔍 **도움말**

〈보기〉에서 작품 창작 당시 사회·문화적 상황을 파악하고, 작품에 어떤 내용으로 반영되었는지 확인한다. 〈보기〉에 사용된 용어가 선택지에 나타나더라도 그 적절성을 판단하면서 문제를 풀어야 한다.

고난도

**〈보기〉를 참고하여 윗글을 감상한 내용으로 적절하지 않은 것은?**

● 보기 ●

〈도요새에 관한 명상〉은 1979년에 발표되었다. 1970년대에 들어 대한민국은 중화학 공업 중심 국가로 진입하기 위해 무리한 산업화를 진행하였고, 이 때문에 여러 가지 부작용이 심각하게 나타났다. 급격한 산업화 속도에 적응하지 못하고 소외되는 빈민이 생겨났으며, 대규모 공단이 조성되며 발생한 환경 오염으로 주변에 사는 사람들이 피해를 입기도 하였다. 또 당시는 정부에 대한 비판의 자유가 억압되었던 시기였던 만큼 부정적 현실에 저항하다 큰 고초를 겪는 사람도 많았다. 이 작품은 이러한 당대의 모습을 담아내면서, 우리가 추구해야 할 바람직한 가치가 무엇인지 묻고 있다.

① 병국이 유인물을 배포하였다가 긴급 조치법 위반으로 제적된 것은 비판의 자유가 억압되었던 당시 상황을 보여 준다고 할 수 있겠어.

② 병국이 동진강 일대의 환경 문제에 관심을 두고 '석교천 물을' 조사하려는 것은 우리가 추구해야 할 가치인 환경 보호와 관련이 있겠어.

③ '못자리에 기름 물이 스며들'고 모가 '뿌리째 썩어 버'려 폐농한 임 영감은 공단 조성 이후 환경 오염으로 피해를 입은 사람으로 볼 수 있겠어.

④ 공단의 '입주로 크게 발전을 했는데 그까짓 피해가 대수롭냐'는 공단 측의 입장은 무리한 산업화를 추진하며 발생한 부작용을 무시하는 말이라고 할 수 있겠어.

⑤ '지구의 새를 형이 몽땅 사들였'냐며 비꼬는 병식의 말은 급격한 경제 성장에 적응하지 못한 빈민보다 동물을 중요시하는 병국을 비판하는 말로 볼 수 있겠어.

**ⓐ~ⓔ에 대한 설명으로 적절한 것은?**

① ⓐ: 심각한 환경 오염으로 어떤 용도로도 쓸 수 없게 된 공간이다.

② ⓑ: 기존의 일터를 잃고 생활 양식도 바뀐 사람들이 사는 공간이다.

③ ⓒ: 폐농한 사람들에 대한 정당한 보상과 그들의 취업을 위해 설립한 기관이다.

④ ⓓ: 자연의 거대한 힘에 대한 인간의 저항을 상징하는 도구이다.

⑤ ⓔ: 등장인물들이 함께 어우러져 유대감을 확인하는 공간이다.

**갈래** 중편 소설, 환경 소설

**전체 구성**

**1부** [병식의 시점] 재수생인 '나(병식)'는 강가에서 새를 밀렵하여 번 돈을 유흥비로 쓰면서 생활함. 촉망받는 수재였으나 학생 운동을 하다 퇴학당한 형(병국)에게 실망함.

**2부** [병국의 시점] 대학에서 제적을 당한 '나(병국)'는 낙향하여 자책감을 지니고 생활함. 그러던 중 자연 문제와 동진강의 새 떼에 관심을 갖고 동진강 주변의 생태계 파괴 원인을 밝히려고 노력함.
> 139~140쪽 수록

**3부** [아버지의 시점] 북에 가족을 두고 온 '나(아버지)'는 적극적이고 억척스러운 아내와 대조적인 성격으로 갈등함. 병국이 낸 진정서 때문에 비료 회사 사람들과 군인들이 찾아오고, 병국에게 환경 오염의 심각성과 병식의 새 밀렵에 대한 이야기를 듣게 됨.
> 140~141쪽 수록

**4부** [전지적 작가 시점] 병국은 새 밀렵 행위 문제로 병식과 격렬하게 다투게 됨. 이후 병국은 술집 안에서 들려오는 통일에 대한 아버지의 희망을 듣고, 도요새의 비상을 바라고 따라가지만 놓침.

**주제** 산업화의 폐해에 따른 인간성 훼손과 그 회복

**서술자와 시점 변화**

| 1부 | 2부 | 3부 | 4부 |
|---|---|---|---|
| 재수생인 '나(병식)'의 관점 | 제적당한 '나(❶□□)'의 관점 | 실향민인 아버지의 관점 | 이야기 밖 전지적 서술자의 관점 |

이 작품은 시점의 변화를 통해 동일한 사건을 바라보는 서로 다른 관점을 보여 주면서, 인물들의 내면을 잘 살펴볼 수 있도록 하고 있다.

**작품에 반영된 1970년대 시대 상황**

| 작품 속 내용 | 1970년대 상황 |
|---|---|
| • 공단이 들어서면서 환경 오염으로 농사를 짓지 못하고 공장 노동자가 되는 마을 사람들<br>• 농지의 생명력을 잃은 것보다 토지 가격의 상승을 내세우는 공단 측 | • 무리한 산업화로 사회적 부작용이 나타남.<br>• 경제 성장만을 중시하며 ❷□□ 문제에는 소홀함. |

이 작품에는 성장을 추구하며 환경을 파괴하고, 마을 공동체의 삶의 양식도 바뀌고 있던 1970년대 사회상이 드러나고 있다.

**인물 간의 가치관의 대립**

| | 환경 보호 중시 | | ❸□□적 이익 중시 |
|---|---|---|---|
| 병국 | • 희귀조가 멸종되고 있음.<br>• 인간이 새를 창조할 수는 없음. | ←→ 병식 | 새를 잡아 박제하여 경제적 이익을 얻는 것은 문제가 되지 않음. |

병국과 병식 형제의 갈등은 환경 보호와 경제적 이익 중시라는 가치관의 대립을 보여 주고 있다. 이 작품은 이러한 대립을 통해 우리가 진정으로 추구해야 할 가치가 무엇인지 모색하고 있다.

**소재/공간의 의미와 기능**

| ❹□□ 마을 | 환경 오염으로 인해 기존의 농지를 잃는 등 피해를 입은 사람들이 사는 공간 |
|---|---|
| 시청과 공단 | 성장 중심의 가치관을 대표하는 기관 |
| 술집 | 병국과 병식의 갈등을 통해 가치관의 대립을 보여 주는 공간 |

정답과 해설 47쪽

빈칸 답  ❶ 병국  ❷ 환경  ❸ 경제  ❹ 석교

# 05 ㉮ 삭주구성  ㉯ 당신
## ㉰ 길의 열매 집을 매단 골목길이여

_ 2019학년도 9월 고1 학력평가

 핵심 짚기

㉮

● 화자
· 화자 표면에 안 드러남.
· 시적 대상 삭주구성
· 정서와 태도 갈 수 없는 삭주구성에 대한 ❶ㄱㄹㅇ을 드러냄.

● 표현
· 시어의 대조 삭주구성에 갈 수 없는 화자의 상황과 자유롭게 오고 갈 수 있는 '새', '❷ㄱㄹ'의 상황이 대비됨.
· 반복법 사용 비슷한 시구를 반복하여 뜻을 강조하고 화자의 정서를 심화함. ('먼 삼천 리', '먼 육천 리', '높은 산', '그리워' 등)

㉯

● 화자
· 화자 표면에 안 드러남.
· 시적 대상 아낙네들, 당신
· 정서와 태도 힘든 삶을 사는 이들에 대한 안타까운 마음과 연민

● 표현
· ❸ㅅㅇ법 사용 물음의 형식으로 화자의 정서를 강조함. ('당신의 상처가 아니었습니까')
· 종결 어미의 반복 '-습니다'를 반복하여 운율을 형성함.

빈칸 답
❶ 그리움 ❷ 구름 ❸ 설의

㉮ 물로 사흘 배 사흘
먼 삼천 리
더더구나 걸어 넘는 먼 삼천 리
삭주구성은 산을 넘은 육천 리요  [A]

물 맞아 함빡히 젖은 제비도
가다가 비에 걸려 오노랍니다
저녁에는 높은 산
밤에 높은 산  [B]

삭주구성은 산 너머
먼 육천 리
가끔가끔 꿈에는 사오천 리
가다 오다 돌아오는 길이겠지요  [C]

서로 떠난 몸이길래 몸이 그리워
님을 둔 곳이길래 곳이 그리워
못 보았소 새들도 집이 그리워
남북으로 오며 가며 아니합디까  [D]

들 끝에 날아가는 나는 구름은
밤쯤은 어디 바로 가 있을 텐고
삭주구성은 산 너머
먼 육천 리  [E]

– 김소월, 〈삭주구성(朔州龜城)〉

㉯ 이른 아침 차를 타고 나가 보니 아낙네들은 **얼어붙은 땅**을 파고 무씨를 갈고 있었습니다 그네들의 등에 업힌 아이들은 고개를 떨군 채 잠들어 있었습니다 남정네들은 어디 갔는지 보이지 않았습니다 ㉠논두렁에 불이 타고 흰 연기가 천지를 둘렀습니다

진흙길을 따라가다 당신을 만났습니다 무릎까지 오는 장화를 신고 **당신**은 아직 물이 마르지 않은 **뻘밭**에서 흙투성이 연뿌리를 캐고 있었습니다

 삭주구성 '삭주'와 '구성'은 평안북도에 있는 지역. '구성'은 김소월의 고향임.

핵심 짚기

다

● 글쓴이의 관점 및 태도
· 신뢰를 토대로 담 없이 지내는 골목길을 ❶ ㅇㅂㅎ 골목길이라고 생각함.
· 사람들의 삶의 모습이 담겨 있는 골목길의 모습을 ❷ ㄱㄱ 하다고 여김.

● 표현
· 공감각적 이미지의 활용 청각을 시각화하는 방식으로 서술 대상을 감각적으로 표현함. ('물소리도 ~ 흘러내린다.')
· 음성 상징어의 사용 소리나 모양을 흉내 내는 단어를 사용하여 대상의 생동감을 드러냄. ('후드득', '부지직' 등)
· ❸ ㅇㅇ 법 사용 사람이 아닌 대상을 사람처럼 표현하여 친근한 느낌을 줌. ('붉은 장화를 신은 비둘기 분대가 ~ 낙하한다.')

빈칸 답
❶ 완벽한 ❷ 건강 ❸ 의인

혹시 당신이 찾은 것은 연뿌리보다 질기고 뻣센 당신의 상처가 아니었습니까 삽에 찍힌 연뿌리의 동체에서 굵다란 물관 구멍을 통해 사라진 것은 도로(徒勞)뿐인 한 생애가 아니었습니까 목청을 다해 불러도 한사코 당신은 삽을 찍어 얼어붙은 연뿌리를 캐고 있었습니다.

– 이성복, 〈당신〉

다 담장 위 장미가 붉은 혀를 깨물고 있다. 비누 냄새 풍기는 하수도 물이 길 따라 흘러내린다. 물소리도 길 따라 휘어지며 흘러내린다. 저녁 식사 시간 골목길은 음식 냄새들의 유원지다. 종량제 쓰레기봉투를 뜯고 있던 고양이가 도망간다. 전봇대에는 가스 배달, 중국집 전화번호 스티커가 신속히 붙는다. 한때 골목대장이었던 아이가 가장이 되어 아파트 경비하러 급히 내닫는다. 처녀가 힐끗 뒤돌아본다. 사내의 발짝 소리가 멈칫한다. 두부 장수가 리어카를 세워 놓고 더 좁은 골목길로 종을 울리며 들어가자 붉은 장화를 신은 비둘기 분대가 후드득 리어카에 낙하한다. 아침 일곱 시, 더 넓은 골목길에 가 살기 위하여 직장 나가는 샐러리맨들의 발짝 소리가 발짝 소리에 밟힌다. 얼어붙은 길 위에 던진 연탄재가 부지직 소리를 낸다. 허리가 낫처럼 휜 할머니가 숨이 찬지 허리는 펴지 못하고 고개만 들고 숨을 고른다. 가로등이 켜지고 나방 그림자가 벽에 부딪친다.

(중략)

건축가 이일훈 선생의 강의를 들은 적이 있다. 강의 중 슬라이드를 보는 시간이 있었다. 고건축물에서 현대 최첨단 건축물까지 다양한 건축물 설명을 듣는 도중 느닷없이 한적한 곳에 덩그렇게 서 있는 시골 방앗간 풍경이 떴다. 이 선생은 잠깐 사이를 두더니 말을 이었다. "나는 이 방앗간을 보는 순간 눈시울이 뜨거워지고 눈물이 났습니다. 완벽한 건축물을 만났기 때문이죠. 장식이라곤 아무것도 없이 양철 지붕만 올려놓았지만, 여기 어디 버릴 게 있습니까, 부족한 게 있습니까?" 가슴이 쩡했다. 나도 어느 골목길에서였던가 그 비슷한 느낌을 받아 보았기에 더 그랬을 것이다. 나도 완벽한 골목길을 만났었다. 그 골목길은 밥을 먹고 있는 방이, 변을 보고 있는 화장실이, 달팽이만한 초인종 달린 대문이 양쪽으로 잇닿아 있었다. 이 골목은 담장이 없어 길이 담장이구나. 길이 담장이 될 수 있다니! 이렇게 평화롭고 완벽한 담장이 어디 있겠는가. 이렇게 완벽한 담장을 가진 골목길에서 사람들이 살아가고 있다니. 불신의 산물로 세워지는 담장과, 함께 살아가는 똑같은 인간이라는 믿음으로 세운 이 길 담장과의 그 어마어마한 차이. 길 담장 체험 후 나는 왠지 모르게 골목길이 건강해 보이기 시작했다. 그도 그런 것이, 그도 그럴 수 있는 것이, 우리가 살고 있는 ㉡골목길이 어떤 길인가!

노동을 마치고 술 취해 귀가하던 가장이, 아내와 자식새끼들 생각에 머리채를 흔들며 정신을 가다듬고 발걸음을 바로잡던 길 아닌가. 만삭의 아낙네들이 한 손에 남편과 자식새끼들에게 먹일 시장바구니를 들고 한 손으로 허리를 짚으며 가족이 살고 있는 집을 향

● 도로 | 헛되이 수고함. 보람 없이 애씀.
● 샐러리맨 | 봉급에 의존하여 생계를 꾸려 나가는 사람.
● 고건축물 | 옛 시대의 건축물. 또는 오래된 건축물.
● 한적하다 | 한가하고 고요하다.
● 산물 | 어떤 것에 의하여 생겨나는 사물이나 현상을 비유적으로 이르는 말.

해 걷던 길이 아닌가. 철없는 아이들 즐겁게 뛰어 노는 웃음소리가 흘러넘치는 길이 아닌가. 밥숟가락보다도 더 우리들의 삶 때가 묻어 반질반질 윤기가 도는 길 아닌가……

– 함민복, 〈길의 열매 집을 매단 골목길이여〉

표현상 특징과 효과 파악하기

**➊ 음성 상징어를 사용하여 생동감을 부여하고**

모양이나 소리를 흉내 내는 말을 사용하여 생기 있는 느낌을 주는 표현이 있는지 찾으라는 뜻이다.

## 1

**(가)~(다)에 대한 설명으로 가장 적절한 것은?**

① (가)와 (나)는 명사로 시행을 마무리하여 여운을 주고 있다.

② (가)와 (다)는 대비적 상황을 제시하여 주제 의식을 강조하고 있다.

③ (나)와 (다)는 반어적 표현을 통해 대상의 의미를 부각하고 있다.

④ (가)~(다)는 모두 음성 상징어를 사용하여 생동감을 부여하고 있다.

⑤ (가)~(다)는 모두 공감각적 이미지를 통해 계절감을 드러내고 있다.

종합적으로 작품 감상하기

## 2

**[A]~[E]를 감상한 내용으로 적절하지 않은 것은?**

① [A]에서는 '물로 사흘 배 사흘'을 통해 삭주구성이 먼 곳에 있음을 보여 주고 있군.

② [B]에서는 '높은 산'을 반복하며 삭주구성이 가기 어려운 곳임을 나타내고 있군.

③ [C]에서는 삭주구성이 더 멀어진 '꿈'속 상황을 제시하여 화자의 안타까움을 드러내고 있군.

④ [D]에서는 '님을 둔 곳이길래'를 통해 삭주구성을 그리워하는 이유를 제시하고 있군.

⑤ [E]에서는 자유롭게 '날아가는 나는 구름'을 통해 삭주구성에 가고 싶은 화자의 마음을 부각하고 있군.

외적 준거에 따라 작품 감 **3** 상하기

**〈보기〉를 바탕으로 (나)를 감상한 내용으로 적절하지 않은 것은?**

● 보기 ●

이 작품의 화자는 노동을 하며 고단하게 살아온 사람들의 모습을 그리고 있다. 그리고 그들의 고달픈 처지와 삶의 상처를 떠올리며, 그들에 대한 연민의 정서를 드러내고 있다.

① '얼어붙은 땅'은 아낙네들이 일하는 것을 더 고단하게 한다고 볼 수 있겠군.

② 물이 마르지 않은 뻘밭에서 일하는 '당신'은 고된 노동을 하고 있는 사람으로 볼 수 있겠군.

③ 화자가 '당신의 상처'를 연뿌리보다 질기고 뻣세다고 한 것은 그들의 삶에 대한 연민을 드러낸 것으로 볼 수 있겠군.

④ '도로뿐인 한 생애'는 나아지지 않는 삶을 살아가는 사람들의 고달픈 처지를 드러냈다고 볼 수 있겠군.

⑤ 화자가 '목청을 다해' 당신을 부른 것은 삶의 상처를 위로받고 싶은 마음을 드러낸 것으로 볼 수 있겠군.

시어/소재의 의미와 기능 **4** 파악하기

**㉠과 ㉡에 대한 설명으로 가장 적절한 것은?**

① ㉠은 ㉡과 달리 지나온 삶에 대한 그리움의 공간이다.

② ㉠은 ㉡과 달리 실현하고 싶은 소망이 드러나는 공간이다.

③ ㉡은 ㉠과 달리 현실에 대한 부정적 인식이 드러나는 공간이다.

④ ㉠과 ㉡은 모두 생활을 이어가는 삶의 터전으로서의 공간이다.

⑤ ㉠과 ㉡은 모두 자연의 섭리에 대한 깨달음이 나타나는 공간이다.

**➕ 자연의 섭리에 대한 깨달음**
탄생과 죽음, 사계절의 순환 등과 같은 자연계의 법칙이나 원리를 깨닫는다는 것으로, 이를 인간의 삶과 연관 지어 이해하기도 한다.

글쓴이의 관점과 태도 파 **5** 악하기

**다음은 (다)에 대한 학생의 감상문이다. ⓐ~ⓔ 중, 적절하지 않은 것은?**

이 글에서 ⓐ글쓴이는 골목길의 다양한 풍경과 그 안의 모습을 보여 주고 있다. ⓑ글쓴이는 시골 방앗간이 완벽한 건축물이라고 말하는 이일훈 선생의 강의에 공감하며, ⓒ자신이 만났던 완벽한 골목길을 떠올리게 되었다. ⓓ이일훈 선생의 강의는 글쓴이가 골목길에 대한 자신의 편견을 발견하고 후회하는 계기가 되었다. 그리고 ⓔ글쓴이는 골목길을 우리들의 삶 때가 묻은 길이라고 표현하며 골목길에 대한 애정을 드러내고 있다.

① ⓐ　　　　② ⓑ　　　　③ ⓒ　　　　④ ⓓ　　　　⑤ ⓔ

## (가) 삭주구성

**갈래** 자유시, 서정시

**구성**

| | |
|---|---|
| 1연 | 멀고도 험한 삭주구성 |
| 2연 | 제비도 가다가 돌아오는 삭주구성 가는 길 |
| 3연 | 꿈에서도 가기 어려운 삭주구성 |
| 4연 | 간절하게 그리운 삭주구성 |
| 5연 | 갈 수 없는 삭주구성 |

**주제** 삭주구성에 대한 그리움

## (나) 당신

**갈래** 자유시, 서정시

**구성**

| | |
|---|---|
| 1연 | 얼어붙은 땅에서 무씨를 갈고 있는 아낙네들 |
| 2연 | 뻘밭에서 흙투성이 연뿌리를 캐고 있는 당신 |
| 3연 | 당신의 도로뿐인 생애에 대한 연민 |

**주제** 힘겨운 삶을 사는 사람들에 대한 연민

## (다) 길의 열매 집을 매단 골목길이여

**갈래** 경수필

**구성**

| | |
|---|---|
| 처음 | '나'의 기억 속 골목길 풍경 |
| 중간 | 우리들의 삶의 모습이 짙게 묻어 있는 골목길의 건강함 |

**주제** 건강한 골목길에서 살아가는 사람들에 대한 믿음

## (가)+(다) 표현상 공통점

(가)와 (다) 모두 대비되는 상황을 제시하여 주제 의식을 강조하고 있다는 공통점을 보이고 있다.

## (가) '삭주구성'의 의미

'삭주구성'은 화자가 떠나온 곳으로, 돌아가기기에는 너무 멀리 떨어져 있기 때문에 더욱더 그리운 공간이다.

| | |
|---|---|
| 삭주구성 | • 육천 리 떨어진 곳(물로 사흘 배로 사흘 가야 하는 곳) <br> • 높은 산 때문에 가기 어려운 곳 <br> • 꿈에도 그리운 곳으로 '❷⬜'을 두고 온 곳 |

## (나) 시어 및 시구의 상징적 의미

인물, 공간, 사물을 가리키는 시어를 통해 민중의 고된 삶의 이미지를 구체적으로 드러내고 있다.

| | |
|---|---|
| '아낙네', '남정네', '당신' | 고단한 삶을 살고 있는 소외된 사람들 |
| '얼어붙은 땅', '논두렁', '❸⬜⬜' | 일상적이면서도 힘겨운 노동의 공간 |
| '삽에 찍힌 연뿌리', '얼어붙은 연뿌리' | 소외된 사람들의 상처 |

## (다) 표현상 특징

| 비유적 표현 활용 | '저녁 식사 시간 골목길은 음식 냄새들의 유원지다.'(은유법), '허리가 낫처럼 휜 할머니가'(직유법) 등과 같이 대상의 특성을 비유적 표현을 통해 나타냄. |
|---|---|
| 설의법 사용 | '~ 아닌가.'라는 표현으로 골목길에 대한 애정을 드러냄. |
| 다양한 감각적 이미지의 사용 | • 시각: '담장 위 장미가 붉은 혀를' 등 <br> • 청각: '연탄재가 부지직 소리를 낸다.' 등 <br> • 후각: '비누 냄새 풍기는 하수도 물' 등 <br> • ❹⬜⬜⬜: '물소리도 길 따라 휘어지며 흘러내린다.'(청각의 시각화) |

**06** 가 **청산도 절로절로** 나 **만흥**
다 **한 그루 나무처럼**

---

## ✏ 핵심 짚기

가

● **화자**
· 화자 '나'
· 시적 대상 자연(청산, 녹수)
· 정서와 태도 ❶ ㅈ ㅇ 의 순리에 순응하고자 함.

● **표현**
· ❷ ㄷ ㄱ 법 사용 비슷한 어구를 짝 지어 운율을 형성함. ('청산도 절로절로 녹수도 절로절로')
· 유음의 반복 부드러운 느낌을 주는 'ㄹ'이 들어간 단어 '절로'를 반복함.

나

● **화자**
· 화자 '나'
· 시적 대상 자연, 임금
· 정서와 태도 자연과 더불어 살아가면서 ❸ ㅇ ㄱ 의 은혜를 예찬함.

● **시어**
· 띠집, 보리밥, ❹ ㅍ ㄴ ㅁ 화자의 소박하고 청빈한 삶을 상징함.
· 뫼 화자가 일체감을 느끼는 대상

| 빈칸 답 |
❶ 자연 ❷ 대구 ❸ 임금
❹ 풋나물

● **띠집** | 띠풀로 지은 집. 움막. 초가집.
● **어리다** | 어리석다.
● **향암** | 시골에서 지내 온갖 사리에 어둡고 어리석음. 또는 그런 사람.
● **그 남은 여남은** | 그 나머지의 다른.

---

가 청산도 절로절로 녹수도 절로절로
　 ㉠산 절로 수 절로 산수 간에 나도 절로
　 그중에 절로 자란 몸이 늙기도 절로 하리라.

　　　　　　　　　　　　　　　　　　　　　　　　　　　　　　　　－ 송시열

나 산수간(山水間) 바위 아래 띠집을 짓노라 하니
　 그 모른 남들은 웃는다 한다마는
　 어리고 향암(鄕闇)의 뜻에는 내 분(分)인가 하노라　　　　　　　〈제1수〉

　 보리밥 풋나물을 알맞게 먹은 후(後)에
　 바위 끝 물가에 마음껏 노니노라
　 그 남은 여남은 일이야 부럴 줄이 이시랴　　　　　　　　　　　〈제2수〉

　 잔 들고 혼자 앉아 먼 뫼를 바라보니
　 그리던 님이 오다 반가움이 이리하랴
　 말씀도 웃음도 아녀도 못내 좋아하노라　　　　　　　　　　　　〈제3수〉

　 강산(江山)이 좋다 한들 내 분(分)으로 누웠느냐
　 임금 은혜(恩惠)를 이제 더욱 아나이다
　 아무리 갚고자 하여도 해올 일이 없어라　　　　　　　　　　　〈제6수〉

　　　　　　　　　　　　　　　　　　　　　　　　　　－ 윤선도, 〈만흥(漫興)〉

다 북한산 근처로 이사를 와서 주말마다 산행을 한 지 이 년 반쯤 되었다. 동행할 사람을 찾기 힘들어 대개는 혼자 산에 오른다. 처음엔 적적한 감이 없지 않았으나 그럭저럭 습관이 되니 오히려 생각할 시간도 많아지고 몸과 마음이 더욱 맑아지는 느낌을 받는다. 말을 주고받을 상대가 없으므로 무엇보다 사물의 미세한 변화가 눈에 잘 들어온다. 계곡 물가나 약수터에 앉아 보내는 혼자만의 시간도 이제는 더할 나위 없이 소중하고 충만하게 다가온다.

(다)

● **글쓴이**
· **글쓴이의 경험** ❶ㄷㅁ을 뽑은 인연으로 알게 된 참나무를 통해 깨달음을 얻음.
· **글쓴이의 태도** 다른 사람을 포용하는 사람, 속마음이 변하지 않는 사람이 되고 싶음.

● **소재**

**참나무의 특성**

| 봄 |
|---|
| 연둣빛의 아름다운 잎이 무성함. |

⋮

| 겨울 |
|---|
| ❷ㅇ을 떨구고 무연히 서 있음. |

‖

| 겉모양이 바뀌어도 늘 같은 자리에 있음. |

┌ **빈칸 답**
❶ 대못 ❷ 잎

지금 내가 살고 있는 정릉에서 일선사 방향으로 올라가다 보면 두 개의 약수터가 있다. 일선사는 옛날에 시인 고은 선생이 잠시 머물렀던 곳으로 경내에 서면 성북구가 한눈에 내려다보인다. 올봄부터 나는 계속 이쪽 길로 다녔는데 늘 두 번째 약수터에서 잠시 숨을 고른 다음 내쳐 오르곤 했다.

그런데 어느 날 약수터 옆에 서 있는 참나무 한 그루가 내 눈에 들어왔다. 인연이란 참으로 묘하디묘한 것이어서 하필이면 나무에 박혀 있는 녹슨 대못이 먼저 눈에 보였다. 오래전에 누군가 바가지를 걸어 놓기 위해 박아 놓은 것 같았다. 손으로는 빼낼 재간이 없어 그대로 내려왔는데 두고두고 그 대못이 가슴에 남았다. ⟨[A]

그다음 주말에 나는 배낭에 장도리를 챙겨 넣고 약수터로 올라갔다. 녹슨 못을 빼내고 나니 마음이 그렇게 후련할 수가 없었다. 그 나무와의 인연은 그렇게 시작됐다. 바야흐로 사월이 되면서 참나무는 연둣빛의 아름다운 잎을 가지마다 무성하게 토해 내고 있었다. 그 후로 나는 그 참나무를 보기 위해, 아니 보고 싶어 산에 오르는 기분이 들었다. 괜히 마음이 심산스러울 때, 남에게 무심코 아픈 말을 내뱉고 후회할 때, 또한 이유 없는 공허함에 사로잡힐 때면 나는 그 나무를 보러 올라가곤 했다. 나무는 언제나 그 자리에 서 있었고 내게 시원한 그늘을 내주며 때로는 미소를 짓거나 무어라 말을 건네 오는 것 같았다. ⟩[B]

(중략)

가을이 시작될 무렵 지방에 살고 계신 어머니가 몸이 편찮으시다는 연락을 받았다. 곧장 내려가 볼 수 없었던 나는 마음을 달래려 저녁 무렵 ⓒ산으로 올라갔다. 그리고 나무를 올려다보며 어머님의 건강을 빌었다. 모든 사물에 영혼이 깃들어 있다는 말을 이제 나는 믿는다. 내가 지방에 다녀오고 나서 얼마 후에 어머님은 가까스로 건강을 되찾았다.

지난 주말에도 나는 산에 다녀왔다. 눈이 내린 날이었다. 불과 일주일 만에 약수터의 참나무는 제 스스로 모든 잎을 떨군 채 찬바람 속에 무연히 서 있었다. 그리고 침묵의 시간으로 돌아간 듯 더 이상 말이 없었다. 나는 내가 못을 빼냈던 자리를 찾아보았다. 상처는 아직도 완전히 아물지 않은 상태였다. ⟩[C]

그 헐벗은 나무를 보며 나는 생각했다. 그동안 나는 사소한 일에도 얼마나 자주 마음이 흔들렸던가. 또 어쩌다 상처를 받게 되면 얼마나 많은 원망의 시간을 보냈던가. 그리고 나는 길을 잃은 사람이 다시 찾아올 수 있도록 변함없이 그 자리에 서 있었던 적이 있었던가. 그렇게 말없이 기다림을 실천한 적이 있었던가. ⟩[D]

이제부터는 한 그루 나무처럼 살고 싶다. 자기 자리에 굳건히 뿌리를 내리고 세월이 가져다주는 변화를 조용히 받아들이며 가끔은 누군가 찾아와 기대고 쉴 수 있는 사람이 되었으면 싶다. 겉모습은 어쩔 수 없이 변하더라도 속마음은 변하지 않는 사람이 되고 싶다. 한 그루 나무처럼 말이다. ⟩[E]

– 윤대녕, 〈한 그루 나무처럼〉

● **경내** | 일정한 지역의 안.
● **내쳐** | 어떤 일 끝에 더 나아가.
● **장도리** | 노루발장도리. 한쪽은 뭉뚝하여 못을 박는 데 쓰고, 다른 한쪽은 넓적하고 둘로 갈라져 있어 못을 빼는 데 쓰는 연장.
● **심산스럽다** | 마음이 어수선하다.
● **공허하다** | 아무것도 없이 텅 비다.
● **무연히** | 아득하게 너른(마음을 쓰는 것이나 생각하는 것이 너그럽고 큰) 상태로.

화자(글쓴이)의 정서와
태도 파악하기

**1**

⊕ **속세의 일을 멀리하는 삶의
자세**
  일반적으로 조선 시대 사대부
들이 한가롭게 자연에서 살면서
정치와 관련된 일을 생각하지 않
는 삶을 의미한다.

**(가)~(다)의 공통점으로 가장 적절한 것은?**

① 자연과 교감을 이루는 모습이 나타나 있다.

② 대상에 대한 그리움의 정서를 표현하고 있다.

③ 속세의 일을 멀리하는 삶의 자세가 나타나 있다.

④ 계절의 변화에 따른 생활상의 모습을 드러내고 있다.

⑤ 일상과 관련된 사물의 속성에서 교훈을 이끌어 내고 있다.

시어/배경의 의미와 기능
파악하기

**2**

**㉠, ㉡에 대한 설명으로 가장 적절한 것은?**

① ㉠은 화자의 지향을 함축하는 공간이다.

② ㉡은 현실에 존재하지 않는 이상적 공간이다.

③ ㉠은 ㉡과 달리 '나'가 지난 삶을 반성하는 공간이다.

④ ㉡은 ㉠과 달리 '나'의 기대가 좌절되는 공간이다.

⑤ ㉠과 ㉡은 모두 '나'가 시련을 극복하는 공간이다.

표현상 특징과 효과 파악
하기

**3**

● **유음** ┃ 혀끝을 잇몸에 가볍게
대었다가 떼거나, 잇몸에 댄
채 공기를 그 양옆으로 흘려
보내면서 내는 소리. 국어의
자음 'ㄹ' 따위이다.

**(가)에 대한 적절한 설명을 〈보기〉에서 모두 고른 것은?**

┌─● 보기 ●─────────────────────────────
│ ㄱ. 대구적 표현을 통해 리듬감을 만들고 있다.
│ ㄴ. 음성 상징어를 활용하여 시적 긴장을 높이고 있다.
│ ㄷ. 대조적인 의미의 시어를 제시하여 주제 의식을 강조하고 있다.
│ ㄹ. 유음을 반복적으로 사용하여 경쾌한 분위기를 자아내고 있다.
└───────────────────────────────────

① ㄱ, ㄴ        ② ㄱ, ㄷ        ③ ㄱ, ㄹ        ④ ㄴ, ㄹ        ⑤ ㄷ, ㄹ

**외적 준거에 따라 작품 감상하기** 4

**➕ 귀거래, 연군지정**
'귀거래'는 '관직을 그만두고 고향으로 돌아감'을 뜻하고, '연군지정'은 '임금을 그리워하는 마음'을 뜻한다. 조선 시대 사대부는 관직에서 물러나면 학문 수양에 힘쓰거나 자연 친화적 삶을 사는 내용의 시가를 창작하기도 했는데, 그러한 시가에서도 임금에 대한 충성심을 나타내는 시구를 흔히 볼 수 있다.

**(나)의 시구 중, 〈보기〉의 내용을 뒷받침하기에 가장 적절한 것은?**

● 보기 ●

조선 시대 사대부들이 창작한 작품의 특징 중 하나를 꼽으라면 임금과의 관계가 작품의 근저가 되고 있다는 점이다. 윤선도의 작품 또한 예외가 아닌데, 그의 한시 및 국문 시가를 살펴보면 나라를 걱정하고 임금을 그리워하는 작품들은 물론이고 귀거래(歸去來)➕ 내지 자연을 노래하고 있는 작품들조차도 대부분 연군지정(戀君之情)➕의 바탕 위에서 창작되고 있음을 알 수 있다.

① 산수간(山水間) 바위 아래 띠집을 짓노라 하니
② 보리밥 풋나물을 알맞게 먹은 후(後)에
③ 그리던 님이 오다 반가움이 이리하랴
④ 말씀도 웃음도 아녀도 못내 좋아하노라
⑤ 아무리 갚고자 하여도 해올 일이 없어라

**종합적으로 작품 감상하기** 5

**💡 도움말**
글의 전체 흐름을 파악하며, [A]~[E] 각 부분에서 글쓴이의 경험과 생각을 정확히 구분해야 한다. 글쓴이의 생각이 직접적으로 드러나지 않는 경우는 앞뒤 부분을 참고하며 내용을 추측해야 한다.

**[A] ~ [E]에 대한 설명으로 적절하지 않은 것은?**

① [A]: '나'가 참나무 한 그루를 본 후 마음에 두게 된 계기가 드러난다.
② [B]: '나'가 참나무와 인연을 맺고 그 후로 위로를 받은 경험이 나타난다.
③ [C]: '나'가 겨울날의 참나무를 보며 느낀 현실에서의 소외감이 드러난다.
④ [D]: '나'가 헐벗은 나무에 비추어 자신의 삶을 성찰하고 있음이 드러난다.
⑤ [E]: '나'가 참나무로부터 깨달은 바람직한 삶의 태도가 구체적으로 나타난다.

## 가 청산도 절로절로

○ **갈래** 평시조

○ **주제** 자연의 순리에 따라 살고자 하는 마음

## 나 만흥

○ **갈래** 연시조, 강호 한정가

○ **구성**

| 제1수 | 안분지족하는 삶 |
| 제2수 | 안빈낙도하는 삶 |
| 제3수 | 자연과 혼연일체하는 삶 |
| 제6수 | 임금의 은혜 예찬 |

○ **주제** 자연과 더불어 살아가는 즐거움과 임금의 은혜 예찬

## 다 한 그루 나무처럼

○ **갈래** 경수필

○ **구성**

| 처음 | 주말마다 홀로 산에 오르며 사색하는 '나' |
| 가운데 | 참나무에 박힌 대못을 빼낸 것을 계기로 참나무에서 위안을 얻는 '나' |
| 끝 | 한 그루 나무처럼 쉽게 흔들리지 않고 다른 사람들을 포용할 수 있는 삶을 살아야겠다고 다짐하는 '나' |

○ **주제** 쉽게 흔들리지 않고 남을 포용할 수 있는 삶을 살아야겠다는 깨달음

### ○ (가)+(나)+(다) 정서와 태도의 공통점

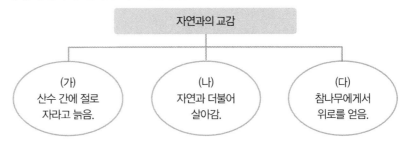

(가)~(다)에서 화자(글쓴이)는 자연과 정서를 나누며 만족하며 살아가거나 위로를 얻는 모습을 보이고 있다.

### ○ (가) 표현상 특징

| 대구법 사용 | '청산도 절로절로 녹수도 절로절로'에서 비슷한 시구를 짝 지어 운율을 형성하고 있음. |
| ❶▢▢의 반복 | 유음 'ㄹ'이 들어간 시어를 반복적으로 사용하여 경쾌한 분위기를 조성하고 있음. |

'절로(절로)'라는 시어를 반복하여 운율을 형성하면서도 자연의 순리에 따르는 삶이라는 주제를 효과적으로 드러내고 있다.

### ○ (나) 시어 및 시구의 의미

| 띠집, 보리밥, 풋나물 | ❷▢▢ 속에 있는 화자의 소박하고 청빈한 삶 |
| 물가, 뫼, 강산 | 화자가 풍류를 즐기거나 지향하는 자연 |
| 그 남은 여남은 일 | 화자가 잊고자 하는 속세의 일 |
| 임금 은혜 | 자연 속에서도 지니고 있는 연군지정 |

다양한 시어를 통해, 속세를 멀리하고 자연 친화적인 삶을 살면서도 임금에 대한 충성심을 잊지 않는 모습을 보여 주고 있다.

### ○ (다) 글쓴이의 관점과 태도

| | 글쓴이의 성찰 | 글쓴이가 추구하는 삶의 태도 |
|---|---|---|
| 참나무는 무성한 잎을 가진 봄이든 모든 잎을 떨군 겨울이든 늘 그 자리에 굳건히 뿌리를 내리고 있음. | → 사소한 일에도 자주 마음이 흔들렸던 것, 상처를 받으면 많은 원망의 시간을 보낸 것, 말없이 기다림을 실천한 적이 없었던 것을 반성함. | → 한 그루 나무처럼 자연의 순리에 따르고 다른 이를 포용할 수 있는 사람, 겉모습은 어쩔 수 없이 변하더라도 ❸▢▢▢은 변하지 않는 사람이 되고 싶음. |

빈칸 답 **❶** 유음 **❷** 자연 **❸** 속마음

## ✏ 핵심 짚기

**● 인물**
- **홍무 ❶ㅁㅁ** 거족 출신으로 자식이 없음을 한탄함.
- **양씨 부인** 자식이 안 생기자 홍무에게 첩을 들이라고 권유함.

**● 배경**
- **시간** 중국 명나라
- **공간** 중국 형주

**● 사건**
　홍무와 양씨 부인 사이에 자식이 없다가 양씨 부인이 선녀 꿈을 꾸고 나서 계월이 태어남.

**● 서술상 특징**
**❷ㅇㅇㅈ** 제시 홍무가 나랏일을 하다가 고향에 돌아오게 된 과정을 서술자가 요약하여 전달함.

**● 구성**
**영웅의 일대기적 구성**
① **고귀한 혈통** 계월의 아버지 홍무는 명문거족임.
② **비정상적 출생** 양씨 부인이 **❸ㅅㄴ** 꿈을 꾸고 계월을 임신함.
③ **비범한 능력** 계월은 어릴 때부터 영민한 면모를 보임.

| 빈칸 답 |
❶ 명문 ❷ 요약적 ❸ 선녀

- **만조백관** | 조정의 모든 벼슬아치.
- **불효삼천에 무후위대** | 삼천 가지 불효 중 자식 없는 것이 가장 큰 불효임을 이르는 말.
- **월궁항아** | 전설 속에서 달에 산다는 선녀로, 아름다운 여인을 흔히 비유적으로 이르는 말.
- **장중보옥** | 귀하고 보배롭게 여기는 존재를 비유적으로 이르는 말.

　각설 대명(大明) 성화 년간에 형주(荊州) 구계촌(九溪村)에 한 사람이 있으되, 성은 홍(洪)이요 이름은 무라. 세대 명문거족(名門巨族)으로 소년 급제하여 벼슬이 이부시랑에 있어 충효 강직하니, 천자 사랑하사 국사를 의논하시니, 만조백관이 다 시기하여 모함하매, 죄 없이 벼슬을 빼앗기고 고향에 돌아와 농업에 힘쓰니, 가세는 부유하나 슬하에 일점혈육이 없어 매일 슬퍼하더니, 일일은 부인 양씨(梁氏)와 더불어 탄식하며 말하기를,

　"나이 사십에 아들이든 딸이든 자식이 없으니, 우리 죽은 후에 후사를 누구에게 전하며 지하에 돌아가 조상을 어찌 뵈오리오."

　부인이 공손하게 말하기를,

　"불효삼천(不孝三千)에 무후위대(無後爲大)라 하오니, 첩이 귀한 가문에 들어온 지 이십여 년이라. 한낱 자식이 없사오니, 어찌 상공을 뵈오리까. 원컨대 상공은 다른 가문의 어진 숙녀를 취하여 후손을 보신다면, 첩도 칠거지악을 면할까 하나이다."

　시랑이 위로하여 말하기를,

　"이는 다 내 팔자라. 어찌 부인의 죄라 하리오. 차후는 그런 말씀일랑 마시오." 하더라.

　이때는 추구월 보름이라. 부인이 시비(侍婢)를 데리고 망월루에 올라 월색을 구경하더니 홀연 몸이 곤하여 난간에 의지하매 비몽간(非夢間)에 선녀 내려와 부인께 재배하고 말하기를,

　"소녀는 상제(上帝) 시녀옵더니, 상제께 득죄하고 인간에 내치시매 갈 바를 모르더니 세존(世尊)이 부인댁으로 지시하옵기로 왔나이다."

하고 품에 들거늘 놀라 깨달으니 필시 태몽이라. 부인이 크게 기뻐하여 시랑을 청하여 몽사를 이야기하고 귀한 자식 보기를 바라더니, 과연 그달부터 태기 있어 열 달이 차매 일일은 집안에 향취 진동하며 부인이 몸이 곤하여 침석에 누웠더니 아이를 탄생하매 여자라. 선녀 하늘에서 내려와 옥병을 기울여 아기를 씻겨 누이고 말하기를,

　"부인은 이 아기를 잘 길러 후복(厚福)을 받으소서."

하고 문을 열고 나가며 말하기를,

　"오래지 아니하여서 뵈올 날이 있사오리다."

하고 문득 가옵거늘 부인이 시랑을 청하여 아이를 보인대 얼굴이 도화(桃花) 같고 향내 진동하니 진실로 월궁항아(月宮姮娥)더라. 기쁨이 측량 없으나 남자 아님을 한탄하더라. 이름을 계월(桂月)이라 하고 장중보옥(掌中寶玉)같이 사랑하더라.

　계월이 점점 자라나매 얼굴이 화려하고 또한 영민한지라. 시랑이 계월이 행여 수명이 짧을까 하여 강호 땅에 곽도사라 하는 사람을 청하여 계월의 상(相)을 보인대, 도사 지그시 보다가 말하기를,

✏ 핵심 짚기

● 구성

영웅의 일대기적 구성
③ **비범한 능력** 계월은 기억력과 무공이 뛰어남.
④ **유년기의 위기** 난리가 일어나 계월은 부모님과 헤어짐.
⑤ **구출과 양육** ❶ ㅇㄱ 이 계월을 구해 주고 키움.
⑥ **성장 후의 위기** 계월의 남장 사실이 밝혀짐, 국란이 일어남.
⑦ **고난 극복** ❷ ㅊㅈ 가 계월을 용서하고 보국과 결혼시킴, 계월이 전쟁에 나서 적군을 물리침.

● 주제 의식

**주체적인 여성상** 남편인 ❸ ㅂㄱ 보다 뛰어난 능력을 지닌 계월이 높은 벼슬을 하고 적군을 이기는 내용을 통해 조선 후기에 성장하였던 여성 의식이 나타남.

┃ 빈칸 답
❶ 여공 ❷ 천자 ❸ 보국

"이 아이 상을 보니 다섯 살이 되는 해에 부모를 이별하고 십팔 세에 부모를 다시 만나 공후작록(公侯爵祿)을 올릴 것이오, 명망이 천하에 가득할 것이니 가장 길하도다."

시랑이 그 말을 듣고 놀라 말하기를,

"명백히 가르치소서."

도사 말하기를,

"그 밖에는 아는 일이 없고 천기를 누설치 못하기로 대강 설화하나이다."

하고 하직하고 가는지라. 시랑이 도사의 말을 듣고 도리어 듣지 않은 것만 못하다 여기고, 부인을 대하여 이 말을 이르고 염려 무궁하여 계월을 남복(男服)으로 입혀 초당에 두고 글을 가르치니 한 번 보면 다 기억하는지라. 시랑이 안타까워 말하기를,

"네가 만일 남자 되었다면 우리 문호를 더욱 빛낼 것을 애닯도다." 하더라.

**중략 부분의 줄거리** 장사랑의 난이 일어나 계월은 부모와 헤어졌지만, 여공의 구원으로 살아나고 그의 아들 보국과 함께 공부하여 과거에 급제한다. 이후 서달의 난을 진압하고 부모와 재회하게 된다. 그러던 중 계월이 여자임이 밝혀지면서 천자의 중매로 보국과 결혼을 한다. 이후 오왕과 초왕이 황성을 침입하자, 계월은 원수로 임명되고 보국과 함께 출전한다.

이튿날, 원수 중군장에게 분부하되,

"오늘은 중군장이 나가 싸워라." 하니,

중군장이 명령을 듣고 말에 올라 삼척장검을 들고 적진을 향해 외치기를,

"나는 명나라 중군장 보국이라, 대원수의 명을 받아 너희 머리를 베라 하니 바삐 나와 내 칼을 받으라."

하니, 적장 운평이 이를 듣고 크게 화를 내며 말을 몰아 싸우더니 세 번도 채 겨루지 못하여 보국의 칼이 빛나며 운평 머리 말 아래 떨어지니 적장 운경이 운평 죽음을 보고 대분하여 말을 몰아 달려들거늘, 보국이 승기 등등하여 장검을 높이 들고 서로 싸우더니 수합이 못하여 보국이 칼을 날려 운경의 칼 든 팔을 치니 운경이 미처 손을 올리지 못하고 칼 든 채 말 아래에 나려지거늘, [A]

보국이 운경의 머리를 베어들고 본진으로 돌아오던 중, 적장 구덕지 대노하여 장검을 높이 들고 말을 몰아 크게 고함하며 달려오고, 난데없는 적병이 또 사방으로 달려들거늘, 보국이 황겁하여 피하고자 하더니 한순간에 적병이 함성을 지르고 보국을 천여 겹에워싸는지라 사세 위급하매 보국이 앙천탄식하더니,

이때 원수 장대에서 북을 치다가 보국의 위급함을 보고 급히 말을 몰아 장검을 높이 들고 좌충우돌하며 적진을 헤치고 구덕지 머리를 베어 들고 보국을 구하여 몸을 날려 적진을 충돌할 새, 동에 가는 듯 서장을 베고 남으로 가는 듯 북장을 베고 좌충우돌하여 적장 오십여 명과 군사 천여 명을 한 칼로 베고 본진으로 돌아올 새, 보국이 원수 보기를 부끄러워하거늘, 원수 보국을 꾸짖어 말하기를,

"저러하고 평일에 남자라 칭하고 나를 업신여기더니, 언제도 그리할까."

하며 무수히 조롱하더라.

– 작자 미상, 〈홍계월전〉

● **공후작록** ┃ 높은 지위에 오른다는 말.
● **누설하다** ┃ 비밀이 새어 나가다. 또는 그렇게 하다.
● **문호** ┃ 대대로 내려오는 그 집안의 사회적 신분이나 지위.
● **황겁하다** ┃ 겁이 나서 얼떨떨하다.
● **앙천탄식하다** ┃ 하늘을 우러러 한탄하여 한숨을 쉬다.

서술상 특징 파악하기

**1**

❖ 외양 묘사를 통해 인물을 희화화하고

등장인물의 생김새나 옷차림, 행동의 특징을 우스꽝스럽게 표현하여 웃음을 유발하는 서술 내용이 있는지 찾아야 한다.

**윗글에 대한 설명으로 적절한 것은?**

① 외양 묘사를 통해 인물을 희화화하고 있다.

② 요약적 서술을 통해 인물의 내력을 제시하고 있다.

③ 대립된 공간을 설정하여 인물 간의 갈등을 제시하고 있다.

④ 초월적 존재와의 대화를 통해 인물의 고뇌가 드러나고 있다.

⑤ 여러 개의 이야기를 나열하여 다양한 관점에서 사건을 재구성하고 있다.

사건 전개 파악하기

**2**

**윗글에 대한 이해로 적절하지 <u>않은</u> 것은?**

① '홍무'는 '양씨 부인'과 함께 자식이 없음을 한탄하고 있다.

② '양씨 부인'은 '홍무'에게 첩을 들일 것을 권하고 있다.

③ '곽도사'는 '계월'이 어려움에 처할 것을 알려 주고 있다.

④ '홍무'는 계월에게 남장을 시켜 위험을 피하려 하고 있다.

⑤ '보국'은 '원수'의 명령을 따르지 않아 위험에 처하고 있다.

외적 준거에 따라 작품 감상하기

● 잉태 | 아이나 새끼를 뱀.

**3**

고난도

**〈보기〉를 바탕으로 윗글을 감상한 내용으로 적절하지 <u>않은</u> 것은?**

> ─ 보기 ─
>
> 〈홍계월전〉은 남성보다 비범한 능력을 가진 여성 주인공이 위기를 극복하는 모습을 그린 작품으로, 영웅의 일대기 구조를 가지고 있다. 영웅의 일대기 구조에서 주인공은 고귀한 혈통을 지니고 태어나며 잉태나 출생의 과정이 일반인들과 다르다. 어려서부터 비범하나 일찍 부모와 이별하거나 죽을 고비와 같은 위기에 처하고, 양육자 혹은 조력자에 의해 위기에서 벗어난다. 자라서 다시 위기에 부딪치며, 이 위기를 극복하고 승리자가 된다.

① 이부시랑 홍무의 딸로 태어난 사실을 통해 계월이 고귀한 혈통을 지니고 있음을 알 수 있다.

② 선녀가 꿈에서 양씨에게 말하는 내용을 통해 계월을 잉태하는 과정이 일반인들과 다름을 알 수 있다.

③ 계월이 태어났을 때 시랑이 안타까워하는 모습을 통해 어릴 때 위기에 처한 계월의 모습을 알 수 있다.

④ 여공이 계월을 구해 주는 내용을 통해 조력자에 의해 위기에서 벗어난다는 것을 알 수 있다.

⑤ 계월이 보국을 구해 주는 장면을 통해 여성 영웅의 비범한 능력을 알 수 있다.

**[A]를 〈보기〉의 시나리오로 각색했다고 할 때, 고려한 내용으로 적절하지 <u>않은</u> 것은?**

💡 **도움말**

　다른 갈래로 작품 내용을 옮겼을 때의 적절성을 판단하는 문제로, 소설과 시나리오 표현 방식의 차이를 고려하여 문제를 풀어야 한다. 촬영 기법, 음향 효과, 소품, 배경, 인물의 대사나 행동이 적절한지 원작에 서술된 내용으로 판단하되, 원작에 없는 내용은 인물의 특징과 사건의 맥락을 고려하여 적절성을 따져 보아야 한다.

● ELS ┊ 아주 멀리서 넓은 지역을 조망하는 촬영 기법.
● E ┊ 극, 영화, 방송 등에서 소리 등의 효과.
● CU ┊ 대상의 일부를 두드러지게 강조하기 위해 크게 찍거나 화면에 크게 나타내는 촬영 기법.
● 조망하다 ┊ 먼 곳을 바라보다.

─── 보기 ───

S# 120. ⓐ(ELS) 영경루 전쟁터

보국: ⓑ(삼척장검을 들고 적진을 향해 외치며) 나는 명나라 중군장 보국이라. 대원수의 명을 받아 너희 머리를 베려 하니 적장은 어서 나와 내 칼을 받아라!

운평: (큰 칼을 휘두르며) 가소롭구나. 감히 어디서 그런 말을…. 내 칼을 받아라.

　운평과 보국이 세 번도 채 겨루지 않아 보국의 칼에 운평이 죽는다.

운경: (운평이 죽는 모습을 보며) 네 이놈!(칼을 휘두르며 말을 몰아 달려 나감.)

보국: (칼을 막으며) ⓒ너도 같이 저승길로 보내 주마.

　보국이 운경을 죽이고 의기양양한 얼굴을 하고 본진으로 말을 돌린다.

구덕지: (긴 칼을 휘두르고 크게 고함을 치며) 네 이놈! 살아서 돌아갈 생각을 하지 마라.

　ⓓ(E) 적병들이 사방에서 나타나 보국을 포위한다.

보국: ⓔ(CU) (탄식하며) 아뿔싸, 내가 너무 방심했구나.

① ⓐ에서 대규모 전쟁의 모습을 보여 주기 위해 멀리서 전쟁터를 조망하면서 촬영해야겠어.
② ⓑ에서 장군의 위엄을 드러내기 위해 삼척장검과 이에 어울리는 갑옷을 소품으로 준비해야겠어.
③ ⓒ에서 인물의 당황한 심리를 드러내기 위해 떨리는 목소리로 연기하도록 해야겠어.
④ ⓓ에서 인물의 상황을 부각하기 위해 긴박한 분위기의 효과음을 사용해야겠어.
⑤ ⓔ에서 위기에 처한 인물의 심정을 강조하기 위해 표정을 확대해서 촬영해야겠어.

**갈래** 국문 소설, 영웅 소설, 군담 소설

**전체 구성**

**발단** 홍무와 양씨 부인이 뒤늦게 딸 홍계월을 얻음. 장사랑의 난이 일어나고 난을 피하는 과정에서 홍계월은 부모님과 헤어짐. [154쪽 수록]

**전개** 여공에게 구원을 받아 평국이란 이름을 얻은 후 여공의 아들 보국과 함께 자란 홍계월은 과거에서 장원으로 급제함. 홍계월은 전쟁에 나가 공을 세우고 부모님을 다시 만남.

**위기** 홍계월이 여자임이 밝혀지나 천자가 이를 용서하고 보국과 혼인할 것을 명함.

**절정** 홍계월은 천자의 명으로 보국과 혼인하지만 보국의 애첩을 죽인 일로 보국과 불화를 겪음. [155쪽 수록]

**결말** 홍계월은 두 차례에 걸쳐 국가를 위기에서 구하고, 대사마 대장군의 작위를 받아 보국과 함께 나라에 충성하며 오랫동안 낙을 누림.

**주제** 홍계월의 탄생과 영웅적 활약상

## 시점과 서술상 특징

| 3인칭 전지적 시점 | 이야기 밖의 서술자가 사건의 내막과 인물의 심리 등을 모두 알고 서술함. |
|---|---|

↓

- 계월의 아버지 **❶**☐☐의 삶, 계월의 출생과 성장 등을 요약적으로 제시함.
- 사건에 따른 인물의 심리 변화를 직접적으로 설명함.

고전 소설은 대부분이 전지적 작가 시점에서 쓰였는데, 독자의 흥미를 고려하여 인물의 내력 같은 내용은 요약적으로 제시하고, 재미있는 장면은 자세하게 서술하기도 한다.

## 작품에 나타나는 영웅의 일대기 구조

이 작품에는 여성이 주인공으로 등장하며 일반적인 영웅 소설처럼 영웅의 일대기 구조가 나타난다.

| 영웅의 일대기 구조 | 작품 내용 |
|---|---|
| 고귀한 혈통 | 계월이 명문거족인 홍무의 딸로 태어남. |
| 비정상적 출생 | 어머니 양씨가 선녀의 꿈을 꾸고 계월을 잉태함. |
| 비범한 능력 | 계월이 미모와 기억력이 뛰어나고, 전투도 매우 잘함. |
| 유년기의 위기 | 장사랑의 난으로 계월이 부모와 헤어짐. |
| 구출과 양육 | 여공의 구원으로 살아난 계월은 **❷**☐☐과 함께 성장함. |
| 성장 후의 위기 | • 계월의 남장 사실이 발각됨. • 국란이 잦음. |
| 고난 극복과 행복한 결말 | • 천자가 계월이 남자 행세를 한 것을 용서함.<br>• 계월이 전쟁에 나서서 적을 물리침. |

## 등장인물 간의 관계

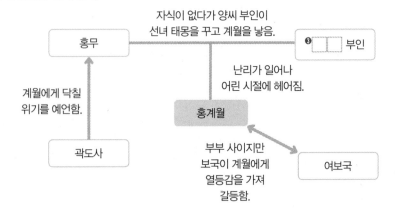

# 08 사씨남정기

교과서
고등 _ 천재(박), 비상(박영)

## 핵심 짚기

### ● 인물

· **유연수** 능력이 뛰어나고, 배려심이 있음.
· **사 씨** 성품이 곱고 ❶ㅇㄱ적 가치관에 충실함.
· **두 부인** 유연수의 고모로 축첩에 반대하는 입장임.

### ● 배경

· **시간** 중국 명나라 초기
· **공간** 중국 북경 금릉 순천부

### ● 사건

· 사 씨가 대를 잇기 위해 유연수에게 ❷ㅊ을 들일 것을 권함.
· 두 부인의 반대에도 사 씨는 첩을 구하겠다는 의지를 보임.

### ● 시점

**3인칭 전지적 시점** 이야기 밖의 ❸ㅅㅅㅈ가 인물의 심리와 사건의 전개를 모두 알고 있는 입장에서 이야기를 전달함.

#### 빈칸 답

❶ 유교 ❷ 첩 ❸ 서술자

---

● **상기** | 상복을 입는 기간.
● **소** | 임금에게 올리던 글.
● **존문** | 남의 가문이나 집을 높여 이르는 말.
● **소실** | 첩. 정식 아내 외에 데리고 사는 여자.
● **천수** | 하늘이 정한 운명.
● **관저의 덕** | 중국 주나라 문왕의 아내인 태사가 정숙한 여인으로서 갖춘 어짊과 너그러움.
● **투기하다** | 질투하다.

---

**앞부분의 줄거리** 명나라의 재상 유희는 느지막이 아들 연수를 얻는다. 부인 최 씨는 연수를 낳고 세상을 떠난다. 연수는 15세에 과거에 급제하여 한림학사가 된 후 사 씨와 결혼을 한다. 서너 해가 흘러 유희는 병에 걸려 세상을 떠난다.

일월은 유수처럼 흘러 삼 년의 상기(喪期)가 훌쩍 지나갔다.

한림은 비로소 관직에 나아갔다. 천자는 장차 그를 크게 쓰려 하였다.

한림은 자주 소(疏)를 올려 조정의 득실을 논했다. 그런데 엄 승상(嚴丞相)이 그를 기꺼워하지 않았다. 그러므로 여러 해가 지나도 관직은 올라가지 않았다.

그 무렵 한림 부부는 나이가 모두 스물세 살이었다. 그들이 성혼한 지도 또 한 십 년 가까이 흘러갔다. 하지만 아직 자녀가 없었다.

사 씨는 마음속으로 몹시 근심하면서 홀로 생각하였다.

'체질이 허약하여 자녀를 생육할 수 없는가 보다.'

사 씨가 조용히 한림에게 첩을 두라고 권고하였다. 한림은 그 말이 진심이 아니라 생각하여 웃으며 대답하지 않았다.

사 씨는 남몰래 매파를 시켜 양가(良家)에서 쓸 만한 사람을 고르게 하였다.

두 부인이 그 말을 듣고 몹시 놀라 이내 사 씨를 찾아갔다.

"듣자 하니 낭자가 장부를 위해 첩을 구한다고 하던데……. 그것이 정말인가?"

"그렇습니다." / "집안에 첩을 두는 것은 환난의 근본이야. 한 필 말에는 두 개의 안장이 있을 수 없고, 한 그릇 밥에는 두 개의 수저가 있을 수 없지. 비록 장부가 원한다 하더라도 오히려 만류해야 할 것이야. 그런데 하물며 스스로 구하려 한다는 말인가?"

"첩이 존문(尊門)에 들어온 지 이미 구 년이나 지나갔습니다. 그러나 아직 자녀를 하나도 두지 못했습니다. 옛날 법도에 따르자면 응당 내침을 당해야 할 것입니다. 하물며 소실(小室)을 꺼려할 수가 있겠습니까?"

"자녀의 생육(生育)이 빠르거나 늦음은 천수(天數)에 달린 것이야. 사람들 가운데에는 간혹 서른이나 마흔 살 이후에 처음으로 자식을 낳는 경우도 있지. 낭자는 이제 겨우 스물을 넘겼어. 어찌하여 그처럼 근심을 지나치게 하는가?"

"첩은 타고난 체질이 허약합니다. 나이는 아직 늙지 않았으나 혈기가 벌써 스무 살 이전과는 다릅니다. 월사(月事)도 또한 주기가 고르지 않지요. 이는 첩만이 홀로 아는 일입니다. 하물며 일처일첩(一妻一妾)은 인륜의 당연한 도리입니다. 첩에게 비록 관저(關雎)의 덕은 없습니다. 그렇지만 또한 세속 부녀자들의 투기하는 습속은 본받지 않을 것입니다."

[A]

**중략 부분의 줄거리** 유 한림은 사 씨의 권유에 따라 어쩔 수 없이 교 씨를 첩으로 받아들이고, 교 씨는 얼마 지나지 않아 아들 장주를 낳는다.

● 인물

교 씨 유연수의 첩으로 **①** ㅈㅈ 가
뛰어나고 겉으로는 유순하지만 뒤
에서 사 씨를 모함함.

● 교 씨의 말하기 방식

· 말하기를 주저하는 행동과 말을
통해 유연수의 궁금증을 불러일
으킴.

· 자신 때문에 유연수에게 미칠 수
있는 영향을 언급하여 설득하려
함.

● 사건

교 씨는 유연수의 마음을 어지럽
히지 말라는 사 씨의 **②** ㅊㄱ 를 왜
곡하여 유연수에게 전달함.

● 갈등

**외적 갈등** 첩인 교 씨가 정실 부인
이 되고 싶어 본처인 **③** ㅅㅆ 와
갈등을 벌이게 됨.

| 사 씨: 본처 |
| :---: |
| ⋮ |
| 교 씨: 첩 |

● 서술상 특징

**대화를 통한 전개** 유연수와 교 씨
의 **④** ㄷㅎ 를 중심으로 내용이 서
술됨.

빈칸 답
**①** 재주 **②** 충고 **③** 사 씨
**④** 대화

그날 저녁 한림은 서원(西苑)에서 집으로 돌아가 백자당(白子堂)으로 갔다. 하지만 술에 취하여 잠을 이룰 수 없어 난간을 의지하고 앉아 있었다. ⓐ마침 달빛은 대낮처럼 밝고 꽃 그림자가 창문에 가득하였다.

한림이 교 씨에게 명하여 노래를 부르게 하였다. 교 씨는 감기가 들어 목이 아프다는 구실로 사양하였다. / 한림이 다시 말했다. / ⓑ"그렇다면 거문고를 대신 타게."

교 씨는 그 명도 역시 따르려 하지 않았다. 한림이 재삼 재촉하였다.

그러자 교 씨는 문득 앉은 자리가 젖을 정도로 눈물을 펑펑 흘렸다.

한림은 괴이한 생각이 들었다 . / "자네가 내 집에 들어온 이래 지금까지 불평하는 기색을 본 적이 없었네. 오늘은 무슨 일이 있었기에 그렇게 서러워하는가?"

교 씨는 대답도 하지 않고 더욱 구슬피 울었다. 한림이 굳이 그 까닭을 물었다.

마침내 교 씨가 입을 열었다.

"하문(下問)하시는데 대답하지 않는다면 상공에게 죄를 얻고, 대답을 한다면 부인에게 죄를 얻을 것입니다. 대답하기도 어렵고 대답을 하지 않기도 또한 어렵습니다."

"비록 매우 난처한 말을 한다 하더라도 내가 자네를 꾸짖지는 않을 것이야. 숨기지 말고 어서 말씀하게."

교 씨는 그제야 눈물을 거두고 대답하였다.

"ⓒ첩의 촌스러운 노래와 거친 곡조는 본디 군자께서 들으실 만한 것이 아닙니다. 단지 명을 받들고 마지못하여 못난 재주를 드러냈던 것일 따름입니다. 또한 정성을 다 기울여 상공께서 한번 웃음을 짓도록 하려는 것에 지나지 않았습니다. 무슨 다른 뜻이 있었겠습니까?

그런데 오늘 아침 부인께서 첩을 불러 놓고 책망하셨습니다. 'ⓓ상공께서 너를 취하신 까닭은 단지 후사를 위한 것일 따름이었다. 집안에 미색이 부족한 때문이 아니었어. 그런데 너는 밤낮으로 얼굴이나 다독거렸지. 또한 듣자 하니 음란한 음악으로 장부의 심지를 고혹하게 하여 가풍을 무너뜨리고 있다 하더구나. 이는 죽어 마땅한 죄이다. 내가 우선 경고부터 해 두겠다. 네가 만일 이후로도 행실을 고치지 않는다면, 내 비록 힘은 없으나 아직도 여 태후(呂太后)가 척 부인(戚夫人)의 손발을 자르던 칼과 벙어리로 만들던 약을 가지고 있느니라. 앞으로 각별히 삼가라!'라고 하셨습니다.

첩은 본래 한미한 집안에서 자란 계집으로서 상공의 은혜를 받아 부귀영화가 극에 이르렀습니다. 지금 죽는다 하더라도 여한이 없습니다. ㉠단지 두려운 바는 상공의 청덕(淸德)이 소첩의 문제로 인하여 사람들에게 비난을 받게 되지나 않을까 하는 점입니다. 그러므로 감히 명령을 따를 수 없었던 것입니다."

한림은 그 말을 듣고 깜짝 놀랐다. 의아한 생각이 들어 속으로 가만히 헤아려 보았다.

'ⓔ저 사람은 평소 투기하지 않는다고 스스로 자부하고 있었지. 교 씨를 매우 은혜롭게 대하고 있었어. 일찍이 교 씨의 단점을 말하는 소리도 들어 본 적이 없었어. 아마도 교

● **후사** | 대(代)를 잇는 자식.

● **미색** | 여자의 아리따운 용모. 또는 아름다운 여자.

● **고혹하다** | 아름다움이나 매력 같은 것에 홀려서 정신을 못 차리다.

● **한미하다** | 가난하고 지체가 변변하지 못하다.

● **청덕** | 청렴하고 고결한 덕행.

한림은 한동안 조용히 생각하다가 교 씨를 위로하였다.

"내가 자네를 취한 것은 본디 부인의 권고를 따른 일이었네. 또 부인이 일찍이 자네에게 해로운 소리를 한 적도 없었지. 이 일은 아마 비복들 가운데서 누군가가 참언을 하였기에 부인이 잠시 노하여 하신 말씀에 지나지 않을 것이네. 그러나 성품이 본시 유순하니 자네를 해치려 하지는 않을 것이야. 염려하지 말게. 하물며 내가 있질 않나? 자네를 어떻게 해칠 수 있겠는가?"

교 씨는 끝내 마음을 풀지 않은 채 다만 한림에게 사례할 따름이었다.

아아! 옛말에 이르기를, '호랑이를 그리는 데는 뼈를 그리기 어렵고, 사람을 사귀는 데는 마음을 알기 어렵다'고 하였다. 교 씨는 얼굴이 유순하고 말씨가 공손하였다. 따라서 사 부인은 단지 좋은 사람으로 여겼을 따름이었다. 경계한 말씀은 오직 음란한 노래가 장부를 오도할까 염려한 것이었다. 또한 교 씨를 바른길로 인도하려는 것이었다. [B] 본디 사랑하는 마음에서 한 말이었다. 추호도 시기하는 생각은 없었던 것이다. 그런데 교 씨는 문득 분한 마음을 품고 교묘한 말로 참소하여 마침내 큰 재앙의 뿌리를 양성하였다. 부부와 처첩의 사이는 진정 어려운 관계라 아니할 수 있겠는가?

한림은 교 씨의 간계를 깨닫지 못했다. 하지만 사 부인의 본의도 역시 의심하지는 않았다. 그러므로 교 씨는 다시 참소를 행할 수 없었다.

– 김만중, 〈사씨남정기(謝氏南征記)〉

---

## 핵심 짚기

**● 사건**

유연수는 교 씨가 사 씨를 참소하는 말을 듣고 교 씨를 **❶ ㅇ ㄹ**하며 안심시키려 함.

**● 서술상 특징**

**편집자적 논평** 서술자가 교 씨가하는 말과 행동에 대해 **❷ ㅇ ㅁ**을 활용하여 직접적인 평가를 내리고 있음.

**빈칸 답**

❶ 위로 ❷ 옛말

---

● **비복** | 계집종과 사내종을 아울러 이르는 말.

● **참언** | 거짓으로 꾸며서 남을 헐뜯어 윗사람에게 고하여 바침. 또는 그런 말.

● **오도하다** | 그릇된 길로 이끌다.

● **간계** | 간사한 꾀.

---

**서술상 특징 파악하기**  **1**

**➕ 현재와 과거를 역전시켜 사건을 전개한다**

일반적인 시간의 흐름인 '과거 → 현재'의 순서가 아니라, 시간의 흐름을 바꾸어 '현재→ 과거 → 현재' 등의 순서로 사건이 전개된다는 뜻이다.

### [A]와 [B]에 대한 설명으로 적절한 것은?

① [A]는 인물 간의 대화가, [B]는 서술자의 평가가 중심이 되고 있다.

② [A]와 달리, [B]는 하나의 사건을 다양한 관점에서 서술한다.

③ [B]와 달리, [A]는 인물들을 우스꽝스럽고 해학적으로 표현한다.

④ [A]와 [B]는 모두 현재와 과거를 역전시켜 사건을 전개한다. ➕

⑤ [A]와 [B]는 모두 작품 내부의 서술자가 주인공의 행동과 사건을 관찰하여 전달한다.

---

**인물의 말하기 방식 파악하기**  **2**

● **관철하다** | 어려움을 뚫고 나가 목적을 기어이 이루다.

### ㉠에 나타난 말하기 방식에 대한 설명으로 가장 적절한 것은?

① 권위를 내세우며 자신의 의견을 관철한다.

② 상대방의 잘못을 지적하며 개선을 요구한다.

③ 상대방의 동정심에 호소하며 요구를 거절한다.

④ 다른 사람의 말을 인용하여 상대방을 칭찬한다.

⑤ 예상되는 부정적 결과를 제시하며 공감을 유도한다.

정답과 해설 54쪽

실전 4회

외적 준거에 따라 작품 감
상하기

**3** 〈보기〉를 참고하여 윗글을 감상한 내용으로 적절하지 <u>않은</u> 것은?

💡 도움말

〈보기〉는 작품에 반영된 역사
적 사건과 작가의 창작 의도를
설명하고 있다. 〈보기〉에서 설명
한 역사적 인물 및 사건을 작품
속 인물 및 사건과 관련지어 작
품을 이해해 보도록 한다.

● 야사 | 정확한 사실의 역사나 그
런 기록을 의미하는 정사(正史)
에 대비되는 것으로, 민간(民
間)에서 사사로이 기록한 역사
를 의미한다.

> ● 보기 ●
>
> 인현 왕후는 조선 제19대 왕인 숙종과 혼인한 후 육 년이 지나도록 자녀가 없자 스스
> 로 후궁을 천거하였는데, 그 후궁이 희빈 장 씨이다. 희빈 장 씨의 계략으로 숙종은 인현
> 왕후를 폐위하고 희빈 장 씨를 중전으로 책봉하였는데 당시 이를 반대한 신하 중 하나가
> 바로 작가 김만중이다. 이 일을 계기로 귀양을 가게 된 작가가 임금의 마음을 되돌리고자
> 유배지에서 〈사씨남정기〉를 지었다고 전해지기도 한다. 야사에 따르면 어느 날 궁녀가
> 〈사씨남정기〉를 숙종에게 읽어 드리자, 숙종은 유연수를 일컬어 죄 없는 정실을 내쫓은
> 천하에 고약한 놈이라 하였다고 한다.

① 두 부인이 사 씨 부인에게 하는 충고를 통해 작가는 축첩 제도의 문제점을 드러내고
있군.

② 인현 왕후 폐위 사건을 고려하면, 이 작품에서는 교 씨의 모함으로 사 씨 부인이 집에
서 쫓겨나겠군.

③ 인현 왕후을 사 씨 부인에, 희빈 장 씨를 교 씨에 빗대어 선악의 대립이 뚜렷하게 드러
나도록 창작한 작품이군.

④ 인현 왕후와 사 씨 부인이 직접 첩을 들이는 모습에서 당시에는 가문의 대를 잇는 것
을 매우 중요시했음을 알 수 있군.

⑤ 귀양을 간 작가는 교 씨의 계략을 깨닫지 못하는 유연수의 모습을 그려 냄으로써 임금
에게 자신의 어리석음을 용서 받으려 했겠군.

형상화 방식 이해하기

**4** 윗글을 드라마로 제작하고자 할 때, ⓐ~ⓔ에 대해 토의한 내용으로 적절하지 <u>않은</u> 것은?

① ⓐ: 환한 조명으로 꽃을 비추어 그림자가 창문에 드리워지게 해야겠어.

② ⓑ: 배우가 연주하지는 않지만 방 안에는 거문고를 준비해 둬야겠어.

③ ⓒ: 교 씨가 음치처럼 부른 노래를 배경 음악으로 삽입해야겠어.

④ ⓓ: 이 부분은 마치 사 씨가 말하는 것처럼 엄숙한 태도로 연기해야겠어.

⑤ ⓔ: 배우의 표정만 보여 주고 따로 녹음한 대사를 삽입해 속마음을 드러내야겠어.

속담의 활용 이해하기

● 해몽 | 꿈에 나타난 일을 풀어서
좋고 나쁨을 판단함.

**5** 교 씨 라는 인물과 관련된 속담으로 가장 적절한 것은?

① 꿈보다 해몽이 좋다

② 콩 심은 데 콩 나고 팥 심은 데 팥 난다

③ 호랑이에게 물려 가도 정신만 차리면 산다

④ 열 길 물속은 알아도 한 길 사람의 속은 모른다

⑤ 사람은 죽으면 이름을 남기고 범은 죽으면 가죽을 남긴다

**갈래** 국문 소설, 가정 소설

**전체 구성**

**발단** 중국 명나라 세종 때 금릉 순천부에 사는 유희라는 명신(名臣)의 아들로 태어난 연수는 15세에 과거에 장원 급제하여 한림학사가 됨.

159~161쪽 수록

**전개** 유연수(유 한림)는 덕성과 재학을 겸비한 사 씨와 결혼하나, 늦도록 자식이 없어 교 씨를 첩으로 맞아들임. 교 씨는 천성이 간악한 인물로 아들을 낳자 정실이 되기 위해 사 씨를 참소하고, 결국 유 한림은 사 씨를 쫓아내고 교 씨를 정실로 삼음.

**위기** 교 씨는 문객 동청과 간통하면서 유 한림을 참소하여 유배되도록 함.

**절정** 조정에서 유 한림에 대한 혐의를 풀어 소환하고, 충신을 참소한 동청을 처형함.

**결말** 유 한림은 사방으로 사 씨의 행방을 찾다가 소식을 듣고 온 사 씨와 해후. 유 한림은 자신의 잘못을 뉘우치고 고향으로 돌아와 교 씨를 처형하고 사 씨를 다시 정실로 맞아들임.

**주제** 처첩 간의 갈등과 사 씨의 고행, 권선징악

**시점과 서술상 특징**

이야기 **❶**□의 서술자가 인물의 심리와 사건을 전달함.

↓

3인칭 전지적 시점

↓

| 서술자의 **❷**□□ | 기능 |
| --- | --- |
| '아아! 옛말에 이르기를, ~ 부부와 처첩의 사이는 진정 어려운 관계라 아니할 수 있겠는가?' | 인물에 대해 평가하고 사건의 정황을 해설하여 독자의 이해를 도움. |

서술자의 개입이란 인물의 심리나 사건의 정황을 모두 아는 3인칭 전지적 시점의 서술자가 사건에 대한 자신의 입장이나 생각을 드러내는 서술 방식을 뜻한다. 이 작품에서도 서술자의 개입을 통해 인물을 평가하고 사건의 정황을 해설하고 있다.

**대비되는 인물의 대립**

| 사 씨 | | 교 씨 |
| --- | --- | --- |
| • 유연수의 본처<br>• 성품이 곱고 착함.<br>• 긍정적 인물임. | ↔ | • 유연수의 **❸**□<br>• 교활하고 표독스러움.<br>• 부정적 인물임. |

사 씨와 교 씨라는 선악으로 대비되는 인물이 등장하여 갈등을 일으키고, 사건을 전개해 나간다. 작품의 결말에서는 교 씨의 악행이 밝혀지고 벌을 받음으로써 권선징악이라는 주제가 강조되는 효과도 거두고 있다.

**작품의 창작 배경**

| 작품 내용 | | 인현 왕후 폐위 사건 |
| --- | --- | --- |
| • 사 씨가 유연수에게 첩을 들일 것을 권고함.<br>• 유연수가 사 씨를 내쫓고 교 씨를 정실부인으로 삼음. | ≒ | • 인현 왕후가 **❹**□□에게 후궁을 천거함.<br>• 숙종이 인현 왕후를 폐위하고 희빈 장 씨를 중전으로 책봉함. |

▼

| 작가의 창작 **❺**□□ | 인현 왕후를 폐위한 사건의 부당함을 드러내어 숙종의 마음을 되돌리고자 함. |
| --- | --- |

작가 김만중은 〈사씨남정기〉를 통해 인현 왕후 폐위 사건을 풍자하였는데, 이 외에도 작품 내용을 통해 축첩 제도에 대한 문제를 제기하고, 권선징악의 주제도 실현하였다.

빈칸 답 ❶ 밖 ❷ 개입 ❸ 첩 ❹ 숙종 ❺ 의도

# 4 문천재가 알려 주는 오답 노트 작성법

저번에 틀렸던 문제와 비슷한 문제를 또 틀렸네.
자주 틀리는 문제 유형을 어떻게 극복할 수 있을까?

나는 문학 천재라서
문천재

내가 알려 줄게. 나만 따라와!

상대를 알고 나를 알면 백번 싸워도 이긴다는 말을 아니? 문학 공부할 때도 마찬가지로 내가 틀렸던 문제와 내가 특히 어려워하는 부분을 확실히 알고 넘어가야 돼. 틀린 문제를 분석하며 자신이 어떤 부분이 약한지 파악하는 데 제일 좋은 방법은 오답 노트를 만드는 거지.

틀린 문제 분석 ▶ 취약 유형 극복 ▶ 문학 문제 백전백승!

오답 노트?

내 오답 노트를 너한테만 살짝 보여 줄게. 틀린 문제 및 문제 유형, 관련 선택지 및 근거, 틀린 이유 및 기억할 점을 써서 모아 두면 그게 바로 오답 노트가 되는 거야.

예

| 문제 번호 | 문제(유형) | 선택지&근거(관련 지문) | 틀린 이유&기억할 점 |
|---|---|---|---|
| <문학 DNA 깨우기> ○쪽 1번 | (가)와 (나)에 대한 설명으로 가장 적절한 것(표현상 특징과 효과 파악하기 유형) | (나)는 (가)와 달리 역설적 표현을 통해 대상에 대한 화자의 정서를 부각 – '이 작은 주머니는 짓기 싫어서 짓지 못하는 것이 아니라 짓고 싶어서 다 짓지 않는 것입니다.' | • 선택지의 내용과 (가)와 (나)의 내용을 잘못 연결시켰다. • 역설적 표현의 뜻을 잘 몰랐다. • 역설법: 모순되는 표현처럼 보이지만 그 속에 진실을 담고 있는 표현 방법 |

오답 노트 작성 예시

그리고 아래 표처럼 내가 푼 문제 유형을 정리해 보면 자주 틀리는 유형을 알 수 있어.

예

| 세트 | 갈래 | 1번 | 2번 | 3번 | 4번 | 5번 |
|---|---|---|---|---|---|---|
| 실전III-1 | 현대 시+현대 시 | 화자 | 표현 | 시어 | 화자 | 외적 준거 |
| 실전III-ㄱ | 고전 시가+현대 시 | 표현 | 화자 | 외적 준거 | | |

취약 유형 보완

<문학 DNA 깨우기> 3권을 통해 문제 유형별 풀이법을 공부하고, 자신이 취약한 문제 유형에 집중해서 공부하면 빈틈없는 실력이 완성될 거야!

별처럼
빛날 나의
수능 1교시

## 고등 국어 시리즈

내신&수능의 출제(예상) 작품과 국어 공부의 비법을 담은 국어 영역 필수템

**문학 종합서 | 해법문학**

17년간 부동의 1위 문학 참고서
교과서 문학작품 875편 최다 수록

**국어 기본서 | 100인의 지혜**

단 한 명의 고등학생에게 바치는
국어 명강사 100인의 노하우 수록

CHUNJAE
EDUCATION

해법 중학 국어

문학 DNA
깨우기

3
기출 유형

# 정답과 해설

천재교육

문학 **DNA** 깨우기

# 정답과
# 해설

와! 지문이 통째로! 상세한 설명!

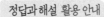

**정답과 해설 활용 안내**

- 지문의 내용을 이해하기 쉽게 상세하게 풀이하였습니다.
- 정답과 오답의 이유를 분명하게 풀이하였습니다.
- 작품에서 주제가 잘 드러나거나 특징적인 표현이 쓰인 부분에는 노란색 음영을 넣어 표시하였습니다.

# 01 화자의 정서와 태도 파악하기 유형

기출로 바로 확인　　　　　　　　본문 13쪽

● ①

**나희덕, 〈땅끝〉**

· 갈래　자유시, 서정시

· 해제　이 시는 눈물과 고통 속에서 피어나는 역설적 아름다움을 노래하고 있다. 아름다운 세계를 꿈꾸지만 살기 위해 뒷걸음치고 좌절하면서도 다시 희망을 좇아가는 과정에서 아름다움이 피어난다는 깨달음을 전하고 있다.

· 주제　절망 속에 희망이 있다는 역설적 깨달음

어릴 때는 나비를 좇듯
　　　막연한 기대감, 이상
아름다움에 취해 땅끝을 찾아갔지
　　　　　　시적 대상, 실제 지명
그건 아마도 끝이 아니었을지도 몰라

그러나 살면서 몇 번은 땅끝에 서게도 되지　　［A］
　　　　　　어른이 되어 절망적 상황에 처함.
「파도가 끊임없이 땅을 먹어 들어오는 막바지에서
「」: 삶의 위협을 받으며 막다른 골목에 몰린 화자
이렇게 뒷걸음질치면서 말야」
　　　　　　　　　▶ 2연: 험한 삶에서 느끼는 절망

살기 위해서는 이제
뒷걸음질만이 허락된 것이라고
파도가 아가리를 쳐들고 달려드는 곳
　　화자의 삶을 위태롭게 하는 파도가 달려드는 곳=땅끝
찾아나선 것도 아니었지만
끝내 발 디디며 서 있는 땅의 끝,　　　　　　［B］
그런데 이상하기도 하지
위태로움 속에 아름다움이 스며 있다는 것이
　　　역설적 표현: 절망 속 아름다움
땅끝은 늘 젖어 있다는 것이
그걸 보려고
또 몇 번은 여기에 이르리라는 것이
　　　　땅끝
　　　　　▶3연: 절망 끝에서 깨닫는 삶의 희망

● **화자 분석** ●

✔ 화자　'나'

✔ 시적 상황　위태로운 땅끝에 서 있음.

✔ 화자의 정서 및 태도　절망 속에 아름다움이 있다는 깨달음을 얻음.

● [A]에서, 화자가 이상적으로만 여기던 공간인 '땅끝'에 대한 인식이 변하는 과정이 드러난다. 화자는 [A]에서 두 번째로 제시된 '땅끝'을, 살면서 겪게 되는 인생의 고난이나 절망 등의 의미로 여기고 있다.

오답 풀이 ▶ ② [B]에서 화자는 '파도'를 아가리를 쳐들고 달려드는 삶의 위태로움으로 여긴다고 볼 수 있다.

③ [B]에서 화자는 '여기'(땅끝)에서 위태로움 속에 아름다움이 스며 있다는 역설적 깨달음을 얻는다.

# 02 표현상 특징과 효과 파악하기 유형

기출로 바로 확인　　　　　　　　본문 15쪽

● ③

**김영랑, 〈모란이 피기까지는〉**

· 갈래　자유시, 서정시

· 해제　이 시는 모란으로 상징되는 간절한 소망과 달성의 기쁨, 기쁨의 소멸과 좌절이 순환하는 구조를 보여 준다. 이를 통해 꽃이 지는 것은 영원히 사라지는 것이 아니라 때가 되면 재생하는 것이고, 이러한 과정이 곧 삶 자체라는 깨달음을 말하고 있다.

· 주제　소망이 이루어지기를 기다림.

모란이 피기까지는 ▬▬ : 유사한 구절 반복 → 운율 형성
나는 아직 나의 봄을 기다리고 있을 테요
　　　　　　　　　　　▶ 1~2행: 모란이 피기를 기다림.
모란이 뚝뚝 떨어져 버린 날
나는 비로소 봄을 여읜 설움에 잠길 테요
오월 어느 날 그 하루 무덥던 날
떨어져 누운 꽃잎마저 시들어 버리고는
천지에 모란은 자취도 없어지고
뻗쳐오르던 내 보람 서운케 무너졌느니
모란이 지고 말면 그 뿐 내 한 해는 다 가고 말아
삼백예순 날 하냥 섭섭해 우옵네다
　　　　　　　▶ 3~10행: 모란이 지고 난 후의 슬픔과 상실감
모란이 피기까지는
나는 아직 기다리고 있을 테요 찬란한 슬픔의 봄을
　　역설법 사용－모란이 피는 기쁨과 모란이－　▶ 11~12행: 모란이 피기를 기다림.
　　지는 슬픔이 복합된 모순된 감정을 표현함.

● **표현 분석** ●

✔ **역설법 사용**　이치에 맞지 않고 모순되는 표현처럼 보이지만 그 속에 진실을 담고 있는 표현을 사용함.('찬란한 슬픔의 봄')

✔ **도치법 사용**　말의 차례를 바꾸어 쓰는 표현 방법을 사용함.('나는 아직 기다리고 있을 테요 찬란한 슬픔의 봄을')

✔ **운율 형성 방법**　동일한 시어나 시구('모란이 피기까지는', '-ㄹ 테요'), 울림소리('ㄴ, ㄹ, ㅁ, ㅇ')를 반복적으로 사용하여 운율을 형성함. 수미상관 구조를 통해 형태적 안정감을 주고 운율을 형성함.

● 이 시에서 색채 이미지를 드러내는 시어는 '모란'뿐이다. '모란'은 보통 붉은색을 띠는데 이와 대조될 만한 색상을 띠는 시어는 사용되지 않았다. 그러므로 색채의 대비는 이 시의 표현상 특징으로 적절하지 않다.

오답 풀이 ▶ ① 12행의 '찬란한 슬픔의 봄'에서 역설적 표현이 나타난다. '찬란한'은 '모란이 피었을 때의 환희'를, '슬픔'은 '모란이 질 때의 설움'을 의미한다. 이는 모란이 지는 슬픔을 알면서도 모란이 피는 기쁨이 있기에 기다림을 버리지 않겠다는 주제 의식을 표현한 것이다.

② '모란이 피기까지는', '기다리고 있을 테요' 등을 반복하여 운율을 형성하고 있다.

# 03 시상 전개 방식 파악하기 유형

본문 17쪽

**기출로 바로 확인**

● ②

**신경림, 〈우리 동네 느티나무들〉**

- **갈래** 자유시, 서정시
- **해제** 이 시는 서로 의지하고 함께 살아가는 공동체적인 삶의 모습을 우리 동네의 느티나무들의 모습을 의인화하여 형상화하고 있다.
- **주제** 함께하는 삶 속에서 아름다움을 만들어 가는 민중의 삶에 대한 예찬

산비알에 돌밭에 <u>저절로 나서</u>    ☐ : 시간의 흐름이 드러남.
저희들끼리 <u>자라면서</u>    저절로 나서(탄생) → 자라면서,
재재발거리고 떠들어 쌓고    자라서는(성장) → 늙으면(노년)
밀고 당기고 간지럼질도 시키고
시새우고 토라지고 다투고
시든 잎 생기면 서로 떼어주고
아픈 곳은 만져도 주고
끌어안기도 하고 기대기도 하고
이렇게 저희들끼리 <u>자라서는</u>
<u>늙으면</u> 동무나무 썩은 가질랑
▶ 1~9행: 서로를 위하여 더불어 살아가는 느티나무들의 모습
슬쩍 잘라주기도 하고
세월에 곪고 터진 상처는
긴 혀로 핥아주기도 하다가
▶ 10~13행: 서로 의지하며 도와주는 느티나무들의 모습

**● 시상 전개 방식 분석 ●**

✔ **주요 소재** 느티나무

✔ **시구 전개의 규칙** 느티나무가 생기고, 자라고, 늙은 모습을 시간 순서에 따라 배열함.

✔ **시구 전체의 구조** 시간의 흐름에 따라 변하는 느티나무의 모습을 표현하고 있음.

● 느티나무가 '저절로 나서', '자라면서', '자라서는', '늙'는 과정을 시간의 흐름을 통해 표현하고 있다.

# 04 시어/시구의 의미와 기능 파악하기 유형

**기출로 바로 확인**    본문 19쪽

● ①

**작자 미상, 〈잠노래〉**

- **갈래** 민요
- **해제** 이 작품은 이른 새벽부터 한밤중까지 이어지는 여성의 고된 일상을 잠과의 씨름으로 형상화하고 있다. 잠을 의인화하여 염치없이 자신을 찾아와 괴롭히는 잠을 원망하면서도, 잠을 참으며 일을 해야 하는 삶의 고달픔을 익살과 해학을 통해 풀어내는 건강한 삶의 모습이 드러난다.
- **주제** 밤낮으로 일해야 하는 삶의 고달픔

┌ 잠아 잠아 짙은 잠아 이내 눈에 쌓인 잠아
└ 「 」: 시적 대상인 잠을 의인화하여 잠이 욕심이 많다고 표현함.
염치 불구 이내 잠아 겹치 두덕 이내 잠아
어제 간밤 오던 잠이 오늘 아침 다시 오네 ┐
잠아 잠아 무삼 잠고 가라 가라 멀리 가라 │ 기: 염치없이 찾아드는 잠
세상 사람 무수한데 구태 너는 간 데 없어 ┘
원치 않는 이내 눈에 이렇듯이 자심(滋甚)하뇨
주야에 한가하여 월명 동창 혼자 앉아
삼사경 깊은 밤을 허도(虛度)이 보내면서
잠 못 들어 한하는데 그런 사람 있건마는
   화자가 잠을 원망함: 청하지 않은 (내게) 원망 소리 올 때마다 (나에게서) 듣는 것이냐?
㉠<u>무상불청(無常不請) 원망 소래 온 때마다 듣난고니</u> ┐
   ▶ 승: 바쁜 자신을 찾아오는 잠에 대한 원망
석반(夕飯)을 거두치고 황혼이 대듯마듯
㉡<u>낮에 못 한 남은 일을 밤에 할랴 마음먹고</u>
   밤에도 쉬지 못하는 고달픈 삶이 나타남.
언하당(言下當) 황혼이라 섬섬옥수(纖纖玉手) 바삐 들어
등잔 앞에 고개 숙여 실 한 바람 불어 내어
드문드문 질긋 바늘 두엇 뜸 뜨듯마듯
난데없는 이내 잠이 소리 없이 달려드네
   ▶ 전: 바느질을 시작하자 또 찾아드는 잠
㉢<u>눈썹 속에 숨었는가 눈알로 솟아 온가</u>
   잠이 쏟아져 괴로운 화자의 상황을 해학적으로 표현함.
<u>이 눈 저 눈 왕래하며 무삼 요수 피우든고</u>
맑고 맑은 이내 눈이 절로 절로 희미하다
   ▶ 결: 잠 때문에 눈이 희미해짐.

**● 시어 분석 ●**

✔ **화자와 시적 상황** 화자인 부녀자가 잠을 참아 가며 바느질을 함.

✔ **화자의 정서와 태도** 고통스럽고 힘든 현실을 긍정적으로 극복하려고 함.

✔ **주요 시구의 의미** '무상불청 ~ 듣난고니': 왜 원하지도 않은 '나'에게 와서 원망을 듣느냐? / '눈썹 속에 ~ 피우든고': (잠이) 눈썹에 숨었나, 눈알로 솟았나. 두 눈에 무슨 요술을 부리는가(잠이 오게 하는가)?

● ㉠의 앞부분은 '한가하게 지내며 잠 못 들어 괴로워하는 사람도 있는데'라는 뜻이고, ㉠은 '잠 너는 청하지도 않은 내게 와서 올 때마다 나에게서 원망 소리를 듣는 것이냐?'라는 의미이다. 이는 화자가 의인화된 잠에게 드러내는 불만이라고 할 수 있다.

# 05 인물의 심리와 태도 파악하기 유형

기출로 바로 확인　　　　　　　　　　본문 22쪽

● ②

**김유정, 〈땡볕〉**

- **갈래**　단편 소설, 농촌 소설
- **해제**　가난한 농부인 덕순이 특이한 병을 가진 사람들을 무료로 치료해 준다는 말을 듣고 열세 달 동안 임신 중인 아내와 땡볕 속을 걸어 병원에 가지만, 태아가 자라다가 죽은 것으로 밝혀져 무료 치료를 받지 못한 채 돌아온다는 비극적 내용을 해학적으로 담은 소설이다.
- **주제**　가난에서 느끼는 좌절과 자본주의 사회의 비인간성

**앞부분의 줄거리**　덕순은 동네 어른으로부터 이상한 병에 걸린 사람이 병원에 가면 월급도 주고 병도 고쳐 준다는 말을 듣는다. 덕순은 열세 달이 되도록 배가 불러만 있는 아내가 이상한 병에 걸렸다고 믿고, 아내를 업고 팔자를 고칠 희망에 차 대학병원으로 향한다. 그러나 덕순이는 간호사로부터 돈을 내고 당장 수술을 하지 않으면 아내는 일주일도 못 가 죽을 것이라는 말을 듣고, 수술하지 않겠다는 아내를 다시 지게에 지고 무거운 마음으로 병원을 나온다.

덕순이는 눈 위로 덮는 땀방울을 주먹으로 훔쳐 가며 장차 캄캄하여 올 그 전도를 생각해 본다. 서울을 장대고 왔던 것이 벌이도 제대로 안 되고 게다가 인젠 아내까지 잃는 것이다. 지에미붙을! 이놈의 팔자가, 하고 딱한 탄식이 목을 넘어오다 꽉 깨무는 바람에 한숨으로 터져 버린다.

한나절이 되자 더위는 더한층 무서워진다.
▶ 덕순이는 아내가 죽게 될 것을 생각하며 안타까워함.

덕순이는 통째 짓무를 듯싶은 등어리를 견디지 못하여 먼젓번에 쉬어 가던 나무 그늘에 지게를 벗어 놓는다. 땀을 들여 가며 아내를 가만히 내려다보니 그동안 고생만 시키고 변변히 먹이지도 못하였던 것이 갑자기 후회가 나는 것이다. ⊙이럴 줄 알았더면 동넷집 닭이라도 훔쳐다 먹였을 걸 싶어,
덕순이는 가정 형편이 어려워 아내를 제대로 먹이지 못했던 것을 안타까워함.

"올지 말아, 그것들이 뭘 아나 제까짓 게!"

하고 소리를 뻑 지르고는,

"채미 하나 먹어 볼 테야?"

"채민 싫어요."

아내는 더위에 속이 탔음인지 한길 건너 저쪽 그늘에서 팔고 있는 얼음냉수를 손으로 가리킨다. 남편이 한푼 더 보태어 담배를 사려던 그 돈으로 얼음냉수를 한 그릇 사다가 입에 먹여까지 주니 아내도 황송하여 한숨에 들이켠다. ⓛ한 그릇을 다 먹고 나서 하나 더 사다 주랴 물었을 때 이번에 왜떡이 먹고 싶다 하였다. 덕순이는 이것이 마지막이라는 생각으로 나
덕순이는 아내가 먹고 싶어 하는 음식을 챙겨 주며 위로함.
머지 돈으로 왜떡 세 개를 사다 주고는 그대로 눈물도 씻을 줄
⊙: 덕순이는 아내가 죽기 전에 마지막으로 먹는 왜떡이라고 생각하며 안쓰러워함.
모르고 그걸 오직오직 깨물고 있는 아내를 이윽히 바라보고

있었다. 그러나 아내가 무슨 생각을 하였는지 왜떡을 입에 문채 훌쩍훌쩍 울며,

ⓒ"저 사촌 형님께 쌀 두 되 꿰다 먹은 거 부대 잊지 말구
돈이 없어 병을 치료하지 못하고 죽음을 앞둔 상황에도 사촌 형님께 빌린 쌀을 잊지 말고
갚으우." 갚으라고 당부하는 아내의 말

하고 부탁할 제 이것이 필연 아내의 유언이라 깨닫고는,

"그래 그건 염려 말아!"

"그리구 임자 옷은 영근 어머니더러 사정 얘길 하구 좀 빨아 달래우."

하고 이야기를 곧잘 하다가 다시 입을 일그리고 훌쩍훌쩍 우는 것이다.

덕순이는 그 유언이 너무 처량하여 눈에 눈물이 핑 돌아 가지고는 지게를 도로 지고 일어선다. 얼른 갖다 눕히고 죽이라도 한 그릇 더 얻어다 먹이는 것이 남편의 도릴 게다.
▶ 덕순이는 아내에게 음식을 사 주고, 아내는 유언을 남김.

● **인물 분석** ●

✔ **덕순이의 심리**　아내가 곧 죽게 될 것이라고 생각하며 안타까워함. → 아내에게 그동안 고생만 시키고 제대로 먹이지 못했던 것을 후회함. → 아내의 유언 같은 말을 듣고 슬퍼함.

✔ **덕순 아내의 심리**　죽을 수밖에 없는 운명이라는 걸 알면서도 얼음냉수를 사 주는 남편에게 황송함을 느낌. → 사촌 형님께 빌린 쌀을 갚으라는 유언을 하며 인간미를 잃지 않음.

● ⓛ에서 덕순이는 아내가 먹고 싶어 하는 음식을 챙겨 주며 위로하고 있지만, 상황이 나아질 것을 기대하지는 않는다. ⓛ의 뒷부분에서 덕순이는 왜떡을 사다 주며 아내가 죽기 전에 마지막으로 먹는 것이라고 생각하는데, 이를 통해서 상황이 나아질 것이라고 기대하고 있지는 않음을 알 수 있다.

# 06 사건 전개/갈등 양상 파악하기 유형

기출로 바로 확인　　　　　　　　　　본문 25쪽

● ①

**하근찬, 〈수난이대〉**

- **갈래**　단편 소설, 전후 소설
- **해제**　일제 강점기에 징용으로 끌려가 한쪽 팔을 잃은 아버지와, 한국 전쟁에 참전하였다가 한쪽 다리를 잃은 아들들의 모습을 통하여 우리 민족이 근현대사에서 겪은 고통과 그 극복 의지를 상징적으로 보여 준다.
- **주제**　우리 민족이 근현대사에서 겪은 고통과 그 극복 의지

**앞부분의 줄거리** 만도는 전쟁에 나간 아들 진수가 돌아온다는 통지를 받고 마음이 들떠 기차역 정거장으로 나갔다.

바로 이 정거장 마당에 백 명 남짓한 사람들이 모여 웅성거리고 있었다. 그 중에는 만도도 섞여 있었다. 기차를 기다리고 있는 것이었으나, 그들은 모두 자기네들이 어디로 가는 것인지 알지를 못했다. 그저 차를 타라면 탈 사람들이었다. 징용에 끌려 나가는 사람들이었다. 그러니까, 지금으로부터 십이삼 년 옛날의 이야기인 것이다.

북해도 탄광으로 갈 것이라는 사람도 있었고 틀림없이 남양 군도로 간다는 사람도 있었다. (중략) <u>그러나 마음이 좀 덜 좋은 것은 마누라가 저쪽 변소 모퉁이 벗나무 밑에 우두커니</u> <sub>만도의 내적 갈등</sub> <u>서서 한눈도 안 팔고 이쪽만을 바라보고 있는 때문이었다.</u> 그 <sub>내적 갈등의 원인</sub> 래서 그는 주머니 속에 성냥을 두고도 옆 사람에게 불을 빌리자고 하며 슬며시 돌아서 버리곤 했다. (중략)

만도는 정신이 아찔했다. 공습이었던 것이다. 산등성이를 ▶ A: 만도가 징용을 떠나던 때를 떠올림. 넘어 달려든 비행기가 머리 위로 아슬아슬하게 지나는 것이었다. 미처 정신을 차리기도 전에 또 한 대가 뒤따라 날아드는 것이 아닌가. 만도는 그만 넋을 잃고 굴 안으로 도로 달려 들어갔다. 달려 들어가서 굴 바닥에 아무렇게나 팍 엎드리고 말았다. 그 순간이었다. 쾅! 굴 안이 미어지는 듯하면서 다이너마이트가 터졌다. 만도의 두 눈에서 불이 번쩍했다.

만도가 어렴풋이 눈을 떠 보니, 바로 거기 눈앞에 누구의 것인지 모를 팔뚝이 하나 놓여 있었다. 손가락이 시퍼렇게 굳어져서, 마치 이끼 낀 나무 토막처럼 보이는 것이었다. 만도는 그것이 자기의 어깨에 붙어 있던 것인 줄을 알자, 그만 으악! 하고 정신을 잃어버렸다. <u>재차 눈을 떴을 때 그는 폭신한 담요 속에 누워 있었고, 한쪽 어깻죽지가 못 견디게 쿡쿡 쑤셔댔다.</u> <sub>일제 강점기에 징용된 만도가 팔을 잃음. – 인물과 사회의 갈등</sub> <u>절단 수술은 이미 끝난 뒤였다.</u> ▶ B: 만도가 공습으로 팔을 잃음.

쾌액 기차 소리였다. 멀리 산모퉁이를 돌아오는가 보았다. 만도는 앉았던 자리를 털고 벌떡 일어서며, 옆에 놓아두었던 고등어를 집어 들었다. 기적 소리가 가까워질수록 그의 가슴은 울렁거렸다. 대합실 밖으로 뛰어나가 플랫폼이 잘 보이는 울타리 쪽으로 가서 발돋움을 하였다. 째랑째랑 하고 종이 울자, 한참 만에 차는 소리를 지르면서 달려들었다. 기관차의 옆구리에서는 김이 픽픽 풍겨 나왔다. 만도의 얼굴은 바짝 긴장되었다. (중략) 이상한 일이다, 하고 있을 때였다. 분명히 뒤에서,

"아부지!"

부르는 소리가 들렸다. 만도는 깜짝 놀라며, 얼른 뒤를 돌아보았다. 그 순간, 만도의 두 눈은 무섭도록 크게 떠지고 입은 딱 벌어졌다. 틀림없는 아들이었으나, 옛날과 같은 진수는 아

---

니었다. <u>양쪽 겨드랑이에 지팡이를 끼고 서 있는데, 스쳐 가는</u> <sub>한국 전쟁에 참전한 진수가 다리를 잃음. – 인물과 사회의 갈등</sub> <u>바람결에 한쪽 바짓가랑이가 펄럭거리는 것이 아닌가.</u>
▶ C: 만도가 상이군인으로 돌아온 아들 진수를 보고 충격을 받음.

● **사건과 갈등 분석** ●

✔ **사건** 만도가 일제 강점기에 징용되었다 팔을 잃었고, 그의 아들인 진수는 한국 전쟁에 참전했다가 다리를 잃음.

✔ **갈등 양상**  • 내적 갈등 – 만도는 아내를 두고 징용을 떠나야 하기 때문에 마음이 편치 않음.
 • 인물과 사회의 갈등 – 일제 강점기와 한국 전쟁이라는 역사적인 상황으로 만도와 진수가 피해를 입음.

● A에서 만도는 가족과의 이별로 인해 내적 갈등을 겪고 있는데, B에서는 공습으로 팔을 잃는 장면만 다루어질 뿐, 내적 갈등이 해소되는 장면은 다루어지지 않고 있다.

오답 풀이 ▶ ② A와 B는 모두 만도의 징용과 관련된 이야기로, 만도는 징용을 떠나기 위해 정거장 마당에 있다가 시간의 흐름에 따라 강제로 노역을 하던 중 공습 때문에 굴 안으로 이동한다.
③ 과거를 회상하던 만도는 C의 '쾌액 기차 소리'를 듣고 아들을 기다리는 현재로 의식이 돌아온다.

## 07 소재/배경의 의미와 기능 파악하기 유형

**기출로 바로 확인** 본문 28쪽

● ③

**작자 미상, 〈서해무릉기〉**
• **갈래** 국문 소설, 설화 소설, 애정 소설
• **해제** 남자 주인공이 왜적에게 빼앗긴 신부를 구해 돌아오는 이야기를 담고 있다. 전형적인 혼사 장애담에 속하는 작품으로 〈지하국대적퇴치담〉과 유사한 구성을 보이고 있다.
• **주제** 시련을 극복한 남녀간의 사랑

이때 도적 장군이 최 씨를 훔쳐온 뒤, 그녀가 옥 같은 얼굴에 선녀 같은 자태를 지녔음을 보고 만고의 절색이라 여겼다. 이에 크게 기뻐하고 즐거워하며 급히 길일을 택하여 혼례를 치르고자 하였으나, <u>최 씨가 송죽(松竹)처럼 꼿꼿한 마음으로</u> <sub>최 씨가 유연에 대한 애정을 지킴.</sub> <u>정절을 지키며 목숨을 지푸라기처럼 여겼기</u> 때문에 만약 위력으로 핍박하다가는 아름다운 보옥이 부서지고 향기로운 꽃이 떨어지는 환란이 있을 것 같았다. 이에 장군은 다만 빨리 세월이 지나 최 씨가 체념하고 마음을 돌릴 때까지 기다리기로 하였다. (중략) ▶ 장군에게 잡혀 왔으나 정절을 지키는 최 씨

최 씨가 서해무릉에 온 지 수삼 년이 지났으나 몸을 일으켜 <sub>최 씨가 정절을 지키다가 유연과 만나는 공간</sub> 연보(蓮步)를 옮김이 없었는데, 이 날은 꿈속 일에 의심이 생

겨 한번 나갈 결심을 하였다. 이에 계선이 크게 기뻐하며 하인들에게 채비를 차리라고 일렀다.

계선이 이끄는 대로 따라와 나와 보니, 서쪽으로 강물이 굽돌아 흐르는 곳에 산 우물이 있었고, 그 앞에 흰 옷을 입은 여승이 바랑을 메고 대나무 막대기를 쥐고 표연히 서 있었다. 최 씨가 은근히 눈을 들어 살펴보니, 삿갓 밑에 옥 같은 얼굴을 한 여승은 다름이 아니라 바로 자신의 지아비 유연이었다.

최 씨가 보니 낯빛과 용모가 바뀌고 풍채와 신수가 초췌하여 가슴이 찢어지는 듯하였다. 더구나 이렇게 머리를 깎고 중이 되는 부끄러움도 무릅쓰고 허다한 풍상(風霜)과 천신만고의 고생을 겪은 것이 모두 자신 때문이었으니, 최 씨의 심정이 오죽하였겠는가?

아주 놀라고 무척 기뻐하며 침통해하다 가만히 생각해보니 지금이 오히려 아주 위태로운 상황이었다. 남들이 유생의 정체를 안다면 어찌 될 것인가? 생각이 여기에 미치자 몸과 마음이 어지러워 능히 진정할 수 없었으나, 옆에 계선이 있고 또 좌우의 눈과 귀가 두려워 반갑고 놀라운 기색을 억지로 참으며 어찌할 바를 몰라 하였다.    ▶ 꿈을 꾼 후 외출을 나갔다가 유연을 만난 최 씨

한편 <u>유생은 온 나라를 떠돌아다녔어도 끝내 찾지 못하다</u>
<small>최 씨를 만나고 싶다는 유연의 소원이 이루어짐.</small>
<u>가</u> 오늘 여기서 최 씨를 만나게 되니 천만의외였다. 그때 유생은 그저 대문 밖에 앉아 좌우로 경치를 구경하고 있었는데 안으로부터 사람 소리가 아스라이 들리더니 한 소저가 아리따운 비단 옷을 입고 걸어오고 있었다. 혹시나 하여 여러 번 살펴보니 초췌해진 얼굴과 슬픔에 젖은 모습 때문에 바로 알아보기 어려웠으나 선명하고 참신하며 미려한 그 모습은 완연히 최 씨였다.    ▶ 온 나라를 떠돌다가 최 씨를 만난 유연

● **배경 분석** ●

✔ 공간적 배경  서해무릉

✔ '서행무릉'의 의미  • 도적 장군: 자신이 살고 있는 곳이자 최 씨와의 결혼을 꿈꾸는 곳
  • 최 씨: 유연과 떨어져 지내는 시련을 겪으며 유연에 대한 애정을 지키는 곳
  • 유연: 최 씨를 다시 만나고 싶다는 소망이 이루어지는 곳

● 서해무릉은 유연이 최 씨와 다시 만나는 공간이지, 유연이 최 씨의 도움으로 용맹과 지략을 갖추게 되는 공간이 아니다.

오답 풀이 ① 유연은 최 씨를 다시 만나겠다는 생각으로 이곳저곳을 찾아다니다가 서해무릉에서 최 씨를 만났다. 따라서 유연에게 서해무릉은 소망을 실현하는 공간으로 볼 수 있다.
② 최 씨는 도적 장군의 구애에도 정절을 지키고 있다. 따라서 최 씨에게 서해무릉은 유연에 대한 애정을 지키는 공간으로 볼 수 있다.

# 08 서술상 특징 파악하기 유형

● ②

이기영, 〈농부 정도룡〉
• **갈래**  단편 소설, 농촌 소설
• **해제**  이 소설은 일제 강점기 농촌을 배경으로 이기적인 지주에게 핍박받던 소작농들의 삶을 사실적으로 그려 내고 있다. 불의를 참지 못하는 인물이 불합리한 현실을 외면하는 사람들을 일깨우며 올바른 삶의 가치를 실천하기 위해 노력하는 과정이 나타난다.
• **주제**  부정적 현실에 저항하는 삶의 자세

**앞부분의 줄거리**  마을의 지주 김 주사는 춘이네가 소작하던 논을 하루 아침에 일본인 고리대금업자에게 넘긴다. 소작하던 논을 떼이고 먹고살기가 어려워진 춘이 조모는 김 주사를 찾아간다.

「김 주사는 감투를 쓰고—그는 지금 도 평의원이다마는 감투 쓸 일은 이 밖에도 많다. <u>전 금융조합장, 전 보통학</u>
<small>김 주사의 감투를 열거함.</small>
<u>교 학무위원, 전 군참사, 적십자사 정사원, 지주회 부회</u>
<u>장</u>—(이담에 죽을 때에는 명정을 쓰기가 어려울 만큼 이렇  [A]
<small>3인칭 전지적 시점: 서술자가 김 주사의 직함이 많다고 직접 설명함.</small>
게 직함이 많았다)—점잖은 목소리로 논 떼는 이유를 이렇
게 말하였다.」 「 」: 열거를 통해 감투를 좋아하는 김 주사의 성격을 나타냄.

"여태까지 몇 해를 잘 지어 먹었으니 인제는 고만 지어 먹게. 다른 사람도 좀 지어 먹어야지."

그때 노파는 벌벌 떨리는 목소리로

"아이구 나으리! 지금 와서 논을 떼면 어찌합니까? 그러면 제집 식구는 모다 굶어 죽겠습니다!"

하고 개개빌어보았으나 김 주사는 그런 것은 나는 모르고, 내 땅은 내 말대로 언제든지 뗄 수 있지 않느냐—됩다 불호령을 하였다.

그래도 춘이 조모는 한나절을 애걸복걸하며 올 일 년만 더 지어 먹게 해달래 보았으나 그는 도무지 막무가내였다. 벌써 다시 변통이 없을 줄 안 춘이 조모는 그 길로 나오다가 그 집 대뜰 위에서 그 아래로 물구나무를 서서 고만 그 자리에 즉사하였다. 그는 지금 여든다섯 살인데 여기까지도 간신히 지팡이를 짚고 기어 왔었다.

「그러나 김 주사는 조금도 개의치 않고 하인을 명하여 송
「 」: 하인을 시켜 송장을 끌어내게 하는 행위를 통해 비정한 김 주사의 성격을 드러냄.
장을 문밖으로 끌어내게 하였다. 그리고 송장 찾아가라고
춘이 집으로 전갈을 시키고 일변 구장을 불러서 경찰서로  [B]
보고하게 하였다. 김 주사는 마침 그 일인과 술을 먹을 때
이므로 그는 물론 튼튼한 증인이 되었다.」

행여 무슨 도리나 있는가 하고 기다리던 춘이 모자는 천만

뜻밖에 이 기별을 듣고 천지가 아득하여 전지도지 쫓아갔다. 그들은 지금 시체 옆에 엎드려서 오직 섧게 통곡할 뿐이었다.
▶ 소작을 떼지 말아 달라고 부탁하러 왔다가 거절당한 춘이 조모의 죽음

**● 서술상 특징 분석 ●**

✔ **서술자와 시점** 작품 밖의 서술자가 인물의 심리와 사건을 모두 알고 있는 3인칭 전지적 시점임.

✔ **서술 방식** 대화와 서술을 모두 활용하여 인물을 제시하고 사건을 전개함.

✔ **표현법** 열거법을 사용하여 감투를 좋아하는 김 주사의 성격을 강조함.

● [A]에서는 '전 금융조합장', '전 보통학교 학무위원' 등의 직함을 열거하여 감투를 좋아하는 김 주사의 성격을, [B]에서는 김 주사가 조금도 개의치 않고 하인에게 명하여 송장을 문밖으로 끌어내게 하는 행위를 제시하여 김 주사의 비정한 성격을 드러내고 있다.

오답 풀이 ▶ ① [A]에서는 인물의 생김새나 겉모습을 묘사한 부분이 나타나 있지 않으며, [B]에서도 공간이나 시간에 대한 묘사는 나타나 있지 않다.

③ [A]에서는 김 주사라는 인물만 설명하고 있으므로 인물의 대립이 드러나지 않는다. [B]에서는 주변 상황이 아니라 김 주사가 취한 행동을 제시하고 있다.

④ [A]에서는 공간의 이동이 드러나지 않는다. [B]에서 '문밖', '춘이 집' 등의 공간이 제시되지만 인물이 이동하는 것이 아니라 김 주사가 하인에게 명령할 때의 목적지를 가리킨다.

⑤ 내적 독백은 1인칭 주인공 시점에서 사용되는데, 이 글은 3인칭 전지적 시점에서 쓰였다.

# 09 외적 준거에 따라 작품 감상하기 유형

**기출로 바로 확인**                   본문 34쪽

● ③

허균, 〈홍길동전〉

• **갈래** 국문 소설, 영웅 소설

• **해제** 이 작품은 영웅의 일대기를 바탕으로 한 우리나라 최초의 국문 소설이다. 신분 제도와 관료 사회의 비리 등 당대 현실의 모순된 사회 제도를 비판하고 있으며, 사회의 부조리를 척결하고 새로운 이상 사회인 율도국을 건설한다는 내용을 담고 있다.

• **주제** 모순된 사회 제도의 개혁과 이상국의 건설

길동 등이 임금에게 아뢰었다.

"신의 아비가 나라의 은혜를 많이 입었사온데, 신이 어찌 감히 나쁜 짓을 하오리까마는, 신은 본래 천한 종의 몸에서

낳는지라, 그 아비를 아비라 못 하옵고 그 형을 형이라 못 하와, 평생 한이 맺혔기에 집을 버리고 도적의 무리에 참여 하였사옵니다. 그러나 백성은 추호도 범하지 않고 각 읍 수
백성의 편에 서서 펼친 활약에 해당함.
령이 백성들을 들볶아 착취한 재물만 빼앗았을 뿐입니다. 이제 십 년이 지나면 조선을 떠나 갈 곳이 있사오니, 엎드려
새로운 나라를 건설하려 함.
빌건대 성상께서는 근심하지 마시고 신을 잡으라는 공문을 거두어 주십시오."

하고, 말을 마치며 여덟 명이 한꺼번에 넘어지므로, 자세히 보
초월적인 능력을 발휘하는 부분
니 다 풀로 만든 허수아비였다. 임금이 더욱 놀라며 진짜 길동 을 잡으라는 공문을 다시 팔도에 내렸다.

길동이 허수아비를 없애고 두루 다니다가 사대문에 글을 써 붙였는데, 그 글에다,

"소신 길동은 아무리 하여도 잡지 못할 것이오니, 병조판서 벼슬을 내리시면 잡히겠습니다." / 고 하였다.
▶ 길동이 자신의 의도를 밝히며 병조판서를 요구한 후 도망감.
(중략)

이에 여러 신하 중 한 사람이 아뢰기를,

"길동의 소원이 병조판서를 한번 지내면 조선을 떠나겠다 는 것이라 하오니, 한번 제 소원을 풀면 제 스스로 은혜에
계략을 세워 홍길동을 잡으려 함.
감사하오리니, 그때를 타 잡는 것이 좋을까 하옵니다."

고 했다. 임금이 옳다 여겨 즉시 길동에게 병조판서를 제수하 고 사대문에 글을 써 붙였다.

그때 길동이 이 말을 듣고 즉시 고관의 복장인 사모관대에 서띠를 띠고 덩그런 수레에 의젓하게 높이 앉아 큰 길로 버젓 이 들어오면서 말하기를,

"이제 홍 판서 사은(謝恩)하러 온다."

고 했다. 병조의 하급 관리들이 맞이해 궐내에 들어간 뒤, 여 러 관원들이 의논하기를,

"길동이 오늘 사은하고 나올 것이니 도끼와 칼을 쓰는 군사
홍길동을 해치려는 계략
를 매복시켰다가 나오거든 일시에 쳐 죽이도록 하자."

하고 약속을 하였다.      ▶ 병조판서를 미끼로 길동을 잡으려고 하는 임금

**● 〈보기〉에 따른 작품 감상 ●**

✔ **초월적 능력의 발휘** 길동이 도술을 부려 허수아비를 남기고 도망 치는 부분에서 나타남.

✔ **정의 추구** 부패한 관리의 징벌과, 백성이 살기 좋은 세상을 만들기 위 한 행동은 관리들이 백성에게 착취한 재물만을 빼앗은 행동에서 드러남.

● 임금이 길동에게 병조판서를 제수하는 이유는 길동이 평소 받고 싶어 한 관직을 미끼로 길동을 잡기 위한 것이다. 따라 서 백성이 살기 좋은 세상을 구현하려는 길동의 노력을 임 금이 인정하여 병조판서직을 주려는 것이 아니다.

# 01 ㉮ 성탄제 ㉯ 수의 비밀

본문 36~38쪽

**1** ③　　**2** ④　　**3** ③

㉮ 어두운 ㉠방 안엔 / 빠알간 숯불이 피고,
　　　　　음울한 이미지 환기

외로이 늙으신 할머니가
애처로이 잦아드는 어린 목숨을 지키고 계시었다.

이윽고 눈 속을 / 아버지가 약을 가지고 돌아오시었다.
　　　　　　산수유 열매(아버지의 사랑)

아 아버지가 눈을 헤치고 따 오신
그 붉은 산수유 열매—
　　아버지의 헌신적 사랑

나는 한 마리 어린 짐승,
화자
젊은 아버지의 서느런 옷자락에
열로 상기한 볼을 말없이 부비는 것이었다.

이따금 뒷문을 눈이 치고 있었다.
그날 밤이 어쩌면 성탄제의 밤이었을지도 모른다.
　　아버지의 사랑이 인류애로 확대됨.　▶ 1~6연: 어린 시절에 대한 회상

어느새 나도 / 그때의 아버지만큼 나이를 먹었다.
　　　　　　　사상의 전환: 회상 → 현실

옛것이라곤 찾아볼 길 없는 / 성탄제 가까운 도시에는
이제 반가운 그 옛날의 것이 내리는데,
　　눈-과거 회상의 매개체

서러운 서른 살 나의 이마에
불현듯 아버지의 서느런 옷자락을 느끼는 것은,
　　　　아버지의 사랑과 희생을 환기함. 문제 2-④

눈 속에 따 오신 산수유 붉은 알알이
「」: 아버지의 사랑이 시간을 넘어 영원함을 의미함.
아직도 내 혈액 속에 녹아 흐르는 까닭일까.
　　　　　　　　　　　　　　▶ 7~10연: 삭막한 현실

㉯ 나는 당신의 옷을 다 지어 놓았습니다.
화자
심의도 짓고 도포도 짓고 자리옷도 지었습니다.
짓지 아니한 것은 작은 주머니에 수놓는 것뿐입니다.
　　　　　　　▶1연: '당신의 옷'을 다 짓고, 주머니에 수놓는 것만 남겨 둠.

그 주머니는 나의 손때가 많이 묻었습니다.
짓다가 놓아두고 짓다가 놓아두고 한 까닭입니다.
다른 사람들은 나의 바느질 솜씨가 없는 줄로 알지마는
그러한 비밀은 나밖에는 아는 사람이 없습니다.
주머니에 수를 놓지 않은 이유

나의 마음이 아프고 쓰린 때에 주머니에 수를 놓으려면
「나의 마음은 수놓는 금실을 따라서 바늘구멍으로 들어가고
「」: 이유 ①-마음이 아프고 쓰린 때에 수를 놓으면 위안을 얻음.
주머니 속에서 맑은 노래가 나와서 나의 마음이 됩니다.」

「그리고 아직 ㉡이 세상에는 그 주머니에 넣을 만한 무
　　'당신'을 위한 보물을 찾을 수 없는 세상 문제 3-③
슨 보물이 없습니다.」 「」: 이유 ②-'당신'을 위해 주머니에 담을 보물이 없음.

이 작은 주머니는 짓기 싫어서 짓지 못하는 것이 아니라
　　역설적 표현-영원한 사랑을 이루기 위해 수를 완성하지 않음. 문제 1-③
짓고 싶어서 다 짓지 않는 것입니다.
　　　▶2연: 수놓는 과정에 담긴 의미와 주머니에 수를 놓지 않는 이유

**1** (나)는 2연의 9행에서 '짓고 싶어서 다 짓지 않는 것입니다.'라는 역설적 표현을 사용하여 '당신'을 기다리는 화자의 마음을 드러내고 있다. (가)에는 역설적 표현이 사용되지 않았다.

**오답 풀이** ① (가)에는 수미상관의 방식이 사용되지 않았으며, (나)에는 설의적 표현이 사용되지 않았다.

② (가)에는 '-다'라는 종결 표현이 반복적으로 사용되었고, (나)에도 '-ㅂ니다'라는 종결 표현이 반복적으로 사용되었다.

④ (가), (나)에는 모두 후각적 이미지의 시어가 나타나 있지 않다.

⑤ (가)에는 유년 시절에서 현재까지의 시간 흐름이 나타나지만, 이는 화자의 태도 변화와는 상관이 없다. (나)에는 시간의 흐름이 드러나지 않으며, 화자의 태도 변화도 나타나 있지 않다.

**2** ─── ▶ 보기 읽기 ───

　김종길 시인의 작품에 가족에 대한 시가 많은 것은 어린 시절 어머니의 부재 속에서도 가족의 보호를 받으며 자란 그의 성장 과정과 연관이 깊다. 〈성탄제〉에도 삼대로 이어
선택지 ①: 시인의 성장 배경
지는 따뜻한 가족애가 다양한 소재를 통해 형상화되어 있다. 이러한 가족애는 개인의 경험을 넘어 현대인의 메마른
선택지 ⑤: '산수유'의 기능과 의미
삶을 극복할 수 있는 인간애로 확장됨으로써 공감을 얻고
선택지 ②: 작품의 주제 의식
있다.

'서느런 옷자락'은 유년 시절에 아픈 화자를 위해 눈 속을 헤치고 산수유 열매를 구해 오신 아버지의 희생과 사랑을 떠올리게 하는 소재이다. 따라서 이를 현대인의 메마른 삶을 형상화한 것으로 이해하는 것은 적절하지 않다.

**오답 풀이** ① '외로이 늙으신 할머니'가 어린 화자를 돌보는 모습을 가족의 보살핌을 받았던 작가의 성장 배경과 관련지을 수 있다.

② 작품에서 과거와 현재의 시간적 배경이 모두 성탄제 무렵이라는 점에서, '눈 속'을 헤치고 구해 온 '약'에 담긴 아버지의 희생과 사랑은 현대인의 메마른 삶을 극복할 수 있는 인간애로 확장될 수 있다.

③ '반가운 그 옛날의 것'은 '눈'을 의미하며, 어린 시절 아버지가 눈 속을 헤치고 산수유 열매를 따 오신 날과 연결되어 화자의 기억을 떠올리게 하는 역할을 한다고 볼 수 있다.

⑤ '내 혈액 속에 녹아 흐르는' 산수유 열매는 아버지의 사랑을 의미하므로 아버지만큼 나이를 먹은 현재 화자에게, 과거 할머니와 아버지가 보여 준 가족애가 이어져 오고 있음을 나타낸다고 볼 수 있다.

**3** (나)의 화자는 '당신'과의 만남을 간절히 바라고 있지만 그렇지 못해 수놓기를 거듭하며 '당신'을 기다리고 있다. 또한, 수놓기를 남겨 두고 있는 ㉡('이 세상')은 '당신'에게 줄 보물이 없는 공간이다. 따라서 ㉡은 화자가 소망을 이루지 못하고 있는 공간으로 볼 수 있다.

> **오답 풀이** ① ㉠은 화자가 자아를 성찰하는 공간이다.
> └ ×: 화자가 회상하고 있는 과거의 공간임.
> ② ㉠은 화자와 대상과의 관계가 단절된 공간이다.
> └ ×: 아버지가 산수유를 가지고 화자에게 돌아온 공간임.
> ④ ㉡은 화자가 일상의 삶에서 벗어난 초월적인 공간이다.
> └ ×: 화자가 수놓기를 하며 지내는 일상적 공간임.
> ⑤ ㉠과 ㉡은 모두 화자가 추구하는 이상적 공간이다.
> └ (가) ×: 화자는 공간이 아니라 사랑을 추구함.
> └ (나) ×: '당신'이 부재하므로 이상적인 공간이 아님.

## 02  (가) 향수  (나) 바다와 나비    본문 39~41쪽

**1** ②    **2** ②    **3** ④

(가) 넓은 벌 동쪽 끝으로
　　옛이야기 지줄대는 실개천이 회돌아 나가고,
　　<sub>의인법 사용, 청각적 이미지</sub>
　　얼룩백이 황소가 / 해설피 금빛 게으른 울음을 우는 곳,
　　<sub>공감각적 이미지: 청각의 시각화</sub>

　　── 그곳이 차마 꿈엔들 잊힐 리야.
　　<sub>설의적 표현: 잊을 수 없다는 의미를 강조함.</sub> ▶ 1연: 평화롭고 한가로운 고향 마을의 정경

　　질화로에 재가 식어지면
　　비인 밭에 밤바람 소리 말을 달리고
　　<sub>공감각적 이미지: 청각의 시각화</sub>
　　엷은 졸음에 겨운 늙으신 아버지가
　　짚베개를 돋아 고이시는 곳,

　　── 그곳이 차마 꿈엔들 잊힐 리야.
　　　　　　　▶ 2연: 겨울밤의 고향 정경과 늙은 아버지의 모습

　　흙에서 자란 내 마음 / ㉠파아란 하늘빛이 그리워
　　<sub>화자</sub>　　　　　　　<sub>꿈과 소망, 이상 세계 문제 3-④</sub>
　　함부로 쏜 화살을 찾으려
　　풀섶 이슬에 함초롬 휘적이던 곳,

　　── 그곳이 차마 꿈엔들 잊힐 리야.
　　　　　　　▶ 3연: 꿈 많던 어린 시절의 '나'

　　전설(傳說) 바다에 춤추는 밤물결 같은
　　검은 귀밑머리 날리는 어린 누이와
　　<sub>구김살 없는 모습을 시각적 이미지로 제시 문제 2-②</sub>
　　아무렇지도 않고 예쁠 것도 없는 / 사철 발 벗은 아내가
　　따가운 햇살을 등에 지고 이삭 줍던 곳,
　　<sub>촉각적 이미지</sub>

　　── 그곳이 차마 꿈엔들 잊힐 리야.
　　　　　　　▶ 4연: 어린 누이와 아내의 모습

　　하늘에는 성근 별 / 알 수도 없는 모래성으로 발을 옮기고,

서리 까마귀 우지짖고 지나가는 초라한 지붕,
흐릿한 불빛에 돌아앉아 도란도란거리는 곳,
<sub>단란하고 정겨운 가족들의 모습을 시각과 청각적 이미지로 표현함.</sub>
■ 후렴구 반복 문제 1-②
── 그곳이 차마 꿈엔들 잊힐 리야.　▶ 5연: 단란한 가족의 모습과 고향 마을의 정겨움
• 각 연의 시상을 매듭지어 연과 연을 구분함.　• 동일한 구절을 반복함으로써 운율을 형성함.
• 고향에 대한 그리움을 강조, 심화함.　• 시 전체에 구조적 안정감, 통일성을 부여함.

(나) 아무도 그에게 수심(水深)을 일러 준 일이 없기에
　　　　　　　　　　<sub>현실의 비정함.</sub>
　흰나비는 도무지 바다가 무섭지 않다.
　<sub>흰나비</sub>
　순수하고 연약한 존재　냉혹한 현실, 거대한 문명의 세계 ▶ 1연: 바다의 무서움을 모르는 나비

　㉡청(靑)무우밭인가 해서 내려갔다가는
　<sub>나비가 동경하는 세계 문제 3-④</sub>
　어린 날개가 물결에 절어서 / 공주처럼 지쳐서 돌아온다.
　　　　　　　　　　　▶ 2연: 바다에 내려갔다가 지쳐 돌아온 나비

　삼월달 바다가 꽃이 피지 않아서 서글픈
　나비 허리에 새파란 초생달이 시리다. ▶ 3연: 냉혹한 현실에 부딪혀 좌절한 나비의 모습
　<sub>공감각적 이미지: 시각의 촉각화 – 나비의 좌절감을 표현함.</sub>

**1** (가)에서는 '─그곳이 차마 꿈엔들 잊힐 리야.'라는 시행을 모든 연에서 반복하여 통일성을 형성하고 있다. (나)에서는 동일한 시행이 반복되고 있지 않다.

> **오답 풀이** ① (가)는 '그곳이 ~ 잊힐 리야.'라는 설의적 표현을 통해 고향에 대한 그리움을 압축적으로 표현하고 있다. 그러나 (나)에는 감탄을 드러내는 영탄적 표현은 나타나 있지 않다.
> ③ (가)와 (나) 모두 처음과 끝이 다르므로 수미상관은 쓰이지 않았다.
> ④ (가)는 '─리야, (나)는 '─다'의 문장 종결형으로 연을 마무리하고 있다.
> ⑤ (가)와 (나) 모두 역설적 표현이 나타나 있지 않다.

**2** ── **보기 활용** ──
> 〈보기〉는 문학 이론을 설명하고 있다. 〈보기〉의 내용과 비슷한 구절을 선택지에서 찾아 표시하고 문제를 풀어야 한다.

(나)에서 '검은 귀밑머리 날리는 어린 누이'는 시각적 이미지를 활용하여 구김살 없는 누이의 외양을 효과적으로 형상화하고 있다. 이를 통해 누이의 절망감에 공감하게 한다는 것은 적절하지 않다.

> **오답 풀이** ① (가)의 '옛이야기 지줄대는 실개천'은 청각적 이미지, '따가운 햇살'은 촉각적 이미지에 해당하며 아름다운 고향의 모습을 나타내는 데 활용되고 있다.
> ③ (가)의 '흐릿한 불빛'은 시각적 이미지, '도란도란거리는'은 청각적 이미지에 해당하며, 단란한 가족의 모습을 표현하는 데 활용되고 있다.
> ④ (나)에서 푸른 '바다'와 '흰나비'는 색채 대비를 이루며, 거대하고 냉혹한 세계인 푸른 바다와 작고 연약한 존재인 나비를 대조하고 있다.
> ⑤ (가)의 '금빛 게으른 울음'은 청각을 시각으로 전이시켜 나타낸 표현, '나비 허리에 새파란 초생달이 시리다'는 시각을 촉각으로 전이시켜 나타낸 표현에 해당한다.

**3** '파아란 하늘빛'과 '청무우밭'은 각각 (가)의 화자, (나)의 시적 대상('흰나비')이 동경하는 세계에 해당한다.

**1** ②    **2** ⑤    **3** ②    **4** ②

**앞부분의 줄거리** '나'는 재개발이 시작되어 이제 곧 사라지게 될 고향 산동네를 찾아가면서 추운 겨울, 변소에 갔다가 짠지 항아리를 깨뜨렸던 어린 시절의 기억을 떠올린다.

나는 **깨진 단지**를 눈으로 찬찬히 확인하는 순간 입술을 파
└ '나'의 성장의 계기를 제공함.
르르 떨었다. 어찌 떨지 않을 수 있었을까. 그 단지의 임자가 욕쟁이 함경도 할머니임에 틀림없음에랴! 이 벼락 맞아 뒈질 놈의 아새낄 봤나, 하는 욕설이 귀에 쟁쟁해지자 등 뒤에서 올라온 뜨거운 열기가 목덜미와 정수리께를 휩싸며 치솟아 올라 추운 줄도 몰랐다. 눈을 비비고 또 비볐지만 이미 벌어진 현실이 눈앞에서 사라져 줄 리는 만무했다.
└▶ 단지를 깬 후 혼날 것을 걱정하는 '나'
집 안팎에서 귀청이 떨어져라 퍼부어질 지청구와 매타작을 감수하는 게 상수인 듯싶었다. 아무도 밟지 않은 첫길이라고 일부러 발끝에 힘을 주어 제겨 딛고 가느라 우리 집 앞에서 변소 앞까지 뚜렷이 파인 눈 위의 내 발자국은 요즘 말로 도주 및 증거 인멸의 가능성을 일찌감치 봉쇄하고 있는 터였다. 이미 아홉 가구의 어느 방 안에서인지 잠에서 깨어난 사람들이 내 행동을 처음부터 끝까지 지켜보기라도 한 양 두런거리는 목소리들이 들려왔다. 나는 울기 전에 최후의 시도를 하기로 맘먹었다. 우랑바리나바룽나르비뿟다라까따라마까뿌라냐……
손오공이 부리는 조화를 기대하며 입속으로 주문을 반복해서 외었다. 그러고는 고개를 홱 돌려 깨진 단지를 내려다보았다. 주문이 헛되지 않았는지 내 입가에 기쁨의 미소가
└ 당장의 위기를 모면할 방법이 생각나서 기뻐함. **문제 3-②**
어렸다. 깨진 단지는 그 모양 그대로였지만 어떤 기발한 생각이 별똥별처럼 머릿속을 스치고 지나갔기 때문이었다. 그렇다. 눈사람이다! 나는 가슴이 터질 듯 기뻐 하늘을 향해 두 팔을 쫙 벌렸다. 일단 이 아침만큼은 별일 없이 맞이할 수 있겠지.
나는 장갑도 끼지 않은 손으로 서둘러 주위의 눈을 긁어
└ '나': 나는 들키지 않으려고 서둘러서 눈사람을 만들고 깨진 단지를 숨김. **문제 4-②**
모으기 시작했다. 마침 찰기가 좋은 눈이어서 손이 한번 닿을 때마다 흙알갱이가 알알이 박힌 눈덩이들이 붙어 올라왔다. 나는 우선 항아리 주변에 눈사람의 아랫부분을 뭉쳐놓았다. 그리고는 조금 작은 눈덩이를 서둘러 올려놓았다. 그렇게 해서 깨진 단지를 감쪽같이 눈사람 속에 집어넣을 수 있었던 것이다.
"너 벌써부터 나와 노는구나. 부지런하구나."
바로 이웃방에 사는 현정이 아빠가 담배를 꼬나물고 변

소에 가려고 내복 바람으로 나왔다.
"방학 숙제로 낼 일기를 쓰는데요, 눈사람 굴리기라도 해서 적어 넣으려구요. 앞으론 날이 따뜻해서 눈사람을 만들려 해도 그러지 못할 거예요. 이것도 금세 녹을걸요."
└▶ 깨진 단지를 눈사람 속에 감추는 '나'

**중략 부분의 줄거리** 욕쟁이 할머니의 짠지 항아리를 깬 후, 깨진 단지의 흔적을 치운다. 혼날 것을 두려워한 '나'는 가출을 한 후 여러 곳을 방황하다 해질녘에 집으로 돌아온다.

그러곤 어느덧 해질녘…… 이미 비밀이 다 까발려졌을 아홉 가구 집으로 돌아갔다. 대문간 앞에서 나는 심호흡을 몇 번이고 했다. 엄마한테 연탄집게로 맞으면 안 되는데 싶
└ '나'는 어른들이 '나'를 혼낼 것이라고 예상함. **문제 2-⑤**
은 생각뿐이었다. 하지만 내가 대문간 앞을 흐르는 시궁창을 가로지르는 돌다리를 건너갔지만 아무도 나를 보고 아는 체하는 사람이 없었다. 내게 일제히 안됐다는 시선을 던지며 몰려들었어야 할 사람들이 평소와 다름없이 냄비를
└ '나': 예상과 달리 일상적인 모습을 보이는 어른들 **문제 2-⑤**
들고 왔다 갔다 했고, 문짝에 기대 입을 가리고 웃었으며, 수돗가에 몰려나와 쌀을 일며 화기애애하게 얘기를 나누고 있었다. 심지어 수돗가에서 시래기를 다듬다 마주친 엄마도 너 점심 굶고 어디 갔다 왔니, 하는 지청구조차 내리지 않았다. 나는 무척 혼돈스러웠다. 사람들이 나를 더 곤
└ 어른들 때문에 혼돈스러운 '나'의 마음 **문제 2-⑤**
혹스럽게 만들기 위해 일부러 짜고 그러는 것도 같았다. 나는 얼른 눈사람을 천연덕스럽게 세워두었던 변소통 쪽을 돌아다보았다. 거기엔 아무것도 없었다. 눈사람은 깨끗이 치워져 있었다. 물론 흉측한 몰골을 드러내고 있어야 할 짠지 단지도 눈에 띄지 않았다. 도대체 무슨 일이 일어난 것일까?
└▶ 가출했다 돌아온 '나'의 예상과 달리 일상적인 모습의 사람들
나는 나를 둘러싼 세계가 너무도 낯설게 느껴졌다. 내가
└ '나': 주인공 '나'가 '나'의 심리를 구체적으로 서술함. **문제 1-②**
짐작하고 또 생각하는 세계하고 실제 세계 사이에는 이렇듯 머나먼 거리가 놓여 있었던 것이다. 그 거리감은 사실 이 세계는 나와는 상관없이 돌아간다는 깨달음, 그러므로 나는 결
└ 세계에 대한 각성
코 주변으로 둘러싸인 중심이 아니라는 아슴프레한 깨달음에 속한 것이었다. 더 이상 나를 상대하지도 혼내지도 않는 세계가 너무나 괴물스럽고 슬퍼서 싱거운 눈물이라도 흘려야 직성이 풀릴듯했다. 하긴 눈물 서너 방울쯤 짜내는 것은 일도 아니었으니까. 난 ㉠시래기 줄기가 매달린 처마 밑에 서서 몇 방울 떨구며 소리 없이 울었다. 차라리 그 깨진 단지라도 제자리를 지키고 있었다면 혼은 나더라도 나는 혼돈스럽지도 불안하지도 않았을 것 아닌가.
└▶ '나'와 상관없이 돌아가는 세상에 불안감을 느낌.
"뭘 잘했다고 소리 없이 눈물을 꼭꼭 짜니? 정초부터 에밀 못 잡아먹어서 그러니? 넉살 좋게 단지를 깨뜨려 눈사람 속에 파묻을 생각은 어찌 했담."

엄마가 물에 젖은 손으로 내 볼따구니를 야무지게 잡아 비틀며 어이가 없다는 듯 픽 웃음을 지었다. 그 얼얼함이 내 균형 감각을 바로 잡아 주었다. 아주머니들의 웃음소리 사이에서 나는 울음을 딱 그쳤다. 그러고는 어른처럼 땅을 쿵쾅거리며 뛰쳐나와 이 골목 저 골목을 헤집으며 어딘가를 향해 가슴이 터져라고 마구 달리고 또 달렸다. **그렇게 컸다.**
정신적 성장. 현재로 돌아옴.
▶ 엄마의 꾸짖음에 현실감을 찾고 골목을 달린 '나'

**1** 이 글에서는 주인공인 '나'가 등장하여 자신이 겪은 사건과 자신의 행동, 심정을 직접 서술하고 있다. 따라서 이 글은 1 인칭 주인공 시점으로 쓰였음을 알 수 있다.

오답 풀이 ① 부분적으로 대화 장면이 있지만, 전체적으로 서술자의 심리 중심으로 내용이 전개되고 있다.
③ 소설에서 내화, 외화를 넘나드는 형식은 액자 소설 구성이다. 주인공이 과거를 회상할 뿐, 이 작품은 액자식 구성이 아니다.
④ 주변 인물이 사건을 서술하는 것이 아니라, 작품 속 주인공의 서술로 내용이 전개되고 있다.
⑤ 작품 밖에 서술자가 위치하여 직접 심리를 묘사하는 것은 3인칭 전지적 시점을 의미한다.

**2** 단지를 깨고 가출한 '나'는 어른들에게 호된 꾸지람을 들을 것이라 걱정했지만, 돌아왔을 때 집 안의 상황은 평소와 다름없이 일상적이었다. '나'는 자신의 예상과 다른 상황에 처하게 되자 세상이 자신을 중심으로 돌아가지 않는다는 아슴푸레한 깨달음을 얻었고, 혼돈스럽고 불안함을 느껴서 눈물을 흘린 것이다.

오답 풀이 ① 혼돈스러운 상황에서 운 것이지, 어른들이 잘못을 용서해 준 것이 고마워 운 것이 아니다.
② 계절의 배경과 마을의 쓸쓸한 저녁 배경으로 인해 운 것이 아니다.
③ 가출을 할 수밖에 없었던 상황으로 인해 슬퍼한 것이 아니다.
④ 어른들의 무관심으로 분노감이 아니라 혼돈을 느꼈다.

**3** ㉮에서 '나'는 기적이 일어나기를 바라며 주문을 외웠다. 그리고 '나'는 '깨진 단지는 그 모양 그대로였지만 어떤 기발한 생각이 별똥별처럼 머릿속을 스치고 지나갔기 때문이었다.'라고 생각하며 깨진 단지를 숨길 방법이 떠올라 아침부터 혼나는 상황에서는 일단 벗어날 수 있음에 기뻐하고 있다.

오답 풀이 ① 욕쟁이 할머니의 단지를 깬 후 당황하고 있기 때문에 침착함을 유지한다고 할 수 없다.
③ 현정이 아빠와 대화하기 전에는 의기양양함을 찾기 어렵다. 깨진 단지 조각을 들키지 않고 숨기려는 초조함, 긴장감을 살펴볼 수 있다.
④ 깨끗하게 치워진 마당을 보며 불안감을 느끼고 있다.
⑤ 예상치 못했던 집안 분위기에 혼돈스러워하던 '나'는 엄마가 볼을 꼬집자 그제야 안도감을 느낀다.

**4** ▶ 보기 읽기

성장 소설은 유년기에서 소년기를 거쳐 성인의 세계로
                                               └ : 성장 소설의 주된 내용
입문하는 한 인물이 겪는 내면적 갈등과 정신적 성장, 자신
                    선택지 ①
을 둘러싸고 있는 세계에 대한 각성과 성찰의 과정을 담고
           선택지 ④
있다. 성장 소설은 대개 성인의 입장에서 자신의 어린 시절
의 체험을 재평가하고, 반성적으로 사유한 결과물을 고백
        선택지 ③ : 성장 소설의 일반적 서술 방식
의 담론 방식을 택하고 있다. 주인공은 지적, 도덕적, 정신
적으로 미숙한 상태의 인물인 경우가 많다. 소설에서 내적
                        └ : 주인공의 특징
시간이 유년기의 시간대임에 비해서 실제적인 창작은 성인
의 세계에 진입한 이후의 시간에서 이루어지기 때문에 양자
                  선택지 ⑤ : 성장 소설은 어른이 된 후 창작됨.
가 구별되어 제시된다.

눈을 긁어모으고 눈사람 속에 깨진 단지를 집어넣어서 숨기는 과정에서는 행동을 망설이거나 무엇인가를 고민하는 내면적 갈등이 드러나지 않는다. '나'는 눈사람을 만드는 과정에서 서두르고 있을 뿐이다.

오답 풀이 ① 미성숙한 어린 '나'가 '깨진 단지' 사건을 계기로 성장하는 모습을 보여 주고 있다.
③ '방학 숙제로 낼 일기'를 통해 작품 속 사건이 어린 시절의 일임을 짐작할 수 있다.
④ '나를 둘러싼 세계'에서 '나'는 자기 중심적 사고에서 벗어나고 있으므로 이 공간은 미성숙한 '나'의 정신 세계가 성장하는 공간이라 할 수 있다.
⑤ '그렇게 컸다'는 성인의 입장에서 과거를 회상했음이 드러나는 구절이다.

## 04 봄·봄
본문 46~49쪽

**1** ②   **2** ①   **3** ④

그 전날, 왜 내가 새고개 맞은 봉우리 ⓐ화전밭을 혼자
과거 회상                        봄의 분위기를 통해 '나'의 이성애를 자극하는 공간
갈고 있지 않았느냐. 밭 가생이로 돌 적마다 야릇한 꽃내가
               「 」: 구어체적 표현 문제 1-②
물컥물컥 코를 찌르고 머리 우에서 벌들은 가끔 '붕, 붕.' 소
리를 친다. 바위틈에서 샘물 소리밖에 안 들리는 산골짜기
니까 맑은 하늘의 봄볕은 이불 속같이 따스하고 꼭 꿈꾸는
     ○ : 주요 인물
것 같다. 나는 몸이 나른하고 몸살(을 아즉 모르지만 병)이
  서술자=주인공
날랴구 그러는지 가슴이 울렁울렁하고 이랬다.

"어러이! 말이! 맘 마 마……."

이렇게 노래를 하며 소를 부리면 여느 때 같으면 어깨가
으쓱으쓱한다. 웬일인지 ⓑ밭 반도 갈지 않아서, 온몸의 맥

이 풀리고 대구 짜증만 난다. 공연히 소만 들입다 두들기며

"안야! 안야! 이 망할 자식의 소(장인님의 소니까) 대리
를 꺾어 들라."

그러나 내 속은 정말 안야 때문이 아니라 점심을 이고 온
점순이의 키를 보고 울화가 났던 것이다.
▶ '나'는 점순의 키를 보고 울화가 남.

점순이는 뭐 그리 썩 이쁜 계집애는 못 된다. 그렇다구
또 개떡이냐 하면 그런 것두 아니고, 꼭 내 안해가 돼야 할
만치 그저 툽툽하게 생긴 얼굴이다. 나보다 십 년이 아래니
까 올에 열여섯인데, <u>몸은 남보다 두 살이나 덜 자랐다. 남</u>
▶ '나'는 아직 점순의 몸이 작다고 생각함. 문제 2-①
<u>은 잘도 현칠이들 크건만 이건 우아래가 몽툭한 것이</u> 내 눈
에는 헐없이 감참외 같다.

참외 중에는 감참외가 젤 맛 좋고 이쁘니까 말이다. 둥
글고 커단 눈은 서글서글하니 좋고, 좀 지쳐 찢어졌지만 입
은 밥술이나 혹혹히 먹음직하니 좋다. '아따, 밥만 많이 먹
ᄂ: 방언과 구어적 표현 사용 → 생동감 부여 문제 1-②
게 되면 팔자는 고만 아니냐. 헌데 한 가지 파가 있다면 가
끔가다 몸이 (장인님은 이걸 채시니 없이 들까븐다고 하지
만) 너머 빨리빨리 논다. 그래서 밥을 나르다가 때 없이 풀
밭에다 깨빡을 쳐서 흙투성이 밥을 곤잘 먹인다. 안 먹으면
무안해할까 봐서 이걸 씹고 앉었노라면 으적으적 소리만
나고 돌을 먹는 겐지 밥을 먹는 겐지······.,
▶ 점순의 외양과 성격

그러나 ⓒ<u>이날은 웬일인지 성한 밥째루 밭머리에 곱게
나려놓았다.</u> 그리고 또 내외를 해야 하니까 저만큼 떨어져
점순이 평소와는 다르게 행동함.
이쪽으로 등을 향하고 옹크리고 앉어서 그릇 나기를 기다
린다.

내가 다 먹고 물러섰을 때, 그릇을 와서 챙기는데 난 깜
짝 놀라지 않었느냐.

고개를 푹 숙이고 밥함지에 그릇을 포개면서 날더러 들
으래는지 혹은 제 소린지

"밤낮 일만 하다 말 텐가!"

하고 혼자서 쫑알거린다. 고대 잘 내외하다가 이게 무슨 소
린가 하고 난 정신이 얼떨떨했다. 그러면서도 한편 무슨 좋
은 수나 있는가 싶어서 나도 공중을 대고 혼잣말로

"그럼 어떻게?"

하니까,

"성례시켜 달라지 뭘 어떻게."

하고 되알지게 쏘아붙이고 얼굴이 발개져서 ⓓ<u>산으로 그
저 도망질을 친다.</u>
'나'에게 본심을 털어놓은 점순이 부끄러워 자리를 피함. 문제 3-④

나는 잠시 동안 어떻게 되는 심판인지 맺을 몰라서 그 뒷
모양만 덤덤히 바라보았다.

<u>봄이 되면 온갖 초목이 물이 오르고 싹이 트고 한다.</u> 사
청춘 남녀의 사랑을 부추기는 봄기운 → 작품의 제목과 연관됨.

람도 아마 그런가 부다 하고 며칠 내에 부쩍(속으로) 자란
듯싶은 점순이가 여간 반가운 것이 아니다.

이런 걸 멀쩡하게 안즉 어리다구 하니까······
▶ 점순이 성례를 재촉하라고 '나'를 부추김.

**중략 부분의 줄거리** '나'는 장인을 이끌고 구장에게 가서 공정한 판결을 받고자
한다. '나'는 구장에게 점순이 다 크면 성례를 시켜 주겠다는 장인의 말만 믿고 싶도
받지 않고 점순네 농사일을 도맡아 해 온 자신의 처지를 하소연한다.

그러나 이 말에는 별반 신통한 귀정을 얻지 못하고 도루
논으로 돌아와서 모를 부었다. 왜냐면, <u>장인님이 뭐라구 귓
속말로 수군수군하고 간 뒤다.</u> 구장님이 날 위해서 조용히
마름인 장인이 소작농인 구장으로 하여금 '나'를 설득하도록 함.
데리구 아래와 같이 일러 주었기 때문이다.(뭉태의 말은 구
장님이 장인님에게 땅 두 마지기 얻어 부치니까 그래 꾀었
다구지만, 난 그렇게 생각하지 않는다.)

"자네 말두 하기야 옳지. 암, 나이 찼으니까 아들이 급하
다는 게 잘못된 말은 아니야. 허지만, 농사가 한창 바쁠
때 일을 안 한다든가 집으로 달아난다든가 하면 손해죄
루 그것두 징역을 가거든!(여기에 그만 정신이 번쩍 났
다.) 왜 요전에 삼포 말서 산에 불 좀 놓았다구 징역 간
거 못 봤나. 제 산에 불을 놓아두 징역을 가는 이땐데 남
의 농사를 버려 주니 죄가 얼마나 더 중한가. 그리고 자
넨 정장을(사경 받으러 정장 가겠다 했다.) 간대지만, 그
러면 괜시리 죌 들쓰고 들어가는 걸세. 또, 결혼두 그렇
지. 법률에 성년이란 게 있는데 스물하나가 돼야지 비
로소 결혼을 할 수가 있는 걸세. 자넨 물론 아들이 늦일
걸 염려지만, 점순이루 말하면 인제 겨우 열여섯이 아닌
가. 그렇지만 아까 빙장님의 말씀이 올 ⓔ<u>갈에는 열 일
을 제치고라두 성례를 시켜 주겠다 하시니</u> 좀 고마울 겐
장인의 회유책
가. 빨리 가서 모 붓든 거나 마저 붓게. 군소리 말구 어서
가······."

<u>그래서 오늘 아츰까지 끽소리 없이 왔다.</u>
시간의 복귀(과거에서 현재로 전환됨.) ▶ 구장이 장인의 사주를 받고 '나'를 설득함.

**1** 이 작품은 방언과 일상적인 구어체를 사용하여 주인공의 심
리와 사건 등을 구체적으로 묘사하고 있다. 이를 통해 작품의
상황과 사건을 생동감 있게 제시하고 독자에게 친근감을 주
고 있다.

오답 풀이 ▶ ① 점순의 외양을 묘사하는 부분이 있지만, 이 부분에는
점순에 대한 '나'의 애정이 드러날 뿐, 점순의 부정적인 면모를 비웃는
풍자를 하고 있지는 않다.

③ 점순이 성례를 시켜 달라고 '나'를 부추긴 일이나 '나'와 장인이 구장
을 찾아간 일은 과거에 해당하지만, 이를 통해 주인공 '나'가 자아를
성찰하고 있지는 않다.

④ 동시에 일어나는 두 개의 사건을 나란히 배치하고 있지 않으며 각기
다른 시간에 일어난 사건을 서술하고 있다.

⑤ 이 작품은 주인공 '나'가 자신이 경험한 일을 독자에게 직접 전달하는 구성을 취한다. 다른 사람의 체험을 듣고 독자에게 전해 주는 액자식 구성을 취하고 있지 않다.

**2** '나'는 점순이 정신적으로는 성장했다고 생각하지만 신체적으로는 아직 성숙하지 않았다고 생각한다. 또한, 농사일을 거부하려다가 구장님이 자신을 설득하는 말을 듣고 다시 장인님의 논으로 가서 군소리 없이 농사일을 한다.

**오답 풀이** ② 점순이가 밥을 나르다가 실수로 넘어져 흙투성이 밥을 먹이지만, '안 먹으면 무안해할까 봐서 이걸 씹고 앉았노라면'에서처럼 점순이가 민망해하지 않도록 '나'가 배려하고 있음을 알 수 있다.
③ '밤낮 일만 하다 말 텐갸', '성례시켜 달라지 뭘 어떻게.'라는 말에서 점순이가 성례를 올려 달라고 말을 하지 않는 '나'에게 불만을 토로하며 '나'를 부추기고 있다는 것을 알 수 있다.
④ '구장님이 장인님에게 땅 두 마지기 얻어 부치니까 그래 꾀었다구지만'이라는 뭉태의 말을 통해 구장이 장인의 편에서 '나'가 순순히 장인의 말을 듣도록 설득하였음을 알 수 있다.
⑤ '법률에 성년이란 게 있는데 스물하나가 돼야지 비로소 결혼을 할 수가'에서 구장이 법률 내용을 근거로 하여 '나'를 설득하고 있음을 알 수 있다.

**3** ─ **보기 읽기** ─
〈봄·봄〉은 시·공간의 이동을 통해 사건들이 전개된다. 소설 속 사건이 일어나는 배경은 단순히 물리적 시·공간을 제시하는 데에서 그치는 것이 아니다. 인물을 둘러싼 구체적 환경은 인물의 성격을 드러내거나 태도에 변화를 줄 뿐만 아니라 사건의 분위기를 조성하기도 한다. 그리고 인물이 처한 사회적 환경을 환기하기도 하고 때로는 인물의 심리 상태에 영향을 미친다.
(배경의 기능 / 선택지 ②: 배경의 기능 ② / 선택지 ⑤: 배경의 기능 ③ / 선택지 ①: 배경의 기능 ① / 선택지 ⑤: 배경의 기능 ⑤ / 선택지 ①: 배경의 기능 ⑥)

'산'은 점순이가 '나'가 적극적으로 행동해 주었으면 하는 자신의 본심을 밝힌 뒤 부끄러워하며 도망간 공간이지, 부모와 자식 세대 간의 소통이 어려웠던 분위기를 상징하는 공간이 아니다.

**오답 풀이** ① '나'는 화전밭에서 생명력이 넘치는 봄의 분위기를 느끼며 마음이 들뜨고 있다. 따라서 '화전밭'은 사건의 분위기를 조성하고 '나'의 정서적 반응에 영향을 미치는 배경에 해당한다고 볼 수 있다.
② '나'는 밭에서 일을 하다가 점순과 결혼하지 못하는 자신의 처지를 떠올리며 소에게 울화를 터뜨린다. '밭'은 장인에 대한 '나'의 태도를 알 수 있는 공간적 배경에 해당한다고 볼 수 있다.
③ 점순은 이날 평소와는 다르게 적극적인 면모를 보이며 성례를 올리는 일에 '나'가 적극적으로 나서도록 부추긴다. 따라서 '이날'은 점순의 본심을 알 수 있게 하는 시간적 배경에 해당한다고 볼 수 있다.
⑤ '나'는 구장에게서 장인이 올 갈(가을)이 되면 성례를 올려 줄 것이라고 말했다는 것을 들은 후에 논으로 돌아와 모를 부었다. 따라서 '갈'은 '나'의 태도에 변화를 준 계절적 배경이라고 할 수 있다.

**알아두기** 제목 '봄·봄'의 상징성

| 작년 봄 | 올해 봄 | 내년 봄 |
| --- | --- | --- |
| '나'는 성례를 요구했으나 장인의 회유로 다시 일하러 나감. | '나'는 또 성례를 요구하며 장인과 싸움까지 벌였으나 회유를 받고 다시 일하러 나감. | 갈등이 완전히 해소되지 않아 내년에도 유사한 갈등이 발생할 것을 예상할 수 있음. |

순환적 구조(암담한 현실의 순환)

## 05 ㈎ 십 년을 경영하여
본문 50~52쪽

## ㈏ 농가구장

**1** ① **2** ① **3** ②

㈎ 십 년(十年)을 경영(經營)하여 초려삼간(草廬三間) 지어 내니
세 칸밖에 안 되는 작은 초가
□: 시어 반복 → 리듬감 형성 문제 1-①
나 한 칸 달 한 칸에 청풍(淸風) 한 칸 맡겨 두고,
화자 ○: '달'과 '청풍'을 인격체로 대우함(의인법). 자연과 하나 되는 물아일체의 경지
강산(江山)은 들일 데 없으니 둘러 두고 보리라
○: 자연-'나는 '달', '청풍'과 함께 '초려삼간'에서 살고, ▶ 자연에 대한 사랑과 안빈낙도
'강산'을 둘러 두고 봄. → 자연과 하나 되어 살아가려는
화자의 태도가 드러남. 문제 3-②

㈏ 서산의 아침볕 비치고 구름은 낮게 떠 있구나
아침 무렵임.
비 온 뒤 묵은 풀이 뉘 밭에 더 짙었든고
묵은 풀을 뽑으러 일해야 하는 공간임.
두어라 차례 정한 일이니 매는 대로 매리라 〈제1수〉
▶ 아침에 김매기를 위해 나섬.

□: 시어 반복 → 리듬감 형성 문제 1-①
둘러내자 둘러내자 긴 고랑 둘러내자
바라기 역고를 고랑마다 둘러내자
잡초 짙은 긴 사래 마주 잡아 둘러내자 〈제3수〉
농촌 공동체의 협동
▶ 일터에서 김을 맴.

「땀은 듣는 대로 듣고 볕은 쬘대로 쬔다」 「」: 대구법
떨어질 대로 떨어지고
청풍에 옷깃 열고 긴 휘파람 흘리 불 때
옷깃을 열고 바람을 쐼.
어디서 길 가는 손님네 아는 듯이 머무는고 〈제4수〉
▶ 땀을 흘리며 농사일을 함.

밥그릇에 보리밥이요 사발에 콩잎 나물이라
소박한 음식
내 밥 많을세라 네 반찬 적을세라
화자
「먹은 뒤 한 숨 졸음이야 너나 나나 다를소냐」 〈제5수〉
「」: 설의법
▶ 점심을 먹고 졸려 함.

돌아가자 돌아가자 해 지거든 돌아가자
저녁 무렵임.
냇가에 손발 씻고 호미 메고 돌아올 제
어디서 우배초적(牛背草笛)이 함께 가자 재촉하는고 〈제6수〉
▶ 농사일을 마치고 돌아감.

**1** (가)에서는 '한 칸'이, (나)에서는 '둘러내자', '돌아가자' 등이 반복되면서 리듬감을 형성하고 있다.

**오답 풀이** ② (가)와 (나)에서 구체적인 묘사를 통해 계절감이 부각되는 부분은 나타나지 않는다.

③ (가)에는 설의적 표현이 사용되지 않았다. (나)는 〈제5수〉의 '먹은 뒤 한 숨 졸음이야 너나 나나 다를소냐'에서 설의적 표현을 통해 '점심을 먹고 졸음이 오는 것은 너나 나나 다르지 않음'을 표현하여 화자의 상황을 드러내고 있다.

④ (가)와 (나)에서 색채어의 대비가 활용된 부분은 나타나지 않는다.

⑤ (가)와 (나)에서 음성 상징어는 사용되지 않았다.

**2** 〈제1수〉에서 농부가 농기구를 가지고 밭을 가는 모습은 확인할 수 없다. 〈제1수〉에서는 아침에 김매기를 하러 길을 나서는 농부의 모습이 드러난다.

**오답 풀이** ② 〈제3수〉의 '잡초 짙은 긴 사래 마주 잡아 둘러내자'에서 농부들이 함께 잡초를 뽑는 모습을 확인할 수 있다.

③ 〈제4수〉의 '청풍에 옷깃 열고'에서 옷깃을 열고 바람을 쐬고 있는 농부의 모습을 확인할 수 있다.

④ 〈제5수〉의 '내 밥 많을세라 네 반찬 적을세라'에서 농부들이 모여 식사하는 모습을 확인할 수 있다.

⑤ 〈제6수〉의 '해 지거든 돌아가자 ~ 호미 메고 돌아올 제'에서 해 질 무렵 농사일을 마치고 돌아오는 농부의 모습을 확인할 수 있다.

**3** **── 보기 읽기 ●**

조선 시대 사대부들의 시조에는 자연이 자주 등장하는데, 작품 속 자연에 대한 인식이 같지는 않다. (가)에서의 자연은 속세를 벗어난 화자가 동화되어 살고 싶어 하는 공간이자 **안빈낙도(安貧樂道)의 공간**으로 그려져 있다. <sub>선택지②</sub> 반면에 (나)에서의 자연은 **소박하게 살아가는 삶의 현장이자 건강한 노동 속에서 흥취를 느끼는 공간**으로 그려져 있다. <sub>선택지③~⑤</sub>

(가)의 종장에서 '강산'을 '둘러 두고 보리라'라고 한 것은, 화자가 자연 속에서 '강산'을 가까이에 둔 채 살고 싶어 하는 것으로 볼 수 있으므로 '강산'에서 벗어나려 한다고 이해한 것은 적절하지 않다.

**오답 풀이** ① (가)의 화자가 자연 속에 지은 '초려삼간'은 초라한 세 칸의 초가집으로, 화자는 여기에 '달', '청풍'을 들여 놓고 자연을 즐기며 살고 있다. 따라서 '초려삼간'은 화자가 안빈낙도하며 사는 공간으로 볼 수 있다.

③ (나)의 '묵은 풀'을 매는 '밭'은 건강한 노동을 하는 삶의 공간으로 볼 수 있다.

④ (나)의 밥그릇의 '보리밥'과 사발의 '콩잎 나물'은 농부들이 일한 뒤 먹는 음식을 나타내므로 노동의 현장에서 맛보는 소박한 음식으로 볼 수 있다.

⑤ (나)에서 하루 일과를 마치고 돌아오는 농부가 듣는 '우배초적'은 건강한 노동 후의 흥취로 볼 수 있다.

---

# 06 ㉮ 동짓달 기나긴 밤을
㉯ 강호사시가

본문 53~55쪽

| **1** ⑤ | **2** ② | **3** ⑤ |
| --- | --- | --- |

㉮ **동짓달 기나긴 밤을** 한 허리를 베어 내어
<sub>겨울</sub> <sub>문제 1-⑤</sub> └ 우리말의 묘미를 살린 음성 상징어 → 생동감 부여, 운율감 형성
**춘풍(春風) 이블** 아래 **서리서리** 넣었다가
<sub>봄바람처럼 따뜻한 이불</sub> <sub>문제 2-②</sub>
어론 님 오신 날 밤이어든 **굽이굽이** 펴리라
<sub>사랑하는 임, 정든 임</sub> ▶ 임을 기다리는 애타는 마음

▢ : 계절적 배경 제시 <sub>문제 1-⑤</sub>

㉯ **강호(江湖)에 봄**이 드니 미친 흥(興)이 절로 난다
<sub>자연</sub> <sub>주체할 수 없는 흥취</sub>
탁료계변(濁醪溪邊)에 금린어(錦鱗魚) 안주로다
이 몸이 **한가하옴도** 역군은(亦君恩)이샷다 〈제1수〉
◯ : 초·중장에서 제시한 자연에서의 <sub>자신의 삶이 임금의 은혜 덕분임. – 유교적 충의 사상</sub>
화자의 생활을 압축하여 제시한 표현 ▶ 강호에서 느끼는 봄의 흥취

강호(江湖)에 **여름**이 드니 초당(草堂)에 일이 없다
<sub>자연에서 유유자적 살아가는 화자의 한가로운 삶</sub>
「유신(有信)한 강파(江波)는 보내느니 바람이로다」
「 」: 의인화를 통해 자연과 어우러진 삶을 표현함.
이 몸이 **서늘하옴도** 역군은(亦君恩)이샷다 〈제2수〉
▶ 여름의 한가한 초당 생활

강호(江湖)에 **가을**이 드니 고기마다 살쪄 있다
소정(小艇)에 그물 실어 흘리 띄워 던져두고
이 몸이 **소일(消日)하옴도** 역군은(亦君恩)이샷다
〈제3수〉
▶ 고기잡이하며 즐기는 생활

강호(江湖)에 **겨울**이 드니 눈 깊이 자히 남다
「삿갓 비껴 쓰고 누역으로 옷을 삼아」「 」: 소박한 생활, 안분지족의 삶
이 몸이 **춥지 아니하옴도** 역군은(亦君恩)이샷다
〈제4수〉
▶ 눈 쌓인 가운데 안분지족하는 생활

**1** (가)에서는 '동짓달 기나긴 밤'에서 임이 부재하는 춥고 긴 겨울밤을 드러내어, 임을 기다리는 간절한 마음이라는 주제 의식을 부각하고 있다. (나)에서는 각 수의 초장에서 계절적 배경을 드러내어, 계절에 따라 자연을 즐기며 임금의 은혜에 감사하는 마음이라는 주제 의식을 부각하고 있다.

**오답 풀이** ① (나)에는 음성 상징어가 사용되지 않았다. (가)는 '서리서리', '굽이굽이'라는 음성 상징어를 사용하여 생동감을 부여하고 있다.

② (가)와 (나)에는 반어적 표현을 사용한 부분이 나타나 있지 않다.

③ (가)와 (나)에는 청자와의 대화가 드러나 있지 않다.

④ (가)에는 자연물을 의인화한 표현이 드러나 있지 않다. (나)는 '유신한 강파'에서 강물이 신의가 있다고 의인화하여 자연과 어우러진 삶의 모습을 드러내고 있다.

**2** (가)에서 화자는 임을 기다리고 있을 뿐, 임을 위해 새롭게 이불을 만들고 있지는 않다. (가)의 화자는 '동짓달 기나긴 밤'(임이 없는 시간)을 베어 '춘풍 이불'(봄바람처럼 따뜻한

이불) 아래에 넣어 두었다가 임이 오신 날 밤에 펴겠다고 하여, 임과 오래 함께하고 싶은 소망과 임을 기다리는 마음을 표현하였다.

오답 풀이 ① (가)의 화자가 '동짓달 기나긴 밤'을 잘라 두었다가 임이 오신 날 밤에 '굽이굽이' 펴겠다고 한 것은, 임이 없는 힘든 시간은 줄이고, 임과 함께 지내는 시간은 길게 연장하고 싶은 마음을 표현한 것이다.
③ (나)의 화자가 '미친 흥이 절로 난다'라고 한 것은 봄이 되어 저절로 생긴 주체할 수 없는 흥을 표현한 것이다.
④ (나)의 화자가 '초당에 일이 없다'라고 한 것은 자연에서 유유자적하며 한가롭게 살아가는 화자의 삶의 모습을 표현한 것이다.
⑤ (나)의 화자는 추운 겨울에도 '삿갓'과 '누역'만으로 만족하며 지내고 있으므로 화자의 검소한 삶의 태도가 드러난다고 볼 수 있다.

**3** ─ 보기 읽기 ─

〈강호사시가〉는 유교적 이상이 현실화된 시기에 지어진 것으로, 여기에는 화자의 공적인 삶과 사적인 삶의 조화와 [선택지 ③] [선택지 ① ②] 함께 개인의 평안한 삶을 가능하게 한 임금의 치적에 대한 감사가 나타나 있다. [선택지 ④]

화자가 유교적 이상을 현실화하기 위해 노력했다는 내용은 (나)에서나 〈보기〉에서 찾을 수 없다.

오답 풀이 ① 각 수의 초장과 중장에서는 계절의 바뀜에 따른 화자 개인의 흥취와 구체적인 생활 모습을 노래하고 있다. 그러므로 초장과 중장에서 화자의 사적인 삶의 모습을 그리고 있다는 진술은 적절하다.
② '이 몸이 ~하옴도'에서 '~'에 해당하는 내용은 초장과 중장에서 제시한 자연에서의 화자의 삶을 압축하여 표현한 것이다. 그러므로 '이 몸이 ~하옴도'가 사적인 삶의 모습을 압축하여 제시하였다는 것은 적절하다.
③ '역군은이샷다'는 '역시 임금님의 은혜이시다.'라는 뜻으로, 화자가 신하의 입장에서 임금에게 감사해하고 있는 것이다. 그러므로 이는 화자가 신하라는 공적인 삶과 관련지어 한 말이라고 볼 수 있다.
④ 각 수 종장에서 화자는 '역군은이샷다'라는 구절을 통해 자연을 즐기며 평안하게 지내는 삶을 가능하게 한 임금의 은혜에 감사의 뜻을 나타내고 있다.

알아두기 **기녀 시조의 문학사적 의의**

〈동짓달 기나긴 밤을〉은 기녀 황진이가 지은 시조이다. 기녀들이 지은 시조는 사대부의 시조와 달리 인간의 정서를 숨김없이 표출하고, 우리말의 아름다움을 잘 살린 작품이 많다. 그들의 시조는 시조의 작가층이 확대되고, 시조의 내용이 다양해지는 데에 영향을 미쳤다고 볼 수 있다.

# 07 보석과 여인

본문 56~59쪽

**1** ①　　　**2** ②

남자: 네, 어떤 돌은 말입니다. 사람들이 다듬어서 보석을 ○: 등장인물　□: 중심 소재 만들지요. (보석을 가리키며) 이걸 보십쇼. 부인의 그이께서 밤새껏 다듬으신 겁니다. 참, 다시 없는 솜씨에요. 여든여덟, 이 각면체(各面體)들이 서로 치밀하게 아물려서 한 점 빈틈이 없거든요. 부인, 이건 보석으로서의 가장 완전한 모양입니다. 일단 이 안으로 들어온 빛은 밖으론 절대 새어나갈 수가 없습니다. 그래서 시간이 오래될수록 이 보석의 내부엔 자꾸만 빛이 축적되는 겁니다. 마침내는 하늘에서 방금 뜯어온 별처럼 찬란하다 못해…… 그렇습니다, 부인. 이건 한낱 여인을 장식하기보다 저 장엄한 하늘의 별이 되어야 하는 겁니다.

그녀: 그런 건 상관없어요. 저에게 지금 소중한 건 그이에요. 어디 계시죠, 그인?

남자: ⊙바람에 흩어지고 있군요. '그이'가 계약을 어겨 재로 변해 바람에 흩어짐. ─ 이야기의 결말 부분이 먼저 제시됨.

그녀: 제발 좀 저에게 가르쳐 주세요.

남자: 그인 계약을 어기셨습니다. 보석을 이런 완전한 모 '그이'는 계약을 어겨서 재로 변한 것임. ─ 계약 모티프를 바탕으로 함. 양으로는 다시 깎지 않겠다는, 그런데 그걸 어기신 겁니다. (보석을 내밀며) 사랑하는 부인께 대신 이걸 전해 달라 하시더군요.

그녀: 그이가 안 계신다면, 아, 이런 것이 무슨 소용 있겠어요!

남자: 진정하십시오, 부인, 이렇게 깎여진 보석은 세상에서 단 하나 이것뿐입니다.

그녀: 하나라구요! 수천 개인들 그게 무엇일까요! (보석을 내던지며) 아무 소용 없어요, 저에게. 그이면 됐던 거예요. ⓒ그이라면 다 황홀하게 꾸미고도 남았어요! 오, 차 ⊙: '그녀'는 보석이 아닌 '그이'와의 사랑만을 원함. [문제 2-②] 라리 저에게 재앙을 주세요! (비탄으로 울부짖으며 나간다)

남자: (보석을 주워들고) 쯧쯧, 인간들이란 가장 완전하며 가장 소용없는 걸 만든단 말이야. 난 이해 못 하겠군. 기껏 그들 꼴을 보며 웃는 수밖에. (키득키득 웃는다) 웃는 것도 싫군. 그저 이 돌을 하늘에 던져 올려 별이나 만들자.

(암전(暗轉). 올려 퍼지는 결혼 축하곡. 사원(寺院)의 종소 과거로 돌아감. 리. 사람들의 환호성이 거리를 메운다. 그이는 창 밖을 바라본 다. 노인. 구부러진 허리. 백발(白髮). 살갗은 고목의 껍질 같 '그이'의 외양 다. 그이는 한숨을 쉰다. 남자, 어느 사이에 들어와 구석진 자리에서 지긋이 한탄하는 그이를 지켜본다.)

▶ 계약을 어겨 재로 변한 '그이'

**중략 부분의 줄거리** 자신의 일생을 바쳐 완벽한 보석을 세공한 '그이'는 보석이 세상에서 가장 완벽한 형태로 완성되었지만 그 보석을 위해 모든 것을 다 포기하고 살아온 자신의 현실을 한탄한다.

남자: 참으로 묘한 일이군요. ©일생을 다 바쳐 마침내 바<u>랐던 걸 성취하고서도 한탄해야 하니 말입니다.</u>
<small>'그이'는 현실적 가치('보석')만으로 만족하지 못하고 한탄함.</small>

㉠그이: 이 부질없는 것에 평생을 매달렸다니…….
<small>현실적 가치('보석')</small>

남자: 전혀 없습니까, 드릴 만한 사람이?

그이: 있다면야 왜 내가 후회 하겠소? 보시오, 나를. 머리는 새하얗고 허리는 굽어 버렸소. 목소리는 쉬어터졌으며 살갗은 어느새 흉칙하게 찌그러졌소. 어리석다는 건 바로 이렇소. <u>차라리 이따위 걸 소망하기보다 한 여인을 사랑하는 쪽이 더 옳았던 것 같소.</u> 더구나 오늘 거리엔
<small>과거 삶에 대한 후회</small>
결혼식의 행렬이 지나갔소. 난 어여쁜 신부를 보았소. 그리고 하염없이 울었소. 만약 나에게 다시 젊음을 준다면, 한번 다시 젊음을 준다면…….

남자: 왜 말씀을 그만 두십니까?

그이: 아, 그건 불가능한 거요.

남자: 궁금한데요. 다시 젊음을 준다면 어떻게 하시겠습니까?

그이: 한 여인을 사랑하겠소.
<small>'그이'는 젊음을 얻어 한 여인을 사랑하고 싶어 함.</small>

남자: 글쎄요. <u>그것 역시 결국엔 후회되지 않을까요?</u>
<small>'그이'의 행동을 예측하여 '그이'의 미래를 비관적으로 전망함.</small>

그이: 아니요. 난 결코 후회하지 않을 거요!

남자: [사랑] 역시 당신이 늘 소망했던 그 완전한 [보석]과 같
<small>이상적 가치          현실적 가치</small>
은 거지요. 말하자면 당신은 한 여인을 완전히 사랑하고자 할 겁니다.

그이: 물론이요, 나는.

남자: ⌜그렇다면 어찌 될 것 같습니까? 당신은 그 여인에게
<small>'그이'의 행동을 예측함.</small>
당신의 사랑을 드러내보이기 위해, 이 세상에서 가장 완전한 형태의 보석을 다듬어 주고자 할 겁니다.⌟

그이: 당연히 난 그럴 거요.

남자: 아, 욕심도 많으시군요. ⓔ<u>완전한 사랑과 완전한 보석, 그 두 가지를 모두 갖고 싶지 않은 사람이 어디 있겠</u>
<small>인간의 보편적 속성 – 양립할 수 없는 가치(현실적 가치와 이상적 가치)를 동시에 추구함.</small>
<u>습니까?</u> 그 중 하나만이라도 가질 수 있다는 것에 만족하셔야지요.

그이: (손 위에 놓인 보석을 바라보며) 내가 한 여인을 사랑할 수 있게 된다면 난 이것을 기꺼이 포기하겠소.

남자: (냉소하며) 그랬다가 다시 만드시려구요? ⓑ만약 당
<small>'그이'의 행동을 예측함.</small>
신이 터득한 그 완전한 형태의 보석 세공술(細工術)을 포기하신다면, 난 당신의 사랑을 위해 젊음을 다시 드릴 수도 있겠습니다만…….⌟ ⌜ '남자'가 '그이'에게 계약을 제시함. – '그이'가 젊
<small>음을 얻는 대가로 완전한 형태의 보석 세공술을 포기해야 함.</small>

그이: 누구요? 당신이 누구이기에 다시 젊음을 주시겠다는 거요?

남자: 자, 어떻게 하시렵니까?
<small>'그이'의 선택을 재촉하는 '남자'의 말 문제 1-①</small>

그이: 당신이 설마……?

남자: 그것 보십시오. 당신은 후회한다는 말은 하면서도
<small>'그이'의 선택을 재촉하는 '남자'의 말 문제 1-①</small>
보석을 포기하진 못하는군요.

그이: (보석을 남자에게 내던진다) 젊음을 주시요! 당신이 그렇게 할 수 있다면!

남자: 계약하셔야 합니다.
<small>'그이'가 계약을 하도록 유도하는 '남자'의 말 문제 1-①</small>

그이: 좋소. 어떤 계약이요?

남자: ⌜만일 당신이 이런 완전한 형태의 보석을 깎을 경우엔 당신은 늙어버립니다. ⓗ그리고 그 즉시 재로 변해지고 말 겁니다.⌟ ⌜ : 계약 내용 → 앞에서 '그이'가 재로 변해 바람에 흩어지는 장면과
<small>연결됨. (이야기의 결말이 먼저 제시된 '원점회귀'의 구성 방식)</small>

그이: 계약하겠소!

▶ '남자'와 계약을 맺기로 한 '그이'

**1** '남자'는 '그이'가 일생을 바쳐 완전한 보석을 깎고 난 후 한탄하는 상황에서 젊음을 준다는 제안을 하며 '자, 어떻게 하시렵니까?', '계약하셔야 합니다.' 등과 같은 말로 '그이'의 선택을 부추겨서 계약을 하도록 이끌어 내고 있다.

**오답 풀이** ② '남자'와 '그녀'의 대화 중 '그인 계약을 어기셨습니다.'라는 말에서 '남자'는 '그녀'에게 '그이'의 상황을 전달하고는 있지만 '그녀'와의 관계 회복을 유도하고 있지는 않다.
③ '남자'와 '그이'의 대화에서 '그이'의 미래를 낙관적으로 전망하는 내용은 찾을 수 없다. '남자'는 '글쎄요. 그것 역시 결국엔 후회되지 않을까요?', '당신은 그 여인에게 ~ 다듬어 주고자 할 겁니다.', '(냉소하며) 그랬다가 다시 만드시려구요?' 등과 같이 말한다. 이는 '그이'가 젊음을 얻어 한 여인을 사랑하게 되더라도 또 후회하게 될 것이며, 보석 세공술을 포기하지 못하고 보석을 다시 만들게 될 것이라는 비관적인 예측을 드러내는 것으로 볼 수 있다.
④ '남자'와 '그녀'의 대화에서 '남자'가 '그녀'의 태도를 비판하여 내면적 갈등을 유발하고 있는 부분은 나타나 있지 않다.
⑤ '남자'가 '그녀'에게 기회를 부여하여 '그이'와의 갈등 해소의 실마리를 제공하는 부분은 나타나 있지 않다.

**2** ● **보기 읽기** ●
이 작품은 …… 즉⌜현실적 가치를 상징하는 '보석'과 이상
<small>⌜ : 선택지 ②~④</small>
적 가치를 상징하는 '사랑'을 통해, 양립할 수 없는 가치를 동시에 추구하는 인간의 일반적인 속성과 삶의 본질적 한계를 보여주고⌟ 있는 것이다. 또한 ⌜계약 모티프'를 바탕으로
<small>선택지 ⑤</small>
이야기의 결말 부분을 먼저 제시하는 원점회귀의 구성 방식⌟
<small>선택지 ①</small>
을 취하면서 운명적 비극성을 극대화하고 있다.

©에서 '그녀'는 보석이 없어도 '그이'와의 사랑만으로 충분하

다는 뜻을 전하고 있다. 따라서 '그녀'는 완전한 보석과 '그이'와의 사랑 중 '그이'와의 사랑만을 원하고 있으므로 양립할 수 없는 가치를 동시에 추구하고 있다고 볼 수 없다.

**오답 풀이** • ① '그이'가 계약을 어겨 재로 변해 바람에 흩어지고 있는 결말의 내용이 먼저 제시되어 있다.

③ 보석으로 상징되는 현실적 가치를 이루고도 한탄하는 '그이'의 모습이 제시되어 있다.

④ 완전한 사랑이라는 이상적 가치와 완전한 보석이라는 현실적 가치 두 가지를 모두 갖고 싶어 하는 인간의 일반적 속성이 제시되어 있다.

⑤ '남자'는 '그이'에게 계약을 제안하면서 젊음의 대가로 완전한 형태의 보석 세공술을 포기해야 한다는 조건을 제시하고 있다.

# 08 성난 기계

본문 60~63쪽

**1** ⑤  **2** ③  **3** ②

○: 등장인물

**인옥**: 선생님…….

**회기**: (조소하는 태도로) 나는 환자의 생명을 구해 줌으로써 기쁘게 해 주겠다거나 사회를 위해서 선심을 쓰겠다는 생각은 없소. 나도 이 병원에서 월급을 받고 일하는 고용인이니까, 댁과 마찬가지로……. 「」: 의사를 단지 직업으로만 생각하는 회기의 가치관이 드러남.

**인옥**: ㉠(다시 애원하며) 그러니 수술을 해 주시면 되잖아요? 수술을 거부하는 회기를 간곡히 설득함.

**회기**: (냉정하게) 원래 나는 <u>자신 없는 일엔 손을 안 대는 성질이오.</u> 수술 결과에 자신이 없다며 수술 요청을 거절함. → 자신에게 해가 될 일은 하지 않는 이기적인 성격

**인옥**: 환자가 죽어 가도 말씀이에요?

**회기**: 그렇다고 내가 죽일 수는 없소. <u>나는 나를 위해서 사는 거지, 그 누구를 위해서 사는 사람은 아니니까.</u> 환자의 생명보다 자신의 안위와 이익을 우선시함. → 비정함. 이기적인 성격

**인옥**: (안타깝게) 선생님…….

**회기**: 댁이 공장에서 담배를 사서 피울 사람을 생각하지 않는 것과 마찬가지 이치지요. 그렇잖아요?

**인옥**: (원망스럽게 쳐다보며) 선생님은 냉정하시군요…… <u>기계처럼…….</u> 다른 사람의 고통을 외면하는 회기의 비인간적인 면을 나타냄. 문제 2-③

(이때 ⓒ금숙의 표정이 크게 동요된다.)

**회기**: ㉡(창밖으로 시선을 돌리며) 직업이란 사람을 기계로 만들게 마련이죠. 댁의 손처럼……. 자신의 이기적인 태도를 합리화하며 시선을 돌림. 문제 3-②

**인옥**: 그리고 내 손처럼……. ㉢(이제는 눈물도 말라 버린 표정으로) 그렇다고 마음까지 기계가 될 수는 없잖아요?…… (서서히 일어서며) 어두운 공장에서 담배 개비를 스무 개씩 집어넣는 것은 내 손이지만, 제 마음은 언제나 어린것들을 생각하고 나를 생각했어요…… 어떻게 하면 살 수 있을까 하고……. 더 이상 설득할 수 없음을 깨닫고 체념함. 인간적인 마음을 잃지 않음. 어린 자식들에 대한 사랑

**회기**: (약간 감동되어) 내 얘기가 좀 지나쳤는지 모르지만 나는 결코 댁이 죽어도 좋다는 것은 아닙니다. 그 대신 좋은 약을 소개해 드릴 테니 써 보세요.

**인옥**: (혼잣소리처럼) 「알맹이는 어찌 되었든 포장만 그럴싸하게 꾸미라는 말이군요……」 늘 듣던 얘기지. 「」: 수술이라는 근본적인 치료 대신 약을 처방해 임시방편으로 삼으려는 회기에 대한 비판

**회기**: (약간 난처해하며) 그런 뜻이 아니라……. ▶ 수술을 해 달라고 애원하는 인옥과 이를 거절하는 회기

**중략 부분의 줄거리** 인옥이 돌아가고 얼마 후 인옥의 남편인 상현이 회기를 찾아온다. 그는 회기가 인옥의 수술을 거절했다는 말에 안심하면서, 성공 가능성이 낮은 수술을 하기에는 돈이 많이 든다며 폐 수술을 해 주지 말 것을 거듭 당부한다.

**회기**: (노골적으로 분노를 터뜨리며) 그건 너무 심하지 않소? 아내의 생명을 경시하는 상현의 비인간적 태도에 대한 분노 문제 1-⑤

**상현**: (반항적으로) 심한 건 내 아내요. 그 병이 어떤 병이라고 수술을 합니까? 그것도 공으로 한다면 또 모르지만, <u>돈 쓰고 저 죽고 하면, 남은 우리들은 어떻게 살아가라고.</u> 선생님! 그러니 나는……. 아내의 생명보다 돈을 중시함. → 상현의 비인간적 태도

**회기**: (외치며) 그건 살인이나 다름없소…….

(이 말이 떨어지자 금숙은 의아한 표정으로 회기를 쳐다본다.)

**상현**: 뭐라구요?

**회기**: (강하게) <u>아내가 죽어 가도 내버려 두는 법이 어디 있단 말이오?</u> 회기의 인간적인 면모가 나타남.

**상현**: (처음에 지녔던 겸손과 비굴은 찾아볼 수 없는 태도로) 참견 마세요! 내 처를 내가 죽이건 살리건 무슨 걱정이오! <u>나 살고 남도 있지!</u> (불쑥 일어서서 손가방을 쥐며) 아무튼 실례했습니다! (하며 문을 탁 닫고 나가 버린다.) 상현의 이기적인 태도

(회기는 감전된 사람처럼 멍하니 서 있고 금숙은 회기를 주시하고만 있다. 무거운 침묵이 흐른다.) ▶ 상현의 비인간적인 모습에 분노를 느끼는 회기

**회기**: (여전히 허공을 바라보며) 정 간호사!

**금숙**: 예?

**회기**: 아까 그 환자의 주소 알지! 인옥

**금숙**: 예, 접수부를 보면…….

**회기**: 좋아! 그럼 속달 우편으로 보내요. 인옥을 살리겠다는 강한 의지가 드러남.

**금숙**: 예? (하며 가까이 온다.)

**회기**: 수술을 받고 싶으면 편지 받는 즉시 찾아오라고! 회기가 인옥의 수술을 하겠다고 결심함. – 인간성 회복

금숙: ㉣(놀란 표정으로) 아니, 그렇지만······.
〔달라진 회기의 태도에 놀람.〕

회기: (속삭이듯) 자신은 있어! 그 대신 수혈용 혈액을 충분
히 준비할 것을 잊지 마! 알겠어?

금숙: ㉤(빙그레 웃으며) 선생님, 웬일이세요?
〔회기의 달라진 모습을 긍정적으로 여김.〕

회기: 응? (가볍게 웃으며) 이번 환자는 꼭 살려 보고 싶은
의욕이 생기는군!

금숙: 왜요?

회기: (분노를 띠며) 그 친구에게 살해당할 바엔 내가 맡아
서 살리지! 참을 수 없는 모욕을 당한 것 같아!
〔┌: 회기가 인옥을 수술하기로 마음먹은 이유 – 상현의 비정함에 분노하여 내면에 잠재된
인간성을 회복함.〕 〔문제 1-⑤〕

금숙: (흘끗 쳐다보며) 기계가 노하셨네요······.
〔비인간적인 기계 같던 회기가 인간성을 회복했음을 의미함. → 작품의 제목과 관련됨.〕

회기: 잔소리 말고, 편지나 어서 써!

금숙: 예! (하며 제자리에 앉아 편지를 쓰기 시작한다.)

(회기는 상현이 두고 간 담뱃갑을 발견하자, 담배 한 개비를 빼
더니 물끄러미 바라본다.)

회기: (혼잣소리로) 담배는 포장도 중하지만 알맹이가 좋아
〔인간〕 〔겉모습〕 〔내면(인간성)〕
야지!
〔┌: 상실된 인간성을 회복해야 한다는 주제를 상징적으로 전달함.〕

금숙: (편지를 쓰다 말고) 그 담배만은 진짜겠지요······. 공장
에서 직접 나왔을 테니까······.

회기: 그렇지! (하며 라이터 불을 켠다.) ▶ 인옥을 수술하기로 결심한 회기

1 회기는 수술을 해 달라는 인옥의 부탁을 냉정하게 거절했
으나, 돈 때문에 아내의 수술을 반대하는 상현의 비인간적인
태도에 분노를 느끼며 인간성을 회복하여 인옥의 수술을 하
기로 결정하였다.

2 ● 보기 읽기 ●
　　이 작품에서는 전쟁 이후의 비정한 현실과 그러한 현실
〔선택지③〕
에 종속되어 버린 인간을 발견할 수 있다. 비정한 현실은 인
〔선택지④〕　　　　　　　　　　　　　　〔선택지②〕
간의 삶을 비참하게 만들며, 인간의 태도나 의식에까지 영
향을 미치고 있는데, 한편으로는 그러한 현실에 종속되지
않은 인물이 등장하여 그러한 현실이 극복될 수 있는 단서
〔선택지⑤〕
가 되고 있다.

인옥은 회기에게 자신의 수술을 맡아 달라고 애원했지만 회
기는 이를 냉정하게 거절했기 때문에 회기를 기계와 같다고
한 것이다. 인옥이 마음까지 기계가 될 수 없다는 말을 한 것
이나 어린 자식들을 먼저 생각하는 것으로 보아 인옥을 비정
한 의식을 지닌 인물로 볼 수 없다.

오답 풀이 ▶ ① 회기와 인옥의 일터인 병원과 담배 공장은 이들이 살
아가는 비정한 현실 중의 하나라고 볼 수 있다.
② 회기는 의사로서 환자의 생명을 구하겠다는 생각보다 자신의 안위
와 이익을 우선시하고, 자신을 '월급을 받고 일하는 고용인'이라고 말하

며 의술을 단지 생계 수단으로 여기고 있다. 이처럼 비정하고 이기적인
모습은 비정한 현실의 영향을 받은 것이라고 볼 수 있다.
④ 상현은 아내인 인옥이 죽어 가는데도 경제적인 이유로 수술을 거부
하는 이기적이고 비인간적인 모습을 보인다. 그가 이러한 태도를 보이
는 것은 비정한 현실 속에 종속되어 버렸기 때문이라고 볼 수 있다.
⑤ 인옥은 인간적인 마음을 잃지 않고, 자식들을 먹여 살리기 위해 수
술받기를 간절히 원하며 가족에 대한 헌신과 삶에 대한 애착을 보이는
인물이다. 회기는 결말부에서 인간성을 회복하여 인옥을 수술하기로
마음을 바꾸고 금숙에게 속달 우편을 보내게 하는 인물이다. 따라서 이
들의 모습에서 비정한 현실이 극복될 수 있는 단서를 발견할 수 있다는
감상은 적절하다.

3 ㉡에서 회기는 인옥의 부탁을 냉정하게 거절하며 시선을 돌
리고 있는 것으로, 자신의 본심을 숨기고 있는 것은 아니다.

오답 풀이 ▶ ① 인옥은 자신을 냉정하게 대하는 회기에게 수술을 맡아
달라고 간절히 부탁하고 있다.
③ 인옥은 자신의 수술 부탁에 지속적으로 냉정하게 대응하며 거절하
는 회기의 태도에 점차 기대감을 잃어 가고 있다.
④ 인옥의 수술을 냉정하게 거절했던 회기가 갑자기 태도를 바꾸자 금
숙은 놀라움을 느끼고 있다.
⑤ 금숙은 기계 같던 회기가 인옥을 살려야겠다며 인간적인 면모를 보
이게 된 것을 긍정적으로 여기고 있다.

# 01 ㉮ 초록 기쁨 – 봄숲에서 본문 66~68쪽

## ㉯ 오월

**1** ④　　**2** ②　　**3** ②　　**4** ⑤

㉮ ⓐ해는 출렁거리는 빛으로
　　화자의 관심 대상 문제 4-⑤

내려오며

제 빛에 겨워 흘러 넘친다

㉠모든 초록, 모든 꽃들의
　햇빛이 비쳐 나무와 꽃에 마치 빛이 나는 것 같은 모습을 묘사함.

왕관이 되어

자기의 왕관인 초록과 꽃들에게

웃는다, 비유의 아버지답게

초록의 샘답게

하늘의 푸른 넓이를 다해 웃는다

하늘 전체가 그냥

기쁨이며 신전이다　　　▶ 1연: 숲을 비추는 햇빛의 아름다움

해여, 푸른 하늘이여,

그 빛에, 그 공기에

취해 찰랑대는 자기의 즙에 겨운,

공중에 뜬 물인

나뭇가지들의 초록 기쁨이여　▶ 2연: 기쁨에 흔들거리는 나뭇가지

흙은 그리고 깊은 데서

㉡큰 향기로운 눈동자를 굴리며
　흙의 생동감을 감각적으로 표현함. 문제 3-②

넌지시 주고받으며
자연물을 사람인 것처럼 표현하며 교감하는 화자 문제 1-④

싱글거린다
　　　　　　　▶ 3연: 흙의 생동감

오 이 향기

싱글거리는 흙의 향기

㉢내 코에 댄 갈대기와도 같은
　코에 갈때기를 긴 것처럼 자연의 향기가 코에 강하게 들어온다는 의미

하늘의, 향기

나무들의 향기!　　　▶ 4연: 흙, 하늘, 나무들의 향기

㉯ ㉣들길은 마을에 들자 붉어지고
　　붉은 시골길과 푸른 들판의 모습

마을 골목은 들로 내려서자 푸르러졌다
　　1~2행: 봄빛이 가득한 들길과 마을의 정경

바람은 넘실 천 이랑 만 이랑

㉤이랑 이랑 햇빛이 갈라지고
　보리밭 이랑에 햇빛이 비추고

보리도 허리통이 부끄럽게 드러났다
　　　　　▶ 3~5행: 봄바람에 흔들리는 보리의 모습

꾀꼬리는 엽태 혼자 날아 볼 줄 모르나니

---

암컷이라 쫓길 뿐

수놈이라 쫓을 뿐

황금빛 난 길이 어지럴 뿐　▶ 6~9행: 암수 꾀꼬리의 정다운 모습
「」: 푸르게 물들기 시작한 오월의 산봉우리를 여인에 비유함.

얇은 단장하고 아양 가득 차 있는
자연과 교감하는 화자의 말(밤이 되면 사라지는 것에 대한 아쉬움) 문제 1-④

ⓑ산봉우리야 오늘밤 너 어디로 가 버리련?
화자의 관심 대상 문제 4-⑤　▶ 10~11행: 산봉우리의 아름다운 자태

**1** (가)는 봄 숲을 배경으로 해가 웃고 흙이 싱글거린다며 자연의 모습을 의인화하여 표현하였다. 또한 (가)의 화자는 자연의 모습을 예찬적 태도로 묘사하며 자연과의 교감을 나타내고 있다. (나)는 보리와 산에 인격을 부여하여 사람처럼 표현하고 있으며, '산봉우리야 오늘밤 너 어디로 가 버리련?'이라고 하며 화자가 자연과 교감하는 모습을 드러내고 있다.

**오답 풀이** ▸ ① (가)와 (나)는 자연 그 자체를 다루고 있으며, 삶의 교훈에 대해서는 말하고 있지 않다.

② (가)와 (나)는 이상과 현실을 대비하고 있지 않다. 자연의 현재 모습을 그릴 뿐, 이상에 대한 염원을 드러내고 있지도 않다.

③ (가)와 (나)에는 과거의 시간이 나타나지 않으며, 삶에 대한 반성의 태도도 드러나지 않는다.

⑤ (가)와 (나)는 모두 자연의 모습을 부각하고 있지만, 자연과 분리되거나 소외감을 드러내고 있지는 않다.

**2** 반어적 표현은 원래 말하고자 하는 것을 반대로 표현하여, 원래 의도를 강조하는 표현 방법이다. 그래서 표현된 것과 숨은 의도가 반대되어야 하는데, (가)에서 표면적 의미와 이면적 의미가 반대되는 표현은 나타나 있지 않다.

**오답 풀이** ▸ ① 문장부호를 활용하여 호흡의 흐름을 조절하고 있다.
　○: 쉼표를 사용함.　　　○: 쉼표마다 끊어 읽게 됨.
③ 동일한 시어를 반복함으로써 의미를 강조하고 있다.
　○: '초록, 향기' 등의 반복　○: 식물 자연물의 '향기'가 강조됨.
④ 감각적 이미지로 대상에 대한 인상을 표현하고 있다.
　○: 다양한 심상을 사용함.　○: 모양과 냄새 등을 잘 표현함.
⑤ 영탄적 표현을 사용하여 화자의 정서를 나타내고 있다.
　○: '해여', '푸른 하늘이여'　○: 화자의 감탄하는 정서가 드러남.

**3** 　**보기 활용**
　〈보기〉는 (가)와 (나)의 중심 소재, 시상 전개의 특징을 설명하고 있다. 이를 통해 (가)와 (나)에서 살펴봐야 할 감상 요소를 파악할 수 있다.

'큰 향기로운 눈동자를 굴리며'의 주체는 화자가 아니라 '흙'으로, ㉡은 대지의 넉넉함과 향기로움을 표현한 시구이다.

**오답 풀이** ▸ ① '왕관'은 햇살이 나무와 꽃에 비치는 시각적 형상과 관련지어 표현한 것이다.

③ 코로 하늘과 나무들의 향긋한 향기가 전해지는 것을 비유적으로 표현하고 있다.

④ 붉은 마을 길과 그와 이어진 푸른 들판을 감각적으로 표현하고 있다.

⑤ 이랑 이랑 햇빛이 갈라진다는 것은 보리밭 이랑 사이로 햇빛이 반짝이는 모습을 표현한 것이다.

**4** ⓐ의 '해'는 '출렁거리는 빛', '초록의 샘'으로 인식되고 있으며 웃는 존재로 표현되고 있다. ⓑ의 '산봉우리'는 곱게 단장한 여인의 모습으로 의인화되고 있다. 감정이나 의도를 지닐 수 없는 자연물을 화자가 상상력을 발휘하여 의미를 부여하고 있으므로 ⓐ와 ⓑ는 모두 화자가 관심을 갖고 주관적으로 인식한 대상이라 할 수 있다.

오답 풀이 ▸ ① (가)에서 화자는 자신의 과거 삶을 떠올리고 있지 않다. ② (가)의 화자가 긍정적인 정서를 지니고 있는 것은 맞지만, '해'는 화자가 자신과 같다고 여기는 대상이 아니라 화자가 묘사하고 예찬하는 대상이다. ③ (나)에서 '산봉우리'는 화자가 긍정적으로 바라보는 대상일 뿐, '산봉우리'가 화자에게 새로운 행동을 촉구하고 있지 않다. ④ (나)에서 화자는 '산봉우리'에게 밤에는 자신의 눈에 보이지 않을 것이냐고 묻고 있다. 따라서 화자는 밤이 아니라 낮에 관찰한 '산봉우리'가 밤에는 보이지 않아 섭섭할 것이라는 마음을 드러낸 것으로 볼 수 있다.

---

# 02 ㉮ 절정 ㉯ 껍데기는 가라    본문 69~71쪽

**1** ⑤　　**2** ③　　**3** ②

㉮ 매운 계절(季節)의 채찍에 갈겨
　　<sub>일제 강점기의 가혹한 현실을 상징함.</sub>
　마침내 북방(北方)으로 휩쓸려 오다.
　　　　　　　　▸ 1연: 수평적 공간에서의 극한 상황(기)
　○: 점층적 구조 - 공간적으로 점점 더 한계 상황으로 내몰림. 문제 2-③
　하늘도 그만 지쳐 끝난 고원(高原)
　서릿발 칼날진 그 위에 서다 ▸ 2연: 수직적 공간에서의 극한 상황(승)

　어데다 무릎을 꿇어야 하나?
　한 발 재겨 디딜 곳조차 없다. ▸ 3연: 극한 상황에서의 화자의 심리(전)

　이러매 눈감아 생각해 볼밖에
　겨울은 강철로 된 무지갠가 보다.
　<sub>역설법 사용 - 극초 의지를 강조함. 문제 1-⑤</sub> ▸ 4연: 극한 상황을 초극하려는 의지(결)
　△: 화자가 부정적으로 인식하는 대상 ○: 화자가 소망하는 대상
㉯ 껍데기는 가라.
　사월도 알맹이만 남고
　껍데기는 가라. ▸ 1연: 4·19혁명의 순수한 정신 강조
　<sub>부정적 대상을 거부함. 문제 1-⑤</sub>

　껍데기는 가라.
　동학년 곰나루의, 그 아우성만 살고
　껍데기는 가라. ▸ 2연: 동학 혁명의 순수한 정신 강조

---

　그리하여, 다시
　껍데기는 가라.
　이곳에선, 두 가슴과 그곳까지 내논
　아사달 아사녀가
　중립의 초례청 앞에 서서
　<sub>이념을 초월한 민족 화해의 장소 문제 3-②</sub>
　부끄럼 빛내며
　맞절할지니 ▸ 3연: 우리 민족의 순수함 강조와 통일의 소망

　껍데기는 가라.
　한라에서 백두까지
　향그러운 흙 가슴만 남고
　그, 모오든 쇠붙이는 가라. ▸ 4연: 순수의 옹호와 부정한 권력의 거부

**1** (가)의 화자는 '매운 계절의 채찍', '북방', '고원', '서릿발 칼날진 그 위' 등으로 부정적인 상황을 표현하고 있고, (나)의 화자는 '껍데기', '쇠붙이'가 존재하는 부정적인 상황을 표현하고 있다. 이러한 상황에서 (가)의 화자는 겨울을 무지개처럼 관조하겠다는 태도를 보이고 있으며, (나)의 화자는 부정적인 대상을 몰아내려 하고 있다. 이를 통해 두 화자 모두 부정적 상황을 극복하고자 하는 의지를 드러내고 있음을 알 수 있다.

오답 풀이 ▸ ① (가)는 현재 상황을 인식하고 해결을 모색하고 있다. (나) 또한 현재 상황을 인식하며 과거의 것에서도 바람직했던 가치만이 필요하다고 말하고 있다.
② (가)에 자연물이 제시되고 있지만 이는 올바른 삶보다는 부정적 상황과 연결된다. (나)에도 자연물이 제시되고 있지만 거기에서 올바른 삶의 교훈을 찾는 것이 아니라 '흙 가슴'이라는 자연물의 상징적 의미를 활용하고 있다.
③ (가)에는 이상적으로 생각하는 것이 묘사되지 않았고, (나)에서는 이상적인 가치를 말하지만 이 때문에 현실에서 좌절하고 있지는 않다.
④ (가)와 (나)의 화자는 모두 현실 상황을 부정적으로 생각하며 그것을 극복하고 개선하고자 하고 있다.

**2** (가)에 제시된 공간은 '북방', '고원', '서릿발 칼날진 그 위' 등인데, 이 공간들은 의미가 대비되는 것이 아니라 극한 상황이라는 공통적인 의미를 담고 있다. 특히 극한 상황이 점층적으로 심화되면서 화자가 처한 가혹한 현실을 잘 표현하고 있다.

오답 풀이 ▸ ① 1연의 '오다', 2연의 '서다', 3연의 '없다', 4연의 '보다'는 모두 현재형 시제 표현이다. 이와 같은 현재형 서술을 통해 화자의 현재 상황이 심각한 위기라는 긴박감을 더하고 있다.
② 무지개가 강철로 되어 있다는 역설적인 표현을 사용하여 힘든 현실을 관조적으로 인식하면서 이겨 내겠다는 의지를 드러낸 것이다.
④ 겨울이라는 계절을 배경으로 하여 부정적 상황이 더욱 가혹하게 느껴지게 하고 있다.

⑤ 전반부인 '기-승'에서는 시적 상황을 제시하고, 후반부 '전-결'에서는 그러한 상황에 처한 화자의 의식 세계를 제시하고 있다.

**개념 +** **반어법과 역설법의 구분**

반어는 표현 자체는 이치에 맞고 문제가 없으며, 표현과 화자가 의도한 의미가 반대된다. 역설은 표현 자체가 이치에 맞지 않으며, 그 속에 진실을 담고 있다.

**3** ● 보기 읽기 ●

신동엽 시인은 인간 생명의 원초적 본질인 대지에서 우리 민족공동체가 함께 살기를 소망했다. 하지만 당시는 외세의 개입으로 인한 사회적 모순과 부조리가 가득했고 남과 북은 이념 대립으로 분단되어 있는 상태였다. 시인은 이런 문제를 해결하기 위해서 외세와 봉건에 저항했던 동학 혁명이나 불의에 저항했던 4월 혁명과 같은 정신이 필요하다고 생각했다.
선택지 ④: '대지'의 근원성
선택지 ③: 시인의 소망 – 통일
선택지 ①, ⑤: 창작 당시 사회·문화적 상황
시인이 생각한 해결책

'중립의 초례청'은 순수한 마음을 지닌 '아사달 아사녀'가 맞절하는 공간으로 남과 북이 화해를 모색하는 공간이라고 할 수 있다.

**오답 풀이** ▶ ① '껍데기'는 화자가 물리치고 싶어 하는 대상으로 현실의 문제를 유발하는 외세와, 그들을 추종하는 일부 세력이라고 할 수 있다.

③ '아사달 아사녀'가 '중립의 초례청'에서 맞절하는 것은 남과 북이 하나가 되기를 소망하는 마음이 반영된 것이라고 할 수 있다.

④ '흙 가슴'은 화자가 긍정적으로 여기는 대상으로 인간 생명의 원초적 본질인 대지를 형상화한 것으로 볼 수 있다.

⑤ '쇠붙이'는 '껍데기'처럼 화자가 없애고자 하는 부정한 세력, 무력, 외세 등을 의미한다.

# 03 버들댁

본문 72~75쪽

**1** ① **2** ⑤ **3** ①

○: 주요 인물

버들댁은 들판과 바다를 왼쪽에 끼고 걸었다. 들판에는 겨울 보리들이 파랬다. 바다에는 부연 먼지 같은 안개가 덮여 있었다. 그 우중충한 안개가 그녀의 마음속에도 끼어 있었다. 한숨을 쉬었다. 이 자식은 언제나 철이 들어 제 앞가림을 하고 살려는가. 죽기 전에 그놈 당당하게 사는 모습 보는 것이 소망인데 좀처럼 기미가 보이지 않았다. 그 암담한 생각을 하자 다리가 팍팍해졌다. 후유, 하고 한숨을 쉬었다.
버들댁의 걱정을 자연물인 안개로 표현함. 문제 1-①
[A]

이날 용복은 방 안으로 들어오자마자, "춥구먼 불 조끔 때제잉" 하고 보일러의 센서를 오른편으로 틀 수 있는 데까지 틀어 놓았다. 화살표가 마지막 단계인 '연속'에 가 닿았다. 곧 보일러가 부르릉 소리를 내며 가동되었다. 버들댁은 아깝다고 밤에 잘 때 한 차례만 때곤하는 기름을 용복은 집 안에 들어와 앉아 있는 한 계속 때려고 들었다. 그렇지만 버들댁은 손자가 하는 일을 말리지 않았다. 보일러 돌아가는 소리를 들으며 용복은 이불을 덮고 드러누웠다. 버들댁이 이렇게 불편한 몸을 이끌고 살아가는 것은 눈앞에 얼씬거리는 유일한 손자 용복 때문이었다. 용복은 그녀에게 있어서 삶의 허기를 충족시켜 주는 보물이었다.
버들댁의 손자
가난한 처지에서 기름을 절약하려 함.
손자에 대한 내리사랑이 드러남.
비유적 표현 – 용복은 버들댁에게 삶의 희망임.

늦둥이 아들 하나가 있었는데 막일을 하러 다니다가 싸움질을 하고 교도소에 갔다. 두 해 뒤 겨울에 나와서 어디엔가 취직을 하고 요리 학원을 다닌다고 하더니 어느 날 갓난아기를 안고 나타났다. 앞으로 결혼할 미장원 처녀가 낳은 아기라는 것이었다. 잠시만 맡아 키워 주면 돈 벌어 결혼식 하고 살림 차린 다음 데려가겠다는 것이었다. 한데 아들은 아기를 맡기고 간 다음 종무소식이었다. 버들댁은 그 아기를 우유도 먹이고 밥도 씹어 먹여 키웠다. 그 아이가 용복이었다.

한데 용복도 제 아비의 길을 가고 있었다. 농고를 졸업하고 자동차 정비 공장에 다닌다더니 그것을 그만두고 식당 일을 한다고 했다. 이 자식도 싸움질을 하는지 가끔 눈두덩이 멍들거나 입술이 터진 채 밤 깊어 차를 몰고 찾아오곤 했다. 버들댁은 손자의 다친 얼굴을 보면 가슴이 아리고 쓰리고 미어지는 듯싶었다. 끌어안고 손으로 만지고 멍든 자리를 볼과 입술로 비벼 주었다.

"주인 양반이 시키는 대로 고분고분 일이나 할 일이지 누구하고 싸웠기에 이러냐아?"

버들댁이 애달은 소리로 말하자, 용복은 장차 국가 대표 선수가 되려고 도장에서 운동 연습을 한다고 했다.

"국가 대포가 멋 하는 것이라냐?"

"금메달만 몇 개 따면은 가만히 앉아 편히 먹고 사는 것이지잉."

㉠버들댁은 자기도 모르는 사이에 "호다!" 하고 말했다. 그것은 새각시 시절에 꼬부랑 시할머니가 쓰던 말이었다. 기대한 만큼 좋은 결과가 나타나지 않을지도 모른다고 생각은 되지만, 그래도 어찌할 수 없이 더러운 소망으로 기대하면서 지껄이는 말. '좋은 일에! 제발 그렇게만 좀 된다면 얼마나 얼마나 좋겠느냐'는 말이었다.
어쩔 수 없이 기대는 하지만 좋은 결과를 확신하지는 않음. 문제 3-①

"그런디 얼굴은 어쩌다가 그렇게 다쳤냐?"

할머니는 ⓛ손자의 멍든 곳을 어루만지고 쓰다듬었다.
└ : 용복을 가엾게 여기며 가슴 아파하는 버들댁

아이고, 여기 다칠 때에 내 새끼 살이 얼마나 아팠을까. 가슴이 아리고 쓰렸다. 용복은 퉁명스럽게 말했다.

"연습하느라고 그런 것인께 염려 말고 얼른 이달 치 돈이나 내놓소."

"지난달에 가져간 돈 다 썼냐?"

ⓒ"삼십만 원 그것이 돈이란가?"
└ 버들댁이 주는 돈을 대수롭지 않게 여김.

"이 사람아, 그것이 먼 소리냐?"

그 돈은 버들댁이 번 돈이 아니었다. 면사무소에서 다달이 통장에 넣어 주는 무연고의 독거노인에게 주는 생계비
└ 빈곤하고 소외된 삶을 사는 버들댁
였다. 버들댁은 그 돈을 한 푼도 쓰지 않고 모두 놔두었다가 손자에게 주곤 하는 것이었다.
└ 용복에 대한 버들댁의 희생적인 모습

▶ 손자 용복에 대한 버들댁의 희생적인 내리사랑

**중략 부분의 줄거리** 사고를 친 용복 때문에 버들댁은 돈을 꾸러 다닌다. 하지만 돈을 빌리지 못한 버들댁은 결국 광주 양반을 찾아간다.

버들댁은 광주 양반을 향해 "광주 양반, 나 돈 삼십만 원만 조끔 꿉시다이. 열흘 뒤에 돈 나오면 주께" 하고 말했다. 수문댁이 "아이고, 어질벵 앓는 사람이 염벵 하는 사람 보고 벵 고쳐 주라고 하네이. ⓛ광주 양반도 시방 맘이 천근만근이라요" 하고 말했다. 그러자 교동댁이 그 말을 받았다.
└ 광주 양반의 마음을 대변하는 수문댁

"부산 딸이 시방 많이 아프다요."

초등학교를 마치자마자 공장에 다니겠다고 마산 공단으로 간 딸이었다. 처음에는 신발 공장에 다니다가 나중에는 버스 차장을 했다. 버스 회사들이 차장들을 해고시키자 함께 사는 남자하고 술집을 차렸다고 했다. 광주 양반은 그 딸에게 부채가 많았다. 결혼식도 치러 주지 못하고 혼수 한 가지 해 주지 못한 것이었다.

"돈 한 푼 못 벌고, 벌어 놓은 재산이 있는 것도 아니고,
└ : 노인 계층의 소외와 빈곤 문제가 드러남.
똑똑한 자식들이 있어 다달이 돈을 보내 주는 것도 아니고, 그래 장차 무슨 희망이 있는 것도 아닌디, 동네 사람들이 불쌍하고 가련하다고 조금씩 보태 주는 곡식이나 반찬 얻어먹고 사는 것이 부끄럽고 구차하지도 않아서 그렇게 끈질기게 살고 있소?"

먼 일가의 조카뻘 되는 상근이 시제를 모시러 왔다가 술 얼큰해진 김에 찾아와서 이 말을 하고 갔다는 소문이 난 적이 있었다. 그 말에 광주 양반은 얼굴을 붉힌 채 "글쎄 말이시이" 하고 얼버무렸다고 했다. 그러나 상근이 돌아간 다음 그는 "개자식, 지놈이 나한테 쌀 한 됫박을 보태 주었다냐, 돈 백 원짜리 한 개를 던져 주었다냐? ⓜ지가 어쩐다고
└ 상근에 대한 분노
부끄럽고 구차하지도 않아서 이렇게 끈질기게 살고 있

냐고 그래? 내사 불불 기어 다니든지 바람벽에 똥을 바르고 살든지 집어 묵고 살든지 지놈이 아랑곳할 것이 무엇이 여잉?" 하고 노여워했다는 말이 마을 안에 나돌아 다녔다.

방 안에는 침묵이 흘렀다. 수문댁이 말했다.

"그 딸이 위암에 걸렸닥 안 하요? 그런디 수술비가 없어서 수술을 못한다요. 그래서 광주 양반이 그동안 모아 놓은 돈 사백만 원을 다 보내 줘뿌렀다요."
└ 그동안 모은 돈을 위암에 걸린 딸에게 모두 보내는 광주 양반의 자식 사랑 **문제 2-⑤**

"아이고, 그래서 어쩌께라우잉? 그래도 광주 양반이 살아 있기 땜세……. 아부지 노릇 참말로 잘 하셌구먼이라우. 아부지나 된께 그런 돈을 보태 주제 세상 어느 누가 깽전 한 푼 보태 준다요?"

이렇게 위로의 말을 하는 것이지만, 버들댁의 마음은 벌써 절실 집으로 달려가고 있었다.

▶ 손자에게 가져다줄 돈을 빌리는 데 실패한 버들댁

---

**1** [A]의 '우중충한 안개가 그녀의 마음속에도 끼어 있었다'에서 구체적인 자연물인 '우중충한 안개'를 통해 철이 없고 제 앞가림도 하지 못하는 손자에 대한 버들댁의 '암담한 생각'을 드러내고 있으므로 적절하다.

**오답 풀이** ② 한숨을 두 번 쉬었으나 버들댁의 성격이 변하는 부분은 나타나지 않으므로 성격 변화를 암시한다는 말은 적절하지 않다.

③ 이 글에서는 버들댁 아들의 삶, 버들댁이 용복을 맡아 기르게 된 사연을 요약적으로 서술하고 있다. 또한 광주 양반 딸의 삶, 광주 양반이 딸에게 지닌 부채 의식을 요약적으로 서술하고 있다. 그러나 이는 모두 [A] 부분이 아니다.

④ 버들댁은 과거를 회상하거나 내적 갈등을 느끼는 것이 아니라 용복의 현재 삶을 걱정하고 있으며 이러한 걱정이 해소되고 있지도 않다.

⑤ 현실에서 일어나는 사건을 서술하고 있을 뿐 환상이라고 볼 수 있는 사건은 서술하고 있지 않다.

---

**2** ▶ **보기 읽기** ◀

이 작품은 빈곤, 고립된 생활 환경, 젊은이의 무관심으로
선택지 ④: 광주 양반의 빈곤과 연결됨.
인한 노인 계층의 소외된 삶과 피붙이에 대한 조건 없는 희
선택지 ③: 용복을 위해 희생하는 버들댁과 연결됨.
생과 내리사랑을 서사의 중심에 두고 있다. 특히 쇠약한 몸
선택지 ①: 손자 용복에 대한 버들댁의 내리사랑과 연결됨.
과 경제적 궁핍 속에서도 손자를 삶의 희망으로 여기는 인
선택지 ②: 손자 용복을 희망으로 여기는 버들댁과 연결됨.
물을 통해 노인 계층이 직면한 삶의 문제에 대한 주제 의식
빈곤, 고립된 생활 환경, 소외 문제
을 드러내고 있다.

광주 양반이 수술을 받아야 하는 것이 아니므로 광주 양반의 딸이 경제적으로 도움을 주어야 하는 상황이라고 볼 수 없다. 따라서 이를 통해 노인의 경제적 궁핍에 대한 젊은이의 무관심을 짐작할 수 있다는 것은 적절하지 않다. 광주 양반이 '모아 놓은 돈'을 딸에게 보낸 것은 위암에 걸린 딸이 수술비가 없어 수술을 못 받는다는 것을 알고 도움을 주기 위해서이다.

**오답 풀이** ① 버들댁이 자신은 '아깝다고 밤에 잘 때 한 차례만 때'는 기름을 용복이 '계속 때려고 들'어도 '말리지 않'는 것은 유일한 피붙이 손자에 대한 내리사랑을 의미한다고 할 수 있으므로 적절하다.

② 버들댁이 '불편한 몸을 이끌고 살아가'지만 용복을 통해서 '삶의 허기를 충족'하는 것은 쇠약한 노인 버들댁이 손자에게서 삶의 희망을 얻는 것을 의미한다고 할 수 있으므로 적절하다.

③ 버들댁이 '독거노인에게 주는 생계비'를 '한 푼도 쓰지 않고 모두' 손자에게 주는 것은 소외된 노인의 조건 없는 희생을 의미한다고 할 수 있으므로 적절하다.

④ 상근이 '벌어 놓은 재산'도 없이 '동네 사람들'에게 '곡식이나 반찬 얻어먹고' 산다고 언급한 광주 양반의 처지는 노인 계층의 빈곤 문제를 드러낸다고 할 수 있으므로 적절하다.

**3** ⊙ 이후 '제발 그렇게만 좀 된다면 얼마나 얼마나 좋겠느냐'라는 내용으로 보아, 버들댁은 손자가 국가 대표가 될 수 있다고 확신하기보다는 막연한 기대감 정도만 가지고 있음을 알 수 있다.

**오답 풀이** ② 버들댁이 용복의 상처를 어루만지며 '얼마나 아팠을까. 가슴이 아리고 쓰'리게 느끼고 있으므로 적절하다.

③ 버들댁이 '독거노인에게 주는 생계비'를 '한 푼도 쓰지 않고 모두' 주었는데도 용복은 그것이 돈이냐며 반문하고 있으므로 적절하다.

④ 수문댁이 광주 양반의 '딸이 위암에 걸린 사실'을 알고 있으며 수문댁이 언급한 광주 양반의 '맘이 천근만근'이라는 것은 마음이 아주 무겁다는 의미이므로 적절하다.

⑤ 상근의 말에 대해서 광주 양반이 '지놈이 아랑곳할 것이 무엇'이냐며 노여워하고 있으므로 적절하다.

## 04 황만근은 이렇게 말했다 본문 76~79쪽

**1** ③    **2** ⑤    **3** ⑤    **4** ①

<u>빛을 진 농가가 많은 현실이 드러남.</u> **문제 4-①**
**앞부분의 줄거리** ⓐ농가 부채 탕감 촉구 전국 농민 총궐기 대회에 참가한 황만근이 돌아오지 않아 마을 사람들이 모여 회의를 한다. 회의 도중 이장이 황만근에게 경운기를 몰고 대회에 참가하라고 강요하였음이 밝혀지고, 황만근의 어머니는 고등어를 사 오라고 한 것, 아들은 목욕을 하고 오라고 한 것이 실종 원인이라고 추측한다.

○: 주요 인물
　그러는 동안 모든 사람들이 알게 되었다. 황만근이 집으로 돌아오지 않았다. 동네 사람 누구든 하루 이틀, 또는 한두 달 집을 비울 수도 있지만 그렇다고 그 사실을 모든 사람이 알게 되는 것은 아니다. 그러나 황만근만은 하루밖에 지나지 않았음에도 모든 사람이 그의 부재를 알게 되었다. 그렇지만 누구도 적극적으로 황만근을 찾아 나서려 하지 않았다. 그는 있으나 마나 한 존재이면서 있었고 없어서는

안 되는 존재이면서 지금처럼 없기도 했다. ⊙동네 사람들은 그를 바보라고 했다. 두어 해 전에야 신대 1리로 들어와
　　　　　황만근을 조롱하는 마을 사람들
황만근의 탄생과 성장, 삶을 처음부터 지켜보지 못한 민 씨만은 그렇게 생각하지 않았다.

　ⓑ마을에서 젊은 축에 드는 마흔다섯 살의 황영석은 황
　　　　　농촌의 고령화 현상이 드러남.
만근이 벽돌을 찍고 구덩이를 파서 지은 마을 회관 변소에서 분뇨를 퍼내면서 황만근의 부재를 알게 되었다.

　"만그이 자석이 있었으마 내가 돈을 백만 원 준다 캐도 이런 일을 안 할 낀데. 아이구, 이 망할 놈의 똥 냄새, 여리가 싸 놔 그런지 독하기도 하네. 이기 곡석한테 독이 될지 약이 될지도 모르겠구마."

　ⓒ황만근이 있었으면 군말 없이 했을 일이었다. 늘 그렇
　　　　　　　　황만근의 성실하며 낙천적인 성품을 알 수 있음.
듯이 벙글벙글 웃으면서.

　"만그이가 있었으모 저 거름이 우리 밭으로 올 낀데, 만그이가 도대체 어데 갔노."

　마을 회관 곁 조그만 밭에 채소를 심어 먹는 여씨 노인도 황만근의 부재를 알게 되었다. ⓓ황만근은 마을 공통의 분뇨를, 역시 자신이 판 마을 공통의 분뇨장으로 가져가서
　　　　　　이기적인 황영석과 달리 공평무사한 황만근의 성품
충분히 익힌 뒤에, 공평하게 나누어 주었다. ⓔ황영석처럼 제가 펐다고 바로 제 밭에 가져다가 뿌리지는 않았다. 특히
　　　　　　황영석의 이기적인 모습이 나타남.
ⓕ여씨 노인처럼 일찍 남편을 잃고 혼잣몸이 된 노인들에
　　　　사회적 약자에 대한 황만근의 배려심 **문제 3-⑤**
게는, 알고 그러는지 모르고 그러는지 더 자주 거름을 가져다주었다.

　"만그이한테 물어보자."
<u>아이들이 분쟁이 생기면 황만근에게 시비를 물으러 간다는 것을 서술자가 모두 알고 서술함.</u> **문제 1-③**
　아이들은 소꿉장난을 하다가 황만근의 부재를 알게　┐
되었다. 공평무사한 것이 황만근의 평생의 처사였다.　│
그에게는 판단 능력이 없는 듯했지만 시비를 물으러 가 [A]
면, 가노라면 언제나 공평무사한 자연의 이법에 대해　│
깨우치게 되고 분쟁은 종식되었다.　　　　　　　　　┘

　또는 물어보나 마나 명약관화한 일을 두고도 황만근을 들먹였다.

　"만그이도 알 끼다."

　또한 동네에 오래도록 내려오는 노래, 구태여 제목을 붙이자면 〈황만근가〉를 자신도 모르게 중얼거리게 되면서 사람들은 황만근이 없다는 사실을 알게 되었다.

▶ 사람들이 황만근의 부재를 알게 됨.

**중략 부분의 줄거리** 〈황만근가〉는 황만근의 사연을 담은 짧은 가사의 노래이다. 이 노래에 따르면 황만근은 이름이 만근산에서 유래했고 어렸을 때 잘 넘어졌으며, 혀가 짧아 발음이 불분명하다. 황만근의 가족은 어머니와 아들 두 사람이다. **황만근의 어머니**는 황만근이 배 속에 있을 때 전쟁으로 남편을 여의고 여덟 달 만에 황만근을 낳는데, 예전이나 지금이나 가사를 돌볼 줄 모른다. 황만근은 우연히 물에 빠져 죽으려던 여자를 구해 주고 함께 살게 되었는데, 여자는 황만근에게 경운기를 사 주고 같이 산 지 일곱 달 만에 아들을 낳은 다음 사라져 버린다. 황만근

실종 전날 민 씨와 술을 마시며 농사꾼이 빚을 지면 안 된다는 소신을 말하였고 이튿날 궐기 대회에 참가하였다. 궐기 대회에 갔다가 돌아오지 않은 황만근은 일주일 뒤에 항아리에 뼈만 담겨 돌아온다. **민 씨**는 황만근을 가리기 위해 묘비명을 바친다.

전일에, 선생은 경운기를 끌고 면 소재지로 갔지만 경운기를 타고 온 사람이 없어 같이 갈 사람을 만나지 못했다. 선생은 다시 경운기를 끌고 백 리 길을 달려 약속 장소인 군청까지 갔다. ⓒ <u>가는 동안 선생은 여러 번 차에 부딪힐 뻔했다.</u> <sub>경운기를 타고 도로를 주행했기 때문에 위험함.</sub> 마른 봄바람에 섞인 먼지가 눈을 괴롭혔다. 날은 흐렸고 추웠다. 이윽고 비가 내리기 시작했다. 경운기에는 비를 피할 만한 덮개가 없어서 선생은 뼛속까지 젖어 드는 추위에 몸을 떨었다. ⓓ <u>선생이 군청 앞까지 갔을 때 이미 대회는 끝나고 아무도 없었다.</u> <sub>경운기를 타고 가기 때문에 너무 늦게 도착함.</sub> 어머니에게 가져다줄 생선을 사고 몸을 녹인 선생은 날이 어두워 오는 줄도 모르고 경운기에 올라 집으로 향했다. 경운기에는 빠르게 달리는 차량의 주의를 끌 만한 표지가 없어서 선생은 몇 번이나 사고를 당할 뻔했다. 그때마다 멈추었다가 다시 출발하는 바람에 시간은 점점 늦어졌다. 어두워지면서 경운기는 길옆의 논으로 떨어졌고 수레는 부서졌다. 결국 선생은 그 밤 안으로 집에 돌아갈 수 없다는 걸 알았다. 선생은 경운기에 실려 있는 땅의 젖에 취하여 경운기 옆에 앉아 경운기를 지켰다. 그러나 경운기는 선생을 지켜 주지 않았다. 추위와 졸음으로부터 선생을 지켜 주지 못했다. 아아, 선생이 좀 더 살았더라면 난세의 혹염에 그늘의 덕을 널리 베푸는 <u>큰 나무가 되었을 것이다.</u> <sub>뜨거운 더위를 식혀 주는 나무 그늘에 황만근의 덕을 비유하며 황만근과 같은 사람이 사회에 필요함을 강조함. 문제 2-⑤</sub>

어느 누구도 알아주지 아니하고 감탄하지 않는 삶이었지만 선생은 깊고 그윽한 경지를 이루었다. 보라. <u>남의 비웃음을 받으며 살면서도 비루하지 아니하고 홀로 할 바를 이루어 초지를 일관하니 이 어찌 하늘이 낸 사람이라 아니할 수 있겠는가. 이 어찌 하늘이 내고 땅이 일으켜 세운 사람이 아니랴.</u> [B]<br><sub>황만근의 속되지 않고 뛰어난 인품을 반복해서 강조함. 문제 2-⑤</sub>

단기 사천삼백삼십 년 오월 스무날

본디 묘지에나 쓰일 것[묘비명(墓碑銘)]이지만 천지를 대영혼의 집으로 삼은 선생인지라 아무 쓸모도 없는 이 글을, ⓔ <u>새터말로 귀농하였다가 이룬 것 없이 다시 도시로 흘러가며,</u> <sub>귀농에 실패하고 다시 도시로 떠나는 민 씨</sub> 남해인(南海人) 민순정(閔順晶)이 엎디어 쓰다.

▶ 황만근의 죽음과 황만근에 대한 민 씨의 평가

**1** [A] 부분은 작품 밖의 서술자가 아이들이 황만근의 부재를 알게 된 일과 그들이 평소에 황만근에게 찾아갔던 이유를 설명하고 있다. [B] 부분은 작품의 등장인물인 민 씨가 황만근에 대해 평가하고 있다.

**2** 황만근이 궂은일을 하는 것을 당연하게 여기면서도 황만근을 대우하지 않던 마을 사람들에 비해 민 씨는 황만근의 가치와 황만근의 덕성을 높게 평가하였다.

〔오답 풀이〕 ① '만그이 자석이 있었으마 내가 돈을 백만 원 준다 캐도 이런 일을 안 할 낀데.'라는 말을 통해 황만근이 마을의 궂은일을 하는 것에 감사해하지 않고 당연하게 여기고 있음을 알 수 있다.
② 평소 황만근의 도움을 더 받던 여씨 노인은 황만근의 부재로 거름을 받지 못해 아쉬워하고 있지만, 황만근의 수고에 대해 보이는 태도는 이 글에 자세하게 나타나 있지 않다.
③ 아이들은 황만근을 무시하지 않고 분쟁이 생기면 황만근에게 시비를 묻고 공평무사한 자연의 이법에 대해 깨우치곤 하였다.
④ 황만근의 어머니는 예나 지금이나 가사를 돌볼 줄 모른다.

**3** ───● 보기 읽기 ●───

이 작품은 <u>어떤 사람의 행적을 밝히고, 여기에 교훈이나 비판을 덧붙이는 전(傳)의 형식을</u> <sub>'전'의 구성상 특징</sub> 띠고 있다. 전은 주로 <u>남들보다 뛰어나거나 남들의 모범이 될 만한 사람을 대상으로</u> 한다. <sub>'전'에서 다루는 인물의 특징</sub> 그것은 전을 기술하는 목적이 <u>사람들에게 교훈을 주기 위함이기</u> <sub>'전'의 목적</sub> 때문이다. 이 점에서 황만근은 전의 형식에 어울리지 않아 보인다. 왜냐하면 그는 모든 면에서 평균치 이하인데다 <u>사람들로부터 하대 받고 조롱당하기 때문이다.</u> <sub>선택지 ①: 마을 사람들로부터 황만근이 받는 대우</sub> 그러나 그가 어리석어 보이는 것은 우리가 이기적이고 타산적이기 때문일 수 있다. <sub>선택지 ④: 황만근과 대비되는 사람들의 성격</sub> <u>그가 남들이 꺼리는 궂은일을 마다하지 않는 것은</u> <sub>선택지 ②: 황만근의 긍정적 면모 ①</sub> 그가 못나서 그런 것도 아니고 그 외에는 할 줄 아는 것이 없어서 그런 것도 아니다. 이 모든 행위들은 <u>그가 이타적이고 공평무사하며, 도량이 넓은 인물임을 알려 준다.</u> <sub>선택지 ③: 황만근의 긍정적 면모 ②</sub> 그는 그야말로 군자다. 그러니 그는 전의 형식으로 기술하기에 모자람이 없는 인물인 것이다.

ⓜ에서 황만근은 사회적 약자에 해당하는 노인 계층을 더 배려하는 행동을 하면서도 일부러 그러는 것인지 아닌 것인지 눈치를 채지 못하게 했음을 알 수 있다. 따라서 자신의 도량이 넓음을 일부러 보여 주기 위해서 했다는 행동으로 보는 것은 적절하지 않다.

**4** 전국의 농민들이 농가 부채 탕감을 촉구하는 총궐기 대회를 연 것으로 보아, 농민들의 부채 문제가 심각한 상황임을 짐작할 수 있다.

〔오답 풀이〕
② ⓑ로 보아, <u>농촌에 청년 인구가 증가하고 있음을 알 수 있어.</u>
<sub>✕: 농촌의 고령화 상황을 알 수 있음.</sub>
③ ⓒ로 보아, <u>도로 정비와 유지 관리가 부실하다는 것을 알 수 있어.</u>
<sub>✕: 도로보다는 경운기를 운행하는 것이 위험함.</sub>
④ ⓓ로 보아, <u>소통의 부재 때문에 사람들이 서로 불신하고 있음을 알 수 있어.</u>
<sub>✕: 황만근이 늦게 도착했기 때문에 대회가 끝나 아무도 없었던 것임.</sub>
⑤ ⓔ로 보아, <u>도시의 삶에서 벗어나 시골에 안착한 사람들이 많음을 알 수 있어.</u>
<sub>✕: 민 씨가 귀농에 실패하고 도시로 돌아감.</sub>

# 05 (가) 도산십이곡

**본문 80~83쪽**

## (나) 인형과 인간

**1** ①　　**2** ④　　**3** ④　　**4** ②

(가) ○: 부정 표현으로 옛사람과 '나'가 볼 수 없음을 표현함. 문제2-④

고인(古人)도 날 못 보고 나도 고인(古人) 뵈네 ⌉

고인을 못 봐도 가던 길 앞에 있네　　　　　[A]

가던 길 앞에 있거든 아니 가고 어찌할까 ⌋

옛사람이 가던 길(학문 수양)을 따르겠다는 다짐 문제1-①　▶ 제9수: 학문 수양을 향한 다짐

〈제9수〉

△: 의문형 종결 표현

당시(當時)에 가던 길을 몇 해를 버려 두고 ⌉

어디 가 다니다가 이제야 돌아왔는고　　　[B]

과거를 반성함을 표현함. 문제2-④

이제야 돌아왔으니 딴 데 마음 말으리 ⌋

▶ 제10수: 벼슬을 그만두고 학문에 정진함.

〈제10수〉

청산(靑山)은 어찌하여 만고(萬古)에 푸르르며

대상(청산)의 불변성 예찬

유수(流水)는 어찌하여 주야(晝夜)에 그치지 않는고

대상(유수)의 영원성 예찬

우리도 그치지 마라 만고상청(萬古常靑)하리라

변함없이 언제나 푸름. : 변함　▶ 제11수: 부단한 학문 수양의 의지

없는 학문 수양의 태도

〈제11수〉

(나) 지나간 성인들의 가르침은 하나같이 간단하고 명료했
옛 성인들의 가르침을 긍정적으로 평가함. 문제1-①
다. 들으면 누구나 다 알아들을 수 있는 내용이었다. 그런
데 '학자(이 안에는 물론 신학자도 포함되어야 한다)라는
' ': 불명료한 말뿐인 지식과, 실제 삶과 관련 없는 지식을 말하는 학자들 문제3-④
사람들이 튀어나와 불필요한 접속사와 수식어로써 말의
**갈래를 쪼개고 나누어 명료한 진리를 어렵게 만들어 놓았**
다. 어떻게 살아야 할 것인가에 대한 자기 **자신의 문제는**
**묻어 둔 채,** 이미 뱉어 버린 말의 찌꺼기를 가지고 시시콜
콜하게 뒤적거리며 이러쿵저러쿵 따지려 든다. 생동하던
언행은 이렇게 해서 지식의 울안에 갇히고 만다.

이와 같은 학문이나 지식을 나는 신용하고 싶지 않다. 현
대인들은 자기 행동은 없이 남의 흉내만을 내면서 살려는
데에 맹점이 있다. **사색이 따르지 않는 지식을, 행동이 없**
깊은 고민과 행동 없는 지식인에 대한 비판
**는 지식인을 어디에다 쓸 것인가.** 아무리 바닥이 드러난 세
상이기로, 진리를 사랑하고 실현해야 할 지식인들까지 곡
학아세(曲學阿世)와 비겁한 침묵으로써 처신하려 드니,
그것은 지혜로운 일이 아니라 진리에 대한 배반이다.

얼마만큼 많이 알고 있느냐는 것은 대단한 일이 못 된다.
**아는 것을 어떻게 살리고 있느냐가 중요하다.** 인간의 탈을
지식의 실천이 중요함.
쓴 인형은 많아도 인간다운 인간이 적은 현실 앞에서 지식
인이 할 일은 무엇일까. 먼저 무기력하고 나약하기만 한 그
인형의 집에서 나오지 않고서는 어떠한 사명도 할 수가 없
을 것이다.

**무학(無學)**이란 말이 있다. 전혀 배움이 없거나 배우지
않았다는 뜻이 아니다. 학문에 대한 무용론도 아니다. 많이
배웠으면서도 배운 자취가 없는 것을 가리킴이다. 학문이
나 지식을 코에 걸지 않고 지식 과잉에서 오는 관념성을 경
계한 뜻에서 나온 말일 것이다. 지식이나 정보에 얽매이지
않은 자유롭고 발랄한 삶이 소중하다는 말이다. 여러 가지
지식에서 추출된 진리에 대한 신념이 일상화되지 않고서
는 지식 본래의 기능을 다할 수 없다. **지식이 인격과 단절**
**될 때 그 지식인은 사이비요 위선자가 되고 만다.**
무학은 지식이 인격에 내면화된 상태라고 할 수 있음. 문제4-②
　책임을 질 줄 아는 것은 인간뿐이다. 이 시대의 실상을
모른 체하려는 무관심은 비겁한 회피요, 일종의 범죄다. 사
랑한다는 것은 함께 나누어 짊어진다는 뜻이다. **우리에게**
**는 우리 이웃의 기쁨과 아픔에 대해 나누어 가질 책임이 있**
이웃에 대한 연민과 연대 의식을 지녀야 함.
**다.** 우리는 인형이 아니라 살아 움직이는 인간이다. 우리는
주체적인 인간
**끌려가는 짐승이 아니라 신념을 가지고 당당하게 살아야**
수동적 존재
할 인간이다.　　　　　▶ 지식을 실천하고 주체적으로 행동하며 살아야 함.

**1** (가)의 화자는 '고인'이 남긴 학문의 길('가던 길')을 영원히 따
르겠다고 다짐하고 있고, (나)의 글쓴이는 진리에 대한 '성인'
의 가르침이 간단하고 명료했기에 누구나 다 알아들을 수 있
는 내용이었다고 하였다. 이는 옛사람의 학문 수양과 가르침
을 긍정적으로 바라보는 태도라고 할 수 있다.

**오답 풀이** ▶ ② (가)에서 화자는 '고인'이 '가던 길'을 걷겠다고 하였
는데 이는 가보지 않았던 길을 새롭게 가겠다는 말이 아니다. 자신이 '당
시에 가던 길'을 떠났다가 다시 돌아온 것이기에 새로운 도전은 아니기
때문이다. (나)에서도 새로운 도전은 찾을 수 없다.

③ (가)에는 '청산'과 '유수'의 '변함없음'이 나타나지만, 이는 자연처럼
학문의 길을 끊임없이 걷겠다는 화자의 의지를 부각시키는 소재로 활
용되었다. 화자가 자연 그 자체의 아름다움을 예찬했다고 보기는 어렵
다. (나)에서는 관련된 사물을 찾을 수 없다.

④ (가)에는 '청산'과 '유수'를 보며 '만고상청'하겠다는 의지가 나타나지
만 이는 자연의 속성을 학문에 대한 다짐과 연관시켰을 뿐 자연과 하나
되는 삶의 과정으로 볼 수 없다. (나)에서는 자연을 찾을 수 없다.

⑤ (나)에서는 실천 없는 지식인들의 무기력함을 냉소적으로 바라보는
글쓴이의 인식을 발견할 수 있으나 (가)에서는 찾을 수 없다.

**2** [B]의 '딴 데 마음 말으리'에서는 성인이 '가던 길'을 '버려 두
고' 떠났던 화자가 지난 모습을 반성하는 자세가 나타난다고
할 수 있다. [A]에서 '못 보고', '못 뵈네', '못 봐도', '아니 가고
어찌할까'에 부정 표현을 사용하고 있지만 이를 통해 화자가
반성하는 자세를 보이지는 않는다. [A]에서는 '고인'을 볼 수
없지만 '고인'이 '가던 길'을 따라 학문을 하겠다는 학문 수양
의 의지를 강조하고 있다.

〈보기〉는 작품을 감상할 때 시적 대상이나 소재, 시적 상황 간의 관계를 파악하는 것의 중요성을 말하고, (가)와 (나)를 통해 학문을 닦는 사람의 올바른 삶의 태도를 배울 수 있다고 설명하고 있다. 이를 통해 (가)와 (나)를 읽을 때는 각 작품이, 학문을 배울 때의 바람직한 자세를 어떻게 형상화하고 있는지를 살펴보아야 함을 알 수 있다.

(나)에서 '말의 갈래를 쪼개고 나누'는 태도는 군더더기의 말로 진리를 복잡하게 설명하는 태도이고, '자신의 문제는 묻어' 두는 태도는 어떻게 살아야 할 것인가라는 실천의 문제를 버려 두고 말로만 지식을 논하는 태도에 해당한다. 이 두 태도는 대비되지 않으며, 행동하지 않고 울안에 갇힌 지식을 다루는 태도라고 볼 수 있다.

┤ 오답 풀이 ├ ① (가)의 9수에서는 '나'와 '고인(옛 성인)'은 서로 만난 적이 없으나, '나'가 '고인'이 '가던 길(학문의 길)'을 걸음으로써 그 길을 걸었던 '고인'의 삶을 따르겠다는 화자의 다짐을 확인할 수 있다.

② (가)의 10수에서 '당시에 가던 길'은 학문의 길이고 '딴 데'는 학문의 길을 벗어난 것(벼슬길)을 의미하므로 두 소재의 관계는 대비가 된다. 또한 '이제야' 다시 그 길만을 걷고 '딴 데' 마음을 두지 않겠다는 다짐에서 학문에 대한 화자의 의지를 확인할 수 있다.

③ (가)의 11수에서는 '청산'과 '유수'의 '변함없음'을 보며, 자신도 끊임없이 학문의 길을 걷겠다는 화자의 다짐을 확인할 수 있다.

⑤ (나)에서는 능동적인 '인간'과 수동적인 '짐승'의 모습을 대비시키며, 배운 지식을 이웃과 함께 나누고 이웃을 책임지는 인간으로 살겠다는 글쓴이의 의지를 확인할 수 있다.

4 '무학(無學)'은 '많이 배웠으면서도 배운 자취가 없는 것'이다. 이러한 '무학'의 의미를 바탕으로 〈보기〉의 ㉠을 설명한다면 '많이 배우고 배운 지식을 삶에서 실천한다'로 이해할 수 있다. 그렇기 때문에 배움이 부족하다거나 지식을 인격과 별개의 것으로 보는 태도는 '무학'의 의미와 맞지 않다. 따라서 ②는 '학문의 길을 걷는 사람이 지녀야 하는 올바른 삶의 태도'(㉠)와 거리가 멀다.

## 06 ㉮ 첫사랑 ㉯ 이름 없는 꽃　　본문 84~87쪽

**1** ②　　　**2** ③　　　**3** ⑤

㉮ 흔들리는 나뭇가지에 꽃 한번 피우려고

<u>눈은 얼마나 많은 도전을 멈추지 않았으랴</u>
의인법, 설의법 사용 – 눈이 많은 도전을 하였음을 강조함. 문제 1-②
　　　　　　　　▶ 1연: 눈꽃을 피우기 위한 눈의 도전

싸그락 싸그락 두드려 보았겠지

난분분 난분분 춤추었겠지

미끄러지고 미끄러지길 수백 번,
　　　　　　　　▶ 2연: 눈꽃을 피우기 위한 눈의 시련

바람 한 자락 불면 획 날아갈 사랑을 위하여

햇솜 같은 마음을 다 퍼부어 준 다음에야

<u>마침내 피워 낸 저 황홀 보아라</u>
눈의 노력으로 피워 낸 눈꽃, 눈꽃의 아름　　▶ 3연: 마침내 피워 낸 눈꽃에 대한 예찬
다움에 대한 화자의 감탄　　　　　　　　　문제 2-③

봄이면 가지는 그 한 번 덴 자리에

<u>세상에서 가장 아름다운 상처를 터뜨린다</u>
역설법 사용 – 이별을 겪은 후에 도달한 성숙한 사랑의 아름다움
　　　　　　　　▶ 4연: 눈꽃이 진 후 봄에 피어난 꽃의 아름다움

㉯ 순원(淳園)의 꽃 중에는 이름이 없는 것이 많다. 대개 사물은 스스로 이름을 붙일 수 없고, 사람이 그 이름을 붙인다.
사물의 이름은 사람이 인위적으로 붙인 것임. 꽃이 아직 이름이 없다면 내가 이름을 붙이는 것이
화제 제시 좋을 수도 있지만 또 어찌 꼭 이름을 붙여야만 하겠는가?
　　　　　　　　▶ 기: 이름 없는 꽃에 이름을 붙여야 하는지에 대해 문제를 제기함.

사람이 사물을 대함에 있어 그 이름만을 좋아하는 것은 아니다. 좋아하는 것은 이름 너머에 있다. 사람이 음식을 좋아하지만 어찌 음식의 이름 때문에 좋아하겠는가? 사람이 옷을 좋아하지만 어찌 옷의 이름 때문에 좋아하겠는가? 여기에 맛난 회와 구이가 있다면 그저 먹기만 하면 된다. 먹어 배가 부르면 그뿐, 무슨 생선의 살인지 모른다 하여 문제가 있겠는가? 여기 가벼운 가죽옷이 있다면 입기만 하면 된다. 입어 따뜻하면 그뿐, 무슨 짐승의 가죽인지 모른다 하여 문제가 있겠는가? 내가 좋아할 만한 꽃을 구하였다면 꽃의 이름을 알지 못한다 하여 무슨 문제가 있겠는가? 정말 좋아할 만한 것이 없다면 굳이 이름을 붙일 이유
이름이 중요하지 않다는 생각을 예시, 열거, 설의법을 통해 강조함. 문제 1-②
가 없고, 좋아할 만한 것이 있어 정말 그것을 구하였다면 또 꼭 이름을 붙일 필요는 없다.

이름은 구별하고자 하는 데서 나오는 것이다. 구별하고자 한다면 이름이 없을 수 없다. 형체를 가지고 본다면 '장(長)·단(短)·대(大)·소(小)'라는 말을 이름이 아니라 할 수 없으며, 색깔을 가지고 본다면 '청(青)·황(黃)·적(赤)·백(白)'이라는 말도 이름이 아니라 할 수 없다. 땅을 가지고서 본다면 '동(東)·서(西)·남(南)·북(北)'이라는 말도 이름이 아니라 할 수 없다. 가까이 있으면 '여기'라 하는데 이역시 이름이라 할 수 있고, 멀리 있으면 '저기'라고 하는데 그 또한 이름이라 할 수 있다. 이름이 없어서 '무명(無名)'이라 한다면 '무명' 역시 이름이다. 어찌 다시 이름을 지어다 붙여서 아름답게 치장하려고 하겠는가?
　　　　　　　　▶ 승: 이름은 구별하기 위해 필요한 것으로, 다시 이름을 지어 붙여 치장할 필요가 없음.

예전 초나라에 어부가 있었는데 초나라 사람이 그를 사랑하여 사당을 짓고 대부 굴원(屈原)과 함께 배향하였다. 어부의 이름은 과연 무엇이었던가? 대부 굴원은 《초사(楚辭)》를 지어 스스로 제 이름을 찬양하여 정칙(正則)이니 영균(靈均)이니 하였으니, 이로써 대부 굴원의 이름이 정

말 아름답게 되었다. 그러나 어부는 이름이 없고 단지 고기 잡는 사람이라 어부라고만 하였으니 이는 천한 명칭이 <u>다. 그런데도 대부 굴원의 이름과 나란하게 백대의 면 후</u>
<small>이름 없이 직업 명칭만 있어도 백대의 후세까지 전해짐. → 이름을 꼭 가질 필요는 없음.</small>
<u>세까지 전해지게 되었으니, 이것이 어찌 그 이름 때문이겠</u>
<small>설의법 사용—이름 때문이 아님을 강조함.</small> <u>문제 1-②</u>
는가? 이름은 정말 아름답게 붙이는 것이 좋겠지만 천하게 붙여도 무방하다. 있어도 되고 없어도 된다. 아름답게 해 주어도 되고 천하게 해 주어도 된다. 아름다워도 되고 천해 <u>도 된다면 꼭 아름답기를 생각할 필요가 있겠는가? 있어도</u>
<small>있어도 되고 없어도 되므로, 이름이 없는 것도 괜찮음.</small>
<u>되고 없어도 된다면 없는 것도 정말 괜찮은 것이다.</u>
▶ 전: 이름이 꼭 아름다워야 하는 것은 아니며, 없어도 됨.
어떤 이가 말하였다.

"꽃은 애초에 이름이 없었던 적이 없는데 당신이 유독
<small>글쓴이의 의견에 반대하는 이의 질문 – 대상의 이름을 모른다고 해서 이름이 없다고 하면 안 된다는 반론</small>
<u>모른다고 하여 이름이 없다고 하면 되겠는가?"</u>

내가 말하였다.

"없어서 없는 것도 없는 것이요, 몰라서 없는 것 역시 없는 것이다. 어부가 또한 평소 이름이 없었던 것은 아니요, 어부가 초나라 사람이니 초나라 사람이라면 그 이름을 당연히 알고 있었을 것이다. 그런데도 초나라 사람들이 어부를 좋아함이 이름에 있지 않았기에 그 좋아할 만한 것만 전하고 그 이름은 전하지 않은 것이다. 이름을 정말 알고 있는데도 오히려 마음에 두지 않는데, 하물며
<small>이름보다 본질이 중요함. 문제 3-⑤</small>
<u>모르는 것에 꼭 이름을 붙이려고 할 필요가 있겠는가?"</u>
▶ 결: 모르는 대상에 굳이 이름을 붙일 필요가 없음.

**1** (가)의 '눈은 얼마나 많은 도전을 멈추지 않았으랴'에서 눈이 눈꽃을 피우기 위해 많은 노력을 했다는 것을 설의적 표현으로 나타내고 있다. 또한 (나)는 글 전체에서 설의적 표현을 반복적으로 사용하며 이름이 중요하지 않다는 글쓴이의 생각을 강조하고 있다.

**오답 풀이**
① 반어적인 표현을 통해 주제를 강조하고 있다.
　(가), (나) ✕: 반어적 표현 없음.
③ 대화의 형식을 통해 대상과의 친밀감을 나타내고 있다.
　(가) ✕: 화자만 말함. / (나) ○: 질문과 답 제시 └(나) ✕: 어떤 이의 의견을 반박함.
④ 음성 상징어를 반복하여 대상에 생동감을 부여하고 있다.
　(가) ○: '싸그락 싸그락', '난분분 난분분'/ (나) ✕: 음성 상징어 없음.
⑤ 중국의 고사를 활용하여 화자의 생각을 뒷받침하고 있다.
　(가) ✕: 고사 없음. / (나) ○: 중국 굴원과 어부의 이야기 활용

**2** '마침내 피워 낸 저 황홀'은 나뭇가지에 피어난 봄꽃이 아니라 눈의 노력으로 피워 낸 눈꽃이며 그 눈꽃에 대한 화자의 반응(기쁨)을 의미한다. 이러한 시구를 통해 눈꽃의 아름다움에 대한 화자의 감탄을 드러내는 것이다.

**오답 풀이** ① 눈이 눈꽃을 피우기 위해 '미끄러지고 미끄러지길 수백 번' 한다고 하였으므로, 〈보기〉의 눈이 눈꽃을 피우기 위해 인내하는 과정에서 시련을 겪는 모습으로 이해할 수 있다.
② '다 퍼부어 준 다음에야'는 〈보기〉에서 눈이 눈꽃을 피우기 위해 헌신하는 모습으로 이해할 수 있다.

④ '한 번 덴 자리'는 눈꽃이 녹은 자리이며 봄꽃이 피어나는 자리이므로 고귀한 사랑의 바탕으로 볼 수 있다.
⑤ '아름다운 상처'는 봄이 되어 가지가 눈꽃이 녹은 자리에 피워 낸 꽃을 의미한다고 볼 수 있으므로 〈보기〉의 봄이 되면 나뭇가지가 피워 내는 아름다운 꽃으로 볼 수 있다.

**3** (나)의 글쓴이는 초나라의 어부는 이름이 알려지지 않았어도 초나라 사람들이 그를 사랑하여 사당을 지어 주고, 그의 존재가 후세에 전해졌다고 하였다. 또한 이름이 '있어도 되고 없어도 된다면 없는 것도 정말 괜찮은 것이다.'라고 하여 이름이 꼭 필요한 것이 아니며 보다 중요한 것은 그 안에 담겨 있는 본질임을 주장하고 있다.

# **07** 흥부전
본문 88~91쪽

| **1** ① | **2** ③ | **3** ② | **4** ③ |
|---|---|---|---|

"여보 마누라, 슬퍼 마오. 가난 구제는 나라에서도 못한다 하니 형님인들 어찌하시겠소? 우리 부부가 품이나 팔아 살아갑시다."
<small>○: 등장인물</small>
<u>흥부 아내</u>이 말에 순종하여 서로 나가서 품을 팔기로 하였다. 흥부 아내는 방아 찧기, 술집의 술 거르기, 초상난 집 제복 짓기, 대사 치르는 집 그릇 닦기, 굿하는 집의 떡 만들기, 얼음이 풀릴 때면 나물 캐기, 봄보리 갈아 보리 놓기. 흥부는 이월 동풍에 가래질하기, 삼사월에 부침질하기, 일등 전답의 무논 갈기, 이 집 저 집 돌아가며 이엉 엮기 등 <u>이렇게 내외가 온갖 품을 다 팔았다. 그러나 역시 살기는</u>
<small>가난에서 벗어나기 힘든 당시 백성들의 삶 반영</small>
<u>막연하였다.</u>
▶ 열심히 일해도 가난에서 벗어나지 못하는 흥부 내외

(중략)

큰 구렁이가 제비 새끼를 모조리 잡아먹고 남은 한 마리가 허공으로 뚝 떨어져 피를 흘리며 발발 떠는 것이었다. 흥부 아내가 명주실을 급히 찾아내어 주니 흥부는 얼른 받아 <u>제비 새끼</u>의 상한 다리를 곱게 감아 매어 찬 이슬에 얹어 두었다. 그랬더니 하루 지나고 이틀 지나고 이리하여 십여 일이 지나자 상한 다리가 제대로 소생되어 날아다니게 되니, 줄에 앉아 재잘거리며 울고 둥덩실 떠서 날아갈 때 소상강 기러기는 왔노라 하고 강남 가는 제비는 가노라 하직하는 것이었다.

이리하여 제비가 강남 수천 리를 훨훨 날아가서 <u>제비 왕</u>을 뵈러 가니 제비 왕이 물었다.

"경은 어찌하여 다리를 절며 들어오느냐?"

"신의 부모가 조선국에 나가 흥부의 집에 깃들었는데 뜻밖에 큰 구렁이의 화를 입어 다리가 부러져 죽을 것을 흥부의 구조를 받아 살아서 돌아왔습니다. 흥부의 가난을 면케 해주신다면 소신은 그 은공을 만분의 일이라도 갚을까 합니다."

"흥부는 과연 어진 사람이다. 공 있는 자에게 보은함은 군자의 도리이니, 그 은혜를 어찌 아니 갚으랴? 내가 박씨 하나를 줄 테니 경은 가지고 나가 은혜를 갚도록 하라."

제비가 왕께 감사드리고 물러 나와서 그럭저럭 그 해를 넘기고 이듬해 춘삼월을 맞으니 모든 제비가 타국으로 건너갈 때였다. 그 제비 허공 중천에 높이 떠서 박씨를 입에 물고 너울너울 자주자주 바삐 날아 흥부네 집 동네를 찾아들어 너울너울 넘노는 거동은 마치 북해 흑룡이 여의주를 물고 오색구름 사이로 넘는 듯, 단산의 어린 봉이 대씨를 물고 오동나무에서 노니는 듯, 황금 같은 꾀꼬리가 봄빛을 띠고 수양버들 사이를 오가는 듯하였다. 이리 기웃 저리 기웃 넘노는 거동을 흥부 아내가 먼저 보고 반긴다.

"여보, 아이 아버지, 작년에 왔던 제비가 입에 무엇을 물고 와서 저토록 넘놀고 있으니 어서 나와 구경하오."

흥부가 나와 보고 이상히 여기고 있으려니 그 제비가 머리 위를 날아들며 입에 물었던 것을 앞에다 떨어뜨린다. 집어 보니 한가운데 '보은(報恩)박'이란 글 석 자가 쓰인 박씨였다.
<u>흥부는 제비가 떨어뜨린 것을 집어 보고 나서야 제비가 물고 온 것이 박씨임을 알게 됨.</u> 문제 2-③

그것을 울타리 밑에 터를 닦고 심었더니 이삼일에 싹이 나고, 사오일에 순이 뻗어 마디마디 잎이 나고, 줄기마다 꽃이 피어 박 네 통이 열린 것이다. 추석날 아침이었다. 배가 고파 죽겠으니 영근 박 한 통을 따서 박속이나 지져 먹자 하고 박을 따서 먹줄을 반듯하게 긋고서 흥부 내외는 톱을 마주 잡고 켰다. 이렇게 밀거니 당기거니 켜서 툭 타 놓으니
<u>흥부 내외가 박을 타고, 박 속에서 진귀한 것들이 나오는 결과가 반복됨. → 극적 효과</u> 문제 1-①

오색 채운이 서리며 청의동자 한 쌍이 나오는 것이었다.

왼손에 약병을 들고 오른손에 쟁반을 눈 위로 높이 받쳐
└── 첫 번째 박에서 나온 것
들고 나온 그 동자들은,

"이것을 값으로 따지면 억만 냥이 넘으니 팔아서 쓰십시오."

라고 말하며 홀연히 사라져 버렸다.

박 한 통을 또 따놓고 슬근슬근 톱질이다. 쓱삭 쿡칵 툭 타 놓으니 속에서 온갖 세간붙이가 나왔다.
두 번째 박에서 나온 것: 의식주 문제를 해결하고 싶은 백성의 소망 반영
또 한 통을 따서 먹줄 쳐서 톱을 걸고 툭 타 놓으니 순금 궤
세 번째 박에서 나온 것
가 하나 나왔다. 금거북 자물쇠를 채웠는데 열어 보니 황금, 백금, 밀화, 호박, 산호, 진주, 주사, 사향 등이 가득 차

있었다. 그런데 쏟으면 또 가득 차고 또 가득 차고 해서 밤낮 쏟고 나니 큰 부자가 된 것이다.

다시 한 통을 툭 타 놓으니 일등 목수들과 각종 곡식이
네 번째 박에서 나온 것: 의식주 문제를 해결하고 싶은 백성의 소망 반영
나왔다. 그 목수들은 우선 명당을 가려 터를 잡고 집을 지었다. 그다음 또 사내종, 계집종, 아이종이 나오며 온갖 것을 여기저기 다 쌓고 법석이니 흥부 내외는 좋아하고 춤을 추며 돌아다녔다.

이리하여 흥부는 좋은 집에서 즐거움으로 세월을 보내게 되었다.           ▶ 목숨을 구해 준 제비의 보답으로 큰 부자가 된 흥부 내외

이런 소문이 놀부 귀에 들어가니,

"이놈이 도둑질을 했나? 내가 가서 욱대기면 반재산을 뺏어 낼 것이다."

벼락같이 건너가 닥치는 대로 살림살이를 쳐부수는 것
흥부가 부자가 되자 행패를 부리는 놀부 - 관련 속담: '사촌이 땅을 사면 배가 아프다.' 문제 4-③
이었다.

한참 이렇게 소란을 피우고 있을 때 마침 출타 중이던 흥부가 들어왔다.

"네 이놈, 도둑질을 얼마나 했느냐?"

"형님 그 말씀이 웬 말씀이오?"

흥부가 앞뒷일을 자세히 말하자, 그럼 네 집 구경을 자세히 하자고 놀부가 나섰다.

흥부는 형을 데리고 돌아다니며 집 구경을 시키는데 놀부가 재물이 나오는 화초장을 달라고 했다. 그러고는 흥부가 화초장을 하인을 시켜 보내주겠다는 것도 마다하고 스스로 짊어지고 가서 집에 이르니 놀부 아내는 눈이 휘둥그레진다. 그리고 그 출처와 흥부가 부자가 된 연유를 알게 되자,
빨리 가지고 가고 싶어 화초장을 직접 짊어진 놀부 문제 3-②

"우리도 다리 부러진 제비 하나 만났으면 그 아니 좋겠소?"

라며, 그해 동지섣달부터 제비를 기다렸다.
▶ 흥부가 부자가 된 연유를 알고 제비를 기다리는 놀부 내외

1 흥부 부부가 박을 타는 행위를 반복적으로 하고 있고, 박을 탈 때마다 그 결과로 거기에서 나온 물건들을 나열하여 흥부 가족이 부자가 되는 모습을 극적으로 보여 주고 있다.

2 흥부 아내가 제비가 무언가를 입에 물고 있다는 말을 했지만, 흥부가 직접 박씨를 보기 전까지 흥부는 제비가 무엇을 물고 왔는지 알지 못했다. 따라서 제비가 박씨를 물고 왔다는 사실을 알아채고 그것 때문에 흥부가 제비를 반겼다는 것은 적절하지 않다.

오답 풀이 ▶ ① 흥부 부부는 '방아 찧기'부터 '이 집 저 집 돌아가며 이엉 엮기'까지 온갖 품을 다 팔았다. 따라서 흥부 부부가 먹고 살기 위해 온갖 노력을 다하였다고 볼 수 있다.

② 박에서 나온 목수들이 '명당을 가려 터를 잡고 집을 지었다'. 따라서 목수들이 흥부 부부를 위해 좋은 터에 집을 지어 주었음을 알 수 있다.

④ 제비는 제비 왕에게 '흥부의 구조를 받아 살아서 돌아왔'으며 '은공을 만분의 일이라도 갚고 싶다고 말하였다. 따라서 제비는 흥부에게 은혜 갚기를 원했음을 알 수 있다.

⑤ 놀부는 흥부가 부자가 되었다는 소문을 듣고 '이놈이 도둑질을 했나?'라고 생각했다. 따라서 그는 흥부의 집을 방문하기 전까지는 흥부가 부자가 된 이유를 정확히 알지 못했음을 알 수 있다.

**3** ┌ **보기 활용** ┐

〈보기〉는 작품에 담긴 주제 의식을 설명하고 있다. 이에 따라 작품 속 인물, 소재의 의미와 기능을 파악해야 한다.

놀부가 재물이 나오는 화초장을 직접 짊어지고 간 것은 자신의 집으로 화초장을 빨리 옮기고 싶은 욕심 때문에 한 행동으로 볼 수 있다. 따라서 이를 가난을 극복하기 위한 백성들의 노력으로 보는 것은 적절하지 않다.

**4** 이 글에서 놀부는 흥부가 부자가 된 것을 질투하여 심술을 부리는 인물로 묘사되어 있다. 따라서 남이 잘되는 것을 시기하고 질투한다는 뜻을 가진 속담 '사촌이 땅을 사면 배가 아프다.'를 활용하여 놀부를 평가할 수 있다.

**오답 풀이** ▶ ① '불난 집에 부채질한다.': 남의 재앙을 더욱 커지게 만드는 것을 비유적으로 표현함.

② '소 잃고 외양간 고친다.': 일이 이미 잘못된 후에 손을 써도 소용이 없다는 뜻.

④ '간에 붙었다 쓸개에 붙었다 한다.': 제 줏대를 지키지 못하고 이익이나 상황에 따라 이리저리 언행을 바꾸는 사람을 비꼬아 이르는 말.

⑤ '오르지 못할 나무는 쳐다도 보지 않는다': 자기의 능력 밖의 일은 처음부터 욕심을 내지 않는 것이 좋다는 뜻.

## 08 허생전

본문 92~95쪽

**1** ② **2** ③ **3** ④ **4** ③

**앞부분의 줄거리** 십 년을 기약하고 책 읽기를 하던 허생은 생활고에 시달린 아내의 질책에 글 읽기를 중단하고 집을 나간다. 허생은 변 씨에게 돈을 빌려 매점매석으로 큰돈을 벌고 그 돈으로 빈 섬에 이상 사회 건설을 시도하였으며 조선에 있는 **가난하고 의지할 곳 없는 사람들을 구제**한다. 집으로 돌아온 허생은 변 씨에게 돈을 갚고 친분을 맺는다. 한편 변 씨에게 허생에 대한 이야기를 들은 이완이 허생과 대사를 도모하고자 허생을 찾아온다.

○: 주요 인물

밤중에 (이 대장)은 아랫사람을 물리치고 변 씨와 둘이 걸어서 (허생)의 집에 당도하였다. 변 씨는 이 공을 문밖에서 기다리게 하고, 혼자 먼저 들어가서 허생을 만나 보고 이곳에 찾아온 연유를 이야기했다. 허생은 짐짓 못 들은 척하며,

"그만, 자네가 차고 온 술병이나 이리 풀어 놓으시게."

하고는 서로 즐겁게 마셨다. 변 씨는 이 공을 밖에서 기다리게 해 놓은 것이 민망하여 여러 차례 말을 꺼내 보았으나, 허생은 대꾸도 하지 않았다. 밤이 깊어지자 허생이 말했다.

"손님을 불러도 되겠소."

이 대장이 방에 들어왔으나, 허생은 편안하게 앉아서 일어나지도 않았다. 이 대장은 몸 둘 바를 모르고 엉거주춤하다가 겨우 나라에서 어진 인재를 구하려는 뜻을 설명하였다. 허생이 손을 내저으며 말했다.

"밤은 짧은데 말이 너무 길어서 듣기에 아주 지루하구먼. 그래, 너는 지금 무슨 벼슬을 하느냐?"

"어영청 대장입니다."

"그렇다면 너는 바로 나라에서 신임받는 신하가 아니더냐. 내가 응당 재야에 숨어 있는 와룡 선생을 천거할 터이니, 네가 임금께 아뢰어 그에게 삼고초려(三顧草廬)할 수 있게 하겠는가?"

허생의 계책 ① – 적극적인 인재 등용

㉠이 대장은 머리를 숙여 골똘히 생각하더니 한참 만에 대답했다.

심사숙고하는 이 대장의 모습 **문제 4-③**

"어렵겠습니다. 그다음의 것을 듣고자 합니다."

"나는 '그다음'이란 말은 아직 배우지 못했도다."

이 대장이 그래도 굳이 묻자, 허생은 말했다.

"명나라 장군과 병사들은 조선이 예전에 입은 은혜가 있다고 여겨서 그 자손들이 되놈의 나라에서 몸을 빼어 우리나라로 많이 건너왔으나, 이리저리 떠돌며 홀몸으로 외롭게 지내고 있는 이가 많다. 네가 임금께 아뢰어 종실의 여자들을 뽑아서 두루 시집을 보내고, 훈척과 권귀들

허생의 계책 ② – 명나라 후손을 후대하고 훈척과 권귀의 기득권 뺏기 **문제 3-④**

의 집을 몰수하여 그들의 살림집으로 내어 줄 수 있게 하겠느냐?"

이 대장이 고개를 숙이고 한참 있다가 대답하였다.

"그것도 어렵겠습니다."

"아니, 이것도 어렵다, 저것도 어렵다 한다면 대관절 무슨 일이 가능하겠느냐? 아주 쉬운 일이 있으니, 네가 능히 할 수 있겠느냐?"

"말씀해 주시기 바랍니다."

"대저 천하에 대의를 외치려면 먼저 천하의 호걸들과 사귀어 결탁하지 않고는 되지 않는 법이고, 남의 나라를 정벌하려면 먼저 첩자를 쓰지 않으면 성공을 거둘 수 없는 법이다. 지금 만주족이 갑자기 천하의 주인이 되었으나, 아직 중국을 완전히 손아귀에 넣어 친하게 지내지 못하

는 형편이니, 이때 조선이 다른 나라보다 먼저 솔선해서 복종한다면 저들에게 신뢰를 받을 것이다. 만약 당나라, 원나라 때의 예전 일처럼 우리 자제들을 청나라에 파견하여 학교에 입학하고 벼슬도 할 수 있게 하고, <u>장사치들의 출입도 금하지 말도록 저들에게 간청한다면</u>, 저들도
<small>청나라와도 상업의 유통이 필요함을 주장함.</small>
자기네에게 친근해지고자 하는 우리를 보고 반드시 기뻐하여 이를 허락할 것이다.

이렇게 되면 나라의 자제들을 엄선하여 머리를 깎여 변발을 하게 하고 오랑캐 복장을 입히고 선비들은 빈공과에 응시하고, 일반 사람들은 멀리 강남까지 장사를 하게 만들어 <u>그들의 허실을 엿보고 한족의 호걸들과 결탁한다면</u>, 천하를 도모할 수 있을 것이며
<small>「 」: 허생의 제안을 따를 경우 얻게 될 이익 제시 문제 2-③</small>
나라의 치욕도 씻을 수 있을 것이다. 만약 명나라 황 [A] 족의 후손을 찾지 못하면, 천하의 제후들을 인솔해서 하늘에 임금이 될 만한 사람을 천거하여, 잘만 되면 대국의 스승이 될 것이며, 못되어도 성씨가 다른 제후 국가 중에서는 제일 큰 나라로서의 지위는 잃지 않을 것이다."
<small>[A]: 허생의 계책 ③ – 청나라와의 교류 촉구</small>

이 대장이 낙심하고 허탈해서 말했다.

"사대부들이 모두 예법을 삼가 지키고 있거늘, 누가 기꺼이 머리를 깎고 오랑캐 옷을 입으려고 하겠습니까?"
▶ 이 대장에게 세 가지 계책을 제시하는 허생

허생이 대갈일성하며,

"도대체 사대부라는 게 뭐 하는 것들이냐? 오랑캐 땅에서 태어난 주제에 자칭 사대부라고 뽐내고 앉았으니, 이렇게 어리석을 데가 있느냐? 입는 옷이란 모두 흰옷이니 이는 상복이고, 머리는 송곳처럼 뾰족하게 묶었으니 이는 남쪽 오랑캐의 방망이 상투이거늘, 무슨 놈의 예법이란 말인가? <u>번오기는 원한을 갚기 위해 자신의 머리를 아끼지 않</u>
<small>원하는 바를 이루기 위해 허례허식에 얽매이지 않았던 번오기와 무령왕 ← 이 대장과 대비됨. 문제 2-③</small>
<u>고 내주었고, 무령왕은 자기 나라를 강하게 만들기 위해 오랑캐 복장을 하는 것을 부끄럽게 여기지 않았다.</u>

지금 명나라를 위해서 복수를 하려고 하면서도 그 까짓 상투 하나를 아까워한단 말이냐. <u>장차 말을 달 [B] 려 칼로 치고 창으로 찌르며, 활을 당기고 돌을 던져 야 하는 판에 그따위 너풀거리는 소매를 바꾸지 않고서, 그걸 자기 딴에 예법이라고 한단 말이냐?</u>

내가 처음에 너에게 세 가지 계책을 일러 주었거늘, 도
<small>이 대장과의 대화를 통해 조선 사회의 문제와 허생의 현실 대응책이 구체적으로 드러남 문제 1-②</small>
대체 너는 한 가지도 가능한 일이 없다고 하니, 그러면서도 신임을 받는 신하라고 말할 수 있겠느냐? 그래, 신임받는 신하라는 게 고작 이런 것이냐? <u>이런 자는 목을 잘</u>
<small>지배층의 무능에 대한 허생의 비판이 최고조에 달함.</small>

<u>라야 옳을 것이니라."</u>

하고 좌우를 둘러보며 칼을 찾아서 찌르려고 하였다. 이 대장은 깜짝 놀라서 일어나 뒷문으로 뛰쳐나가 재빠르게 달아났다.
▶ 사대부 집권층을 비판하는 허생

<u>이튿날 다시 찾아갔더니 집은 이미 텅 비어 있고, 허생은 간 곳이 없었다.</u>
<small>미완의 결말</small>
▶ 사라진 허생

1 이 글에서는 이 대장과 허생의 대화가 제시되고 있다. 이 대장은 주로 허생의 말을 듣고 있으며, 허생은 나라를 부유하게 할 세 가지 계책을 내놓고 있다. 이를 통해 허생이라는 인물이 생각하는 당시 조선 사회의 문제점과 개선 방법 등이 드러나고 있다.

2 [A]에서는 조선의 자제들을 청나라에 보낼 경우 얻을 수 있는 이익들을 설명하고 있다. [B]에서는 번오기와 무령왕이라는 역사적 인물의 사례를 언급하며 허례허식을 버리지 못하는 이 대장과 대비하고 있다.

3 ● 보기 읽기 ●

조선 후기에는 실생활에 관심을 두는 실학이 꽃을 피웠는데, 〈허생전〉의 작가 박지원도 실학자였다. 실학자들은 지배 계층인 <u>사대부의 허례허식을 비판</u>하며 유능한 인재 등용
<small>선택지 ⑤: 실학자의 비판 내용</small>
을 주장하였고 <u>상공업 유통 및 생산 기구 전반의 혁신에 관</u>
<small>선택지 ②: 실학자의 개혁 정책 – 상공업, 생산의 개혁</small>
<u>심</u>을 두었다. 또한 <u>청나라의 우수한 문물과 과학 문명을 도</u>
<small>선택지 ③: 실학자의 개혁 정책 - 선진 문물 도입</small>
<u>입하자는 주장</u>도 펼쳤다. 실학자의 학문적 목적은 농민, 수공업자, 상인 등 <u>서민층의 생활을 풍요롭게 하는 것</u>이었다.
<small>선택지 ①: 실학자의 학문 목적</small>

명나라 자손을 종실의 여자와 혼인시키고 집을 내 주어 정착시키자는 허생의 말은 명나라 후손을 후대하려는 것일 뿐, 그들을 기술을 혁신할 인재로 보아서 등용하려는 것이 아니다.

4 이 대장은 허생의 제안에 대해 깊이 있게 생각하는 모습을 보이고 있다. 이에 어울리는 한자 성어는 '깊이 생각함.'이라는 뜻의 '심사숙고(深思熟考)'이다.

오답 풀이 ① 결초보은(結草報恩): 죽은 뒤에라도 은혜를 잊지 않고 갚음을 이르는 말.

② 전전긍긍(戰戰兢兢): 몹시 두려워서 벌벌 떨며 조심함.

④ 역지사지(易地思之): 처지를 바꾸어서 생각하여 봄.

⑤ 조삼모사(朝三暮四): 간사한 꾀로 남을 속여 희롱함을 이르는 말.

# 01 ㉮ 추억에서 ㉯ 담양장   본문 98~100쪽

**1** ①   **2** ④   **3** ⑤

㉮ 진주 장터 생어물전에는

바닷밑이 깔리는 해 다 진 어스름을, ▶1연: 저녁 무렵의 진주 장터

울 엄매의 장사 끝에 남은 고기 몇 마리의
*우리=화자*   *어머니가 생계를 위해 진주 장터에서 파는 소재*
빛 발(發)하는 눈깔들이 속절없이
→ 어미 '-ㄴ가' 반복
→ 리듬감 형성 문제 1-①
은전(銀錢)만큼 손 안 닿는 한(恨)이던가

울 엄매야 울 엄매, ▶2연: 가난으로 한 맺힌 어머니의 삶
*어머니의 고단한 삶에 대한 화자의 안타까움*

별 밭은 또 그리 멀리
우리 오누이의 머리 맞댄 골방 안 되어
*오누이가 어머니를 기다리는 공간*
손 시리게 떨던가 손 시리게 떨던가
▶3연: 추운 골방에서 어머니를 기다리는 오누이

진주 남강 맑다 해도 / 오명 가명
신새벽이나 밤빛에 보는 것을,
*어머니가 장터에 일을 하러 가는 이른 새벽* 문제 2-④
울 엄매의 마음은 어떠했을꼬,

달빛 받은 옹기전의 옹기들같이
*어머니의 눈에 맺힌 눈물을 비유함. → 어머니의 한을 시각적으로 형상화함.*
말없이 글썽이고 반짝이던 것인가.
*눈물을 삭이며 고달프게 살았던 어머니의 과거 삶을 떠올림.* ▶4연: 어머니의 한과 눈물

■ : 어미 '-고' 반복 → 리듬감 형성 문제 1-①

㉯ 죽장의 김삿갓은 죽고

참빗으로 이 잡던 시절도 가고

대바구니 전성 시절에 ▶1연: 대바구니가 많이 사용되던 과거 상황

새벽 서리 밟으며 어머니는 바구니 한 줄 이고 장에 가
*어머니가 생계를 위해 담양장에서 파는 소재*
시고 고구마로 점심 때운 뒤 기다리는 오후, 너무 심심해
아홉 살 내가 두 살 터울 동생 손 잡고 신작로를 따라 마중
*화자*   *화자와 동생이 어머니를 마중 갔던 길*
갔었다. 이십 리가 짱짱한 길, 버스는 하루에 두어 번 다녔
지만 ㉠꼬박꼬박 걸어오셨으므로 가다보면 도중에 만나
겠지 생각하며 낯선 아줌마에게 길도 물어가면서 ㉡하염
없이…… 그런데 이 고개만 넘으면 읍이라는 곳에서 해가
㉢덜렁 졌다. 배는 고프고 으스스 무서워져 ㉣한참 망설
이다가 되짚어 돌아오는 길은 한없이 멀고 캄캄 어둠에 동
생은 울고 기진맥진 한밤중에야 호롱 들고 찾아나선 어머
*어머니 마중 갔다가 해가 저 깊은 밤이 됨.* 문제 2-④
니를 만났다. — 어머니는 그날 따라 버스로 오시고
▶2연: 어머니를 마중 갔던 기억 회상

아, 요즘도 장날이면 / 허리 굽은 어머니
*과거부터 현재까지 고단한 삶을 살고 있는 어머니의 모습을 떠올림.*
플라스틱에 밀려 시세도 없는 대바구니 옆에 쭈그려앉아
*' : 플라스틱에 밀려 대바구니가 잘 팔리지 않지만 장터에서 우두커니 앉아 혹시나 올지 모를 손님을 기다리는 어머니의 모습 문제 3-⑤*
㉤멀거니 팔리기를 기다리는
담양장. ▶3연: 여전히 장터에서 대바구니 장사를 하는 어머니

**1** (가)는 '손 안 닿는 한이던가', '손 시리게 떨던가', '반짝이던 것인가'에서 어미 '-ㄴ가'가 반복되고, (나)는 '김삿갓은 죽고', '이 잡던 시절도 가고', '바구니 한 줄 이고', '장에 가시고', '동생 손 잡고', '배는 고프고', '길은 한없이 멀고' 등에서 어미 '-고'가 반복되어 리듬감을 주고 있다.

**오답 풀이** ▶ ② (가)와 (나) 모두 역설법이 나타나 있지 않다.

③ (가)와 (나) 모두 자조적인 어조가 나타나 있지 않다.

④ (가)와 (나) 모두 공감각적 이미지가 나타나 있지 않다. (가)에는 시각적 이미지('빛 발하는 눈깔들이 속절없이', '달빛 받은 옹기전의 옹기들 같이 / 말없이 글썽이고 반짝이던 것인가.' 등), 촉각적 이미지('손 시리게 떨던가' 등)가 사용되었고, (나)에는 시각적 이미지('길은 한없이 멀고 캄캄 어둠에' 등)가 사용되었다.

⑤ (가)와 (나) 모두 시의 처음과 끝이 서로 다르게 구성되어 있으므로 수미상관의 기법을 활용하고 있지 않다.

**2** (가)의 '신새벽'은 어머니가 장사를 나가기 위해 일찍 집을 나서는 이른 새벽을 의미하므로, 화자가 어머니에 대해 안타까운 마음을 느끼는 시간적 배경이고, (나)의 '한밤중'은 화자가 어머니를 마중 가기 위해 길을 나섰다가 해가 저물면서 공포감이나 불안감을 느꼈던 시간적 배경이다.

**오답 풀이** ▶ ① (가)의 '고기'는 어머니가 생계를 위해 진주 장터 생어물전에서 파는 생선이고, (나)의 '대바구니'는 어머니가 생계를 위해 담양장에서 파는 물건이라는 점에서 유사하다.

② (가)의 화자는 힘들게 장사를 하지만 가난한 삶에서 벗어나지 못하는 어머니의 삶을 한스럽고도 안타깝게 생각하는데, 이러한 감정을 '울 엄매야 울 엄매'에 담아 응축하여 표현하고 있다. 따라서 이 구절에는 어머니의 고단한 삶에 대한 화자의 연민의 정이 담겨 있다고 볼 수 있다. (나)의 '허리 굽은 어머니'는 잘 팔리지 않는 대바구니를 장터에서 여전히 팔고 있는 어머니의 모습을 나타내고 있다. 따라서 이 구절에는 어머니의 고단한 삶에 대한 화자의 연민의 정이 담겨 있다고 볼 수 있다.

③ (가)의 '골방'은 '우리 오누이'가 어머니를 기다리고 있는 공간임에 비해, (나)의 '신작로'는 화자와 동생이 어머니를 마중 갔던 길이라는 점에서 (가)의 '골방'보다 능동적인 행위가 나타나는 공간이다.

⑤ (가)의 '말없이 글썽이고 반짝이던 것인가'에서는 이른 새벽에 장터에 나가 밤에 돌아오셨던 과거 어머니의 삶을 떠올리고 있고, (나)의 '아, 요즘도 장날이면'에서는 과거부터 현재까지 장사를 지속해 온 어머니의 삶을 떠올리고 있다는 점에서 차이가 있다.

**3** '멀거니'는 '정신없이 물끄러미 보고 있는 모양'을 의미하는 부사어로, 잘 팔리지 않는 대바구니 옆에 우두커니 앉아 혹시나 올지 모를 손님을 기다리는 어머니의 모습을 강조하고 있다. (나)에서 장이 끝나 가는 상황이나 장사를 마쳐야 하는 아쉬움은 드러나지 않는다.

**오답 풀이** ▶ ④ 해가 진 상황에서 장터를 향해 계속 길을 걸을 것인지 아니면 집으로 돌아갈 것인지를 고민하며 오랫동안 망설였음을 '한참'이라는 부사어를 사용하여 부각한 것으로 볼 수 있다.

# 02 (가) 아침 이미지 1

본문 101~103쪽

## (나) 광화문, 겨울, 불꽃, 나무

**1** ⑤　　　**2** ④　　　**3** ⑤

---

**(가)**

○ : 만물을 잉태하고 있는 존재. 생명, 모태의 긍정적 이미지

○**어둠**은 새를 낳고, 돌을 　『 』: 활유법 – 아침이 밝아 오면서 물상들의 모습

낳고, 꽃을 낳는다.　　　이 보이게 되는 것을 어둠이 그것들을 '낳는
　　　　　　　　　　　　다고 표현함.
　　　　　　　　　　　▶ 1~2행(기): 만물을 잉태하고 있는 어둠

아침이면,
시간적 배경 문제 1-⑤

어둠은 온갖 물상(物象)을 돌려주지만

스스로는 땅 위에 굴복한다.　　　▶ 3~5행(승): 어둠의 소멸
활유법 – 어둠이 사라지는 것을 '굴복한다'고 표현함.

무거운 어깨를 털고　　　어둠이 걷히기 전 어둠 속에 있는 물상의 모습

물상들은 몸을 움직이어

**노동의 시간**을 즐기고 있다.
어둠이 걷힌 아침이 오기까지의 시간. 건강한 생명력의 시간

**즐거운 지상의 잔치**에　　　■ 공감각적 심상(시각의 청각화) → 아침의 생
활기차고 밝은 아침의 모습　　　　동감이 절정에 이른 모습을 표현함.

**금(金)으로 타는 태양의 즐거운 울림** ▶ 6~10행(전): 밝게 빛나는
점점 밝아 오는 태양의 역동적인 이미지 문제 2-④　　태양과 물상들의 활기찬
　　　　　　　　　　　　　　　　　　모습
아침마다

『아침이면 새롭게 태어나는 세상의 신비로움

**세상은 개벽을 한다.**』　▶ 11~12행(결): 아침마다 새롭게 태어나는 세상

---

**(나)** ○ 해가 졌는데도 어두워지지 않는다
해가 져서 어두워져야 함에도 어두워지지 않는 부자연스러운 상황

겨울 저물녘 광화문 네거리
시간적 배경 문제 1-⑤　공간적 배경

맨몸으로 돌아가 있는 가로수들이

일제히 불을 켠다 나뭇가지에

수만 개 꼬마전구들이 들러붙어 있다

**불현듯 불꽃 나무! 하며 손뼉을 칠 뻔했다**
현실 상황을 제대로 인식하지 못하고 탄성을 지를 뻔함.

□ : 안식과 휴식을 위한 시간　▶ 1연: 불 켜진 광화문 네거리의 찬란함

**어둠도 이젠 병균 같은 것일까**
설의적 표현 → 안식과 평온의 시간인 어둠을 부정적인 시간으로 바라보는 현실에 대해 의문을 제기함.

**밤을 끄고 휘황하게 낮을 켜 놓은 권력들**
'어둠, 밤'을 거부하고 자연의 순리를 거스르는 인간의 횡포

내륙 한가운데 서 있는

『해군 장군의 동상도 잠들지 못하고』
『 』: 활유법 – 동상을 마치 생물인 것처럼 표현함.

『문 닫은 세종문화회관도 두 눈 뜨고 있다』
『 』: 활유법 – 건물을 마치 생물인 것처럼 표현함.　▶ 2연: 순리를 거스르는 도시 풍경

엽록소를 버린 겨울나무들

한밤중에 이상한 광합성을 하고 있다
전구가 매달린 겨울나무의 모습

광화문은 광화문(光化門)

뿌리로 내려가 있던 겨울나무들이

저녁마다 황급히 올라오고

**겨울이 교란당하고 있는 것이다**
봄을 준비하기 위해 자연의 흐름에 맞추어 생체 리듬을 조절해야 하는 시기

밤에도 잠들지 못하는 사람들
자연물에서 인간의 문제로 확대

광화문 겨울나무 불꽃 나무들

**다가오는 봄이 심상치 않다** ▶ 3연: 자연의 순리를 벗어난 현실과 염려
비정상적인 봄을 맞을 것 같다는 불안감과 염려 문제 3-⑤

---

**1** (가)에는 어둠이 걷히며 아침이 밝아 오는 시간적 배경이, (나)에는 '겨울 저물녘'이라는 시간적 배경이 드러나 있다.

**오답 풀이** ① (나)에는 시각적 이미지를 청각적 이미지로 전이한 공감각적 이미지가 나타나 있지 않다. (가)의 '금으로 타는 태양의 즐거운 울림'에서 밝게 빛나는 태양의 모습(시각)을 '울림'(청각)으로 표현한 공감각적 이미지(시각의 청각화)를 통해 아침의 생동감이 절정에 이른 모습을 표현하고 있다.

② (가)와 (나)에는 수미상관의 구조가 드러나지 않는다.

③ (가)와 (나)에는 반어적 표현이 나타나 있지 않다.

④ (가)에는 설의적 표현이 나타나 있지 않다. (나)의 '어둠도 이젠 병균 같은 것일까'에서 설의적 표현을 통해 안식의 시간인 '어둠'을 부정적 시간으로 바라보는 현실에 대한 화자의 비판적 인식을 드러내고 있다.

**2** '태양의 즐거운 울림'은 점점 밝아 오는 태양의 역동적인 이미지를 드러내고 있는 것으로, 이는 지상의 물상들과 서로 어울려 아침의 생동감이 절정에 이른 모습을 보여 주고 있다.

**오답 풀이** ① '무거운 어깨를 털고'는 지상으로부터 벗어나려는 사물들의 몸부림을 드러낸 것이 아니라 어둠 속에서 모습을 드러내기 시작하는 물상의 움직임을 부각하는 표현이다.

② '노동의 시간을 즐기고'는 아침을 맞는 물상들의 생동감 넘치는 모습을 표현한 것으로, 노동의 고단함을 잊기 위한 움직임을 표현한 것이 아니다.

③ '즐거운 지상의 잔치'는 온갖 물상들이 움직이면서 만들어 내는 아침의 활기찬 모습을 경쾌한 분위기로 표현한 것으로, 기존의 사물들이 새로운 사물들을 맞이하는 모습으로 보기는 어렵다.

⑤ '세상은 개벽을 한다'는 아침마다 세상이 새로 열리는 것과 같은 새로움을 보인다는 화자의 인식을 표현한 것으로, 혼란을 겪는 모습과는 거리가 멀다.

**3** ─── **● 보기 읽기 ●**

　　이 시는 우리가 평범하게 보아 오던 현상의 이면에 존재
　　　　　　　　　　　　　　　　선택지②
하는 부정적인 모습을 형상화한 작품으로, 자연의 질서가
　　　　　　　　　　　　　　　　　　　　선택지①
현대 문명에 의해 파괴되고 있는 상황을 보여 주고 있다. 이
시의 화자는 단순한 자연의 순리조차 지켜지지 못하게 하는
　　　　　　　　　　　　　　선택지③
인간 중심적 태도를 비판적으로 바라보고, 현재의 비정상
　　　　　　　　　　　　　　　　　　　선택지⑤
적인 상황이 미래에도 지속될지 모른다는 염려를 내비치고
있다.

'다가오는 봄이 심상치 않다'는 현재 겨울의 비정상적인 상황이 앞으로 다가올 봄에도 지속될지 모른다는 염려나 위기감, 불안감 등을 표현한 것이다.

**오답 풀이** ① '해가 졌는데도 어두워지지 않는다'는 해가 지면 어두워져야 하는 자연의 질서가 파괴된 비정상적인 상황을 표현한 것으로 볼 수 있다.

② '불현듯 불꽃 나무! 하며 손뼉을 칠 뻔했다'는 부정적인 현실 상황에 대한 깊은 생각 없이, 나무들에 켜 놓은 전구들로 휘황찬란한 겉모습만

---

보고 긍정적으로 인식하여 탄성을 지를 뻔하였음을 표현한 것으로 볼 수 있다.

③ '밤을 끄고 휘황하게 낮을 켜 놓은 권력들'은 '어둠(밤)'이라는 자연의 순리를 거스르며 불을 밝히는 인간들을 표현한 것으로, 화자는 이를 부정적으로 인식하고 있다고 볼 수 있다.

④ '밤에도 잠들지 못하는 사람들'은 자연의 순리를 거스르는 현대 문명이 결국은 나무와 같은 자연물뿐만 아니라 인간까지도 비정상적인 상황에 놓이게 할 수 있음을 드러낸다고 볼 수 있다.

## 03 복덕방

본문 104~107쪽

**1** ②    **2** ①    **3** ④

안 초시는 한나절이나 화투패를 떼다 안 떨어지면 그 화풀이로 박희완 영감이 들고 중얼거리는 《속수국어독본》을 툭 채어 행길로 팽개치며 그랬다.
*○: 주요 인물*

"넌 또 무슨 재술 바라구 밤낮 화투패나 떨어지길 바라니?" / "난 심심풀이지."

그러나 속으로는 박희완 영감보다 더 세상에 대한 야심이 끓었다. 딸이 평양으로 대구로 다니며 지방 순회까지 하여서 제법 돈냥이나 걷힌 것 같으나 연구소를 내느라고, 집을 뜯어고친다, 유성기를 사들인다, 교제를 하러 돌아다닌다 하느라고, 더구나 귀찮게만 아는 이 아비를 위해 쓸 돈은 예산에부터 들지 못하는 모양이었다.
*무용가 / 축음기 / 「 」: 안 초시의 딸은 사회적으로 성공했으나 자신만 생각하고 아버지에게는 인색한 이기적인 인물임.*

"얘? 낡은 솜이 돼 그런지, 삯바느질이 돼 그런지 바지 솜이 모두 치어서 어떤 덴 홑옷이야. 암만해두 샤쓸 한 벌 사입어야겠다."

하고 딸의 눈치만 보아 오다 한번은 입을 열었더니,
*안 초시는 딸에게 경제적으로 의존하는 상태로 딸의 눈치를 보며 살고 있음.*

"어련히 인제 사드릴라구요."

하고 딸은 대답은 선선하였으나 셔츠는 그해 겨울이 다 지나도록 구경도 못 하였다. ○셔츠는커녕 안경다리를 고치겠다고 돈 1원만 달래도 1원짜리를 군이 바꿔다가 50전 한 닢만 주었다. 안경은 돈을 좀 주무르던 시절에 장만한 것
*「 」: 형편이 어려운 아버지(안 초시)를 인색하게 대하는 딸의 행동 / 안 초시는 사업하다 실패한 인물임.*
이라 테만 오륙 원 먹는 것이어서 50전만으로 그런 다리는 어림도 없었다. 50전짜리 다리도 있지만 살 바에는 조촐한 것을 택하던 초시의 성미라 더구나 면상에서 짝짝이로 드러나는 것을 사기가 싫었다. ○차라리 종이 노끈인 채 쓰기로 하고 50전은 담뱃값으로 나가고 말았다.
*말쑥하고 앱시가 있는 / 궁핍한 상황에서도 저렴한 안경다리는 사지 않으려 하는 안 초시*

"왜 안경다린 안 고치셨어요?"

딸이 그날 저녁으로 물었다. / "흥……."
*자신에게 인색한 딸에 대한 반감*

초시는 말은 하지 않았다. 딸은 며칠 뒤에 또 50전을 주었다. 그러면서 어떻게 들으라고 하는 소리인지,

"아버지 보험료만 해두 한 달에 3원 80전씩 나가요."

하였다. 보험료나 타 먹게 어서 죽어 달라는 소리로도 들리었다. / "그게 내게 상관있니?"

"아버지 위해 들었지, 누구 위해 들었게요 그럼?"

초시는 '정말 날 위해 하는 거면 살아서 한 푼이라두 다오. 죽은 뒤에 내가 알 게 뭐냐' 소리가 나오는 것을 억지로 참았다. / "50전이문 왜 안경다릴 못 고치세요?"

초시는 설명하지 않았다.

"지금 아버지가 좋고 낮은 것을 가리실 처지야요?"

그러나 50전은 또 마코 값으로 다 나갔다. 이러기를 아마 서너 번이다.
    [A]

"자식도 소용없어. 더구나 딸자식…… 그저 내 수중에 돈이 있어야……."
*안 초시의 심리 - 딸에 대한 서운함과 불만, 돈의 중요성을 느낌.*

초시는 돈의 긴요성을 날로날로 더욱 심각하게 느끼었다.
*「 」: 돈을 두고 갈등하는 안 초시와 딸의 모습을 대화와 서술자의 서술을 통해 드러냄. 문제 1-②*

(중략)
▶ 궁핍하게 살아가는 안 초시

초시는 이날 저녁에 박희완 영감에게서 들은 이야기를 딸에게 하였다. 실패는 했을지라도 그래도 십수 년을 상업계에서 논 안 초시라 출자(出資)를 권유하는 수작만은 딸이 듣기에도 딴사람인 듯 놀라왔다. 딸은 즉석에서는 가부를 말하지 않았으나 그의 머릿속에서도 이내 잊혀지는 않았던지 다음 날 아침에는, ○딸 편이 먼저 이 이야기를 다시 꺼내었고, 초시가 박희완 영감에게 묻던 이상을 시시콜콜히 캐어물었다. 그러면 초시는 또 박희완 영감 이상으로 손가락으로 가리키듯 소상히 설명하였고 1년 안에 청장을 하더라도 최소한도로 50배 이상의 순이익이 날 것이라 장담 장담하였다. / 딸은 솔깃했다. 사흘 안에 연구소 집을 어느 신탁 회사에 넣고 3천 원을 돌리기로 하였다. 초시는 금시발복이나 된 듯 뛰고 싶게 기뻤다.
*안 초시가 박희완 영감에게서 얻은 정보를 딸에게 전하며 투자를 권함. / 「 」: 안 초시의 딸은 물질적 욕심 때문에 안 초시가 전한 정보에 적극적으로 관심을 보임. / 일확천금을 꿈꾸는 안 초시 - 한 번의 시도로 큰 재물을 얻기 바라는 태도가 드러남. / 딸은 부동산 투기를 하기로 결정하고 연구소 집을 자본을 마련함.*

"서 참위 이눔, 날 은근히 멸시했겄다. 내 굳이 널 시켜 네 집보다 난 집을 살 테다. 네깟 놈이 천생 가쾌지 별거냐……."

그러나 신탁 회사에서 돈이 되는 날은 웬 처음 보는 청년 하나가 초시의 앞을 가리며 나타났다. 그는 딸의 청년이었다. ○딸은 아버지의 손에 단 1전도 넣지 않고 꼭 그 청년이 나서 돈을 쓰며 처리하게 하였다. 처음에는 팩 나오는 노염을 참을 수가 없었으나 며칠 밤을 지내고 나니, 적어도
*딸의 남자 친구 / 딸은 안 초시를 신뢰하지 못해 아버지 대신 청년에게 투자에 관한 일을 맡김. 문제 3-④ / 노여움(자신을 믿지 않는 딸에 대한 분노)*

3천 원의 순이익이 오륙만 원은 될 것이라, 만 원 하나야 어디로 가랴 하는 타협이 생기어서 안 초시는 으슬으슬 그, 이를테면 사위 녀석 격인 청년의 뒤를 따라나섰다.
▶ 안 초시의 권유로 부동산 투기를 하는 안 초시의 딸

「1년이 지났다. / 모두 꿈이었다. 꿈이라도 너무 악한
부동산 투자가 실패로 끝났음을 의미함.
꿈이었다. 3천 원 어치 땅을 사놓고 날마다 신문을 훑
안 초시의 딸이 산 땅
어보며 수소문을 하여도 거기는 축항이 된단 말이 신문
안 초시의 딸이 투자한 땅은 건설 사업이 확정된 부지가 아님. 문제 2-①
에도, 소문에도 나지 않았다. 용당포(龍塘浦)와 다사도
(多獅島)에는 땅값이 30배가 올랐느니 50배가 올랐느
니 하고 졸부들이 생겼다는 소문이 있어도 여기는 감감
소식일 뿐 아니라 나중에 역시 이것도 박희완 영감을 통      [B]
해 알고 보니 그 관변 모씨에게 박희완 영감부터 속아
떨어진 것이었다. 축항 후보지로 측량까지 하기는 하였
으나 무슨 결점으로인지 중지되고 마는 바람에 너무 기
민하게 거기다 땅을 샀던, 그 모씨가 그 땅 처치에 곤란
하여 꾸민 연극이었다.」 「」: 투자에 실패하게 된 사건의 과정을 요약적으로 제시함. 문제 1-②

돈을 쓸 때는 1원짜리 한 장 만져도 못 봤지만 벼락은 초
시에게 떨어졌다. ⓔ서너 끼씩 굶어도 밥 먹을 정신이 나
지도 않았거니와 밥을 먹으러 들어갈 수도 없었다.
자신이 잘못된 정보를 전달하여 투자에 실패했기 때문에 딸을 볼 면목이 없음.
"재물이란 친자 간의 의리도 배추 밑 도리듯 하는 건가?"
아버지에 대한 예의보다 오직 자신의 물질적 손해만을 생각하는 딸에 대한 원망
탄식할 뿐이었다. 밥보다는 술과 담배가 그리웠다. 물론
안경다리는 그저 못 고치었다. 그러나 이제는 50전짜리는
커녕 단 10전짜리도 얻어 볼 길이 없다.
부동산 투자 실패로 딸의 냉대가 더욱 심해져서 돈을 달라고 할 수 없음.
추석 가까운 날씨는 해마다의 그때와 같이 맑았다. 하늘은
천 리같이 트였는데 조각구름들이 여기저기 널리었다. 어떤
구름은 깨끗이 바래 말린 옥양목처럼 흰빛이 눈이 부시다.
안 초시는 이번에도 자기의 때 묻은 적삼 생각이 났다. 그러
나 이번에는 소매 끝을 불거나 떨지는 않았다. 고요히 흘러
내리는 눈물을 그 더러운 소매로 닦았을 뿐이다.
안 초시의 심리 - 슬픔, 서러움.        ▶ 사기로 인한 부동산 투자 실패

1 [A]에서는 돈을 두고 갈등하는 모습이 안 초시와 그의 딸의 대화와 서술자의 서술을 통해 드러나고 있다. [B]에서는 안 초시 딸의 투자를 이끌어 낸 정보가 모씨가 꾸민 연극에 의한 것이었고 결국 투자가 실패하였다는 것을 요약적 서술을 통해 밝히고 있다.

오답 풀이 ▶ ① [A]에서는 외양 묘사가 드러나지 않고, [B]에서도 배경 묘사가 드러나지 않는다.

③ 이 작품은 작품 밖의 서술자가 사건을 서술하고 있다. [A]에서는 서술자가 사건에 대해 평가하고 있지 않고, [B]에서는 서술자가 앞으로 전개될 사건에 대해 예측하고 있지 않다.

④ [A]에서는 대화를 통해 순차적으로 사건이 진행되고 있다.

⑤ [A]에서는 향토적 소재로 주제 의식을 드러내고 있지 않으며, [B]에

서도 상징적인 소재를 통해 사건의 의미를 드러내고 있지 않다.

2 ── ▶ 보기 읽기 ◀ ──
일본의 축항 사업 발표 후, 전국이 부동산 투기 열풍으로
선택지 ③
떠들썩하다. 한탕주의에 빠진 많은 사람들이 제2의 황금광
선택지 ②
사업으로 불리는 축항 사업에 몰려들고 있다. (중략) 하지만
누구나 투자에 성공하는 것은 아니어서, 잘못된 소문으로
선택지 ⑤
투자에 실패하여 전 재산을 잃은 사람들, 이로 인해 가족들
에게 외면받는 사람들, 자신의 피해를 사기로 만회하려는
선택지 ④
사람들까지 등장하여 사회적 혼란이 커지고 있다. 이러한
모습은 물질 만능주의가 만연한 우리 사회의 어두운 단면을
선택지 ⑤
보여준다는 비판이 일고 있다.

안 초시가 딸에게 출자를 권유한 부지는 건설 사업지로 최종 확정된 부지가 아니다. 안 초시는 돈이 없어 직접 투자하지도 않았다.

오답 풀이 ▶ ② 투자를 통해 한 번에 큰 이익이 날 것이라 기대하는 모습에서 한탕주의에 빠져 있음을 알 수 있다.

③ 안 초시의 딸은 '연구소 집'을 담보로 큰돈을 구해 투자하려고 한다. 이러한 모습은 당시의 부동산 투기 열풍과 관련이 있다고 볼 수 있다.

④ '축항 후보지'에 땅을 샀다가 투자가 실패한 모씨는 자신의 피해를 만회하기 위해 연극을 꾸몄다고 볼 수 있다.

⑤ 투자 실패 후 안 초시는 딸에게 외면받고 있다. 이처럼 가족 간의 정보다 재물을 중시하는 모습은 물질 만능주의와 관련이 있다고 볼 수 있다.

3 안 초시가 딸에게 축항 후보지 정보를 전해 주고 출자를 권유하여 딸이 투자하기로 결정하였다. 그러나 안 초시의 딸은 아버지를 신뢰하지 못해 아버지 대신에 청년에게 투자에 관한 일을 맡기고 있으므로 안 초시의 수고로움을 덜어 주려는 딸의 심리가 드러나 있다는 설명은 적절하지 않다.

## 04 아홉 켤레의 구두로 남은 사내 본문 108~111쪽

| 1 ④ | 2 ③ | 3 ③ | 4 ② |

**앞부분의 줄거리** 성남이 재개발된다는 소문을 듣고 권 씨는 무리하게 돈을 마련하여 입주 권리를 손에 넣지만, 행정 당국의 압박에 밀려 입주는커녕 직장과 재산을 잃는다. 심지어 그 과정에서 전과자가 된 권 씨는 '나'의 집 문간방에서 셋방살이를 시작한다. 얼마 뒤 집에서 아이를 낳으려던 권 씨의 아내는 진통이 길어져 병원으로 옮겨진다. '나'는 아내의 수술비를 빌려 달라는 권 씨의 부탁을 거절했다가 뒤늦게 병원에 수술비를 대신 지불한다. 권 씨는 그날 밤 '나'의 집에 복면강도로 침입하고 '나'는 어설프게 행동하는 강도의 정체를 알아차린다.

○: 주요 인물

나는 강도를 안심시켜 편안한 맘으로 돌아가게 만들 절
관찰자  주인공(권 씨)
호의 기회라고 판단했다.

"그 피치 못할 사정이란 게 대개 그렇습디다. 가령 식구
중에 누군가가 몹시 아프다든가 빚에 몰려서……."
권 씨 아내의 수술을 염두에 둔 말 – '나'는 강도가 권 씨임을 알고 있음.
㉠그 순간 강도의 눈이 의심의 빛으로 가득 찼다. 분개
'나'가 자신의 정체를 눈치채고 있다는 사실을 알아차린 권 씨의 반응
한 나머지 이가 딱딱 마주칠 정도로 떨면서 그는 대청마루
자신의 정체를 들킨 것으로 인해 자존심을 입음.
를 향해 나갔다. 내 옆을 지나쳐 갈 때 그의 몸에서는 역겨
울 만큼 술 냄새가 확 풍겼다. 그가 허둥지둥 끌어안고 나
가는 건 틀림없이 갈기갈기 찢어진 한 줌의 자존심일 것이
었다. 애당초 의도했던 바와는 달리 내 방법이 결국 그를
편안케 하기는커녕 외려 더욱더 낭패케 만들었음을 깨닫고
강도(권 씨)가 편안하게 돌아갈 수 있도록 하려 했던 '나'의 의도와 달리 권 씨의 자존심을 상하게 함.
나는 그의 등을 향해 말했다.

"어렵다고 꼭 외로우란 법은 없어요. 혹 누가 압니까, 당
신도 모르는 사이에 당신을 아끼는 어떤 이웃이 당신의
'나'가 권 씨 아내의 수술비를 대신 내준 것을 염두에 둔 말
어려움을 덜어 주었을지?"

"개수작 마! 그따위 이웃은 없다는 걸 난 똑똑히 봤어!
권 씨는 '나'에게 아내의 수술비를 빌리러 갔다가 거절당했음. 뒤늦게 '나'는 수술비를 대신 내
난 이제 아무도 안 믿어!" 줬지만 이를 모르는 권 씨는 사람에 대한 불신.
배신감을 느낌.
그는 현관에 벗어 놓은 구두를 신고 있었다. 그 구두를
보기 위해 전등을 켜고 싶은 충동이 불현듯 일었으나 나는
꾹 눌러 참았다. 현관문을 열고 마당으로 내려선 다음 부주
의하게도 그는 식칼을 들고 왔던 자기 본분을 망각하고 엉
강도의 본분
겁결에 문간방으로 들어가려 했다. 그의 실수를 지적하는
권 씨가 사는 곳
일은 훗날을 위해 나로서는 부득이한 조처였다.
강도가 권 씨임을 모른 척하기 위한 배려(문간방으로
㉡"대문은 저쪽입니다." 들어가면 강도로 위장한 권 씨의 정체가 들통나게 되
므로) 문제 4-②
문간방 부엌 앞에서 한동안 망연해 있다가 이윽고 그는
대문 쪽을 향해 느릿느릿 걷기 시작했다. 비틀비틀 걷기 시
작했다. 대문에 다다르자 그는 상체를 뒤틀어 이쪽을 보았
다. / ㉢"이래 봬도 나 대학까지 나온 사람이오."
자신의 정체가 탄로 나자 마지막 남은 자존심을 지키려고 한 권 씨의 말
누가 뭐라고 그랬나. 느닷없이 그는 자기 학력을 밝히더
니만 대문을 열고는 보안등 하나 없는 칠흑의 어둠 저편으
로 자진해서 삼켜져 버렸다.
▶ 강도 짓을 하러 왔다가 자신의 정체를 들켜 자존심에 상처를 입은 권 씨
㉣나는 대문을 잠그지 않았다. 그냥 지쳐 놓기만 하고
권 씨가 돌아오기를 바라는 '나'의 배려
들어오면서 문간방에 들러 권 씨가 아직도 귀가하지 않았
음과 깜깜한 방 안에 어미 아비 없이 오뉘만이 새우잠을 자
고 있음을 아울러 확인하고 나왔다. 아내는 잠옷 바람으로
팔짱을 끼고 현관 앞에 서 있었다.

"무슨 일이라도 있었어요?" / "아무것도 아냐."

잃은 물건이 하나도 없다. 돼지 저금통도 화장대 위에 그
대로 있다. 아무것도 아닐 수밖에. 다시 잠이 들기 전에 나
는 아내에게 수술 보증금을 대납해 준 사실을 비로소 이야

기했다. 한참 말이 없다가 아내는 벽 쪽으로 슬그머니 돌아
누웠다. / "뗄 염려는 없어, 전셋돈이 있으니까."
'나'는 수술비를 빌려 달라는 권 씨의 부탁을 거절했다가, 권 씨에게 받은 전셋돈이
"무슨 일이 있었군요?" 있어 돈을 떼일 염려가 없음을 깨닫고 수술비를 대신 내
줬음.
아내가 다시 이쪽으로 돌아누웠다. 우리 집에 들어왔던
한 어리숙한 강도에 관해서 나는 끝내 한마디도 내비치지
권 씨의 행동을 비밀에 부침으로써 권 씨가 아무렇지 않게 행동하기를 바람.
않았다.
▶ 아내에게 강도 사건에 대해 말하지 않는 '나'

이튿날 아침까지 권 씨는 귀가해 있지 않았다. 출근하는
길에 병원에 들러 보았다. 수술 보증금을 구하러 병원 문밖
을 나선 이후로 권 씨가 거기에 재차 발걸음한 흔적은 어디
에서도 찾아볼 수 없었다.

그다음 날, 그 다음다음 날도 권 씨는 귀가하지 않았다.
그가 행방불명이 된 것이 이제 분명해졌다. 그리고 본의는
그게 아니었다 해도 결과적으로 내 방법이 매우 졸렬했음
권 씨의 자존심을 상하지 않게 배려하고자 한 '나'의 행동이 결국 권 씨를 가출하게 만듦.
도 이제 확연히 밝혀진 셈이었다. 복면 위로 드러난 두 눈
을 보고 나는 그가 다름 아닌 권 씨임을 대뜸 알아차릴 수
있었다. 밝은 아침에 술이 깬 권 씨가 전처럼 나를 떳떳이
대할 수 있게 하자면 복면의 사내를 끝까지 강도로 대우하
'나'의 배려 – 강도가 권 씨라는 사실을 모른 척해 주는 것
는 그 길뿐이라고 판단했었다. 그래서 아무 일도 없었던 듯
이 병원에 찾아가서 죽지 않은 아내와 새로 얻은 세 번째
아이를 만날 수 있게 되기를 기대했던 것이다. 현관에서 그
의 구두를 확인해 보지 않은 것이 뒤늦게 후회되었다. 문간
방으로 들어가려는 그를 차갑게 일깨워 준 것이 영 마음에
걸렸다. 「어떤 근거인지는 몰라도 구두의 손질의 정도에 따
」: '나'는 구두가 권 씨의 자존심을 상징한다고 여기고 있음. 문제 2-③
라 그의 운명을 예측할 수도 있지 않았을까 하는 생각이 드
는 것이었다. 구두코가 유리알처럼 반짝반짝 닦여 있는 한
자존심은 그 이상으로 광발이 올려져 있었을 것이며, 그러
면 나는 안심해도 좋았던 것이다. 그때 그가 만약 마지막이
란 걸 염두에 두고 있었다면 새끼들이 자는 방으로 들어가
려는 길을 가로막는 그것이 그에게는 대체 무엇으로 느껴
졌을 것인가. ▶ 권 씨의 자존심을 상하게 한 것에 대해 자책하는 '나'

아내가 병원을 다니러 가는 편에 아이들을 죄다 딸려 보
낸 다음 나는 문간방을 샅샅이 뒤졌다. 방을 내준 후로 밝
은 낮에 내부를 둘러보긴 처음인 셈이었다. 이사 올 때 본
권 씨 가족의 어려운 형편
그대로 세간이라곤 깔고 덮는 데 쓰이는 것과 쌀을 익혀서
담는 몇 점 도구들이 전부였다. 별다른 이상은 눈에 띄지
않았다. 구태여 꼭 단서가 될 만한 흔적을 찾자면 그것은
구두일 것이었다. 「가장 값나가는 세간의 자격으로 장롱 따
」: 권 씨가 구두를 소중히 여겼음을 알 수 있음.
위가 자리 잡고 있을 꼭 그런 자리에 아홉 켤레나 되는 구
두들이 사열받는 병정들 모양으로 가지런히 놓여 있었다.」
정갈하게 닦인 것이 여섯 켤레, 그리고 먼지를 덮어쓴 게

세 켤레였다. 모두 해서 열 켤레 가운데 마음에 드는 일곱 켤레를 골라 한꺼번에 손질을 해서 매일매일 갈아 신을 한 주일의 소용에 당해 온 모양이었다. 잘 닦인 일곱 중에서 비어 있는 하나를 생각하던 중 나는 ㉤한 켤레의 그 구두

권 씨가 신고 나간 구두 – 권 씨의 가출을 상징함.

가 그렇게 쉽사리는 돌아오지 않으리란 걸 알딸딸하게 깨

'나'는 권 씨가 자존심에 상처를 입어 쉽게 돌아오지 않을 것이라 생각함.

달았다.

권 씨의 행방불명을 알리지 않으면 안 될 때였다. 내 쪽에서 먼저 전화를 걸기는 그것이 처음이자 마지막이었다. 나는 되도록 침착해지려 노력하면서 내게, 이웃을 사랑하게 될 거라

'나'는 이 순경의 말처럼 권 씨에게 연민을 갖게 됨. 문제 3–③

고 누차 장담한 바 있는 이 순경을 전화로 불렀다.

▶ 권 씨의 구두를 발견한 뒤 그가 쉽게 돌아오지 않을 것이라고 생각하는 '나'

**1** 이 글은 1인칭 관찰자 시점으로 작품 속 서술자인 '나'가 주인공 권 씨를 관찰하고, 권 씨와 관련하여 일어난 사건들과 '나'의 관점에서 판단한 내용들을 전달하고 있다.

(오답 풀이) ① 이 글에 반어적 표현을 통해 사회의 부조리를 고발하는 부분은 나타나지 않는다.

② 이 글은 과거 회상을 통해 갈등 해결의 단서를 제시하고 있지 않다.

③ 이 글은 외부 이야기가 내부 이야기를 둘러싸고 있는 액자식 구성을 취하고 있지 않다.

⑤ 이 글에는 주로 '나'의 집에서 일어나는 사건만 시간 순서대로 제시되고 있을 뿐, 같은 시간에 서로 다른 공간에서 발생한 사건을 비교하고 있지는 않다.

**2** '나'는 권 씨의 구두 손질의 상태에 따라 권 씨의 자존심의 상태를 예측할 수 있을 것이라 생각하고, 문간방에 남겨진 구두들을 보며 권 씨가 구두를 소중히 여겼음을 확인하고 있을 뿐, 궁핍한 생활 형편에도 구두에 집착했던 권 씨에게 반감을 느끼고 있지는 않다.

(오답 풀이) ① 권 씨가 수술비를 구하기 위해 '나'의 집에 복면강도로 침입하여 자신을 도와줄 이웃은 없으며 아무도 안 믿는다고 말하는 것으로 보아, '나'가 병원에 수술비를 내준 사실을 모르고 있음을 파악할 수 있다.

② '나'는 무슨 일이 있었냐는 아내의 말에 '아무것도 아'니라고 말하며 권 씨가 강도 짓을 하러 왔다는 것을 비밀에 부침으로써 권 씨가 아무 일도 없었던 것처럼 행동하기를 바랐다.

④ 권 씨는 '나'의 집에 강도로 침입했다가 자신의 정체가 탄로 난 것에 대한 부끄러움과 그로 인한 자존심의 상처로 '나'의 집을 그냥 나가게 되었다. 또한 '나'는 '잃은 물건이 하나도 없다'고 하였으므로 권 씨가 아무것도 훔치지 못하고 갔음을 알 수 있다.

⑤ '나'는 권 씨가 귀가하지 않자 '본의는 그게 아니었다 해도 결과적으로 내 방법이 매우 졸렬했음'을 깨닫고 권 씨를 배려하기 위해 권 씨를 끝까지 강도로 대우하려 했던 행동이 권 씨의 자존심에 상처를 입혀 권 씨가 가출하였다고 느꼈다.

보기 읽기

이 작품의 시대적 배경은 산업화와 도시화가 급속도로 일어나던 1970년대이다. 당시에는 급격한 사회 변화로 인해 수많은 문제들이 양산되었는데, 이 작품은 사회 변동 속에서 도시 빈민으로 전락하게 된 권 씨의 삶을 드러내고 있다. 생활 수준이 조금 높지만 평범한 소시민에 불과한 '나'는 권 씨에 대해 연민을 느끼면서도 손해는 보지 않으려는 이중성을 보이기도 한다. 작가는 이 작품을 통해 사회가 약자에 대한 책임을 다하지 못하고, 약자로 하여금 생존을 위해 극단적인 행동까지 하게 만드는 현실을 비판하고 있다.

선택지① (위: 1970년대)
선택지②.⑤ (위: '나'는)
선택지①.④ (위: 책임)

강도로 들어온 권 씨를 모른 척 돌려보내고자 배려한 '나'의 행동이 오히려 권 씨의 자존심에 상처를 주게 되어 권 씨가 가출하게 되었고, 이에 '나'는 권 씨가 걱정되어 권 씨의 가출을 이 순경에게 전화로 알린다.

(오답 풀이) ① 권 씨는 아내의 수술비를 스스로 마련하지 못할 정도로 가난한 형편이다. 〈보기〉에 따르면 이는 권 씨가 급격한 사회 변화 속에서 도시 빈민으로 전락하게 되었으며 사회가 약자에 대한 책임을 다하지 않았기 때문이라고 볼 수 있다.

② '나'는 권 씨가 편한 마음으로 돌아가 다음날 떳떳하게 행동할 수 있게끔 끝까지 강도로 대우하며 정체를 모른 체하고자 했다. 이는 '나'가 가난한 형편으로 강도 짓을 하게 된 권 씨에게 연민을 느끼고 있기 때문이라고 볼 수 있다.

④ 권 씨는 생존을 위해 강도 짓이라는 극단적인 행동까지 해야 할 정도로 가난한 형편에 처해 있다고 볼 수 있다.

⑤ '나'는 아내에게 수술 보증금을 대납한 사실을 알리며 권 씨의 전셋돈이 있어 돈을 떼일 염려가 없다는 생각을 밝힌다. 이를 통해 타인에게 연민을 느껴 도움을 주면서도 자신의 이익과 손해에 관련한 생각은 떨쳐 버리지 못하는 이중성이 드러난다고 볼 수 있다.

**4** ㉠에서는 강도가 권 씨임을 모르는 척하려고 배려하는 '나'의 태도가 드러난다. '나'는 권 씨의 강도 짓을 눈감아 주려고 권 씨를 끝까지 강도로 대우하며 문간방이 아닌 대문으로 가게끔 조처를 취한 것이지, 권 씨가 훗날 용서를 구하기를 바란 것은 아니다.

(오답 풀이) ① '나'가 권 씨 아내의 수술을 염두에 둔 듯한 말을 하자, 권 씨는 '나'에게 자신의 정체를 들켰음을 알아차린다.

③ 권 씨는 자신이 강도임을 들킨 것으로 인해 자존심에 상처를 입고 '나'의 집을 나가면서 대학을 나왔다는 말을 남김으로써 마지막 남은 자존심을 지키려고 한다.

④ '나'는 권 씨를 배려하여 강도 짓을 눈감아 주기 위해 끝까지 강도로 대우하고, 권 씨가 다시 돌아오기를 바라며 대문을 잠그지 않는다.

⑤ '한 켤레의 그 구두'는 가출한 권 씨가 신고 나간 구두를 뜻하는 것으로, '나'는 권 씨가 자존심에 상처를 입어 쉽게 돌아오지 않을 것이라고 예감하고 있다.

# 05 (가) 유민탄 (나) 장육당육가

본문 112~114쪽

**1** ④　　**2** ②　　**3** ①

□: 비슷한 문장 구조가 나란히 배열된 부분(대구법)

(가) 백성들의 어려움이여, 백성들의 어려움이여

흉년 들어 ㉠너희들은 먹을 것이 없구나
'너희들'=백성 문제 3-①
『: '나'는 '너희들'을 구제하고 싶지만 구제할 힘이 없어 안타까워함. 문제 3-①

㉡나는 너희들을 구제할 마음이 있어도
화자
너희들을 구제할 힘이 없구나
대구법

백성들의 괴로움이여, 백성들의 괴로움이여

날이 추워 네가 이불이 없을 때

㉢저들은 너희들을 구제할 힘이 있어도
'저들'=관리들
너희들을 구제할 마음이 없구나
대구법

▶ 1~8행: 백성들에 대한 '나'의 연민과 백성을 구제하는 것에 무관심한 관리들

원컨대, 잠시라도 소인배의 마음을 돌려서

군자의 생각을 가져 보게나

군자의 귀를 빌려

백성의 말을 들어 보게나
『: '나'는 자신의 안위만 생각하는 소인배 같은 '저들'이 훌륭한 군자처럼 백성들을 보살피기를 바람.
▶ 9~12행: 소인배 같은 관리들을 군자로 만들고 싶은 소망

백성은 할 말 있어도 임금은 알지 못하니
'저들'이 백성들의 말에 귀 기울이지 않아 백성들의 삶이 임금에게 전달되지 않음.

오늘 백성들은 모두 살 곳을 잃었구나

궁궐에서는 매양 백성을 걱정하는 조서 내리는데

지방 관청에 전해져서는 한갓 헛된 종이 조각
지방 관리들의 안일한 태도 때문에 지방 관청에 전해지는 조서가 의미 없는 종이 조각이 됨.

서울에서 관리를 보내 백성의 고통을 물으려

역마로 날마다 삼백 리를 달려도

백성들은 문턱에 나설 힘도 없어
설의적 표현 → 마음속 일을 말할 수 없는 백성들의 현실을 부각함. 문제 1-④

어느 겨를에 마음속 일을 말이나 하겠소
▶ 13~20행: 백성들의 말이 임금에게 전해지지 않는 암담한 현실

비록 한 고을에 한 서울 관리 온다고 해도

서울 관리는 귀가 없고 백성은 입이 없다네
서울 관리는 백성의 고통에 귀 기울이지 않고 백성은 말을 하지 못하는 상황

급회양 같은 착한 관리를 불러다가

아직 죽지 않은 백성을 구해봄만 못하리라
▶ 21~24행: 현실에 대한 답답함

□: 비슷한 문장 구조가 나란히 배열된 부분(대구법)
의인법('백구'를 사람처럼 표현함.)『

(나) 내 이미 백구 잊고 백구도 나를 잊네
화자　갈매기=자연을 의미함.
『: '백구(자연)'와 '나'가 서로 구분되지 않을 만큼 하나로 동화됨. → 화자가 자연과 하나 된 삶을 살고 있음이 드러남.

둘이 서로 잊었으니 누군지 모르리라

언제나 해옹을 만나 이 둘을 가려낼꼬
바다에 사는 늙은이 '나'와 '백구'
▶ 제1수: 자연과 하나 되어 살아가는 삶
『: 설의적 표현 → '나'와 '백구(자연)'가 서로 구분되지 않을 만큼 하나로 한 몸이 되었음을 부각함. 문제 1-④

붉은 잎 산에 가득 빈 강에 쓸쓸할 때
『: '빈 강(자연)'에서 낚시를 하며 풍류를 즐기는 모습 문제 2-②

가랑비 낚시터에 낚싯대 제 맛이라

세상에 득 찾는 무리 어찌 알기 바라리
설의적 표현 → '득 찾는 무리(세속적 가치를 추구하는 무리)'를 알기 바라지 않음을 부각하고 이들과 거리를 두고 살고자 하는 의지를 드러냄. 문제 1-④ 문제 2-②
▶ 제2수: 자연 속에서 낚시를 즐기며 살아가는 삶

내 귀가 시끄러움 네 바가지 버리려면

네 귀를 씻은 샘에 내 소는 못 먹이리

공명은 해진 신이니 벗어나서 즐겨보세
'공명(세속적 삶의 가치)'
▶ 제3수: 공명을 멀리하며 살아가는 삶
은유법 – '공명'을 낡은 신발에 비유하여 세속적 가치에 대한 부정적 인식을 드러냄.

---

『: 자연 속에서 자연물인 '물', '달'과 함께 지내는 화자의 자연 친화적 태도가 드러남.

옥계산 흐르는 물 못 이루어 달 띄우네

맑으면 갓끈 씻고 흐리거든 발 씻으리

어쩌타 세상 사람 청탁(淸濁) 있는 줄 모르는고
설의적 표현 → '세상 사람'은 '청탁'을 구별하지 못한다 ▶ 제4수: 자연과 함께 살아가는 삶
고 비판하면서 분별 있는 삶의 자세에 대한 의지를 드러냄. 문제 1-④

**1** (가)에서는 '어느 겨를에 마음속 일을 말이나 하겠소'라는 설의적 표현을 통해 자신의 고통을 말할 수조차 없는 백성들의 안타까운 현실을 부각하고 있다. (나)에서는 '언제나 해옹을 만나 이 둘을 가려낼꼬'라는 설의적 표현을 통해 화자와 백구를 가려내기 힘들 정도로 화자와 자연이 하나가 되었음을 부각하고 있다. 또한 '세상에 득 찾는 무리 어찌 알기 바라리'와 '어쩌타 세상 사람 청탁 있는 줄 모르는고'라는 설의적 표현을 통해 세속적 가치를 추구하는 무리를 멀리하고 자연 속에서 옳고 그름을 분간하며 살고자 하는 화자의 마음을 부각하고 있다.

**오답 풀이** ▶ ① (가)와 (나)는 모두 둘 이상의 색깔을 뚜렷하게 드러내어 시적 의미를 강조하는 색채 대비가 나타나지 않는다.
② (가)와 (나) 모두 선경후정의 방식을 사용하고 있지 않다.
③ (가)와 (나) 모두 비슷하거나 동일한 문장 구조를 나란히 배치하는 표현인 대구적 표현을 통해 운율감을 형성하고 있다. (가)는 '서울 관리는 귀가 없고 백성은 입이 없다네' 등에서, (나)는 '내 이미 백구 잊고 백구도 나를 잊네' 등에서 대구적 표현이 나타나 있다.
⑤ (나)의 '백구도 나를 잊네'에서 '백구'를 사람처럼 표현하여 자연과 하나 된 삶을 즐기는 화자의 정서가 드러나지만 (가)에서는 의인법이 사용되지 않았다.

**2** ◀ 보기 읽기 ▶
(나)는 갑자사화로 인해 유배되었다 풀려난 작가가 옥계산에 은거하며 쓴 작품이다. 이 작품을 통해 작가는 세속적 가치를 멀리하고 자연 속에서 자연과 하나 되어 풍류를 즐기는 삶을 추구하고 있음을 보여주고 있다. 또한 옳고 그름을 분간하지 못하는 사람들을 비판하면서 분별 있는 삶의 자세에 대한 의지도 드러내고 있다.
선택지③ 선택지① ④ 선택지⑤

'빈 강'에서 낚시를 하며 풍류를 즐기고 있는 화자가 '득 찾는 무리'를 알기를 바라지 않는다고 말하는 것은 세속적 가치를 추구하는 사람들과는 거리를 두고 살겠다는 의지를 드러낸 것으로 볼 수 있다.

**오답 풀이** ▶ ① '백구'와 '나'가 서로 잊었다는 것은 자연과 화자가 서로 구분되지 않을 만큼 하나로 동화되었다는 의미로 볼 수 있다. 따라서 화자가 자연과 하나가 된 삶을 살고 있다는 설명은 적절하다.
③ 화자는 '공명'을 '해진 신'에 비유하며 그것에서 벗어나 자연을 즐기고자 하므로 화자는 세속적 삶의 가치를 멀리하고 있음을 알 수 있다.
④ '옥계산'은 화자가 세상과 거리를 두고 은거하는 자연으로, 이곳에서

실전 3회

화자는 자연물인 '물', '달'과 함께 지내고 있다. 따라서 이러한 화자의 모습에서 자연 친화적 삶의 태도가 드러난다는 설명은 적절하다.

⑤ '청탁'이 있는 줄 모르는 '세상 사람'은 옳고 그름을 구별하지 못하는 사람들이다. 화자는 이러한 사람들을 비판하면서 맑고 탁함을 분간할 수 있는 분별 있는 삶의 자세에 대한 의지를 드러내고 있다.

**3** ㉠은 흉년이 들어 먹을 것이 없는 '백성들'이고 ㉡은 백성들을 구제하고 싶어도 구제할 힘이 없는 화자임을 알 수 있으나, '백성들'이 화자를 원망한다는 내용은 확인할 수 없다.

오답 풀이 ② '나'는 '너희들'을 구제하고자 하는 마음이 있어도 구제할 힘이 없어서 안타까움을 느끼고 있다.

③ '나'는 '저들'이 '군자의 생각'을 가지고 '군자의 귀'를 빌려 백성들의 말을 듣기를 바라고 있다.

④, ⑤ '저들은 너희들을 구제할 힘이 있어도 / 너희들을 구제할 마음이 없구나'라는 구절을 통해 알 수 있다.

---

# 06 ㉮ 님이 오마 하거늘

본문 115~117쪽

## ㉯ 송인

**1** ③　　**2** ②　　**3** ③

㉮ 님이 오마 하거늘 저녁밥을 일찍 지어 먹고
　　　　　　　　　　　▶ 초장: 저녁밥을 일찍 먹고 임을 기다림.
중문(中門) 나서 대문(大門) 나가 지방 위에 치달아 앉아 이수(以手)로 가액(加額)하고 오는가 가는가 건넌 산(山) 바라보니 거머휫들 서 있거늘 저야 님이로다 **버선** 벗어 품에 품고 **신** 벗어 손에 쥐고 **곰븨님븨 님븨곰븨 천방**
　　　　　　　　　　　　　　　의태어
**지방 지방천방** 진 데 마른 데 가리지 말고 **워렁충창** 건너
　　　　　　　　　　　　　　　　　　의성어
가서 정(情)옛말 하려 하고 곁눈을 흘깃 보니 상년(上年)
『 」: 임을 만나려고 달려가는 모습을 과장하여 묘사함. 문제 1-③
칠월(七月) 사흗날 갉아 벗긴 **주추리 삼대** 살뜰이도 날 속
　　　　　　　　　　　'나'가 임으로 착각한 대상　　화자
였구나　　▶ 중장: 임을 만나러 허겁지겁 달려갔으나 자신의 착각임을 알게 됨.

모쳐라 밤일세망정 행여 낮이런들 남 웃길 뻔 하괘라.
　　실망감보다는 멋쩍음을 표현함. – 사설시조 특유의 낙천성과 해학성
　　　　　　　　　　　　　　　　▶ 종장: 자신의 행동을 겸연쩍어함.
㉯ 『비 갠 둑에 풀빛이 고운데,　　▶ 기(1구): 비 온 뒤 강변의 싱싱한 풀빛
　　『 」: 자연의 아름다움과 이별의 슬픔이 대조됨. 문제 3-③
아름다운 자연(시각적 이미지)
남포에서 임 보내며 슬픈 노래 부르네.　　▶ 승(2구): 임을 보내는 애절한 슬픔
　　　　　　이별의 슬픔(청각적 이미지)
『대동강 물이야 언제나 마르려나.　　▶ 전(3구): 대동강에 대한 원망
　　　　　　　　　　설의법
이별 눈물 해마다 푸른 물결 보태나니.』　　▶ 결(4구): 강물에 더
　　『 」: 이별의 눈물 때문에 대동강 물이 마르지 않을 것이라고 과장함. 　해지는 눈물
　　문제 1-③ 문제 3-③

**1** (가)는 중장에서 음성 상징어를 사용하여 화자의 행동을 과장되게 묘사함으로써 임을 빨리 만나고 싶어하는 화자의 마음을 강조하고 있다. (나)는 이별의 눈물로 대동강 물이 마르지 않을 거라 과장함으로써 이별의 슬픔을 강조하고 있다.

---

오답 풀이 ① (가)와 (나) 모두 계절의 변화에 따른 풍경을 묘사하고 있지 않다.

② (나)에는 화자가 스스로를 비웃는 자조적인 어조가 나타나지 않는다. (가)에는 종장에서 자조적 어조가 나타나지만 이는 자신의 행동이 남을 웃길 뻔했다고 인정하는 의미로 자조적인 것이지, 이를 통해 자책감을 드러내고 있지는 않다.

④ (가)와 (나) 모두 상대방에게 말을 건네는 방식을 사용하고 있지 않다.

⑤ (가)와 (나) 모두 화자의 감정을 이입한 자연물이 나타나 있지 않으며, 현실을 극복하려는 의지도 드러나 있지 않다.

**2** ─ ▶ 보기 읽기 ◀ ─
조선 후기에 등장한 사설시조는 형식 면에서 평시조와
　　　　　　　　　　　　　　　　　선택지 ④
달리 중장이 제한 없이 길어졌다. 내용 면에서는 실생활 소
재들을 활용하여 일상에서 일어나는 문제를 주로 다루었는
데 솔직함, 해학성, 애정을 서슴없이 표현하려는 대담성 등
　　　　　　선택지 ③
을 그 특징으로 하며 비유, 상징 등 다양한 표현기법을 활용
　　　　　　　　　　　　　선택지 ⑤　　　　선택지 ①
하여 대상을 생동감 있게 그려 냈다.

'버선', '신'이라는 소재는 주변에서 흔히 볼 수 있는 소재는 맞지만 임의 소중함을 상징하고 있지는 않다.

오답 풀이 ① 음성 상징어는 의성어나 의태어를 가리키는데 이는 생동감을 드러내는 효과가 있다. (가)는 '곰븨님븨 님븨곰븨 천방지방 지방천방'(의태어), '워렁충창'(의성어)을 나열함으로써 허겁지겁 달려가는 화자의 행동을 생동감 있게 표현하고 있다.

③ 화자가 '주추리 삼대'를 임으로 착각한 모습도 해학적이며 주추리 삼대에게 허둥거리며 달려가는 모습을 과장하여 표현한 것도 해학이라 볼 수 있다.

**3** ③은 3·4구가 아닌, 1·2구에 대한 설명이다. 1·2구에서 비극적인 정서를 자아내던 비가 그친 뒤 소생한 자연의 싱그러움과 화자의 슬픈 이별을 대조하여 화자가 느끼는 이별의 슬픔을 더욱 강조하고 있다. 3·4구에서는 '대동강 물'과 '이별 눈물'을 동일시하여, 임이 그리워 흘리는 눈물로 대동강 물이 마르지 않을 것이라는 과장된 표현을 통해 슬픔의 깊이를 확대하고 있다.

오답 풀이 ① 1구에서는 비가 그친 뒤 더욱 짙어진 풀빛을 시각적 이미지로 표현하고 있다.

② 2구의 '슬픈 노래 부르네'에서 청각적 이미지를 통해 이별의 슬픔을 표현하고 있다.

④ '물'은 '죽음, 이별, 상실, 정화, 재생' 등의 원형적 이미지로 사용되기도 한다. 3·4구에서 '이별 눈물'이 '대동강 물'의 '푸른 물결'을 보탠다고 표현하고 있는데, 이는 '물'의 원형적 이미지(이별, 상실)를 활용하여 이별의 한(恨)으로 충만한 화자의 정서를 표현한 것으로 볼 수 있다.

⑤ 1·3구에는 비가 그친 강변과 대동강이라는 자연의 모습이 드러나고, 2·4구에는 임과의 이별이라는 인간사가 드러난다.

# 07 말아톤

**1** ③    **2** ④    **3** ①

**S# 90. 전철역 안 / 오후**
장면 표시 – 장면 번호, 시간·공간적 배경
　경숙, 비틀거리며 뒤편에 있는 의자로 가서 앉는다. 점점 일그러지는 그녀의 표정. 조금씩 새어 나오는 신음 소리. 배를 움켜쥔 손. 의자로 점점 기울어져 눕다시피 되는 경숙. 점점 흐려지는 눈빛.

　(플래시백) / 동물원의 인파 속에 서 있는 젊은 경숙과 어린 초원. 초원은 한쪽 손에 풍선을 들고 멍하게 서 있고, 경숙은 초원의 손을 잡고 있다. 우울한 표정의 경숙, 초원을 바라보고 서 있다. ⓐ스르륵 풀리는 초원의 손. 초원, 사람들
　　　　　경숙은 초원을 키울 자신이 없어 동물원에서 초원의 손을 놓음. 문제 3-①
틈으로 마술처럼 사라진다.

**S# 93. 병원 병실 / 밤**
(경숙): 이왕 이렇게 세상에 태어난 이상, 뭐 하나라도 즐길
○: 주요 인물
수 있는 거, 살아 있다는 기분 느낄 수 있는 거 하나쯤 엄
　　　　경숙이 초원에게 마라톤을 시킨 이유
마가 만들어 주고 떠나자. 그런데 어느 날 보니……. 그러면서, 내가 좋아하고 꿈꾸고 위로받고 있는 거였어. 아무것도 모르는 애를 멋대로 굴려 가면서. 하지만 그만둘 수가 없었어. 그럼 난 살 수가 없을 것 같았거든. (눈물을 떨군다) …… 애가 기억하더라구. 옛날에 동물원에서 잃어버렸던 걸……. 기억나지 당신도? 사실은 말야, 그때, 내가 초원이를 버렸던 거야. 사람들 틈에서 손을 놓았지.
　경숙은 초원을 자신이 책임져야 하는 부담스러운 존재로 여겼음. 문제 3-①
도저히, 키울 자신이 없었거든……. 그러니까, 제 살자고 애를 버렸던 엄마가, 이제 또 제가 살려고 애를 그렇게 한평생 못살게 군 거야. 「」: 경숙은 초원을 키울 자신이 없어 동물원에 버리려 했던 기억을 떠올리면서 자신의 욕심 때문에 초원을 힘들게 한 것이라 생각하며 자책함.
희근: 당신 그때 스물일곱이었어.

경숙: 지금은 아니야. 담임 선생님이 그랬어. 애가 힘들어도 힘들단 소리를 안 한대. 내가 늘 그랬거든. 초원이 힘들어, 안 힘들어? 안 힘들지? 힘들지 않지? 좋지? 좋아하지? …… 십오 년을 그렇게 애를 다그쳤어. 그래서 이젠 힘들다, 하기 싫단 말을 아예 못 해. 어떡하지? 우리 초원이 불쌍해서? 어쩜, 초원이는 엄마가 자길 또 내버릴까 봐, 그렇게 열심히, 힘들단 소리도 못 하고 지금껏 산 거 아닐까, 여보? 어떡하지? 그럼 나 정말 지옥 갈 거야, 그치? 「」: 경숙은 초원이 경숙의 눈치를 보느라 힘들어도 힘들다는 말을 못한 것이라 생각하며 자책함.
　▶ 자신의 욕심 때문에 초원을 힘들게 한 것은 아닌지 자책하는 경숙

**S# 94. 병원 정원 / 낮**

(정욱): 예전에 초원이 마라톤 좋아한다고 했을 때, 내가 직접 달려 보지도 않고 그만 소리하지 말라고 한 거 기억나요?

　허공을 바라보고 있는 경숙에게 진지하게 계속 말하는
　　　　　　　　　　정욱은 진지한 어조로 경숙을 설득함.
정욱.

정욱: 그건 정말 모르는 거예요. 직접 뛰어 본 사람만 아는 거죠. 승부를 위해, 기록을 위해, 다른 사람을 위해 뛰는 거랑은 다른 거거든요. 그럴 땐 멈추고 싶죠. 그리고 멈춰 서 있으면……. 그 느낌은 쉽게 까먹어요. 그럼 영영 다시 뛸 수 없죠. (경숙을 바라보며) 제가 페이스메이커 할
　　경숙에게 자신이 초원과 함께 뛸 테니 초원이 마라톤을 하게 허락해 달라고 진지하게 설득함.
게요. 같이 뛴다구요.

경숙: 하지만, 우리 앤 달라요, 남들과 달라요. 똑같지 않다구요! 그걸 깨닫는 데 20년 걸렸어요. 바보처럼……. 그깟 200시간으로 뭐가 달라졌을 것 같아요? 어림도 없어요. 애 맘을 아냐구요? 그걸 알면, 난 지금 당장 죽어도 소원이 없어요. (큰 목소리로) 가세요! 이젠, 안 해요! 내가 그놈의 걸 알 때까지 하루라도 더 살기 위해서라도 이
　경숙은 감정을 그대로 드러내는 큰 목소리로 정욱의 제안을 거절함. 문제 1-③
제 마라톤 안 해요!　　　▶ 초원에게 마라톤 훈련을 시키지 않으려는 경숙

**S# 95. 몽타주**
・학교로 가는 승합차에 올라타는 초원. 차에 타기 전 아파트를 올려다보지만 엄마가 늘 손 흔들어 주던
　　　　　　　　　경숙의 입원으로 초원의 일상에 변화가 생겼음.
자리엔 아무도 없다. ………………………… ㉠

・병원에서 탁상 달력을 바라보는 경숙. 10월 10일 날
　　　　　　　　　　　　　마라톤 대회가 열리는 날
짜에 눈이 간다. 미련을 버리려는 듯, 텔레비전을
　　　　　　경숙은 초원의 마라톤 대회 참가에 대한 미련이 있음.
켠다. ……………………………………………… ㉡

・아파트 복도 구석에 앉아 정욱이 사준 얼룩말 러닝
화를 박스에서 꺼내 보는 초원. 냄새를 킁킁 맡아
여전히 마라톤을 하고 싶어 함을 알 수 있는 초원의 행동
본 후, 다시 박스에 넣는다. ………………………… ㉢
　　　「」: 마라톤 대회에 참가하겠다는 초원의 의지가 드러남.

**중략 부분의 줄거리** 경숙은 퇴원하고, 「초원은 정욱에게 마라톤 훈련을 받지 않으나 깊은 밤 운동장을 스스로 달린다. 10월 10일 마라톤 대회가 열리는 날, 초원은 혼자 대회 현장으로 향한다. 초원이 사라지자 놀란 경숙과 동생 중원은 초원을 찾아 나서고, 대회 현장에서 초원을 발견한다.

**S# 101. 춘천 공설 운동장 / 아침**
　경숙, 초원을 잡아끌지만, 초원은 움직일 생각을 안 한다.
　　　　　마라톤 대회에 참가하려는 초원과 이를 막으려는 경숙

경숙: 너 뛰다가 쓰러지면 또 주사 맞잖아. 주사 맞을 거야?

(초원): (머뭇거리다가 이내) 안 쓰러져. 초원이 안 쓰러져.

　그 순간 '타앙' 울리는 출발 총성. '와아'하는 함성 소리와

함께 물밀 듯이 밀려 나가기 시작하는 사람들. 그 틈바구니
에서 손을 붙잡은 채, 서로 노려보고 있는 초원과 경숙.
<sub>경숙은 초원이 마라톤 뛰지 못하게 하려고 초원의 손을 붙잡고 있음.</sub>

중원: (가운데에 서서 간절한 표정으로) 엄마!
<sub>초원의 동생</sub>
경숙: 초원아, 나중에 오자. 오늘은 안 돼. 너 혼자선 안 돼.

초원 모자와 거칠게 부딪치면서 출발하는 사람들. 달려
나가는 수많은 사람들 틈에서, 보였다 안 보였다 하는 초원
과 경숙. 하지만 초원의 손을 꼭 잡고 있는 경숙.

경숙: 초원아, 엄마가 잘못했어. 이제, 이런 거 안 시킬게.

초원: 초원이 다리는……
<sub>마라톤 훈련을 할 때마다 경숙이 '초원이 다리는?'이라고 질문하면 초원이 '백만 불짜리
다리'라고 대답하며 응원하였음. 여기서는 초원이 먼저 질문을 꺼낸 것임.</sub>

경숙, 숨이 멎는 듯

초원: 초원이 다리는……?

경숙: (경숙의 눈가가 젖어 들고) 백만 불짜리 다리…….

**어느새, ⓑ스르르 손이 풀리고, 초원은 바람처럼 군중들**
<sub>경숙은 초원의 의지를 확인하고 초원이 마라톤을 할 수 있도록 손을 놓아 줌. 문제 3-①</sub>
**틈으로 사라진다.**
▶ 초원의 의지를 확인하고 마라톤 경기 참가를 막지 않는 경숙

**1** S# 94에서 경숙은 정욱의 제안을 거절하며 자신의 감정을 숨
기지 않고 큰 목소리로 표출한다. 따라서 경숙에게 자신의 감
정을 억누르려는 차분한 목소리로 연기해 달라고 요청하는
것은 적절하지 않다.

**오답 풀이** ① S# 93에서 경숙은 자신의 욕심 때문에 초원이 힘들어
하고 있는 것은 아닌지 생각하며 자책하고 있다.
② S# 94에서 정욱은 자신이 초원의 페이스메이커 역할을 하겠다며 진
지한 자세로 경숙을 설득하고 있다.
④ S# 101에서 마라톤 대회가 시작될 때 출발 총성, 함성 소리 등의 효
과음을 통해 대회 현장의 생생함을 부각할 수 있다.
⑤ S# 101에서 경숙과 초원이 실랑이를 벌이고 있을 때 마라톤 대회가
시작되어 마라토너들은 일시에 그들의 곁을 지나쳐 가고 있다.

**2** ● 보기 읽기 ●
"S# 95에서 몽타주 기법을 사용한 것은 장면과 장면을 연
결해 주면서 사건을 압축적으로 전개하고자 했기 때문입니
다. <sub>선택지 ⑤</sub> 몽타주 기법을 사용하게 되면 장면들이 서로 연결되면
서, 하나의 장면만으로는 보여 줄 수 없었던 사건의 진행 과
<sub>선택지 ①~④</sub>
정과 인물의 심리를 관객들이 짐작할 수 있게 됩니다. 그리
고 자칫 느슨해질 수 있는 사건 전개에 속도감을 부여하여
<sub>선택지 ⑤</sub>
영화에 대한 몰입도를 높일 수 있습니다."

ⓛ에서는 경숙이 초원의 마라톤 대회 참가에 미련을 가지고
있음을, ⓒ에서는 초원이 마라톤 대회에 참가하고 싶어 함을
보여 주므로 두 사람의 모습이 대비되고 있지 않다. 또한 S#

101에서 경숙이 초원의 마라톤 대회 참가를 말리다가 초원
의 진심을 알게 되어 마라톤을 하게 허락해 줌으로써 갈등이
해소되는 것이지, 중원에 의해 갈등이 해소되는 것은 아니다.

**오답 풀이** ① ⓛ은 S# 90에서 경숙이 쓰러진 후 S# 93에서 경숙이
입원한 것과 관련하여 초원이 학교에 갈 때마다 경숙이 늘 손을 흔들어
주던 일상에 변화가 생겼음을 나타낸다.
② S# 94에서 경숙은 정욱에게 '이제 마라톤 안 해요!'라고 말하지만,
ⓛ에서는 달력에 적힌 날짜를 바라보다가 '미련을 버리려는 듯' 텔레비
전을 켜는 모습을 보인다. 이를 통해 사실은 경숙이 초원의 마라톤 대
회 참가에 대한 미련을 가지고 있었음을 알 수 있다.
③ ⓒ에서 '정욱이 사준 얼룩말 러닝화'를 박스에서 꺼내 보는 행동은
초원이 여전히 마라톤을 하고 싶어 한다는 것을 보여 주므로, S# 101
에서 보이는 초원의 모습과 연결하여 이해할 수 있다.
⑤ ⓛ~ⓒ에서는 경숙과 초원의 달라진 일상을 간단하게 나열해 보여
줌으로써 사건이 속도감 있게 전개되고 있다.

**3** ⓐ에서 경숙은 초원을 '도저히, 키울 자신이 없'어서 '사람들
틈에서 손을 놓았'던 것이므로, 초원을 자신이 책임져야 하는
부담스러운 존재로 여겼음을 알 수 있다. ⓑ에서 경숙은 초원
에게 '혼자선 안' 된다고 말하며 마라톤을 뛰지 못하게 붙잡
다가 초원의 의지를 확인하고 결국 초원이 달릴 수 있도록 손
을 놓아 준 것이므로, 초원을 의지를 지닌 주체적인 존재로
인정하게 되었음을 알 수 있다.

## 08 뿌리 깊은 나무
본문 122~125쪽

**1** ④  **2** ③  **3** ⑤

**앞부분의 줄거리** 이도(세종대왕의 이름)는 왕이 백성과 직접 소통하는
나라를 만들고자 노력한다. 그러나 이것이 국가의 근간을 뒤흔드는 일이
라 생각하는 사대부들 때문에 어려움을 겪는다. 그는 반대를 무릅쓰고
집현전의 몇몇 학사들과 비밀리에 우리 글자를 만드는 일을 진행한다.
그러다 그 사실이 알려져 유생들의 극렬한 반대에 부딪힌다.

**S# 13. 광화문 앞 (낮)**
<sub>장면 표시 – 장면 번호, 시간·공간적 배경</sub>
혜강 맨 앞에 앉아 있고, 유생들 뒤에 앉아 "전하!" 하며
시위하고 있는데,
<sub>새 글자 창제에 대한 유생들의 반대 시위</sub>

순간, 광화문이 활짝 열리면서, 내시와 궁녀들이 의자와
쾌도 등을 들고 와, 시위하는 유생들의 앞에 놓는다. 이게
뭔가 싶은데 이때 이도가 걸어 나와 혜강의 앞에 앉는다.

경비를 서고 있던 채윤도 그런 이도를 의아하게 본다.

○: 주요 인물

혜강: (그런 이도를 보며) 전하! 어찌 성리학을 버리고 스
중국 송대 주희가 체계화한 유학 이념으로, 조선의 통치 이념이 됨.
역사 속 실제 인물이 아닌 가상의 인물로, 유생들의 입장을 대표하는 역할을 함.
　　스스로 이적이 되려 하시옵니까?

이도: 좋소! 허면 글자를 만드는 일이 어찌 성리학을 버리
　　는 일인지부터 논하도록 합시다. (하고는 유생들 모두에게)

　　㉠누구든 나와 자유로이 얘기하라!
　　새 글자 창제에 반대하는 세력을 피하거나 물리치지 않고 설득하려는 모습

cut. 이도의 괘도에 크게 쓰여 있는 '武(무)' 자 앞엔 혜
강이 있다.

혜강: 중국의 한자는 그냥 글자가 아니옵고…… 그 자체로
　　유학의 도이며, 개념이옵니다. (화면은 '무' 자 보이며) 보
　　시옵소서. 싸울 무 자에는 '창'과 '그치다'라는 두 개의 글
　　자가 들어 있사옵니다. / 이도: (보고)
　　한자 '싸울 무(武)'를 '창 과(戈)'와 '그칠 지(止)'의 결합으로 설명함.

혜강: 즉 싸울 무 자 자체에 싸움을 그치게 하라는 의미와,
　　싸움을 하지 않기 위한 싸움이라는 '유학의 도'가 들어
　　있는 것이옵니다. 헌데…… 다른 이적의 글자에 이런 도
　　가 있을 수 있사옵니까? / 이도: ……

혜강: 전하의 글자는 이것을 표현할 수가 있사옵니까?

채윤: (보는데) / 이도: 아니오, 없소.
훈민정음

혜강: ㉡(그럼 그렇지.) 헌데 어찌 유학을 버리는 것이 아니
예상했던 반응이 나왔다고 생각하는 모습　　혜강은 이도가 만들려는 글자에는 유학의 도가 들어 있
라 하시옵니까?　　지 않기 때문에 새 글자를 만드는 일이 유학을 버리는
　　　　　　　　　　　　것이라고 주장함.

이도: 허면 말이오. (하며 괘도로 간다.) ▶혜강이 새 글자 창제를 반대함.

cut. 괘도에 "作開言路 達四聰"이라 써 있고, 앞엔 이도
가 서 있다.

이도: 작개언로 달사총, 즉 언로를 틔워 사방 만민의 소리
　　를 들으라. 이것은 유학에서 임금에게 가장 강조하는 덕
　　목이오.

혜강: 예, 전하. 백성의 소리를 들으시면 되옵니다.

이도: (무시하고) 삼봉 정도전의 《경제문감》에 이르기를.

혜강: (멈칫) / 모두: (멈칫)

이도: 요순 3대에는 간관이라는 관리가 없었음에도 언로
　　는 넓었으나 진나라 때 모든 비방을 금지한 뒤, 한나라에
　　이르러 언로를 터 주기 위해 간관을 만들었으나 간관이
　　　　　　　　　　　　간관으로 인해 오히려 백성의 소리가 잘 전달되지 않았다.
　　라는 관리가 생기면서 언로는 더욱 막히었다. 이런 말이
　　있지요?

채윤: (보는데) / 혜강: ……

이도: 이는 말이오.「한자를 아는 자가 관료가 된 시기와 정
　　확히 맞아떨어지오. (점점 강한 목소리로) 한자가 어렵기
　　「」: 언로가 막히게 된 이유

에, 백성이 그들의 말을 임금께 올리려면 관료를 거칠 수
밖에 없었고! / 채윤: (보는데)

이도: 그 관료들은 백성의 소리를 왜곡, 편집하여 올린 것
　　이오! 하여 언로가 막혔다 쓴 것이오! 삼봉은!

혜강: ㉢……
이도의 반박에 당황하여 아무 말도 하지 못하는 모습 [문제 2-③]

이도: 「난 유학에서 가장 중시하는 덕목, 언로를 틔워 주고
　　이도가 글자를 만들어야겠다고 판단하는 이유 - 백성과 직접 소통할 수 있는 나라를
　　싶고, 하여 백성의 글자가 필요하다 판단하였소. 내가 어
　　만들기 위해서는 쉬운 우리 글자가 필요함.
　　찌 유학을 버린 것이오? / 채윤: (보는 데서 cut.)
「」: 새 글자를 창제하는 것은 유학의 덕목과 통하는 것이라는 주장을 펼침. [문제 1-④]
　　　　　　　　　　　　　이도가 새 글자 창제가 유학을 버린 것이 아님을 주장함.

S# 55. 반촌 한구석 (낮)

한가 놈이 어느 쪽을 보면 옆의 가리온도 한가 놈이 보는
곳을 보는데 땅바닥에 쪼그리고 앉아 마주 보고 있는 개파
이와 연두. 나뭇가지로 땅에 뭔가를 쓰며 놀고 있다.

개파이가 손바닥으로 흙을 지우더니, 새로 쓴다.
"카르페이". 그 앞에 연두가 쓴 글자도 보인다.
"난 밥을 먹었다." / 가리온, 놀라서 본다.

한가 놈: (자기도 믿기지 않아) 개파이는 자기 이름을 쓰고,
　　연두는 이 글자로 문장을 쓰고 있습니다.

가리온: ㉣(쿵!) ……! / 한가 놈: 이틀 만입니다!
새 글자의 실체를 모르고 있던 가리온이 그 실체를 확인하고 충격을 받는 모습을 대사 없이 드러냄.

가리온: (쿵! 천천히 개파이에게 다가가 이름 쓴 걸 가리키며) 이
　　게 뭐냐.

개파이: 내…… 이름이다. / 가리온: 어떻게…… 읽는 것이냐?

개파이: (한 글자씩 짚으며) 카…… 르…… 페…… 이…….

가리온: 진정…… 이틀 사이에……?
배우는 데 오랜 시간이 걸리는 한자와 달리 새 글자는 배우기 쉽다는 것을 알고 크게 놀람.

하는데 연두, 옆에서 뭔가를 쓰고 있다. 가리온 고개를
돌려, 연두가 쓴 것을 보는데, 바닥에 있는 글자는 다음과
같다. / "진정 이틀 사이에" 한가 놈도 보고 놀란다.

한가 놈: (경악하여) 아니, 이럴 수가…….

가리온: 어찌 그러는가?

한가 놈: 지금 본원이 하신 말을 그대로 쓴 것입니다. '진
　　정…… 이틀…… 사이에'.

가리온: (충격과 경악) ……! / (쨍! 하는 효과음이나 음악)
　　　　　　　　　　　　한가 놈과 가리온이 받은 충격을 효과적으로 표현하기 위한 방법

한가 놈: (놀라움으로 글자와 본원 번갈아 보면)

가리온: (놀라움으로) 말한 것을 그대로 쓸 수 있고, 쓴 것을
　　새 글자는 말소리를 그대로 글자로 표현할 수 있어 문자로서의 파급력이 있음을 깨닫게 됨.
　　그대로 읽을 수 있다?
　　　　　　　▶가리온과 한가 놈이 이도가 만든 새 글자의 실체를 알고 충격을 받음.

S# 56. 반촌 내 도축소 (낮)

가리온, 탁자에 망연자실하게 앉아 있다. 한가 놈의 표정
도 심각하다.

가리온: (멍하게 놀라움에) 모든 사람이…… 글자를 쓰는 세상에 대해 생각해 본 적이 있는가? / 한가 놈: 예?

가리온: (멍하게 놀라움에) 그것은 어떤 세상일까?

한가 놈: 글쎄요, 한 번도 상상해 보지 못했던 일이라.

가리온: 글자는 무기다. 칼보다, 창보다, 유황보다 무서운
┌「」: 가리온과 한가 놈은 모두 사대부의 권력을 위해 새 글자 반포에 반대하는 입장임. [문제 3-⑤]┐
무기다. 사대부가 사대부인 이유는! 양반집에 태어나서
가 아니라, 그런 혈통 때문이 아니라, 글을 알기 때문에
└사대부의 권력을 유지하는 기반이 글자를 사용할 줄 아는 데 있다고 생각함.┘
사대부인 것이야. / 한가 놈: 예, 물론입니다.

가리온: 그게 사대부의 권력이요, 힘의 근거다. 헌데 이 글자라면, 모두가 글자를 읽고 쓰는 세상이 온다면…… 조선의 모든 질서가 무너질 것이다. 세상은 혼돈에 가득 차고…… 이 조선의 뿌리인 사대부가 무너질 것이야!
└사대부가 권력을 잃게 될 것이라고 생각함.┘

한가 놈: 어찌해야 합니까?

가리온: ⓜ(결연하게) 막아야지. 이 글자를 막는 것이, 무엇
└「」: 새 글자 반포를 막는 것이 시급하다고 판단함.┘
보다 우선해야 한다! ▶ 가리온과 한가 놈이 이도의 글자 반포를 막기로 결정함.

1 이도는 "난 유학에서 가장 중시하는 덕목, ~ 내가 어찌 유학을 버린 것이오?"라고 말하고 있다. 이도는 백성과 소통할 수 있게 새 글자를 만드는 일이 유학의 덕목과도 통한다고 여기고 있으므로 유학을 버려서라도 글자를 만들고자 하는 것이라고 볼 수 없다.

오답 풀이 ▶ ① 혜강은 유생들과 함께 이도의 글자 창제에 반대하는 시위를 하고 있으며, 유생들의 맨 앞에서 이도와 대화하고 있다.
② 혜강은 새 글자는 한자와 달리 유학의 도를 표현할 수 없다고 주장하며 이도에게 "헌데 어찌 유학을 버리는 것이 아니라 하시옵니까?"라고 말하고 있다.
③ 혜강이 새 글자 창제가 유학을 버리는 것이라고 주장하자, 이도는 정도전의 《경제문감》의 일부 구절을 인용하여 한자를 아는 자가 관료가 된 시기부터 언로가 막히게 되었음을 밝히면서, 언로를 틔워 백성의 소리를 듣기 위해 글자를 만들고자 하므로 이는 유학을 버리는 것이 아니라고 반박하고 있다.
⑤ 가리온은 사대부의 권력을 유지하는 기반이 글자를 사용할 줄 아는 것이라고 생각하기 때문에 '모두가 글자를 읽고 쓰'게 되면 '사대부가 무너질 것'이라고 말하고 있다.

2 ⓒ에서 혜강이 말을 못 하는 것은 이도의 주장에 마땅히 반박할 수 없었기 때문이라고 볼 수 있으므로 예상하지 못한 발언에 당황스러워하는 표정을 짓는 것이 적절하다.

오답 풀이 ▶ ① 이도는 글자 창제에 반대하는 세력을 피하거나 물리치지 않고 그 앞에 당당히 나와 그들을 설득하려는 태도를 보이고 있으므로 새 글자를 만드는 일과 반대하는 이들을 설득하는 일에 자신감이 드러나는 어조로 말하는 것이 적절하다.
② 혜강은 새 글자를 창제한다는 것은 한자에 담긴 유학의 도를 버리는

것과 같다고 주장하고 있으므로 이도의 새 글자로는 유학의 도를 표현할 수 없다는 대답을 예상하고 있었음을 짐작할 수 있다.
④ 가리온은 개파이와 연두가 새 글자를 쓰면서 노는 모습을 보고 크게 놀라고 있다.
⑤ 가리온은 사대부의 권력을 위협하는 새 글자의 반포를 막겠다는 강한 의지를 보이고 있다.

3 S# 55~56에서는 가리온과 한가 놈 사이의 대화가 나타나는데, 이 둘은 서로 상반된 의견을 지니고 있지 않으며, 상대방의 말에 호응이나 질문을 하며 대화가 진행되고 있다.

오답 풀이 ▶ ① 〈보기〉와 달리 S# 55에서는 가리온이 새 글자의 실체를 알고 받은 충격감을 강조하기 위해 '꽝 하는 효과음이나 음악'이라는 지시문을 사용하였다.
② '말한 것을 그대로 쓸 수 있고, 쓴 것을 그대로 읽을 수 있다'는 가리온의 대사에서 새 글자의 특징과 장점이 드러난다.
③ 〈보기〉에서는 최만리와 심종수가 한 장소에서 대화하고 있는 반면, S# 55~56에서는 반촌 한구석과 도축소라는 두 장소에서 가리온과 한가 놈이 대화하고 있다.
④ 〈보기〉에서는 백성들이 글자를 배웠을 때의 상황을 가정과 상상에 기대어 말하고 있는 반면, S# 55에서는 개파이와 연두라는 인물이 새 글자를 배워 사용하는 모습을 직접 보여 주고 있다.

# 01 ㉮ 장자를 빌려 – 원통에서 본문 128~130쪽

## ㉯ 누군가 나에게 물었다

**1** ④    **2** ②    **3** ③

㉮ 설악산 대청봉에 올라

발아래 구부리고 엎드린 작고 큰 산들이며

떨어져 나갈까 봐 잔뜩 겁을 집어먹고

언덕과 골짜기에 바짝 달라붙은 **마을들**이며

다만 무릎께까지라도 다가오고 싶어

안달이 나서 몸살을 하는 **바다**를 내려다보니

온통 세상이 다 보이는 것 같고
<small>세상을 다 알 것 같다는 자만심을 보이는 화자 문제 2-②</small>

또 세상살이 속속들이 다 알 것도 같다
<small>▶ 1~8행: 멀리에서 바라본 세상의 모습</small>

그러다 속초에 내려와 하룻밤을 묵으며

중앙시장 바닥에서 다 늙은 **함경도 아주머니들**과

노령노래 안주 해서 소주도 마시고

피난민 신세타령도 듣고

다음 날엔 **원통**으로 와서 뒷골목엘 들어가

지린내 땀내도 맡고 악다구니도 듣고

싸구려 하숙에서 **마늘 장수**와 실랑이도 하고

젊은 **군인 부부** 사랑싸움질 소리에 잠도 설치고 보니

「세상은 아무래도 산 위에서 보는 것과 같지만은 않다」
<small>「」: 세상을 바라볼 때는 균형 잡힌 시각이 필요함을 깨달음.</small>

지금 우리는 혹시 세상을
<small>화자</small>
<small>▶ 9~17행: 가까이에서 바라본 세상의 모습</small>

(너무 **멀리서만** 보고 있는 것은 아닐까) 아니면
<small>( ): 유사한 시구의 반복 문제 1-④</small>

(너무 **가까이서만** 보고 있는 것은 아닐까)
<small>설의법 사용 – 균형적인 시각을 강조함.</small>

<small>▶ 18~20행: 세상을 바라보는 관점에 대한 깨달음</small>

㉯ 누군가 나에게 물었다. 시가 뭐냐고
<small>화자</small>
<small>도치법 사용</small>

나는 시인이 못됨으로 잘 모른다고 대답하였다.
<small>▶ 1~2행: 시란 무엇인가에 대한 질문을 받음.</small>

무교동과 종로와 명동과 남산과

서울역 앞을 걸었다.

저녁녘 남대문 시장 안에서

빈대떡을 먹을 때 생각나고 있었다.
<small>스스로 깨달음을 얻음. 문제 3-③    ▶ 3~6행: 무교동에서 남대문 시장까지 배회함.</small>

(그런 사람들이) / 엄청난 고생 되어도
<small>( ): 유사한 시구의 반복 문제 1-④</small>

순하고 명랑하고 맘 좋고 인정이

있으므로 (슬기롭게 사는 사람들이)

(그런 사람들이) / 이 세상에서 알파이고

고귀한 인류이고 / 영원한 광명이고

다름 아닌 시인이라고.
<small>▶ 7~15행: 삶이 고되어도 인정 넘치고 슬기로운 사람들이 시인이라고 생각함.</small>

**1** (가)는 '너무 멀리서만 보고 있는 것은 아닐까', '너무 가까이서만 보고 있는 것은 아닐까' 등과 같이 유사한 시구를 반복

---

하여 세상을 바라볼 때 어느 한쪽으로 치우치지 않는 균형 잡힌 시각이 필요함을 강조하고 있다. (나)는 '그런 사람들이', '슬기롭게 사는 사람들이' 등과 같이 유사한 시구를 반복하여 힘겨운 삶 속에서도 착한 심성과 인정을 지니고 사는 사람들이 바로 시인이라는 내용을 강조하고 있다.

**오답 풀이 ▶** ① (가)에는 도치의 방식을 활용한 부분이 나타나지 않는다. (나)에서는 정상적인 순서대로라면 '누군가 나에게 시가 뭐냐고 물었다'로 배열해야 할 문장을 그 순서를 바꾸어 '누군가 나에게 물었다. 시가 뭐냐고'로 배열하였으므로 도치의 방식을 활용한 부분이 나타난다.

② (가)에는 자연물이 나타나지만 이를 통해 화자의 정서를 드러내는 것이 아니라 자연물을 의인화하여 어떤 행동을 취하는 것처럼 보이는지를 묘사하고 있다. (나)에는 자연물이 나타나지 않는다.

③ (가)와 (나)에는 특정한 계절적 배경이 나타나지 않으며, 이를 통해 시적 분위기를 조성하지도 않는다.

⑤ (가)에서는 '~ 아닐까'라는 설의적 표현을 통해 우리가 세상을 한쪽에서만 보고 있는 현실에 대한 화자의 인식을 드러내고 있다. (나)에는 설의적 표현이 사용된 부분이 없다.

**2** ── ● 보기 읽기 ●

이 시는 장자의 〈추수편〉에 실린 '대지관어원근(大知觀於遠近)'을 빌려 '큰 지혜는 멀리서도 볼 줄 알고, 가까이서<small>작품에 담긴 가치관(창작의 발상이 된 내용)</small>도 볼 줄 아는 것'이라는 생각을 드러낸 작품이다. 특히 공간의 이동에 따른 관점의 변화를 그리며, 삶을 바라보는 태<small>시상 전개 방식의 특징          작품의 주제 의식</small>도에 대한 성찰을 드러내고 있다.

화자는 설악산 대청봉에 올라 멀리서 '산들', '마을들', '바다'를 내려다보며 '세상살이 속속들이 다 알 것도 같다'라고 느낀다. 따라서 화자가 '바다'를 보며 '세상살이 속속들이' 알기 위해 '가까이'에서 보아야 함을 깨달았다는 감상은 적절하지 않다. 이후 화자는 '속초'와 '원통'으로 이동하여 사람들의 삶을 가까이에서 경험하고서는 세상은 멀리서 보는 것과 같지만은 않다고 느끼며, 삶을 바라볼 때는 '멀리'서도 '가까이'서도 볼 줄 알아야 함을 깨달았다고 할 수 있다.

**3** 화자는 여러 곳을 다녔지만 사람들에게 '시란 무엇인가'에 대한 답을 물어보지는 않았다. 화자는 여러 곳을 걸었으며 마침내 남대문 시장에서 빈대떡을 먹으며 스스로 그 답을 생각해 내고 있다.

**오답 풀이 ▶** ① 제목이 '누군가 나에게 물었다'이고 작품에서 시와 시인이 무엇인지에 대해 말하고 있으므로 적절하다.

② 2행에서 '시인이 못됨으로' 모른다고 대답하였다고 하였다.

④ 5~6행에서 화자가 '남대문 시장 안에서' 답을 얻게 되었음을 알 수 있다.

⑤ 7~15행에서 화자는 고된 삶을 살면서도 인정 많고 건강한 삶을 살아가는 사람들이 시인이라고 말하고 있다.

# 02 ㉮ 눈 ㉯ 자화상

본문 131~133쪽

**1** ②     **2** ④     **3** ④

㉮ 눈은 살아 있다
<small>순수한 생명력, 저항 정신을 일깨우는 존재</small>
떨어진 눈은 살아 있다    ┐
<small>점층적 반복으로 눈의</small>
마당 위에 떨어진 눈은 살아 있다    ┘<small>생명력 강조</small>
▶ 1연: 순수한 생명력을 지닌 눈

**기침을 하자 / 젊은 시인이여 기침을 하자**
<small>내면의 불순한 것을 뱉어 내는 행위. 부정적 현실에 대한 저항의 행위</small>
눈 위에 대고 기침을 하자

눈더러 보라고 마음 놓고 마음 놓고

기침을 하자     ▶ 2연: 부정적 현실에 대한 저항 의지

눈은 살아 있다

**죽음을 잊어버린 영혼과 육체를 위하여**
<small>순수하고 정의로운 것에 도달하려는 이들=젊은 시인 문제 2-④</small>
눈은 새벽이 지나도록 살아 있다     ▶ 3연: 눈의 강인한 생명력

기침을 하자 / **젊은 시인이여 기침을 하자**

눈을 바라보며
    □: 불순하고 부정적인 것 ↔ '눈'과 대조됨. 문제 1-②
밤새도록 고인 가슴의 **가래**라도 / 마음껏 뱉자
    ▶ 4연: 순수하고 정의로운 삶에 대한 소망
    ■: 자아 성찰의 매개체
㉯ 산모퉁이를 돌아 ㉠논가 외딴 **우물을 홀로 찾아가선 가**
만히 들여다봅니다.     ▶ 1연: 우물을 찾아가 자아를 성찰함.

우물 속에는 ㉡달이 밝고 구름이 흐르고 하늘이 펼치
<small>순수하고 아름다운 자연 ↔ '사나이'의 초라한 모습과 대비됨 문제 1-②</small>
고 파아란 바람이 불고 가을이 있습니다.
    ▶ 2연: 우물 속의 평화로운 풍경

그리고 한 사나이가 있습니다.
    □: '사나이'에 대한 화자의 태도(미움 → 연민 → 미움 → 그리움)
어쩐지 그 사나이가 **미워져** 돌아갑니다.
    ▶ 3연: 초라한 자아에 대한 부끄러움

돌아가다 생각하니 ㉢그 사나이가 **가엾어집니다.**
도로 가 들여다보니 사나이는 그대로 있습니다.
    ▶ 4연: 자아에 대한 연민

㉣다시 그 사나이가 **미워져** 돌아갑니다.
<small>애증의 반복으로 인한 내적 갈등 문제 3-④</small>
돌아가다 생각하니 그 사나이가 **그리워집니다.**
    ▶ 5연: 자아에 대한 미움과 그리움

㉤우물 속에는 달이 밝고 구름이 흐르고 하늘이 펼치
<small>순수했던 과거 자신의 모습 발견 - 현실의 자아와의 화해</small>
고 파아란 바람이 불고 가을이 있고 추억(追憶)처럼 사나
이가 있습니다.     ▶ 6연: 추억 속 자아에 대한 그리움

**1** (가)에서는 순수한 것을 상징하는 '눈'과 불순하고 부정적인
것을 상징하는 '가래'의 이미지가 대립되어, 부정적인 현실에
대한 극복과 순수하고 가치 있는 삶에 대한 갈망이라는 주제
의식이 강조되고 있다. (나)에서는 '우물 속' 아름다운 자연
풍경과 '한 사나이'의 부끄러운 모습이 대조되어 화자가 자신
의 모습을 성찰하고자 하는 주제 의식이 강화되고 있다.

**오답 풀이** ▸ ① 청유형 어미를 반복하여 독자의 공감을 유도하고 있다.
<small>(가) O: '기침을 하자'/ (나) x: '-ㅂ니다' 반복</small>
③ 공감각적 심상을 통해 자연과의 친화를 보여 주고 있다.
<small>(가) x / (나) O: '파아란 바람'(촉각의 시각화)　(나) x: 우울 속 풍경의 아름다움 묘사</small>
④ 처음과 끝을 동일한 시구로 상응시켜 정서의 변화를 강조하고 있다.
<small>(가), (나) x</small>
⑤ 역설적 표현을 사용하여 현실 상황에 대한 극복 의지를 드러내고
있다. <small>(가), (나) x: 모순되는 것처럼 보이지만 그 속에 진실을 담고 있는 표현은 없음.</small>

**2**    ─● 보기 읽기 ●─

> 1954년 당시 여당인 자유당은 초대 대통령인 이승만에
> 한해 연임 제한을 두지 않는다는 헌법 개정안을 국회에 제
> 출했다. 이 개헌안은 11월 27일에 한 표 차이로 부결되었
> 다. 하지만 자유당은 29일에 사사오입이라는 논리를 내세
> 워 개헌안이 통과되었다고 선포했다. 사사오입 개헌을 통
> 해 이승만과 자유당이 영구 집권의 기반을 마련하고 언론을
> 통제하자, 그동안 이승만 정권의 부정부패에 불만이 많았
> 던 국민의 반발이 거세졌다. 이러한 상황에서 작가 김수영
> 은 불법적인 일도 서슴지 않는 기득권 세력을 비판하고, 지
> <small>선택지 ③</small>
> 식인이 앞장서서 시민들을 일깨워 함께 저항해야만 현실의
> <small>선택지 ① 　　선택지 ② 　　　　선택지 ⑤</small>
> 부정부패를 물리칠 수 있다고 생각하였다. 〈눈〉에는 이러한
> 작가의 의도가 담겨 있다고 볼 수 있다.

'죽음을 잊어버린 영혼과 육체'는 죽음을 초월하여 순수하고
정의로운 것에 도달하고자 치열하게 사는 이들 즉, '젊은 시
인'을 의미한다.

**오답 풀이** ▸ ① '눈'은 순수하면서도 강인한 존재로, 화자에게 현실에
타협하지 않고 불의에 저항하는 정신을 일깨워 주므로 당시에 지식인
을 일깨우려 했던 작가의 의도와 연관 지을 수 있다.
② '기침을 하자'는 내면의 부정적이고 불순한 것들을 쏟아 내자는 의미로,
부정적인 현실에 대한 저항의 행위에 동참하자는 권유라고 볼 수 있다.
③ 기침을 하도록 권유받는 '젊은 시인'은 화자 자신을 의미하기도 하
며 부정한 현실을 이겨 내기 위해 앞장서는 지식인으로도 볼 수 있다.
⑤ '가래라도 마음껏 뱉자'는 부패한 현실에서 생긴 부정적 요소를 깨
끗하게 씻어 내자는 의미로, 현실의 부정부패를 물리치려는 의지의 표
현이라고 할 수 있다.

**3** ㉣에서는 화자가 자신에 대한 미움과 그리움이라는 이중적
인 감정 사이에서 내적 갈등을 겪는 모습이 나타나고 있을
뿐, 내적 갈등이 해소되지는 않았다. 내적 갈등의 해소는 6연
에서 화자가 과거 순수했던 자신의 모습을 추억하면서 이루
어지고 있다.

**오답 풀이** ▸ ① ㉠에서 화자가 우물을 가만히 들여다보는 행위는 자신
을 들여다보며 성찰하는 행위이며 '우물'은 자아 성찰의 매개체라고 볼
수 있다.
② ㉡에는 화자가 바라본 아름답고 조화로운 자연의 모습이 나타나 있
으며 이는 화자가 지향하는 모습이라고 볼 수 있다. 2~3연에서 화자는
아름다운 자연의 모습과 대비되는 초라한 자신이 미워져 돌아갔다가,

6연에서 아름다운 자연과 함께 존재하고 있는 과거의 순수한 자기 모습을 떠올리면서 자기 긍정에 도달하고 있다.

③ '사나이'는 우물에 비친 화자 자신이자 성찰의 대상, 즉 화자의 자아라고 볼 수 있다. 따라서 ⓒ은 화자 자신을 가엾어하는 연민의 정서를 드러낸 표현으로 볼 수 있다.

⑤ ⓜ은 평화로운 자연과 함께 있는, 순수했던 과거 자신의 모습을 기억해 내고 있음을 표현한 것이다.

## 03 맹순사

본문 134~138쪽

**1** ④　　**2** ④　　**3** ②　　**4** ⑤

"좌우간, 내가 그만침이나 **청백**했기 망정이지, 다른 동간들 당했단 소리 들었지? 누구는 맞아죽구, 누구는 집에다 불을 지르구, 누구는 팔대리가 부러지구."

푸시시 일어서다가, 비 오는 뜰을 이윽히 내다보면서, (맹순사)는 곰곰이 그렇게 아낙을 타이르듯 한다. (서분이)에
ⓞ: 주요 인물
게는 그러나, 그런 소리가 다 말 같지도 아니한 소리요 억지옛발명이었다.

"흥, 가네모도상은 그렇게 들이 긁어 먹구두, 되려 승찰해서 부장이 된 건 어떡하구?"

⊙"며칠 가나."
맹순사는 부정한 방법으로 얻은 부는 얼마 못 갈 것이라고 생각함.
"그렇게만 생각허믄 뱃속은 무척 편하겠수. 여주루 내려 갔든 기노시다상넨, 이살 해오는데, [재봉틀]이 인장표루
서분이는 기노시다상네는 재봉틀을 두 개나 가지고 있다고 부러워함.
다 손틀 발틀 두 개에, 방안 짐이 여덟 개에, 옷이 옥상옷만 도랑꾸루 열다섯 도랑꾸드래요. 그리구두 서울루 **빼
것이** 와서 기계방아 사놓구 돈벌이만 잘 허믄서, **활개 펴**
해방 전후 혼란한 사회 현실: 권력을 남용해 부를 축적하고도 보복을 당하기는커녕 잘사는 사람들
**구 삽디다.** 죽길 어째 죽으며, 팔대리가 부러질 팔대린 어딨어?"

"그런 게 글쎄 다 불한당질루 장만한 거 아냐?"

"뱃속에서 꼬록 소리가 나두, 만날 청백야?"

"아무렴, 사람이 청백하면, 가난해두 두려울 게 없는 법야, 헴." ▶ 청렴을 내세우며 아내를 다독이는 맹순사

맹순사는 마침내 [양복장] 문을 연다. 연방 청백을 뇌던 끝에, 이 양복장을 보자니 얼굴이 간지러웠다. 유치장 간수로
맹순사가 청백하지 않음을 드러내는 소재　문제 3-②
있을 때에, 가구장수 하나가 경제범으로 들어와 있었는데, 서분이가 쪽지 한 장을 그에게다 주어 달라고 졸랐다. 못 이기는 체하고 전해 주었다. 그런 지 이틀 만에 이 양복장이 방 윗목에 가 처억 놓여진 것을 보았으나, 그는 내력을 물으려고 아니 하였다.

양복점 안에서 떼어 입은 [대마직 국민복]은 양복장보다
맹순사가 청백하지 않음을 드러내는 소재
도 조금 더 **청백 순사**를 얼굴 간지럽게 하였다.
맹순사의 심리: 부끄러움　문제 3-②
작년 초가을, 좋지 못한 풍문이 들리는 파출소 건너편의 양복점에서 맞추어 입은 것이었다. 공정가격 삼십이 원 각 순데, 양복을 찾아 들고는 지갑을 꺼내는 체하면서,
양복 값을 지불할 의사가 없으면서도 지갑을 꺼내는 체함.
ⓛ"얼마죠?"
하고 물었다. 지갑에는 돈이라야 삼 원밖에 없었다.

양복점 주인은, 온 천만에 말씀을 다 하신다면서, 어서 가시라고 등을 밀어 내었다.

이 양복장이나 양복은 한 예에 불과하고, 팔 년 동안 순사를 다니면서, 그 중에서도 통제경제가 강화된 이삼 년, 육십 몇 원이라는 월급으로는 도저히 지탱해 나갈 수 없는 생활을 뇌물 받는 것으로써 보태어 나왔다. 몇십 원씩, 돈백 원씩 쥐어 주는 것을, 사양하다가 못 이기는 체 받아 넣기 얼말는지 모른다. 자청해 주는 것을 따담기만 한 것이 아니라, 아쉰 때면 그럴싸한 사람을 찾아가서,

ⓒ"수히 갚을 테니 백 원만……"
빌리는 척하며 돈을 요구하는 말
하고 가져다 쓰기도 여러 번이었다.

술대접을 받기는 실로 부지기수였다. 쌀, 나무, 고기, 생선, 술 모두 다 그립지는 아니할 만큼 들어도 오고, 청해다 먹기도 하고 하였다. 못 해주었네 못 해주었네 하여도, 아낙의 웃감도 여러 번 얻어다 준 것이었다. 공교로이 그 뉴똥치마만은 기회가 없고서 8·15가 덜컥 달려들고 말았지만. ▶ 청렴하지 않았던 맹순사의 행적들

「이렇게 그는 작은 것이나마 뇌물을 먹지 아니한 것이 아니면서도, 스스로 청백하였노라고 팔분의 자신이 있었다. 맹순사의 생각엔 양복벌이나 빼앗아 입고, 돈이나 몇십 원, 돈 백 원 받아 쓰고, 쌀 나무며 찬거리나 조금씩 얻어먹고, 술대접이나 받고 하는 것은, 아무나 예사로 하는 일이요, 하여도 죄 될 것이 없고, 따라서 독직이 되거나 **죄가 되는 것이 아니었다.** 그것이 적어도 독직이나 죄가 되자면, 몇만 원 집어먹고서 소위 팔자를 고친다는 둥, 허리띠를 푼다는 둥의 수준에 올라야 비로소 문제가 되는 것이었다.」
「」: 다른 이들에 비해 자신은 뇌물을 적게 받았기 때문에 스스로 청백하다고 생각함. - 맹순사의 관점　문제 1-④　▶ 뇌물을 받으며 생활했지만 스스로를 청렴하다고 여기는 맹순사
**중략 부분의 줄거리** 해방 직후 순사를 그만 두고 사람들을 피해 다니던 맹순사는 생활고로 인해 다시 순사가 되어 파출소로 첫 출근을 한다.

옛날의 순사와 꼭 같이 차리고 하였건만 맹순사는 웬일 인지 우선 스스로가 위엄도 없고, 신도 나는 줄을 모르겠고 하였다. 만나거나 지나치는 행인들의 동정이, 전처럼 조심 하는 것 같은, 무서워하는 것 같은 기색이 없고, 그저 본숭

만숭이었다. 더러는 다뿍 적의와 경멸의 눈초리로 흘겨보기까지 하였다.

함부로 체포도 아니 하고, 위협도 아니 하고, 뺨 같은 것은 물론 때리지 못하게 되었고 하니, 전보다 친근스럽고 안심한 얼굴로 대하고 하여야 할 것인데, 대체 웬일인지를 모르겠었다.

걸으면서 곰곰 생각하여 보았다.

ⓒ'전에 많이들 행악을 했대서?'

<u>사람들이 안심한 얼굴로 맹순사를 대하지 않는 이유를 생각하며 과거 행악을 떠올림.</u> 문제 2-④

정녕 그것인 성싶었다.

'애먼 사람, 불쌍한 사람한테 못 할 짓도 많이 했지.'

'쯧, 지금 와서 푸대접받아도 한무내하지.'

'화무십일홍이요, 달도 차면 기우는 법인데, 한때 잘들 해먹었으니 인제는 그 대갚음도 받아야겠지.'

무엇인지 모를 한숨이 절로 내쉬어졌다.

▶ 해방 후, 일제 강점기 때보다 위세가 꺾인 맹순사

마침내 ××파출소에 당도하였다. 여기서 맹순사는, 백성들이 순사를 멸시하는 눈으로 보는 연유를 또 한 가지 발견하여야 하였다.

뚜벅뚜벅 파출소 안으로 들어서는 소리에, 테이블에 엎드려 졸고 있다가 놀라 깨어 고개를 번쩍 드는 동간……

맹순사는 무심결에,

ⓜ"아니, 네가 웬일이냐?"

<u>맹순사는 파출소에서 예상하지 못한 인물인 노마를 만나 놀람.</u>

하면서 다시금 짯짯이 그를 바라다보았다.

노마

볼때기에 있는 붉은 점이 아니더라면, 얼굴 같은 딴사람인가 하였을 것이었다.

행랑아들 노마였다.

맹순사는 금년 봄, 시방 사는 홍파동으로 이사해 오기까지 여섯 해를 눌러, 사직동 그 집에서 살았다. 그 행랑에 노마네가 전 주인 때부터 들어 있었고, 왼편 볼때기에 붉은 점이 박힌 노마는 열두 살이었다. 근처의 삼 년짜리 학원을 일 년에 작파하고서, 저무나 새나 우미관 앞에 가 놀다간, 깃대도 받아 주고 삐라도 뿌려 주고 하는 것이 일이요, 집에 들어와서는 어멈 아범한테 매맞기가 일이요 하였다. 조금 더 자라더니, <u>우미관패에 들어 가지고, 밤거리로 행패를</u> <u>하고 다녔고. 사람을 치다 붙잡혀 간 것을 몇 차례 놓이게</u> <u>하여 주기도 하였다.</u>

일제 강점기 맹순사가 노마를 도와준 일 문제 4-⑤

노마는 겸연쩍은 듯, 그러나 일변 반갑기도 한 듯 싱글싱글 웃으면서,

"이렇게 됐습니다, 나리. 많이 점 가르켜 줍쇼, 나리."

"동간끼리두 나린가, 이 사람."

나이가 시킴이리라. <u>맹순사는 내색을 아니 하고 소탈히</u>

<u>노마를 무시하는 속마음을 겉으로 드러내지 않음.</u>

<u>그러면서 같이 웃었다.</u>

그러나 속으로는,

**'저런 것이 다 순사니, 수모도 받아 싸지.'**

<u>맹순사는 노마가 순사의 자격이 없다고 생각하며 못마땅해함.</u>

하였다.                    ▶ 건달이었던 노마가 순사가 된 것을 보고 놀라는 맹순사

**1** 이 글은 맹순사의 시각에 초점을 맞춰, 사람들에게 뇌물을 받은 일들을 아무렇지 않게 여기고 스스로를 청백하다고 생각하는 맹순사의 내면을 드러내고 있다.

오답 풀이 ① 이 글은 작품 밖의 서술자가 등장인물의 감정과 생각, 행동을 말해 주는 3인칭 전지적 시점의 작품으로 서술자의 교체는 나타나지 않는다.

② 이 글은 장면을 빈번하게 전환하지도, 긴박한 분위기를 형성하고 있지도 않다.

③ 이 글에서 노마의 외양을 묘사하여 맹순사가 예전에 알고 지내던 노마임을 확인하고 있을 뿐 인물의 성격 변화를 암시하고 있지 않다.

⑤ 맹순사의 집, 파출소로 가는 길, 파출소에서 일어난 사건은 동시에 일어난 사건이 아니며 이를 통해 인물들의 상황을 대비하고 있지도 않다.

**2** 맹순사는 과거의 행악을 생각하며 자신이 저지른 행동을 인정하고 있으므로 그것을 부인하고 있다는 설명은 적절하지 않다.

오답 풀이 ① 서분이가 가네모도상이 뇌물을 받는 부정을 저지르고도 승진을 해서 부장이 된 상황을 말하자 맹순사는 부정한 방법으로 얻은 부는 오래가지 않을 것이라고 말하고 있다.

② 맹순사가 돈이 삼 원밖에 없는 지갑을 꺼내는 체하면서 공정가격 삼십이 원짜리 양복 가격을 물어보고 있는 것에서 실제로는 양복 값을 지불할 의사가 없음을 알 수 있다.

③ 맹순사는 사람들이 '자청해 주는' 뇌물을 받는 것으로 모자라 돈이 필요할 때면 직접 돈을 요구하였음을 알 수 있다.

⑤ 맹순사는 사고를 치고 순사에게 몇 번이고 붙잡혀 갔던 노마가 순사가 되어 파출소에 있는 것을 보고 놀라고 있다.

**3** 뇌물로 받은 양복장을 보며 얼굴이 간지럽다고 느끼는 모습에서 자신은 청백하다고 말하면서도 뇌물을 받았던 행동에 대해 일말의 부끄러움을 느끼는 맹순사의 심리를 알 수 있다.

오답 풀이 ① 기노시다상네는 재봉틀이 두 개나 되고 돈벌이를 잘하며 산다는 서분이의 말을 통해 부유하게 살고 있는 사람들에 대한 서분이의 부러움을 알 수 있다.

③ 예전과 달리 순사 차림의 맹순사를 적의와 경멸의 눈초리로 흘겨보는 모습을 통해 순사를 적대시하는 행인들의 마음을 알 수 있다.

④ 맹순사는 행인들의 달라진 태도를 느끼고 '한때 잘들 해먹었으니 인제는 그 대갚음도 받아야겠지.'라고 생각하며 한숨을 쉰다. 이를 통해 예전과 달라진 자신의 처지에 대한 맹순사의 착잡한 마음을 알 수 있다.

⑤ 겉으로는 웃으며 동간이라고 말하면서도 속으로 '저런 것이 다 순사니, 수모도 받아 싸지.'라고 생각하며 노마가 순사의 자격이 없다고 여기는 것을 통해 노마를 못마땅해하는 맹순사의 마음을 알 수 있다.

**4** ─● 보기 읽기 ●─
이 작품은 혼란스러웠던 해방 전후의 사회 현실 속에서
　　　　　선택지 ②: 작품 속 사회·문화적 상황
도덕적 관념이 부족한 인물들을 비판적으로 드러내고 있다. 특히, 부정적 인물이 스스로를 긍정적으로 인식하는 모
　　　　　선택지 ①: 주인공의 성격과 태도
습을 제시한 뒤 그의 실상을 드러내는 방법을 통해 인물의
허위와 위선을 고발하고 있다. 또한 해방 이후 친일 잔재를
　　　　　선택지 ③: 주제의 형상화 방식
청산하지 못해서 나타나게 된 비극적 역사의 반복을, 당대
　　　　　선택지 ④: 작가의 문제의식
인물들의 모습을 통해 보여주고 있다.

'우미관패'에 들어가 '사람을 치다 붙잡'힌 노마를 맹순사가 몇 차례 놓아준 것은 맞지만, 이는 해방 전 한집에 사는 사이였기 때문에 도와준 것으로 볼 수 있다. 이를 도덕적 관념의 회복과 연관 짓는 것은 적절하지 않다.

## 04 도요새에 관한 명상　　본문 139~143쪽

**1** ⑤　　**2** ②　　**3** ⑤　　**4** ②

**앞부분의 줄거리** 서울의 명문 국립 대학교 사회 계열에 재학하던 병국은 불온 유인물을 제작하여 배포하였다가 긴급 조치법 위반으로 제적된 뒤 고향인 석교 마을로 돌아온다. 이후 병국은 실향민인 아버지, 오로지 재산을 늘려 가는 데만 관심이 있는 어머니, 그리고 재수를 하는 동생 병식과 더불어 살게 된다. 고향에 내려온 이후 절망적인 삶을 살아가던 병국은 동진강 일대의 환경 문제에 관심을 둔다.

○: 주요 인물
나는 석교천 물을 떠 온 미터글라스에 종이를 붙이고
병국=서술자
볼펜으로 날짜와 시간을 적었다. 코르크 마개로 주둥이를 닫고 시험관 꽂이에 꽂았다. 시험관 꽂이를 들고 둑길로 올라섰다. 갈대와 풀이 죄 말라 버린 만여 평의 ⓐ공한지가 양쪽으로 펼쳐져 있었다. 벌레는 물론이고 지렁
공장이 들어서기로 예정되어 있는 땅
이류의 환형동물조차 살 수 없는 버려진 땅이었다. 이 땅에도 내년이면 연간 오만 톤의 아연을 생산할 아연 공장 [A] 착공식이 있을 예정이란 신문 기사를 읽었다. 내가 중학을 졸업하던 해까지 이 들녘은 일등호답이었다. 가을이면 알곡을 매단 볏대가 가을바람에 일렁였다. 참새 떼의 근접을 막느라 허수아비가 섰고 사방으로 쳐진 비닐 띠가 햇살에 반짝였다. 바다를 끼고 있었지만 ⓑ석교 마을
농사를 짓는 사람이 많았으나 이제 공장에서 일하는 사람들이 많아짐. 문제 4-②
은 어업보다 농업 종사자가 많은 부촌이었다. 문제 1-⑤
[A]: 석교 마을에 대한 서술자의 어릴 때 기억을 바탕으로 현실의 문제를 제기함. 문제 1-⑤
마을 입구 들길에서 나는 산책 나온 ○임 영감을 만났다.

"이곳도 참 많이 변했죠?"
마을 경로회 부회장인 임 영감에게 물었다.
"공업 단지가 들어서고 말이지."
임 영감은 회갑 연세로 석교 마을에서 삼대째 살고 있는 읍 서기 출신이었다.
"변하다마다. 십 년이면 강산도 변한다지 않는가. 공업 단지가 들어선 지도 벌써 팔 년째네."
"언제부터 농사를 못 짓게 됐나요?"
"공단이 들어서고 이태 동안은 그럭저럭 농사를 지었더랬지. 그런데 이듬해부터 농사를 망치기 시작했어. 못자리에 기름 물이 스며들지 않나, 모를 내도 뿌리째 썩어
환경 오염의 심각성
버리니, 결국 폐농했지."
"보상 문제는 어떻게 해결 지었나요?"
"관에 폐수 분출 금지 가처분 신청인가 뭔가도 냈지. 그러나 폐농한 마당에 소장(訴狀)이 문젠가. 용지 보상 대책 위원회를 만들어 시청과 공단 측에 항의했더랬지. 공장에서 쏟아 내는 기름 찌꺼기 때문에 땅을 망쳤다구 말야. 일 년을 넘어 끌다 끝장에는 ⓒ동남만 개발 공사에
동남만 일대를 개발하기 위해 세워진 공공 기업체
서 땅을 사들이기로 해서, 삼 년 연차로 보상을 받긴 받았지. 우리만 손해를 봤지 뭔가. 옛날부터 그런 사람들과 싸워 촌무지렁이가 이긴 적이 있던가."
"공단 측은 수수방관한 셈입니까?"
"그때나 지금이나 그 사람들 세도는 대단해. 지도에 등재도 안 된 촌이 자기네들 입주로 크게 발전을 했는데 그
성장 중심의 가치관이 드러남.
까짓 피해가 대수롭냐는 게지. 땅값이 천정부지로 올랐으니 팔자 고치지 않았느냐구 우기더군. 이젠 귀에 익은 소리지만 그때만 해도 생경한 수출입국이니, 중공업 시대니, 지엔피(GNP)니 하는 소리를 귀에 딱지가 앉도록 들었지. 공단 측은 마을 대책 위원과 촌로들을 초청해서 술 사주며 선심을 쓰다, 나중에는 마을 청장년을 자기네 공장에 취직시켜 주겠다고 해서 흐지부지끝났어."
"어르신 댁도 혜택을 봤나요?"
"우리 집 둘째 놈이 제대하고 와 있던 참이라 피브이시 (PVC) 공장엔가 들어갔어. 제 놈이 배운 기술이 있어야지. 월급 몇 푼 받아 와야 제 밑 닦기 바빠. 딸년은 바람이 들어 서울로 떠났지. 거기서 공장 노동자 짝을 얻어 월세방 살아." ▶ 동진강 주변의 생태 파괴 원인과 영향을 밝히려는 병국

**중략 부분의 줄거리** 병국은 동진강 주변의 환경 문제에 계속 몰두한다. 어느 날, 병국은 동생 병식이 철새 도래지에서 새들을 독살하는 이들과 한패일 것이라는 의심을 한다.

"입 닫아." / 병국의 눈빛이 날카로워졌다.

"괜히 엄숙 떨지 마."

"너 그날 석교천 방죽에서 새를 독살하고 오던 길이지?"

㉠"그게 뭘 어쨌다는 거야?"
<u>잘못한 것이 없다는 듯이 말함.</u>

병식의 표정에서 장난기가 사라졌다.
<u>병국의 동생</u>

㉡"뻔뻔스런 자식. 언제부터 그 짓 시작했어? 왜 새를
<u>동생이 새를 죽였다고 생각하여 동생에게 분노하고 새를 죽인 이유를 추궁함. 문제2-②</u>
죽여, 죽인 새로 뭘 해?"

병국이 언성을 높였다.

"별 말코 같은 소릴 다 듣는군. 날아다니는 새도 임자 있

나? 지구의 새를 형이 몽땅 사들였어?"

병식이가 주모가 놓고 간 주전자의 막걸리를 두 잔에 쳤다.

㉢"우선 한 잔 꺾지. 형제의 우애를 위해서."
<u>말다툼을 피하기 위해서 화제를 돌림.</u>

"누가 네게 그 일을 시켜? 그 사람을 대."

병국이 잔을 밀치며 소리쳤다.

"형이 고발할 테야? 날아다니는 새 잡아 박제한다구? 그

건 죄가 되구, 허가 낸 ⓓ<u>사냥총</u>으로 새 잡는 치들은 죄
<u>자연을 해치는 문명의 도구</u>
가 안 된다 말이지?"

병식이 코웃음 쳤다.

<u>"희귀조가 멸종되고 있다는 건 너도 알지? 인간이 새를</u>

<u>창조할 순 없어."</u> 가치관 대립 문제3-⑤

"개떡 같은 이론은 집어치워. <u>지구상에는 삼십억 넘는</u>

<u>새가 살아. 그중 내가 몇 마리를 죽였다 치자, 형은 그게</u>

<u>그렇게 안타까워?"</u>

㉣"박제하는 놈을 못 대겠어?"
<u>화가 나서 덤벼들 듯이 다그치며 말함.</u>

병국이가 의자에서 일어나 아우 멱살을 틀어쥐었다.

주모가 달려와 둘 사이에 끼었다. 개시도 안 한 ⓔ<u>술집</u>
<u>병국과 병식의 가치관 대립이 일어나는 공간</u>
에서 웬 행패냐고 주모가 소리쳤다.

"못 불겠다면? 형이 고발해 봐. 형 손에 아우가 쇠고랑

차지!"

병식이 형 손목을 잡고 비틀어 꺾었다.

㉤"형도 구치소 출입해 봤으니 나만 볕 보고 살란 법 있
<u>학생 운동으로 구치소에 갔던 병국의 일을 언급하며 냉소적으로 말함.</u>
어?"

"말이면 다야!"

병국의 주먹이 아우 턱을 갈겼다. 병식의 머리가 뒷벽에

부딪히자 입술에서 피가 터졌다.

"형이 날 쳤어!"

병식이 형의 허리를 조여선 번쩍 안아 들었다. 그는 마른

장작개비 같은 형을 바닥에 내동댕이치곤 의자를 치켜들

었다. 형 면상에다 의자를 찍으려다 그 짓은 차마 못 하겠

다는 듯 손을 내렸다. ▶ 새 밀렵 문제로 다투는 병국과 병식

1 [A]는 1인칭 주인공 시점으로 서술된 부분이다. '나(병국)'는
과거에는 일등호답이었던 들녘이 이제는 식물과 동물이 살
수 없는 버려진 땅이 되었다며, 과거의 경험에 비추어 환경
오염이 심각한 현실의 문제를 제시하고 있다.

오답 풀이 ① [A]의 서술자는 어리숙한 인물이 아니라 대학교에서
제적된 '나(병국)'이다.

② [A]에는 석교천 물을 미터글라스에 담는 '나(병국)'의 행동이 나타나
있으나, 이 행동을 과장하지는 않았다.

③ [A]는 1인칭 주인공 시점으로 서술된 부분이다. 작품 속 주변 인물
이 주인공을 관찰하여 서술하는 것은 1인칭 관찰자 시점에 해당한다.

④ [A]는 1인칭 주인공 시점으로 서술된 부분으로, 작품 밖이 아니라
작품 내 등장인물인 '나(병국)'가 자신의 경험과 행동을 서술하고 있다.

2 병국은 ㉡과 같이 말하며 병식을 나무라고 있다. 이는 새를
죽인 사람이 병식이라고 확신하여 그러한 행동에 대해 분노
하고 새를 죽인 이유를 추구하고 있는 것이다.

오답 풀이 ① 병식은 새를 독살하는 것이 잘못된 행동이 아니라는
듯 ㉠과 같이 자신 있게 말하고 있다.

③ 병식은 새를 독살하는 일을 두고 병국과 충돌하는 것을 피하기 위해
㉢과 같이 화제를 돌리고 있다.

④ 병국은 병식이 새를 독살하여 박제하는 일에 관여하고 있다고 확신
하며 병식에게 화가 나서 ㉣과 같이 다그치고 있다.

⑤ 병식은 자신의 행동을 비난하는 병국의 아픔을 들추어내면서 병국
의 태도에 대해 ㉤과 같이 냉소적으로 대응하고 있다.

3 ● 보기 읽기 ●

〈도요새에 관한 명상〉은 1979년에 발표되었다. 1970년대
에 들어 대한민국은 중화학 공업 중심 국가로 진입하기 위해
<u>무리한 산업화를 진행하였고,</u> 이 때문에 여러 가지 부작용
<u>선택지 ④: 무리한 산업화의 문제점</u>
<u>이 심각하게 나타났다.</u> 급격한 산업화 속도에 적응하지 못하
고 소외되는 빈민이 생겨났으며, 대규모 공단이 조성되며 발
생한 <u>환경 오염으로 주변에 사는 사람들이 피해를 입기도 하</u>
<u>였다.</u> 또 당시는 <u>정부에 대한 비판의 자유가 억압되었던 시</u>
<u>선택지 ③: 환경 오염으로 인한 피해</u>
<u>기</u>였던 만큼 부정적 현실에 저항하다 큰 고초를 겪는 사람도
<u>선택지 ①: 1970년대 사회상</u>
많았다. 이 작품은 이러한 당대의 모습을 담아내면서, <u>우리</u>
<u>가 추구해야 할 바람직한 가치가 무엇인지</u> 묻고 있다.
<u>선택지 ②: 새로운 가치 – 환경 보호</u>

'지구의 새를 형이 몽땅 사들였'냐는 병식의 말은 형에게 새
를 죽이는 것을 문제 삼을 권리가 없다고 반박하는 것이지,
빈민보다 동물을 중시함을 비판하는 것은 아니다. 이 글에서
병국과 병식이 말다툼을 벌이는 것은 도요새 보호로 대표되는
환경 보호라는 가치관과 철새의 박제로 대표되는 경제적 이익
중시라는 가치관이 충돌한 것으로 볼 수 있다.

4 임 영감의 말로 보아, 석교 마을 사람들은 농업 종사자가 많
았지만 공단이 들어서고 나서 환경 오염 때문에 폐농하고 농
지를 팔았음을 알 수 있다. 그리고 마을 청장년이 공단의 공

장에 취업하면서 직업을 바꾸기도 했음을 알 수 있다.

오답 풀이 ▶ ① 공한지는 생명체는 살 수 없는 땅이지만 공장 부지로 활용될 수 있으므로 어떤 용도로도 쓸 수 없는 땅이라고 설명하는 것은 적절하지 않다.

③ 동남만 개발 공사는 공단 개발을 위해 설립된 공기업이다. 폐농한 사람에게 보상을 하고 취업을 약속하기도 했지만 그것을 목적으로 설립된 것은 아니다.

④ 자연을 해치는 문명의 도구를 상징한다고 볼 수 있다.

⑤ 병국과 병식은 밀렵 문제와 그에 따른 가치관의 차이로 갈등하고 있을 뿐, 유대감을 가지게 된 것이 아니다.

# 05 ㉮ 삭주구성 ㉯ 당신    본문 144~148쪽
## ㉰ 길의 열매 집을 매단 골목길이여

**1** ②    **2** ③    **3** ⑤    **4** ④    **5** ④

㉮ 물로 사흘 배 사흘
삭주구성에 대한 거리감을 수량으로 표현함.
　먼 삼천 리
　더더구나 걸어 넘는 먼 삼천 리　[A]
　삭주구성은 산을 넘은 육천 리요.
시적 대상: 그리움의 대상
　　　　▶ 1연: 멀고도 험한 삭주구성

　물 맞아 함빡히 젖은 제비도
　가다가 비에 걸려 오노랍니다
　저녁에는 높은 산　[B]
　밤에 높은 산
　　　　▶ 2연: 제비도 가다가 돌아오는 삭주구성 가는 길

　삭주구성은 산 너머
　먼 육천 리
　가끔가끔 꿈에는 사오천 리　[C]
꿈에서는 조금 더 가까워지는 삭주구성 문제2-③
　가다 오다 돌아오는 길이겠지요.
　　　　▶ 3연: 꿈에서도 가기 어려운 삭주구성

　서로 떠난 몸이길래 몸이 그리워
　님을 둔 곳이길래 곳이 그리워
　못 보았소 새들도 집이 그리워　[D]
상황의 대비: 화자와 달리 남북으로 자유로이 오가는 새들 문제1-②
　남북으로 오며 가며 아니합디까
　　　　▶ 4연: 간절하게 그리운 삭주구성

　들 끝에 날아가는 나는 구름은
구름처럼 삭주구성에 가고 싶은 화자의 마음을 부각함.
　밤쯤은 어디 바로 가 있을 텐고　[E]
　삭주구성은 산 너머
　먼 육천 리
　　　　▶ 5연: 갈 수 없는 삭주구성

시적 대상: 고된 삶을 살고 있는 민중
㉯ 이른 아침 차를 타고 나가 보니 아낙네들은 얼어붙은 땅
노동을 더 힘들게 만드는 상황
을 파고 무씨를 갈고 있었습니다 그네들의 등에 업힌 아
이들은 고개를 떨군 채 잠들어 있었습니다 남정네들은 어
디 갔는지 보이지 않았습니다 ㉠논두렁에 불이 타고 흰
소외된 사람들이 일하는 삶의 터전 문제4-④
연기가 천지를 둘렀습니다
　　　　▶ 1연: 얼어붙은 땅에서 무씨를 갈고 있는 아낙네들

시적 대상: 고된 삶을 살고 있는 민중
　진흙길을 따라가다 당신을 만났습니다 무릎까지 오는
장화를 신고 당신은 아직 물이 마르지 않은 뻘밭에서 흙
노동하기 어려운 상황
투성이 연뿌리를 캐고 있었습니다
　　　　▶ 2연: 뻘밭에서 흙투성이 연뿌리를 캐고 있는 당신

　혹시 당신이 찾은 것은 연뿌리보다 질기고 뻣센 당신의
당신에 대한 화자의 연민
상처가 아니었습니까 삽에 찍힌 연뿌리의 동체에서 굵다
△: 설의법 사용
란 물관 구멍을 통해 사라진 것은 도로(徒勞)뿐인 한 생애
가 아니었습니까 목청을 다해 불러도 한사코 당신은 삽을
당신에 대한 연민의 정서를 나타내는 화자의 행동 문제3-⑤
찍어 얼어붙은 연뿌리를 캐고 있었습니다
　　　　▶ 3연: 당신의 도로뿐인 생애에 대한 연민

㉰ 담장 위 장미가 붉은 혀를 깨물고 있다. 비누 냄새 풍기
는 하수도 물이 길 따라 흘러내린다. 물소리도 길 따라 휘
공감각적 이미지 – 청각의 시각화
어지며 흘러내린다. 저녁 식사 시간 골목길은 음식 냄새들
의 유원지다. 종량제 쓰레기봉투를 뜯고 있던 고양이가 도
망간다. 전봇대에는 가스 배달, 중국집 전화번호 스티커가
신속히 붙는다. 한때 골목대장이었던 아이가 가장이 되어
아파트 경비하러 급히 내닫는다. 처녀가 힐끗 뒤돌아본다.
사내의 발짝 소리가 멈칫한다. 두부장수가 리어카를 세워
놓고 더 좁은 골목길로 종을 울리며 들어가자 붉은 장화를
신은 비둘기 분대가 후드득 리어카에 낙하한다. 아침 일곱
음성 상징어를 통해 생동감 부여
시, 더 넓은 골목길에 가 살기 위하여 직장 나가는 샐러리
맨들의 발짝 소리가 발짝 소리에 밟힌다. 얼어붙은 길 위에
던진 연탄재가 부지직 소리를 낸다. 허리가 낫처럼 휜 할머
니가 숨이 찬지 허리는 펴지 못하고 고개만 들고 숨을 고른
다. 가로등이 켜지고 나방 그림자가 벽에 부딪친다.
　　　　　(중략)
　　　　▶ '나'의 기억 속 골목길 풍경

　건축가 이일훈 선생의 강의를 들은 적이 있다. 강의 중
『 』: 건축가의 강의 내용 중 '나'가 공감한 내용을 서술함. 문제5-④
슬라이드를 보는 시간이 있었다. 고건축물에서 현대 최첨
단 건축물까지 다양한 건축물 설명을 듣는 도중 느닷없이
한적한 곳에 덩그렇게 서 있는 시골 방앗간 풍경이 떴다.
이 선생은 잠깐 사이를 두더니 말을 이었다. "나는 이 방앗
간을 보는 순간 눈시울이 뜨거워지고 눈물이 났습니다. 완
벽한 건축물을 만났기 때문이죠. 장식이라곤 아무것도 없
이 양철 지붕만 올려놓았지만, 여기 어디 버릴 게 있습니

까, 부족한 게 있습니까?" 가슴이 찡했다. 나도 어느 골목 길에서였던가 그 비슷한 느낌을 받아 보았기에 더 그랬을 것이다. 나도 완벽한 골목길을 만났었다. 그 골목길은 밥을 먹고 있는 방이, 변을 보고 있는 화장실이, 달팽이만한 초인종 달린 대문이 양쪽으로 잇닿아 있었다. 이 골목은 담장이 없어 길이 담장이구나. 길이 담장이 될 수 있다니! 이렇게 평화롭고 완벽한 담장이 어디 있겠는가. 이렇게 완벽한 담장을 가진 골목길에서 사람들이 살아가고 있다니. <u>불신의 산물로 세워지는 담장과, 함께 살아가는 똑같은 인간</u>

<u>이라는 믿음으로 세운 이 길 담장과의 그 어마어마한 차이.</u>
불신의 담장과 믿음으로 세운 길 담장을 대비함. 문제 1~②

길 담장 체험 후 나는 왠지 모르게 골목길이 건강해 보이기 시작했다. 그도 그런 것이, 그도 그럴 수 있는 것이, 우리가 살고 있는 ⓛ골목길이 어떤 길인가!
우리가 살고 있는 일상의 공간 문제 4~④

노동을 마치고 술 취해 귀가하던 가장이, 아내와 자식새 끼들 생각에 머리채를 흔들며 정신을 가다듬고 발걸음을 바로잡던 길 아닌가. 만삭의 아낙네들이 한 손에 남편과 자식새끼들에게 먹일 시장바구니를 들고 한 손으로 허리를 짚으며 가족이 살고 있는 집을 향해 걷던 길이 아닌가. 철 없는 아이들 즐겁게 뛰어 노는 웃음소리가 흘러넘치는 길이 아닌가. <u>밥숟가락보다도 더 우리들의 삶 때가 묻어 반질</u>
골목길은 사람들이 일상을 보내는 공간 – 글쓴이의 애정이 드러남

<u>반질 윤기가 도는 길 아닌가……</u>

▶ 우리들의 삶의 모습이 짙게 묻어 있는 골목길의 건강함

**1** (가)는 자유롭게 남북으로 오고 가는 새들과 날아가는 구름을, 삭주구성에 가고 싶지만 갈 수 없는 화자의 상황과 대비하고 있다. 이를 통해 삭주구성에 대한 화자의 그리움을 드러내고 있다. (다)는 서로를 불신하며 담장을 세우고 살아가는 것에 대비하여, 함께 살아가는 똑같은 인간이라는 믿음으로 담장 없이 사는 사람들의 골목길에 대한 글쓴이의 생각을 드러내고 있다.

오답 풀이 ▶ ① (가)에만 '높은 산', '먼 육천 리'와 같이 명사로 마무리하는 시행이 있다. (나)는 '–습니다'로 시행을 마무리하고 있다.

③ (나)와 (다) 모두 참뜻과는 반대되는 말을 하여 문장의 의미를 강화하는 반어적 표현은 사용하지 않았다.

④ (다)만 '후드득', '부지직' 같은 음성 상징어를 사용하고 있다.

⑤ (가)와 (나)는 공감각적 이미지를 사용하지 않았다. (다)에는 '물소리도 길 따라 휘어지며 흘러내린다.'에서 공감각적 이미지를 사용하고 있으나 계절감을 드러내지는 않는다.

**2** 삭주구성은 '산 너머 / 먼 육천 리'에 있지만 꿈에서는 '가끔 사오천 리'라고 조금 더 가까워진 것처럼 표현하였기 때문에 '꿈'속 상황에서 삭주구성이 더 멀어졌다고 보는 것은 적절하지 않다.

오답 풀이 ▶ ① 삭주구성은 '물로 사흘 배 사흘'을 가야 할 정도로 멀리 있음이 드러나 있다.

② '높은 산'은 화자가 삭주구성을 가는 데 방해가 되는 장애물로, 이를 반복하여 삭주구성에 가기 어려움을 드러내고 있다.

④ 서로 떨어져 있고, 님을 두고 온 곳이기에 삭주구성을 그리워하고 있다고 말하고 있다.

⑤ 화자는 삭주구성에 자유롭게 갈 수 없기에 들 끝에 날아가는 구름에 주목하고 있다. 그러므로 구름을 통해 삭주구성을 그리워하는 화자의 마음이 부각되고 있다고 볼 수 있다.

**3** ─●보기 읽기●─

> 이 작품의 화자는 노동을 하며 고단하게 살아온 사람들의
> 작품에 형상화된 내용
> <u>모습</u>을 그리고 있다. 그리고 그들의 고달픈 처지와 삶의 상처
> 화자의 정서와 태도
> 를 떠올리며, 그들에 대한 연민의 정서를 드러내고 있다.

화자는 뻘밭에서 얼어붙은 연뿌리를 캐고 있는 당신을 목청을 다해 부른다. 이는 상처를 안고 힘든 노동을 하는 당신에 대한 연민의 마음을 드러낸 것이지 당신에게서 화자 자신이 위로받고자 부른 것이 아니다.

오답 풀이 ▶ ① 얼어붙었기 때문에 땅을 파기가 더 어려울 것이므로 아낙네들이 더 힘들게 일할 것임을 알 수 있다.

② 뻘밭이라는 노동하기 어려운 환경에서 일하고 있으므로 당신도 고된 노동을 하는 사람으로 볼 수 있다.

③ 연뿌리보다 질기고 뻣센 상처를 안고 노동하는 당신에 대한 안타까운 마음을 드러낸 표현이라고 볼 수 있다.

④ 당신이 얼어붙은 연뿌리를 캐고 있지만 보람 없는 삶인 '도로뿐인 한 생애'를 보낸다는 점에서 나아지지 않는 삶을 살아가는 사람들의 고달픈 처지가 드러난다고 볼 수 있다.

**4** ⓙ은 농사를 지으며 살아가는 사람들의 삶의 공간이다. ⓛ도 가장이 일을 마친 후 귀가하는 모습이나 만삭의 아낙네가 가족을 위해 시장을 봐서 돌아오는 모습, 아이들이 뛰어노는 모습 등의 일상적 삶을 확인할 수 있는 공간이다.

**5** 글쓴이는 이일훈 선생의 강의를 들으며 완벽한 골목길을 만났던 자신의 경험을 떠올린다. 이러한 길 담장 체험을 통해 글쓴이는 골목길이 건강해 보이기 시작했다고 말하고 있다. 하지만 골목길에 대해 가지고 있던 자신의 편견을 발견하고 있지 않으며 자신의 생각을 후회하고 있지도 않다.

오답 풀이 ▶ ① 이 글의 처음 부분에서 글쓴이의 기억에 남은 골목길의 다양한 모습을 감각적 이미지를 사용하여 표현하고 있다.

②, ③ '가슴이 찡했다. ~ 그랬을 것이다.'에서 글쓴이가 이일훈 선생의 강의에 공감하고 있음이 드러난다. 또한 '나도 완벽한 골목길을 만났었다.'라고 하며 글쓴이는 자신이 만났던 완벽한 골목길을 떠올리고 있다.

⑤ 마지막 문장 '밥숟가락보다도 ~ 길 아닌가…….'에서 우리들의 삶의 모습이 담겨 있는 골목길에 대한 애정을 드러내고 있다.

# 06 ㉮ 청산도 절로절로 ㉯ 만흥 ㉰ 한 그루 나무처럼

본문 149~153쪽

1 ① 2 ① 3 ③ 4 ⑤ 5 ③

□: 화자

㉮ 청산도 절로절로 녹수도 절로절로 - 대구법 사용 문제 3-ㄱ
㉠산 절로 수 절로 산수 간에 나도 절로
자연의 대유적 표현 문제 2-① 물아일체의 경지 문제 1-①
그중에 절로 자란 몸이 늙기도 절로 하리라.
▶ 자연의 순리에 따라 살고자 하는 마음

① 시어의 반복으로 리듬감 형성 ② 유음의 반복으로 부드러운 느낌 형성 문제 3-ㄹ
③ 물이 흐르는 듯한 경쾌한 분위기 조성 ④ 자연스럽게 살아가고 늙겠다는 의지 표현

㉯ 산수간(山水間) 바위 아래 띠집을 짓노라 하니
속세를 벗어난 곳
그 모른 남들은 웃는다 한다마는
어리고 향암(鄕闇)의 뜻에는 내 분(分)인가 하노라
화자 ▶ 제1수: 안분지족하는 삶
〈제1수〉

보리밥 풋나물을 알맞게 먹은 후(後)에
바위 끝 물가에 마음껏 노니노라
그 남은 여남은일이야 부럴 줄이 이시랴 〈제2수〉
속세의 일 ▶ 제2수: 안빈낙도하는 삶

잔 들고 혼자 앉아 먼 뫼를 바라보니
산 - 화자와 이심전심하는 자연
그리던 님이 오다 반가움이 이리하랴
말씀도 웃음도 아녀도 못내 좋아하노라 〈제3수〉
화자와 산의 물아일체 문제 1-① ▶ 제3수: 자연과 혼연일체하는 삶

강산(江山)이 좋다 한들 내 분(分)으로 누웠느냐
임금 은혜(恩惠)를 이제 더욱 아나이다
아무리 갚고자 하여도 해올 일이 없어라 〈제6수〉
화자의 연군지정 문제 4-⑤ ▶ 제6수: 임금의 은혜 예찬

㉰ 「북한산 근처로 이사를 와서 주말마다 산행을 한 지 이
「」: 일상에서 관찰과 사색을 많이 하는 글쓴이
년 반쯤 되었다. 동행할 사람을 찾기 힘들어 대개는 혼자 산에 오른다. 처음엔 적적한 감이 없지 않았으나 그럭저럭 습관이 되니 오히려 생각할 시간도 많아지고 몸과 마음이 더욱 맑아지는 느낌을 받는다. 말을 주고받을 상대가 없으므로 무엇보다 사물의 미세한 변화가 눈에 잘 들어온다. 계곡 물가나 약수터에 앉아 보내는 혼자만의 시간도 이제는 더할 나위 없이 소중하고 충만하게 다가온다.」
▶ 주말마다 혼자 산행하는 '나'

지금 내가 살고 있는 정릉에서 일선사 방향으로 올라가다 보면 두 개의 약수터가 있다. 일선사는 옛날에 시인 고은 선생이 잠시 머물렀던 곳으로 경내에 서면 성북구가 한눈에 내려다보인다. 올봄부터 나는 계속 이쪽 길로 다녔는데 늘 두 번째 약수터에서 잠시 숨을 고른 다음 내처 오르곤 했다.

그런데 어느 날 약수터 옆에 서 있는 참나무 한 그루가
▒: 중심 소재
내 눈에 들어왔다. 인연이란 참으로 묘하디묘한 것이어서 하필이면 나무에 박혀 있는 녹슨 대못이 먼저 눈에 보였다. 오래전에 누군가 바가지를 걸어 놓기 위해 박아 놓은 것 같았다. 손으로는 빼낼 재간이 없어 그대로 내려왔는데 두고두고 그 대못이 가슴에 남았다. [A]
▶ 글쓴이의 눈에 들어온 참나무 한 그루

그다음 주말에 나는 배낭에 장도리를 챙겨 넣고 약수터로 올라갔다. 녹슨 못을 빼내고 나니 마음이 그렇게 후련할 수가 없었다. 그 나무와의 인연은 그렇게 시작됐다. 바야흐로 사월이 되면서 참나무는 연둣빛의 아름다운 잎을
봄날 참나무의 모습
가지마다 무성하게 토해 내고 있었다. 그 후로 나는 그 참나무를 보기 위해, 아니 보고 싶어 산에 오르는 기분이 들었다. 괜히 마음이 심산스러울 때, 남에게 무심코 아픈 말을 내뱉고 후회할 때, 또한 이유 없는 공허함에 사로잡힐 때면 나는 그 나무를 보러 올라가곤 했다. 나무는 언제나
자연과의 교감 문제 1-①
그 자리에 서 있었고 내게 시원한 그늘을 내주며 때로는 미소를 짓거나 무어라 말을 건네 오는 것 같았다. [B]
▶ 대못을 빼내 준 뒤 참나무와 인연을 맺게 된 글쓴이

(중략)

가을이 시작될 무렵 지방에 살고 계신 어머니가 몸이 편찮으시다는 연락을 받았다. 곧장 내려가 볼 수 없었던 나는 마음을 달래려 저녁 무렵 ㉡산으로 올라갔다. 그리고 나무를 올려다보며 어머님의 건강을 빌었다. 모든 사물에 영혼이 깃들어 있다는 말을 이제 나는 믿는다. 내가 지방에 다녀오고 나서 얼마 후에 어머님은 가까스로 건강을 되찾았다.
▶ 어머니의 쾌유로 모든 사물에 영혼이 깃들어 있음을 믿게 된 글쓴이

지난 주말에도 나는 산에 다녀왔다. 눈이 내린 날이었다. 불과 일주일 만에 약수터의 참나무는 제 스스로 모든 잎을 떨군 채 찬바람 속에 무연히 서 있었다. 그리고 침
직유법 사용 - 겨울날 참나무의 모습 묘사 문제 5-③
묵의 시간으로 돌아간 듯 더 이상 말이 없었다. 나는 내가 못을 빼냈던 자리를 찾아보았다. 상처는 아직도 완전히 아물지 않은 상태였다. [C]

그 헐벗은 나무를 보며 나는 생각했다. 그동안 나는 사소한 일에도 얼마나 자주 마음이 흔들렸던가. 또 어쩌다 상처를 받게 되면 얼마나 많은 원망의 시간을 보냈던가. 그리고 나는 길을 잃은 사람이 다시 찾아올 수 있도록 변함없이 그 자리에 서 있었던 적이 있었던가. 그렇게 말없이 기다림을 실천한 적이 있었던가. [D]
▶ 참나무를 보며 자신을 성찰한 글쓴이

이제부터는 한 그루 나무처럼 살고 싶다. 자기 자리에 굳건히 뿌리를 내리고 세월이 가져다주는 변화를 조용
자연의 순리에 따르고 다른 사람을 포용할 수 있는 사람
히 받아들이며 가끔은 누군가 찾아와 기대고 쉴 수 있는 사람이 되었으면 싶다. 겉모습은 어쩔 수 없이 변하더라
흔들리지 않고 한결같은 마음으로 살아가는 사람
도 속마음은 변하지 않는 사람이 되고 싶다. 한 그루 나무처럼 말이다. [E]
▶ 한 그루 나무처럼 살고 싶은 마음을 갖게 된 글쓴이

실전 4회

**1** (가)의 화자는 산, 물과 함께 절로 지낸다고 하였고, (나)에는 자연과 함께 흥겹게 살아가는 화자의 삶이 나타난다. (다)의 화자는 나무와의 교감을 통해 얻게 된 깨달음을 전달하고 있다. 따라서 (가)~(다)는 자연과 교감을 이루는 모습이 공통적으로 나타난다.

오답 풀이 ② (가)~(다)에는 어떤 대상을 보고 싶어 하여 애타는 마음 즉, 그리움은 나타나지 않는다.

③ (나)에는 '그 남은 여 남은 일'을 부러워하지 않는다며 세속의 일을 멀리하는 삶의 자세가 나타나지만, (가)와 (다)에는 나타나지 않는다.

④ (가)~(나)는 자연과 관련된 내용을 제시하고 있으나, 계절의 변화에 따른 생활상은 나타나지 않는다. (다)에서는 계절의 변화에 따라 참나무도 잎이 무성해졌다가 모두 떨어지는 등의 변화가 나타나지만 글쓴이 생활의 변화는 드러나지 않는다.

⑤ (가)의 '청산', '녹수' 등은 관념적인 이미지로 쓰인 시어이다. (나)에서는 일상적 소재라고 할 수 있는 '보리밥', '풋나물' 등이 쓰였지만 이를 통해 교훈을 이끌어 내고 있지는 않다. (다)에서는 자주 오르는 산행길에서 인연을 맺은 참나무를 보며 삶의 태도에 대한 깨달음을 얻고 있다.

**2** (가)의 '산'(㉠)은 대유법이 사용되어 자연을 의미하는 시어이다. 따라서 자연의 순리에 따라 살고 늙어 가겠다는 화자가 지향하는 공간이라고 할 수 있다.

오답 풀이 ㉡(다)의 '산'은 글쓴이가 정기적으로 산행하는 곳이다. 글쓴이는 산행을 하며 사색과 관찰을 하고, 산의 약수터 옆에 서 있는 참나무로부터 위로를 받거나 깨달음을 얻기도 한다. 따라서 글쓴이에게 '산'은 다양한 기능을 하고, 여러 가지 의미를 주는 공간으로 볼 수 있다.

**3** '청산도 절로절로 녹수도 절로절로'에서 대구법이 사용되어 운율을 형성하고 있다(ㄱ). 유음 'ㄹ'이 들어간 시어('절로')가 반복적으로 사용되어 경쾌한 분위기가 형성되고 있다(ㄹ).

오답 풀이 ㄴ. (가)에는 음성 상징어는 사용되지 않았다. '절로'는 음성 상징어가 아니라 '저절로'라는 부사의 준말이다.

ㄷ. (가)에서 의미가 반대되는 시어는 사용되지 않았다.

**4** ━ 보기 읽기 ━

> 조선 시대 사대부들이 창작한 작품의 특징 중 하나를 꼽으라면 임금과의 관계가 작품의 근저가 되고 있다는 점이다. 윤선도의 작품 또한 예외가 아닌데, 그의 한시 및 국문 시가를 살펴보면 나라를 걱정하고 임금을 그리워하는 작품들은 물론이고 귀거래(歸去來) 내지 자연을 노래하고 있는 작품들조차도 대부분 연군지정(戀君之情)의 바탕 위에서 창작되고 있음을 알 수 있다.
> (조선 사대부 작품의 특징 / 윤선도의 작품 경향① / 윤선도의 작품 경향② / 윤선도 작품의 공통점: 연군지정)

'아무리 갚고자 하여도'에서 갚고자 하는 것은 임금에 대한 은혜이므로 〈보기〉의 연군지정이 담긴 시구는 ⑤이다.

오답 풀이 ① '산수간 바위 아래 띠집을 짓노라면'은 속세를 벗어난 자연 속에서 소박한 집을 짓고 살겠다는 내용을 담은 것이다.

---

② '보리밥 풋나물'은 가난하면서도 소박한 음식을 표현하고 있다. 따라서 '보리밥 풋나물을 알맞게 먹은 후에'는 청빈한 삶을 의미한다고 할 수 있다.

③ '그리던 님이 오다 반가움이 이리하랴'에서 '님'은 임금이라기보다는 사랑하는 임을 의미한다고 볼 수 있다.

④ '말씀도 웃음도 아녀도 못내 좋아하노라'는 '(산이) 말씀도 웃음도 아니하지만 마냥 좋아하노라'라는 뜻으로, 화자와 산의 이심전심이 나타난다.

**5** '나'는 [C]에서 모든 잎을 떨군 채 침묵하고 있는 듯이 서 있는 겨울날의 참나무를 보았다고 하였다. 이어지는 내용 [D]에서 '나'가 성찰하는 내용으로 보아, '나'는 참나무를 보며 소외감을 느낀 것이 아니라 굳건히 서 있고 다른 사람들에게 힘이 되어 주는 존재를 떠올렸다고 보아야 한다.

오답 풀이 ① [A]에서 '나'는 약수터에서 대못이 박힌 참나무를 발견했지만 대못을 빼지 못했고, 산행에서 돌아와서도 계속 가슴에 남았다고 하였다.

② [B]에서는 장도리로 참나무에 박힌 녹슨 대못을 빼낸 뒤 나무와 인연을 맺게 되었고, 그 후 '나'가 참나무를 보러 가서 위로를 받은 내용이 나타난다.

④ [D]에는 '나'가 헐벗은 나무와는 다르게 사소한 일에 마음이 흔들리고, 많은 원망의 시간을 보냈다며 자신에 대해 성찰하고 반성한 내용이 나타난다.

⑤ [E]에서 '나'는 한 그루 나무처럼 겉모습은 변하더라도 속마음은 변하지 않는 사람이 되고 싶다는 바람을 드러내고 있다.

---

# 07 홍계월전

본문 154~158쪽

**1** ②　　**2** ⑤　　**3** ③　　**4** ③

각설 대명(大明) 성화 년간에 ⌜형주(荊州) 구계촌(九溪村)에 한 사람이 있으되, 성은 홍(洪)이요 이름은 무라. 세대 명문거족(名門巨族)으로 소년 급제하여 벼슬이 이부시랑에 있어 충효 강직하니, 천자 사랑하사 국사를 의논하시니, 만조백관이 다 시기하여 모함하매, 죄 없이 벼슬을 빼앗고 고향에 돌아와 농업에 힘쓰니, 가세는 부유하나 슬하에 일점혈육이 없어 매일 슬퍼하더니, 일일은 부인 양씨(梁氏)와 더불어 탄식하며 말하기를,
『: 요약적 제시-홍무의 삶을 서술자가 요약하여 전달함. 문제 1-②
◯: 주요 인물

　"나이 사십에 아들이든 딸이든 자식이 없으니, 우리 죽은 후에 후사를 누구에게 전하며 지하에 돌아가 조상을 어찌 뵈오리오."

부인이 공손하게 말하기를,

"불효삼천(不孝三千)에 무후위대(無後爲大)라 하오니, 첩이 귀한 가문에 들어온 지 이십여 년이라. 한낱 자식이 없사오니, 어찌 상공을 뵈오리까. 원컨대 상공은 다른 가문의 어진 숙녀를 취하여 후손을 보신다면, 첩도 칠거 지악을 면할까 하나이다."

첩을 들일 것을 권유하는 양씨 부인 - 축첩을 당연시하는 당시 사회상이 드러남.

시랑이 위로하여 말하기를,

"이는 다 내 팔자라. 어찌 부인의 죄라 하리오. 차후는 그런 말씀일랑 마시오." 하더라.

▶ 자식이 없어 홍무에게 첩을 들이라고 권유하는 양씨 부인

이때는 추구월 보름이라. 부인이 시비(侍婢)를 데리고 망월루에 올라 월색을 구경하더니 홀연 몸이 곤하여 난간에 의지하매 비몽간(非夢間)에 선녀 내려와 부인께 재배하고 말하기를,

『 』: 영웅의 일대기 구조 - 기이한 출생

"소녀는 상제(上帝) 시녀옵더니, 상제께 득죄하고 인간에 내치시매 갈 바를 모르더니 세존(世尊)이 부인댁으로 지시하옵기로 왔나이다."

하고 품에 들거늘 놀라 깨달으니 필시 태몽이라. 부인이 크게 기뻐하여 시랑을 청하여 몽사를 이야기하고 귀한 자식 보기를 바라더니, 과연 그달부터 태기 있어 열 달이 차매 일일은 집안에 향취 진동하며 부인이 몸이 곤하여 침석에 누웠더니 아이를 탄생하매 여자라. 선녀 하늘에서 내려와 옥병을 기울여 아기를 씻겨 누이고 말하기를,

"부인은 이 아기를 잘 길러 후복(厚福)을 받으소서."

하고 문을 열고 나가며 말하기를,

"오래지 아니하여서 뵈올 날이 있사오리다."

하고 문득 가읍거늘 부인이 시랑을 청하여 아이를 보인대 얼굴이 도화(桃花) 같고 향내 진동하니 진실로 월궁항아(月宮姮娥)더라. 기쁨이 측량 없으나 남자 아님을 한탄하더라. 이름을 계월(桂月)이라 하고 장중보옥(掌中寶玉)같이 사랑하더라.

남존여비의 당대 현실이 드러남. 문제 3-③

계월이 점점 자라나매 얼굴이 화려하고 또한 영민한지라. 시랑이 계월이 행여 수명이 짧을까 하여 강호 땅에 곽도사라 하는 사람을 청하여 계월의 상(相)을 보인대, 도사 지그시 보다가 말하기를,

"이 아이 상을 보니 다섯 살이 되는 해에 부모를 이별하고

계월이 겪게 될 시련을 예고함.

십팔 세에 부모를 다시 만나 공후작록(公侯爵祿)을 올릴 것이오, 명망이 천하에 가득할 것이니 가장 길하도다."

계월의 행복한 결말을 예고함.

시랑이 그 말을 듣고 놀라 말하기를,

"명백히 가르치소서."

도사 말하기를,

"그 밖에는 아는 일이 없고 천기를 누설치 못하기로 대강 설화하나이다."

하고 하직하고 가는지라. 시랑이 도사의 말을 듣고 도리어 듣지 않은 것만 못하다 여기고, 부인을 대하여 이 말을 이르고 염려 무궁하여 계월을 남복(男服)으로 입혀 초당에 두고 글을 가르치니 한 번 보면 다 기억하는지라. 시랑이

계월에게 다가올 시련을 피하기 위해 남장을 시킴.

안타까워 말하기를,

영웅의 일대기 구조: 비범한 능력

"네가 만일 남자 되었다면 우리 문호를 더욱 빛낼 것을 애닯도다." 하더라. ▶ 계월이 비범한 능력을 지녔지만 여성임을 안타까워하는 홍무

**중략 부분의 줄거리** 영웅의 일대기 구조: 계월이 어릴 때 겪는 위기 문제 3-③ 장사랑의 난이 일어나 계월은 부모와 헤어졌지만, 여공의 구원으로 살아나고 그의 아들 보국과 함께 공부하여 과거에 급제한다. 이후 서달의 난을 진압하고 부모와 재회하게 된다. 그러던 중 계월이 여자임이 밝혀지면서 천자의 중매로 보국과 결혼을 한다. 이후 오왕과 초왕이 황성을 침입하자, 계월은 원수로 임명되고 보국과 함께 출전한다.

이튿날, 원수 중군장에게 분부하되,

계월 　 보국

"오늘은 중군장이 나가 싸우라." 하니,

중군장이 명령을 듣고 말에 올라 삼척장검을 들고 적진을 향해 외치기를,

"나는 명나라 중군장 보국이라, 대원수의 명을 받아 너희 머리를 베라 하니 바삐 나와 내 칼을 받으라."

계월의 명령을 받아 싸우러 나옴. 문제 2-⑤

하니, 적장 운평이 이를 듣고 크게 화를 내며 말을 몰아 싸우더니 세 번도 채 겨루지 못하여 보국의 칼이 빛나며 운평 머리 말 아래 떨어지니 적장 운경이 운평 죽음을 보고 대분하여 말을 몰아 달려들거늘, 보국이 승기 등등하여 장검을 높이 들고 서로 싸우더니 수합이 못하여 [A] 보국이 칼을 날려 운경의 칼 든 팔을 치니 운경이 미처 손을 올리지 못하고 칼 든 채 말 아래에 내려지거늘,

운평을 이긴 후 자신감을 보이는 보국 문제 4-③

보국이 운경의 머리를 베어들고 본진으로 돌아오던 중, 적장 구덕지 대노하여 장검을 높이 들고 말을 몰아 크게 고함하며 달려오고, 난데없는 적병이 또 사방으로 달려들거늘, 보국이 황겁하여 피하고자 하더니 한순간에 적병이 함성을 지르고 보국을 천여 겹 에워싸는지라 사세 위급하매 보국이 앙천탄식하더니,

이때 원수 장대에서 북을 치다가 보국의 위급함을 보고 급히 말을 몰아 장검을 높이 들고 좌충우돌하며 적진을 헤치고 구덕지 머리를 베어 들고 보국을 구하여 몸을 날려 적진을 충돌할 새, 동에 가는 듯 서장을 베고 남으로 가는 듯 북장을 베고 좌충우돌하여 적장 오십여 명과 군사 천여 명을 한 칼로 베고 본진으로 돌아올 새, 보국이 원수 보기를 부끄러워하거늘, 원수 보국을 꾸짖어 말하기를,

『 』: 남성보다 뛰어난 여성(계월)의 능력이 드러남.

> "저러하고 평일에 남자라 칭하고 나를 업신여기더니, 언제도 그리할까."/ 하며 무수히 조롱하더라.
> ▶ 위기에 처한 보국을 구해 주고 조롱하는 계월

**1** 이 글의 처음에, 홍무가 급제하여 벼슬길에 나섰지만 그를 시기하는 신하들의 모함으로 벼슬을 빼앗기고 고향으로 돌아와 농업에 힘쓰는 것까지의 내력이 요약적으로 제시되어 있다.

**오답 풀이 ▶** ① 외양 묘사를 통해 인물을 희화화하고 있다.
　○: 계월의 얼굴 묘사　×: 계월의 아름다움을 드러냄.
③ 대립된 공간을 설정하여 인물 간의 갈등을 제시하고 있다.
　○: 천상계와 지상계　×
④ 초월적 존재와의 대화를 통해 인물의 고뇌가 드러나고 있다.
　○: 양씨 부인이 선녀와 대화함.　×: 태몽의 내용
⑤ 여러 개의 이야기를 나열하여 다양한 관점에서 사건을 재구성하고 있다.
○: 홍계월의 출생, 성장 과정, 전투 장면을　×: 3인칭 전지적 시점으로 하나의 관점에서
고 있다. 시간 순서대로 배열함.　　　　사건을 서술함.

**2** 보국은 원수(계월)의 분부를 받아 전쟁터로 나아가 싸운다. 그러므로 명령을 따르지 않아 위험에 처했다고 볼 수 없다. 보국이 위험에 처한 것은 갑작스럽게 적군의 병사들이 일시에 공격해 왔기 때문이다.

**오답 풀이 ▶** ① 홍무와 양씨 부인의 대화를 통해 자식이 없음을 한탄하고 있는 것을 알 수 있다.
② 양씨 부인의 첫 번째 대화를 통해 홍무에게 첩을 들일 것을 권하고 있음을 알 수 있다.
③ 곽도사는 홍무에게 계월이 다섯 살에 부모와 헤어진다고 예언하고 있으므로 어려움에 처할 것을 알려 주고 있음을 알 수 있다.
④ 곽도사의 말을 듣고 홍무가 계월이 위험을 피할 수 있도록 남장을 시키는 부분에서 알 수 있다.

**3** ─── **보기 읽기** ───
　〈홍계월전〉은 남성보다 비범한 능력을 가진 여성 주인공이 위기를 극복하는 모습을 그린 작품으로, 영웅의 일대기
　　　　　　　　　　　　　　　　　　　선택지⑤
구조를 가지고 있다. 영웅의 일대기 구조에서 주인공은 고
　이 작품의 구성상 특징　　　　　　　　　　　선택지①
귀한 혈통을 지니고 태어나며 잉태나 출생의 과정이 일반인들과 다르다. 어려서부터 비범하나 일찍 부모와 이별하거나 죽을 고비와 같은 위기에 처하고, 양육자 혹은 조력자에
　장사랑의 난으로 계월이 부모와 헤어짐.　　　④
의해 위기에서 벗어난다. 자라서 다시 위기에 부딪치며, 이 위기를 극복하고 승리자가 된다.

시랑은 계월이 아름답고 향내가 진동하여 기뻤지만 여자이기 때문에 문호를 빛내지 못함을 안타까워한 것일 뿐이다. 이것을 계월이 위기에 처한 상황이라고 볼 수는 없다. 이 작품에서 계월이 어릴 때 맞는 위기는 장사랑의 난으로 부모님과 헤어진 일이다.

**오답 풀이 ▶** ① 첫 문단 홍무에 대한 설명을 통해 계월의 고귀한 혈통을 알 수 있다.
② 선녀가 득죄하여 부인 댁으로 와서 아기가 된다는 부분을 볼 때 잉태 과정이 일반인과 다르다는 것을 알 수 있다.

④ 중략 부분의 줄거리 중 여공이 계월을 구해 주는 내용을 통해 여공이 조력자임을 알 수 있다.
⑤ 보국이 위험에 처했을 때 계월이 적장 오십여 명과 적병 천여 명을 베고 보국을 구하는 장면을 통해 알 수 있다.

**4** 보국은 운평에게 승리하고 난 후 기세가 올라 있다. 따라서 보국이 운경을 맞아 싸울 때 당황해서 떨리는 목소리로 연기하도록 지도하는 것은 적절하지 않다.

**오답 풀이 ▶** ① 영경루 전쟁터를 멀리서 조망함으로써 대규모 전장의 모습을 그릴 수 있다.
② 장군의 위엄을 드러내도록 삼척장검과 이에 어울리는 갑옷 등의 소품을 활용하는 것은 적절하다.
④ 적병에게 포위되는 보국의 상황에 어울리는 효과음을 사용하여 긴박한 분위기를 연출할 수 있다.
⑤ 의기양양해하다가 갑자기 포위당한 보국의 당황한 심리를 표정을 확대하여 보여 줌으로써 강조할 수 있다.

# 08 사씨남정기
본문 159~163쪽

| **1** ① | **2** ⑤ | **3** ⑤ | **4** ③ | **5** ④ |

○: 주요 인물

**앞부분의 줄거리** 명나라의 재상 유희는 느지막이 아들 연수를 얻는다. 부인 최 씨는 연수를 낳고 세상을 떠난다. 연수는 15세에 과거에 급제하여 한림학사가 된 후 사 씨와 결혼을 한다. 서너 해가 흘러 유희는 병에 걸려 세상을 떠난다.

일월은 유수처럼 흘러 삼 년의 상기(喪期)가 훌쩍 지나갔다.
한림은 비로소 관직에 나아갔다. 천자는 장차 그를 크게
관직 이름. 유연수
쓰려 하였다.
한림은 자주 소(疏)를 올려 조정의 득실을 논했다. 그런데 엄 승상(嚴丞相)이 그를 기꺼워하지 않았다. 그러므로 여러 해가 지나도 관직은 올라가지 않았다.
　　　　　▶ 유연수가 관직에 나갔으나 엄 승상의 눈 밖에 남.
그 무렵 한림 부부는 나이가 모두 스물세 살이었다. 그들이 성혼한 지도 또 한 십 년 가까이 흘러갔다. 하지만 아직 자녀가 없었다.
사 씨는 마음속으로 몹시 근심하면서 홀로 생각하였다.
'체질이 허약하여 자녀를 생육할 수 없는가 보다.'

<u>사 씨가 조용히 한림에게 첩을 두라고 권고하였다.</u> 한림은
<small>자녀를 얻기 위해 첩을 들이던 시대 상황이 나타남</small>
그 말이 진심이 아니라 생각하여 웃으며 대답하지 않았다.
▶ 사 씨가 유연수에게 첩을 들일 것을 권고함.
사 씨는 남몰래 매파를 시켜 양가(良家)에서 쓸 만한 사
람을 고르게 하였다.

(두 부인)이 그 말을 듣고 몹시 놀라 이내 사 씨를 찾아갔다.
<small>유연수의 고모</small>
"듣자 하니 낭자가 장부를 위해 첩을 구한다고 하던
데……. 그것이 정말인가?"

"그렇습니다."

"<u>집안에 첩을 두는 것은 환난의 근본이야.</u> 한 필 말에
<small>첩을 두는 것에 대한 부정적 인식이 나타남</small>
는 두 개의 안장이 있을 수 없고, 한 그릇 밥에는 두
개의 수저가 있을 수 없지. 비록 장부가 원한다 하더
라도 오히려 만류해야 할 것이야. 그런데 하물며 스
스로 구하려 한다는 말인가?"

"첩이 존문(尊門)에 들어온 지 이미 구 년이나 지나갔
습니다. 그러나 아직 자녀를 하나도 두지 못했습니다.
<u>옛날 법도에 따르자면 응당 내침을 당해야 할 것입니</u>
<small>아들을 낳지 못하면 쫓겨났던 시대 상황이 나타남</small>
<u>다.</u> 하물며 소실(小室)을 꺼려할 수가 있겠습니까?" [A]

"자녀의 생육(生育)이 빠르거나 늦음은 천수(天數)에
달린 것이야. 사람들 가운데에는 간혹 서른이나 마흔
살 이후에 처음으로 자식을 낳는 경우도 있지. 낭자
는 이제 겨우 스물을 넘었어. 어찌하여 그처럼 근심
을 지나치게 하는가?"

"첩은 타고난 체질이 허약합니다. 나이는 아직 늙지
않았으나 혈기가 벌써 스무 살 이전과는 다릅니다.
월사(月事)도 또한 주기가 고르지 않지요. 이는 첩만
이 홀로 아는 일입니다. 하물며 일처일첩(一妻一妾)
은 인륜의 당연한 도리입니다. 첩에게 비록 관저(關
雎)의 덕은 없습니다. 그렇지만 또한 세속 부녀자들
의 투기하는 습속은 본받지 않을 것입니다."
[A]: 대화 중심의 전개 [문제 1-①]
▶ 두 부인의 만류에도 사 씨는 자신의 생각을 꺾지 않음.

**중략 부분의 줄거리** 유 한림은 사 씨의 권유에 따라 어쩔 수 없이 교 씨
를 첩으로 받아들이고, 교 씨는 얼마 지나지 않아 아들 장주를 낳는다.

그날 저녁 한림은 서원(西苑)에서 집으로 돌아가 백자당
(白子堂)으로 갔다. 하지만 술에 취하여 잠을 이룰 수 없어
난간을 의지하고 앉아 있었다. ⓐ마침 달빛은 대낮처럼 밝
고 꽃 그림자가 창문에 가득하였다.

한림이 교 씨에게 명하여 노래를 부르게 하였다. 교 씨는
감기가 들어 목이 아프다는 구실로 사양하였다.

한림이 다시 말했다.

ⓑ"그렇다면 거문고를 대신 타게."

교 씨는 그 명도 역시 따르려 하지 않았다. 한림이 재삼
재촉하였다.

그러자 교 씨는 문득 앉은 자리가 젖을 정도로 눈물을 평
평 흘렸다.

한림은 괴이한 생각이 들었다.

"자네가 내 집에 들어온 이래 지금까지 불평하는 기색을
본 적이 없었네. 오늘은 무슨 일이 있었기에 그렇게 서러
워하는가?"

교 씨는 대답도 하지 않고 더욱 구슬피 울었다. 한림이
<small>사 씨를 효과적으로 참소하기 위해 서러운 척함.</small>
굳이 그 까닭을 물었다.

마침내 교 씨가 입을 열었다.

"하문(下問)하시는데 대답하지 않는다면 상공에게 죄를
얻고, 대답을 한다면 부인에게 죄를 얻을 것입니다. 대
답하기도 어렵고 대답을 하지 않기도 또한 어렵습니다."

"비록 매우 난처한 말을 한다 하더라도 내가 자네를 꾸
짖지는 않을 것이야. 숨기지 말고 어서 말씀하게."

교 씨는 그제야 눈물을 거두고 대답하였다.

"ⓒ첩의 촌스러운 노래와 거친 곡조는 본디 군자께서 들
<small>자신을 낮추어 말함.</small> [문제 4-③]
으실 만한 것이 아닙니다. 단지 명을 받들고 마지못하여
못난 재주를 드러냈던 것일 따름입니다. 또한 정성을 다
기울여 상공께서 한번 웃음을 짓도록 하려는 것에 지나
지 않았습니다. 무슨 다른 뜻이 있었겠습니까?

그런데 오늘 아침 부인께서 첩을 불러 놓고 책망하셨
습니다. '<u>ⓓ상공께서 너를 취하신 까닭은 단지 후사를
위한 것일 따름이었다. 집안에 미색이 부족한 때문이 아
니었어.</u> 그런데 너는 밤낮으로 얼굴이나 다독거렸지. 또
한 듣자 하니 음란한 음악으로 장부의 심지를 고혹하게
하여 가풍을 무너뜨리고 있다 하더구나. 이는 죽어 마땅
한 죄이다. 내가 우선 경고부터 해 두겠다. 네가 만일 이
후로도 행실을 고치지 않는다면, 내 비록 힘은 없으나 아
직도 여 태후(呂太后)가 척 부인(戚夫人)의 손발을 자르
<small>한나라 유방의 본부인이 유방의 총애를 받던 척 부인에게 저지른 악행 관련 고사를 인용함.</small>
던 칼과 벙어리로 만들던 약을 가지고 있느니라. 앞으로
각별히 삼가라!'라고 하셨습니다.

첩은 본래 한미한 집안에서 자란 계집으로서 상공의
은혜를 받아 부귀영화가 극에 이르렀습니다. 지금 죽는
다 하더라도 여한이 없습니다. <u>㉠단지 두려운 바는 상공
의 청덕(淸德)이 소첩의 문제로 인하여 사람들에게 비난</u>
<small>유연수가 비난받을 수 있다는 점을 내세워 공감을 유도함.</small> [문제 2-③]
<u>을 받게 되지나 않을까 하는 점입니다. 그러므로 감히 명
령을 따를 수 없었던 것입니다.</u>"
▶ 교 씨가 사 씨의 충고를 왜곡하여 유연수에게 전달하면서 사 씨를 참소함.
한림은 그 말을 듣고 깜짝 놀랐다. 의아한 생각이 들어
속으로 가만히 헤아려 보았다.

'ⓒ저 사람은 평소 투기하지 않는다고 스스로 자부하고 있었지. 교 씨를 매우 은혜롭게 대하고 있었어. 일찍이 교 씨의 단점을 말하는 소리도 들어 본 적이 없었어. 아마도 교 씨의 말이 실정보다 지나친 것은 아닐까?'

한림은 한동안 조용히 생각하다가 교 씨를 위로하였다.

"내가 자네를 취한 것은 본디 부인의 권고를 따른 일이었네. 또 부인이 일찍이 자네에게 해로운 소리를 한 적도 없었지. 이 일은 아마 비복들 가운데서 누군가가 참언을 하였기에 부인이 잠시 노하여 하신 말씀에 지나지 않을 것이네. 그러나 성품이 본시 유순하니 자네를 해치려 하지는 않을 것이야. 염려하지 말게. 하물며 내가 있질 않나? 자네를 어떻게 해칠 수 있겠는가?"

교 씨는 끝내 마음을 풀지 않은 채 다만 한림에게 사례할 따름이었다. ▶ 사 씨를 신뢰하는 유연수가 교 씨를 위로함.

'아아! 옛말에 이르기를, '호랑이를 그리는 데는 뼈를 『 』: 편집자적 논평 – 인물에 대해 평가하고 사건의 정황을 해설함. 문제 1-① 그리기 어렵고, 사람을 사귀는 데는 마음을 알기 어렵 관련 속담: 열 길 물속은 알아도 한 길 사람 속은 모른다 문제 5-④ 다'고 하였다. 교 씨는 얼굴이 유순하고 말씨가 공손하 였다. 따라서 사 부인은 단지 좋은 사람으로 여겼을 따름이었다. 경계한 말씀은 오직 음란한 노래가 장부를 오도할까 염려한 것이었다. 또한 교 씨를 바른길로 인도하려는 것이었다. 본디 사랑하는 마음에서 한 말이었다. 추호도 시기하는 생각은 없었던 것이다. 그런데 교 씨는 문득 분한 마음을 품고 교묘한 말로 참소하여 마침 내 큰 재앙의 뿌리를 양성하였다. 부부와 처첩의 사이 비극적 사건이 일어날 것을 암시함. 는 진정 어려운 관계라 아니할 수 있겠는가?'

한림은 교 씨의 간계를 깨닫지 못했다. 하지만 사 부 유연수는 희빈 장 씨에 속은 숙종을 풍자하여 빗댄 인물 문제 3-⑤ 인의 본의도 역시 의심하지는 않았다. 그러므로 교 씨 는 다시 참소를 행할 수 없었다. ▶ 교 씨의 참소가 실패함.

[B]

**1** [A]는 사 씨와 두 부인의 대화가 중심이 되고 있고, [B]는 서술자가 직접 개입하여 사 씨와 교 씨가 말한 의도를 직접적으로 설명하고, 사건에 대한 평가를 제시하고 있다.

오답 풀이 ▶ ② [A]와 [B] 모두 다양한 관점이 나타나 있지 않다. 이 글은 3인칭 전지적 시점으로 하나의 관점에서 사건을 서술하고 있다.
③ [A]와 [B]뿐만 아니라 이 글 어디에도 인물들의 행동을 우스꽝스럽고 해학적으로 표현한 부분은 나타나지 않는다.
④ 이 글은 시간 순서대로 사건이 진행되는 순행적 구성을 보이고 있다.
⑤ 이 글은 3인칭 전지적 시점의 작품으로, 외부의 서술자가 인물의 감정이나 사건의 과정을 모두 알고 있는 입장에서 이야기를 전달한다.

**2** 교 씨는 유연수가 사람들에게 비난을 받을 수 있다는 점을 언급하며, 자신이 유연수의 명령을 따를 수 없다는 것을 이해시

키려 하고 있다.

**3** 〈보기〉를 참고할 때, 유연수는 인현 왕후를 폐위한 숙종에 해당된다고 할 수 있다. 따라서 이 글은 작가가, 숙종이 스스로 잘못을 뉘우치기를 바라는 마음에서 창작한 것이지, 작가 자신의 죄를 용서 받기 위해 쓴 것이 아님을 알 수 있다.

오답 풀이 ▶ ① 이 작품에서 두 부인이 축첩의 문제점을 지적하고, 서술자 또한 작품에서 직접적인 논평을 통해 첩을 들이는 것이 문제가 있다고 비판하고 있다.
② 〈보기〉에서 인현 왕후가 폐위되고 희빈 장 씨가 중전이 되었다고 하였으므로, 이 작품에서도 교 씨의 간계가 성공하여 사 씨 부인이 집에서 쫓겨날 것이라고 예상할 수 있다.
③ 〈보기〉에서 작가 김만중은 인현 왕후를 옹호하고 희빈 장 씨에 반대했다고 했으므로, 사 씨 부인과 교 씨라는 선악의 대립을 통해 인현 왕후와 희빈 장 씨의 갈등을 드러내려 했다고 볼 수 있다.
④ 인현 왕후와 사 씨는 각각 왕가와 가문의 대를 잇기 위해 남편에게 첩을 두라고 권고한다. 이를 통해 당대 사람들이 가문의 대를 잇는 것이 매우 중요한 일이라고 생각했다고 추측할 수 있다.

**4** 교 씨가 실제로 음치처럼 노래를 못 부른다기보다 자신의 노래 실력을 낮추어서 표현한 것이므로 음치처럼 부른 노래를 삽입하는 것은 적절하지 않다. 또한 자신의 결백을 말하는 대화 상황이므로 그러한 노래는 분위기에 맞지 않다.

**5** 교 씨는 겉으로는 유순한 것 같지만 거짓으로 사 씨를 모함하고 있다. '열 길 물속은 알아도 한 길 사람의 속은 모른다'는 속담은 사람의 속마음을 알기란 매우 힘듦을 비유적으로 이르는 말이므로 교 씨의 행동을 평가하는 말로 적절하다.

오답 풀이 ▶ ① 하찮거나 언짢은 일을 그럴듯하게 돌려 생각하여 좋게 풀이함을 비유적으로 이르는 말이다.
② 모든 일은 근본에 따라 거기에 걸맞은 결과가 나타나는 것임을 비유적으로 이르는 말이다.
③ 아무리 위급한 경우를 당하더라도 정신만 똑똑히 차리면 위기를 벗어날 수가 있다는 말이다.
⑤ 호랑이가 죽은 다음에 귀한 가죽을 남기듯이 사람은 죽은 다음에 생전에 쌓은 공적으로 명예를 남기게 된다는 뜻으로, 인생에서 가장 중요한 것은 생전에 보람 있는 일을 해놓아 후세에 명예를 떨치는 것임을 비유적으로 이르는 말이다.

수능국어 영역별 단기특강 교재

강남인강
강의 교재
edu.ingang.go.kr

고효율 학습 **단**기간에 **백**전백승, 수능 정복!

# 고단백 수능
## 단기특강

**최신 수능 경향 반영**

최신 수능 유형 여기 다 있다!
수능 및 모의평가 주요 기출문제와
출제 가능성 높은 실전 문제 수록!

**단기간 국어 완성**

얇지만 강하다!
핵심 필수 개념과 압축된 구성으로
단기간에 국어영역 완전 정복!

**수능 국어 해결사**

기본편부터 고난도까지,
세분화된 구성으로 나에게 필요한
영역만 쏙쏙 골라 약점 체크!

수능 영양 밸런스 프로젝트 고·단·백!
고1~3 (기본편 / 문학 / 독서 / 언어와 매체 / 화법과 작문 / 고전시가 / 현대시 / 고난도 독서·문학)

# 문학 DNA
## 깨우기

**3**
기출 유형

# 정답과 해설

# 배움으로 행복한 내일을 꿈꾸는
# 천재교육 커뮤니티 안내 · · ·

교재 안내부터 구매까지 한 번에!
## 천재교육 홈페이지

자사가 발행하는 참고서, 교과서에 대한 소개는 물론
도서 구매도 할 수 있습니다. 회원에게 지급되는 별을 모아
다양한 상품 응모에도 도전해 보세요!

다양한 교육 꿀팁에 깜짝 이벤트는 덤!
## 천재교육 인스타그램

천재교육의 새롭고 중요한 소식을 가장 먼저 접하고 싶다면?
천재교육 인스타그램 팔로우가 필수!
깜짝 이벤트도 수시로 진행되니 놓치지 마세요!

수업이 편리해지는
## 천재교육 ACA 사이트

오직 선생님만을 위한, 천재교육 모든 교재에 대한 정보가 담긴
아카 사이트에서는 다양한 수업자료 및 부가 자료는 물론
시험 출제에 필요한 문제도 다운로드하실 수 있습니다.

https://aca.chunjae.co.kr

천재교육을 사랑하는 샘들의 모임
## 천사샘

학원 강사, 공부방 선생님이시라면 누구나 가입할 수 있는 천사샘!
교재 개발 및 평가를 통해 교재 검토진으로 참여할 수 있는 기회는 물론
다양한 교사용 교재 증정 이벤트가 선생님을 기다립니다.

아이와 함께 성장하는 학부모들의 모임공간
## 튠맘 학습연구소

튠맘 학습연구소는 초·중등 학부모를 대상으로 다양한 이벤트와 함께
교재 리뷰 및 학습 정보를 제공하는 네이버 카페입니다.
초등학생, 중학생 자녀를 둔 학부모님이라면 튠맘 학습연구소로 오세요!